D0418162

# ITT
## L'ÉTAT SOUVERAIN

Traduction annotée de Pierre Birman

ÉDITIONS QUÉBEC / AMÉRIQUE
450 EST, RUE SHERBROOKE, SUITE 801, MONTRÉAL H2L 1J8
(514) 288-2371

CE LIVRE EST LA TRADUCTION DE:
ANTHONY SAMPSON
*THE SOVEREIGN STATE*
*THE SECRET HISTORY OF ITT*
HODDER & SOUGHTON, LONDRES, 1973



DÉPÔT LÉGAL: BIBLIOTHÈQUE NATIONALE DU QUÉBEC
1er TRIMESTRE, 1979

PAGE COUVERTURE: MARIO LECLERC

## A PROPOS DE MES SOURCES

Pour écrire ce livre j'ai puisé largement dans les notes prises au cours de mes conversations privées avec de hautes personnalités d'ITT, qu'elles fassent encore partie de la compagnie ou non. Je rends ici hommage à la franchise dont ont fait preuve nombre de ceux qui m'ont apporté leur concours. Mes rapports officiels avec la compagnie se sont dégradés dès mes premières conversations avec Geneen [1] et autres administrateurs, quand il s'avéra que mon ouvrage ne leur ménagerait pas les critiques ; par la suite, je découvris que toutes les enquêtes officielles concernant la compagnie étaient communiquées au service des relations publiques d'ITT à New York.

Mais les contacts privés que j'ai pu établir ont bien mieux éclairé ma lanterne, et j'adresse mes remerciements aux nombreux contestataires au sein d'ITT qui n'ont pas cessé de m'entretenir de faits à la fois révélateurs et savoureux. Je suis également redevable à tous ceux qui, s'élevant contre les méthodes d'ITT, se sont donné pour tâche d'accumuler l'information, ne m'ont pas ménagé leur temps et m'ont généreusement ouvert leurs dossiers : je citerai notamment Ralph Nader et Reuben Robertson du Center for Responsive Law à Washington [2] ; Jack Anderson et Brit Hume ; Mor-

1. Geneen est le président actuel du Conseil d'aministration d'ITT.

2. N.d.T. C'est le nom du centre de recherches et de documentation animé par Ralph Nader. Un de ses objectifs est de faire en sorte que la loi « réponde » mieux aux besoins des citoyens et des consommateurs.

ton Mintz du *Washington Post ;* le professeur Abraham Briloff de Baruch College ; Bob Olstein et Thornton O'Glove de Coenen and Co ; Ray Dirks de Dirks Brothers ; et autres journalistes que je ne peux pas tous citer, banquiers et diplomates dont beaucoup préfèrent garder l'anonymat. J'ai constaté qu'en dehors de l'Amérique, l'étude des sociétés multinationales exigeait des contacts et des sources situés à un niveau également multinational et j'adresse ici mes remerciements à mes nombreux confrères et amis qui m'ont fourni des renseignements en provenance de Londres, de Bruxelles, de Paris, de Milan, de Stockholm, de Santiago, de Madrid et de Moscou.

Quiconque se livre à une étude sur les sociétés multinationales est redevable à ITT de la masse de documents confidentiels qui ont été divulgués grâce à elle, que ce soit par les interrogatoires de témoins cités devant les commissions d'enquête, les comptes rendus d'audition ou plus simplement les fuites. On dispose ainsi d'un ensemble de renseignements de première main sans doute unique dans les annales des grandes compagnies. J'y ai fait de larges emprunts, citant mes références dans des notes de bas de page chaque fois que s'en offrait la possibilité. Les liasses de documents les plus fournis comprennent les procès-verbaux d'interrogatoire des témoins cités devant la sous-commission anti-trust présidée en 1969 par Emmanuel Celler (*Conglomerate Hearings* [3]). La section numéro trois comporte 1476 pages de dépositions et de mémorandums fourmillant de détails sur les acquisitions et principes d'action d'ITT. Le procès-verbal de l'audition des témoins était suivi d'un rapport de la sous-commission anti-trust publié en 1971 (*Conglomerate Report* [4]) où sont exposés les arguments à l'encontre des

3. N.d.T. Compte rendu des auditions de la commission sur le problème des conglomérats.
4. N.d.T. Rapport sur les conglomérats.

conglomérats, et qui compte quatre vingt dix pages où sont analysées la politique d'action d'ITT et sa stabilité financière. C'est dans les sections 2 et 3 des comptes rendus d'audition de la commission de la Justice du Sénat sur la nomination de Richard Kleindienst au poste d'Attorney General[5] en 1972 (*Kleindienst Hearings*) que se trouve concentrée la masse la plus fantastique de renseignements. Leurs 1660 pages contiennent à la fois la longue enquête entreprise par les sénateurs, et une importante quantité de mémorandums, notes de service et rapports provenant d'ITT. Après les procès-verbaux des interrogatoires on publia séparément en mai 1972 un livre de 284 pages (*Kennedy Report*) où étaient exposées les opinions personnelles des sénateurs Edward Kennedy, Bayh et Tunney. Ce livre contient une analyse des auditions des témoins cités, une chronologie détaillée des événements, et un index des documents et articles de presse mentionnant des références importantes concernant ITT.

Pour ce qui est des opérations d'ITT au Chili, les pièces principales de cette affaire sont renfermées dans les dossiers réunis par Jack Anderson (*Anderson Chile Papers*[6]) et publiés depuis par le gouvernement du président Allende au Chili qui a divulgué en outre plusieurs autres documents, notamment sa propre version de la rupture des pourparlers avec ITT.

Un certain nombre de pièces récemment déclassifiées[7] ont trait à l'histoire des débuts d'ITT et aux activités du colonel Behn pendant la guerre ; elles fournissent la preuve des liens existant entre ITT et les Nazis et révè-

5. Le poste équivalent au Canada est ministre de la Justice.

6. N.d.T. Documents Anderson sur le Chili.

7. N.d.T. Aux Etats-Unis, les documents sont classés sous les rubriques suivantes : Ultra-secret. Secret. Confidentiel. A usage limité. Selon les circonstances ou le temps écoulé, intervient une directive administrative qui supprime toutes classifications. Les documents peuvent alors être divulgués.

lent les machinations de la société en Amérique latine ; les pièces les plus importantes apparaissent dans les dossiers concernant Gerhardt Westrick et Kurt von Schroeder auxquels il y a lieu d'ajouter le rapport rédigé en janvier 1943 par Allen Sayler de la Commission interministérielle des communications entre les deux hémisphères » (*Sayler Memorandum*). Parmi les nombreux ouvrages dénonçant les contacts nazis aux Etats-Unis, il en est deux qui concernent tout spécialement ITT : le premier a pour titre *All Honourable Men* par James Martin [8] et la biographie de Sir William Stephenson par Montgomery Hyde publiée en Angleterre sous le titre *The Quiet Canadian* [9] et en Amérique sous celui de *Room 3603*. Trois articles parus sous la signature de Maurice Deloraine et publiés en 1970 dans le magazine d'ITT, *Sigma*, sous le titre de *An ITT Memoir*, comportent un certain nombre d'allusions à la confiance que le colonel Behn avait en Hitler ; on nous en promet une version plus complète sous forme d'un livre à paraître.

Quant au procès d'espionnage de Budapest, la seule source importante dont nous disposions est le compte rendu d'audience établi par les Communistes et qui fut publié en hongrois et en anglais par les soins des Editions de l'Etat hongrois sous le titre : *Robert Vogeler and Edgar Sanders and their accomplices before the Criminal Court* [10].

J'adresse mes remerciements tous particuliers à Lajos Lederer et à Lazlo Verres qui m'ont fourni l'arrière-plan historique de ce procès.

8. James Martin, *All Honourable Men*, Londres, 1950. N.d.T. : le titre « Tous gens honorables » vient du célèbre monologue d'Antoine dans le *Jules César* de Shakespeare (Acte III, scène II) : « Car Brutus est un homme honorable. »

9. Montgomery Hyde, *The Quiet Canadian*, Londres. N.d.T. : le titre est une réplique du célèbre *Un Américain bien tranquille* de Graham Greene.

10. N.d.T. Robert Vogeler et Edgar Sanders et leurs complices devant la Cour d'Assises.

Ayant préparé et écrit ce livre à une vitesse record, j'ai contracté une dette de reconnaissance à l'égard de nombre de mes collaborateurs qui m'ont facilité la tâche. Merci à mon assistante Alexa Wilson pour son sens miraculeux de l'organisation qui lui a permis de sortir d'un fouillis de notes un texte ordonné. Merci à Betty du Toit pour avoir prêté une oreille attentive à la lecture de différents chapitres, m'aidant ainsi à en dévider l'écheveau confus. Merci également à mes éditeurs Robin Denniston et Allan Gordon Walker de Londres et à Sol Stein et Pat Day de New York pour leurs encouragements et leurs suggestions. Merci à mon agent Michael Sissons de chez A.D. Peters pour la confiance qu'il a su me communiquer et pour son efficacité coutumière. Merci à mon ami Bernard Cassen qui a eu la responsabilité intellectuelle de la sortie de ce livre en France et qui m'a communiqué divers éléments que j'ai incorporés en notes et dans les annexes. Merci à Pierre Birman pour l'élégance et la précision d'une traduction pleine d'embûches. Merci à Jean Picollec, directeur des Editions Alain Moreau et à Alain Moreau lui-même pour leur confiance et leur constante obligeance. Merci enfin à ma femme Sally pour la qualité de ses travaux de recherches, pour ses conseils et pour la patience dont elle a fait preuve dans la poursuite de cette tâche absorbante.

## ITT, UNE TOILE D'ARAIGNÉE

ITT, c'est pour International Telephone and Telegraph. Ne pas confondre avec ATT, American Telephone and Telegraph. Quand ITT a été fondée, en 1920, aux îles Vierges, ATT était déjà une entreprise téléphonique très considérable. En appelant sa compagnie ITT, le fondateur voulait tout simplement profiter de la publicité d'ATT!

ITT: le plus gros conglomérat du globe. Une «société fort bigarrée», comme elle le dit elle-même. La neuvième compagnie capitaliste au monde: fabrique, bien sûr, des appareils téléphoniques, de l'équipement électronique, mais aussi des petits gâteaux, des produits de beauté, des fils électriques, administre et possède des hôtels et motels, des parkings, possède des services téléphoniques dans plusieurs pays, bref, fait de tout, vend de tout, à une seule condition: que ce soit payant. Peu importe la qualité du produit.

Devise: «Partout au service des hommes et des nations.»

Chiffre d'affaires de 1973: 10 milliards 183 millions de dollars, soit 2 milliards de plus que le budget du Québec. Profits nets, 525 millions, 350 filiales, 786 sous-filiales.

Nombre d'employés: 400 000.

Impliquée dans de nombreux scandales financiers aux États-Unis et condamnée à se départir de trois de ses compagnies en vertu de la loi anti-trust, Avis-rent-a-car, Canteen et Levitt, ITT fut accusée d'avoir versé 400 000 dollars à la caisse électorale de Nixon, pour tenter d'amener le président à «oublier» la loi anti-trust.

Impliquée jusqu'au cou dans l'effondrement du Chili. Geneen, président d'ITT, a admis qu'il était prêt à verser un million aux ennemis d'Allende. Compte, comme membre de son conseil d'administration, l'ancien directeur de la CIA, John McCone.

Opère dans plus de 80 pays sur tous les continents et transige avec plusieurs pays communistes.

Pendant la guerre, ITT fut l'alliée des Nazis.

Possède une trentaine de succursales en tous genres, au Canada, allant des usines Rayonier au Québec et en Colombie, aux hôtels Sheraton en passant par l'usine de Guelph, Postal Mechanization, qui fabrique l'appareillage nécessaire au tri automatique du courrier, dont les postiers ont fait un large état au cours des dernières années.

Jacques KEABLE

# CHAPITRE I

## LE BARBECUE

« Cette chose indiscernable est ce que je hais par-dessus tout. »
Le capitaine Achab dans *Moby Dick*[1].

Ce fut à Bruxelles, au cours du barbecue annuel d'ITT où affluaient du monde entier les directeurs de toutes ses filiales, que pour la première fois je subis la violence de l'impact. Ceci se passait juste après qu'ait éclaté à Washington et au Chili le scandale d'ITT : la compagnie géante était accusée d'une part de manœuvres de corruption à l'égard du gouvernement Nixon afin que soient abandonnées les poursuites dont elle était l'objet du chef de violation de la loi anti-trust, et d'autre part de tentative de sabotage des élections au Chili. Les sociétés multinationales avaient déjà retenu mon attention et j'étais particulièrement curieux d'en savoir plus long sur ce conglomérat avec son étonnante imbrication d'intérêts répartis dans le monde, des téléphones aux produits de beauté, de la location de voitures sans chauffeur à la charcuterie et qui semblait animé de cette force irrésistible qui lui permettait de mener ses affaires en passant par-dessus la tête des gouvernements.

J'avais échangé des propos avec des gens à l'intérieur

1. N.d.T. Roman de Herman Melville (1851), récit épique de la lutte entre la baleine blanche Moby Dick et le capitaine Achab qui la poursuit à travers les mers.

et à l'extérieur de la compagnie et, à ma grande surprise, avais été invité, seul journaliste, à assister à cette réception qui se déroule normalement en vase clos.

Le cadre en était étonnant. On l'aurait dit situé en dehors du temps et de l'espace. La réception avait lieu à l'« Executive Mansion » (Résidence directoriale) : grande maison bourgeoise située dans un faubourg de Bruxelles, où ITT a installé son club ainsi qu'un centre de loisirs.

On avait dressé dans les jardins une vaste tente en toile rayée aux couleurs d'ITT : bleu et blanc ; des serveurs belges y faisaient griller des steaks et des épis de maïs au-dessus des braises, tandis que des P.D.G. polyglottes, assiette en main, faisaient docilement la queue. Le contingent américain (ils étaient environ 60) était arrivé l'avant-veille par avion pour procéder à l'inspection mensuelle des groupes européens : ses membres avaient cet air égaré de somnambule du voyageur encore désaxé par le brusque décalage horaire ; plusieurs même (je l'ai vérifié) avaient gardé leur montre à l'heure de New York au cas où ils auraient à téléphoner au siège central.

Sauf peut-être à considérer leurs souliers et leurs pantalons, il était malaisé de distinguer à première vue les Européens des Américains ; cela tenait au fait que les Européens, qu'ils soient Suédois, Grecs ou même Français, arboraient comme les Américains cette allure « bon copain », parlant couramment la langue d'outre-Atlantique, blaguant et évoquant le bon vieux temps de Copenhague et de Rio. J'eus vite le sentiment d'être happé par la compagnie, ses rites, ses coutumes, d'être pris dans le réseau compliqué de son organisation, et subitement emporté loin de Bruxelles, d'Europe ou de tous lieux connus.

Les tapes dans le dos, les vigoureuses bourrades d'épaules, les histoires drôles allèrent bon train, puis les directeurs prirent place autour des tables à tréteaux pour le repas servi sous la tente. On s'asseyait où l'on voulait et l'ambiance était sans conteste démocratique et bon enfant ; mais au centre de la table on me désigna du doigt un personnage chauve à l'allure gaillarde, Mike Bergerac, le jeune président d'ITT Europe ; son voisin qui paraissait petit par comparaison, impeccable dans son complet noir, faisait penser à une chouette. Je reconnus en lui le cerveau de la compagnie : Harold Sydney Geneen.

Après le repas il y eut des discours. Un directeur italien raconta une longue histoire drôle dans un comique jargon italo-américain ; il y était question de mariage et de sexe. On fit allusion à la notoriété qu'avait acquise ITT au cours des dernières semaines ; il n'était plus besoin de lire les rapports de la compagnie pour en connaître les nouvelles ; les journaux suffisaient. Puis Mike Bergerac prononça un autre discours humoristique à la gloire de Geneen. Il s'exprimait avec cet accent traînant de Californie, cette désinvolture et ce laisser-aller qui faisaient douter qu'il ait jamais été français. La blague atteignit un sommet lorsqu'il révéla que Geneen était allé récemment à Londres, où on l'avait vu, mais c'était bien invraisemblable, prendre plaisir à un match de cricket à Lord's [2]. C'est alors que Bergerac brandit soudainement un sac de cricket dont il tira successivement une batte, les petits bâtonnets du guichet et des jambières (mon voisin de table me confia que c'étaient les publicistes d'ITT à Londres qui les avaient envoyés par avion au dernier moment). Bergerac montra ces objets un à un tandis que les directeurs se tordaient de rire ; Geneen partageait leur joie, et grimaçait un sourire espiègle qui illuminait son visage.

Geneen se leva à son tour. Il fit durer la plaisanterie, et fauchant l'air de sa batte, ponctua le geste de calem-

2. N.d.T. Célèbre terrain de cricket de Londres.

bours de circonstance, ou il était question de « mener les affaires à coups de batte », de « servir des balles raides » et de « protéger soigneusement ses tibias ». Mais l'image de Geneen en joueur de cricket n'avait rien de bien convaincant ; il enchaîna sur le sujet d'ITT avec de nouvelles plaisanteries sur la formidable publicité qui lui avait été faite et déclara que cette soirée était une soirée « sans sandwich » (la plupart des soirées auxquelles participent les Américains arrivés par avion se prolongent en conférences nocturnes au cours desquelles ils n'ont que le temps d'avaler un sandwich).

Dès les premiers mots et en dépit de l'ambiance décontractée, il était évident qu'il dominait toute l'assistance : on aurait dit un principal de collège qui, l'année scolaire terminée, affecte de n'être qu'un élève parmi les autres, mais personne n'est dupe. Il parla de profits records, d'expansion continue, de délégations couronnées de succès et de coopération multinationale. Ses yeux étincelaient à son propre récit des étonnantes performances d'ITT, et en guise de péroraison il s'écria : « Je veux que vous sachiez que je m'amuse énormément et j'aimerais que vous en fassiez autant. »

Il y eut un tonnerre d'applaudissements. De toute évidence, il paraissait s'amuser beaucoup ; quant à moi, j'étais moins sûr qu'il en soit de même pour les autres. Pourtant, à écouter les plaisanteries et les discours, qui eût pu croire que cette société venait de subir un intense bombardement de critiques, d'enquêtes et de blâmes de toutes sortes. Je demandai à Ned Gerrity, directeur des relations publiques, quel avait été selon lui l'effet de ce scandale sur les affaires d'ITT. Il me répondit qu'il avait définitivement consacré l'image commerciale de grande société d'ITT : « Les réservations pour les hôtels Sheraton ont battu tous les records. »

Après les discours, les directeurs se mirent à flâner dans le jardin et autour de la maison, tout en buvant et en discutant familièrement chiffres d'affaires et inventaires. Ils se montraient cordiaux bien qu'un peu tendus, comme s'il s'était agi d'une réunion d'étudiants de première année qui ne sont pas encore sûrs de bien se connaître. La tension s'accroissait du fait de la présence des grands patrons — des premiers vice-présidents [3] venus par avion de New York, et qui se promenaient de long en large, un peu sur leur garde. On y voyait Tim Dunleavy, un grand Irlandais à la mine réjouie, aux cheveux en broussaille et à l'aspect douillet d'ours en peluche, mais dont on disait que derrière sa mine joyeuse se cachait un esprit prompt à saisir les idées comme dans un étau d'acier. Et puis il y avait Jim Lester, triste mandarin aux yeux bridés, à la bouche en accent circonflexe, impénétrable ; son extérieur implacable, me dit-on, cachait un intérieur tout aussi implacable. On y remarquait aussi Ned Gerrity, considéré comme l'œil et l'oreille de son maître Geneen ; la taille haute, le teint basané, portant lunettes en cristal de roche, il flânait sur la pelouse en fumant un cigare qu'il roulait entre ses dents.

Cette réception était aussi résolument masculine qu'un régiment ou un club de football ; on n'y voyait même pas une serveuse. Il y régnait un *esprit* [4] de défi et d'épreuve avec, dans l'air, comme une odeur de poudre ; l'apparition d'une jeune fille aurait brisé le charme.

Plus tard, dans la soirée, on vint me chercher pour me présenter à Geneen qui tenait conversation dans la grande tente maintenant à moitié vide. Ce fut une rencontre surprenante. On lui dit que j'étais un auteur anglais ; il me répliqua aussitôt qu'il aimait beaucoup l'Angleterre où il était né et qu'il avait toujours le plus grand plaisir à retourner à Londres. Puis il enchaîna pour m'expliquer toute l'admiration qu'il avait éprouvée pour

3. N.d.T. Nous avons retenu ce terme pour traduire « Senior vice-presidents ».
4. En français dans le texte.

l'Empire britannique et combien il était dommage qu'on l'ait abandonné de façon si hâtive. Comment se faisait-il que mon gouvernement n'apportait pas son soutien aux Blancs de Rhodésie ? Est-ce qu'on ne se rendait pas compte que les quatre cinquièmes du peuple anglais étaient pour Ian Smith ? Puis il en vint à parler des difficultés que rencontrait l'Amérique dans ses rapports avec le reste du monde — des menaces qui pesaient sur son approvisionnement en pétrole et de la nécessité où elle se trouverait éventuellement d'intervenir dans les Etats arabes pour en assurer la protection. Prenant feu à mesure qu'il débitait sa tirade, tout son corps entra en branle ; il se mit à gesticuler, pointant l'index, s'esclaffant, tandis que ses doigts voletaient en tous sens, atterrissant tantôt sur son nez, tantôt sur ses oreilles, tantôt sur son menton, comme affairé à tisser quelque toile magique visible de lui seul ; ses yeux d'un brun vert scintillaient comme des planètes et son rire grimaçant faisait penser à une gargouille. Dès lors, ce n'était plus le comptable à tête de hibou et de noir vêtu, mais plutôt le lutin ou le génie doué du pouvoir de changer le plomb vil en or pur. Je remarquai un petit groupe de vice-présidents qui étaient là à l'écouter, ne perdant pas un mot, pas un geste : ils riaient quand il riait, hochaient la tête quand il hochait la sienne.

Les hommes d'affaires, expliquait-il, sont les seules personnes qui savent créer des emplois et fournir du travail aux gens ; il assumait lui-même la responsabilité de 400 000 employés répartis dans le monde entier et c'était son devoir de faire pression en leur faveur auprès des gouvernements, et cela du mieux qu'il pouvait. Et, « voulez-vous me dire quelles sont les compétences des gouvernements en matière de création d'emplois ? Pourquoi le gouvernement américain perd-il son temps avec ces questions anti-trust au lieu d'apporter son soutien aux grosses sociétés qui sont aux prises avec la concurrence japonaise et qui fournissent leur contribution à la balance des paiements ? Quant à ces journalistes libéraux qui s'en prennent au big business, qu'est-ce qu'*ils* y connaissent en fait de création d'emplois ? » Je l'interrompis et lui dis : « Peut-être suis-je moi-même un journaliste libéral ? » Il me regarda incrédule et éclata de rire. Le chœur des vice-présidents s'esclaffa à l'unisson.

Trois quarts d'heure durant, sous la tente, il fit valoir ses arguments, me témoignant toute la patience, toute la tolérance amusée qu'on peut accorder à un sceptique momentanément égaré et que viendront bientôt éclairer les vraies lumières de la raison ; il alla même par la suite jusqu'à m'envoyer un mot où il exprimait tout le plaisir qu'il avait eu de notre conversation. Nous nous séparâmes amicalement sur une mutuelle incompréhension. Mais sous ce pavillon de toile qui évoquait l'image d'un campement de nomades, je commençai d'éprouver ce sentiment fugitif d'être partie intégrante de cette société, et de l'apercevoir, le temps d'un éclair, avec les yeux du grand patron et de sa suite. De leur campement, ils embrassaient du regard un monde plongé dans les ténèbres des préjugés et de la déraison ; un monde où les gouvernements n'avaient d'autre but que d'entraver la longue marche qui mène vers la production et le profit ; un monde où les nations, telles des tribus de peuplades arriérées, devaient être apaisées, converties, et au besoin maîtrisées.

Cette soirée autour d'un barbecue aiguisa ma curiosité plus qu'elle ne la satisfit. Elle m'apparut comme une caricature, où tous les traits de ces nouveaux organismes, les sociétés multinationales, exagérément marqués, appelaient cette question cruciale : Quelle instance, si jamais elle existe, peut en assurer le contrôle ? Nous avions là une compagnie géante qui venait de servir de cible à une campagne où s'était déchaînée contre elle l'opinion publique ; on aurait dit que l'épreuve l'avait rendue plus fière et plus unie, tel l'équipage d'un bateau corsaire qui se serait tiré indemne d'un combat naval. Sa double personnalité avait quelque chose de déconcertant : d'un côté, elle se présentait comme une organisation mondiale pleinement responsable, constamment soucieuse de l'intérêt de ses 200 000 actionnaires, de ses 400 000 salariés, de ses 70 nations d'accueil, assurant la cohésion de ses multiples éléments par un système comptable fondé sur le contrôle le plus strict. A en croire sa devise publicitaire sa vocation était d'être : « Partout au service des hommes et des nations ». Par ailleurs cependant, sous cet abri de toile, j'éprouvais la forte impression que j'avais affaire à une compagnie qui n'avait de comptes à rendre à aucun pays quel qu'il soit, et dont les éléments multiformes devaient leur cohésion, leur animation, à un homme seul à qui personne n'avait envie d'apporter la contradiction. Un homme au surplus qui, en dépit de sa haute réputation de rigueur et de talent comptables, n'en empruntait pas moins son style inimitable aux vieilles méthodes de la flibuste, tant il était habile à aiguillonner ses subordonnés en leur inspirant d'ambitieuses motivations ainsi que le goût de l'aventure, en les attirant loin de leur famille, de leur foyer, pour les lancer dans un monde de fiévreuses allées et venues, de réunions nocturnes, de contraintes permanentes et d'exigences outrancières.

Comment une telle société avait-elle pu voir le jour et développer son champ d'action d'une façon aussi inexorable ? Comment un seul homme peut-il ainsi dominer une société et réunir entre ses mains les rênes d'un empire industriel qui s'étend sur la moitié du monde pour y fabriquer des milliers de produits divers ? Comment les gouvernements intéressés pourront-ils jamais contrôler un tel organisme qui, semblable à la méduse, est partout et nulle part ? Dans quelle mesure une compagnie multinationale, dont ITT nous offre une caricature opportune, est-elle compatible avec les conceptions modernes de la politique et de la diplomatie ? Quels sont ses rapports, ou quels devraient-ils être, avec l'Etat-Nation, avec le Marché Commun ou avec les structures habituelles du commerce international ?

C'est avec de telles idées en tête que je décidai d'écrire un livre sur ITT. Certes, l'attrait tout particulier du sujet résidait pour une bonne part dans la succession des récents scandales provoqués par les initiatives d'ITT dans différents domaines : le financement de la Convention républicaine ; l'abandon des poursuites engagées contre elle du chef de violation des lois anti-trust ; ses projets d'intervention politique au Chili. Mais, par ailleurs, ITT offrait un intérêt spécial pour qui voulait étudier la lon gue suite de témoignages écrits qu'elle avait laissés dans son sillage sous forme de notes de service, de lettres et de dépositions. Presque toutes les recherches portant sur les sociétés multinationales revêtent par nécessité un caractère général et théorique : très peu d'entre elles, en effet, ont révélé les détails des différends survenus avec les gouvernements ou avec d'autres sociétés. Mais les dirigeants d'ITT ont toujours voulu pousser les choses jusqu'à leur extrême limite, et ce faisant, avec la légèreté d'un éléphant, la société a laissé derrière elle une large piste au sol piétiné, mais riche d'indices. A chaque étape de son développement, elle a suffisamment indisposé les gouvernements ou son propre personnel pour faire surgir au grand jour une ample moisson de documents qui constituent pour l'auteur d'un tel ouvrage un matériau de premier ordre. Plongeant dans la masse des notes d'ITT, j'ai commencé d'éprouver ce que pouvait ressentir celui qui travaille au sein de ce gigantesque organisme.

« Mais c'est le capitaine Achab en personne ! », lança quelqu'un qui observait les faits et gestes de Geneen et je compris ce qu'il voulait dire : il faisait allusion à la monomanie du héros de Melville, à son obsession, à son ascendant hypnotique sur son équipage au cours de la poursuite de la baleine blanche. Mais poursuivant ma propre navigation, je me pris à penser que Geneen et sa société s'apparentaient moins à l'équipage du « Pequod[5] » qu'à la baleine blanche elle-même, ce léviathan des mers, qui encerclait secrètement le monde, dont seul le remous à la surface des flots révélait habituellement la présence mais qui parfois dévoilait soudainement un des flancs de sa masse étrange et fantastique, soufflant un jet d'encre, tantôt sur un point du globe, tantôt aux antipodes, se forgeant de la sorte une légende d'ubiquité, d'immortalité et de puissance surnaturelle. Je me mis à mon tour à suivre la baleine et pris rapidement conscience que cette mystérieuse créature de Moby Geneen avait suscité toute une flottille d'Achabs, les uns rendus furieux par quelque blessure béante reçue de son fait, d'autres décidés à la harponner, d'autres enfin fascinés par le défi que représentait le monstre et ses manifestations, n'ayant plus qu'un désir, qu'une obsession : assister en spectateurs à ses évolutions ou en limiter le champ d'action. La chasse continue et l'on brûle de savoir ce qu'il adviendra en fin de compte de la baleine.

Dans le récit qui va suivre, je raconte le développement de cette remarquable compagnie depuis sa création, il y a cinquante ans, jusqu'à nos jours, et je montre les problèmes d'ordre politique qu'elle a soulevés à chaque étape de sa carrière. Je décris comment, bien avant l'installation de Geneen à la tête de la société, son aventureux fondateur lui imprima son caractère d'entreprise pirate, comment il poursuivit ses intrigues personnelles et sa politique étrangère privée tout au long de la seconde Guerre Mondiale et de la guerre froide qui lui succéda. J'explique comment Geneen prit sa suite pour convertir la société en un conglomérat industriel, tout en maintenant une jalouse indépendance à l'égard des gouverne-

5. Nom du bateau du capitaine Achab.

ments ; comment les ambitions et les tactiques brutales de ce personnage déclenchèrent contre lui l'action des briseurs de trusts ; comment le combat qu'il mena contre eux provoqua en Amérique un scandale de première grandeur et détermina l'ouverture d'une instruction pour tentative de corruption de membres du gouvernement ; comment le scandale dériva ensuite vers le Chili et la C.I.A., tout en suscitant de nouveaux débats sur le rôle des sociétés multinationales. Tout au long de l'ouvrage, je me suis efforcé de faire ressortir qu'ITT, en l'espèce, n'était pas une brebis égarée mais représentait en quelque sorte une nouvelle espèce d'animal industriel dont l'apparition était de nature à bouleverser l'image traditionnelle de notre politique et de notre diplomatie. Ce fut pour moi une quête riche de révélations et je m'estimerais heureux d'avoir pu transmettre au lecteur un peu de ma propre fièvre de curiosité.

# CHAPITRE II

## LE FLIBUSTIER

« Il m'est facile de souligner l'analogie qui existe entre la situation actuelle dans le secteur des communications et celle des transports maritimes du passé. Il fut un temps où le commandant d'un navire était l'authentique représentant diplomatique de son pays auprès des gouvernements des pays étrangers où il faisait escale. Cette situation, en effet, offre bien des points communs avec celle qui prévaut de nos jours dans les compagnies internationales de communications, dont les hauts responsables sont en mesure d'infléchir nos orientations politiques concernant ce secteur grâce aux facilités qu'ils ont de négocier avec les représentants des gouvernements étrangers et de contracter des accords directs avec eux. En fait, il peut advenir le cas échéant que les dirigeants desdites compagnies soient amenés à servir d'autres intérêts que ceux de leur propre pays. »

Paul Porter
Président de la Commission fédérale
des communications, 1945[1].

1. N.d.T. Federal Communications Commission (F.C.C.) : Commission établie par une loi votée par le Congrès le 1er juillet 1934. Son rôle est de fixer les règles pour le fonctionnement des stations de radio et télévision et notamment d'attribuer les longueurs d'ondes. Sa compétence s'étend également aux communications par radio-téléphone ou satellite entre les différents Etats de l'Union eux-mêmes et avec l'étranger.

L'ITT, dont la raison sociale complète est « The International Telephone and Telegraph Corporation [2] », est considérée aujourd'hui comme un phénomène spécifique de notre époque, dont l'apparition est l'œuvre de Harold Geneen qui, durant cette dernière décennie, a fait de cette entreprise un conglomérat dynamique et dominateur.

Je pense cependant que les caractéristiques les plus marquantes de cette société remontent à l'aube de son histoire et à une première période d'adaptation expérimentale où se sont gravés, pour le meilleur ou pour le pire et quels que soient les changements intervenus dans la suite, les traits qui sont encore les siens à ce jour.

ITT fut, dans le sens moderne du mot, la première des sociétés multinationales à implanter ses usines et à appliquer ses méthodes de gestion un peu partout dans le monde. Mais depuis sa fondation en 1920 la compagnie fit toujours cavalier seul. Elle avait pour vocation d'exploiter ce nouveau moyen de communication instantané qu'était le téléphone, et pouvait de ce fait ceinturer le globe avec une rapidité et une mobilité qui, à l'instar des vieux vaisseaux des conquistadors tels que Drake [3] ou Christophe Colomb, laissaient les nations et leurs politiciens à la traîne loin derrière elle, créant ainsi non seulement un nouveau genre d'entreprise, mais aussi un nouveau style de diplomatie. En l'occurrence un entrepreneur audacieux, et qui avait de nombreuses cordes à son arc, poussa ses chances jusqu'à leur extrême limite ; il voyait dans la nouvelle technologie et dans les libertés jusqu'alors inconnues qu'elle offrait, les moyens d'agir ou-

2. Jusqu'aux années 50 on avait adopté l'abréviation officielle : IT et T. Pour éviter toute confusion au cours de cet ouvrage, j'utiliserai partout le sigle ITT.

3. N.d.T. Sir Francis Drake (1540-1596), amiral britannique, sans doute le plus célèbre des marins élisabéthains. Il se distingua comme corsaire de la reine dans les possessions espagnoles des Caraïbes et du Pacifique.

vertement ou clandestinement sans se soucier de la vie des Etats où il opérait. Il imprima à la société l'esprit de témérité qu'elle a maintenu jusqu'ici.

L'énigme subsiste quant à la véritable nature et à la carrière de Sosthenes Behn, fondateur d'ITT. Pendant toute sa vie, sa personnalité dominatrice fut un objet de crainte respectueuse et d'affection ; brillant diplomate de l'industrie, prince des téléphones, il présidait des banquets et offrait des réceptions royales à de hautes personnalités étrangères dans sa suite de l'hôtel Plaza. A sa mort, en 1957, ses amis pleurèrent un âge révolu d'aventures et de panache. Mais il laissa enfouis derrière lui des secrets qui viennent à peine d'apparaître au jour et qui dévoilent et éclairent d'une sinistre lumière une personnalité plus complexe qu'on ne l'aurait cru d'abord ; ce n'est qu'aujourd'hui, et grâce à des documents autrefois confidentiels mais depuis peu accessibles aux chercheurs, qu'on commence à embrasser toute l'étendue de ses activités [4].

La plupart des compagnies, même parmi les plus importantes, présentent, dans une certaine mesure, les traits caractéristiques de l'endroit dont elles sont issues — Detroit, Endicott, ou Turin — même si ces traits s'estompent à la longue. Mais, d'entrée de jeu, ITT apparaît comme un cas unique d'ubiquité. Ses origines, qui se situent dans un archipel isolé de l'Atlantique, ne furent pas tant multinationales qu'« a-nationales ». Sosthenes Behn naquit dans une des îles Vierges de l'archipel des Antilles à une époque où elles étaient encore possession

4. Il existe aux archives nationales de Washington une pile de dossiers de 1,50 m de hauteur, portant sur la période de 1930 à 1945, offrant une source unique de renseignements détaillés sur les activités de guerre de la société ; il faut y ajouter plusieurs caisses contenant les transcriptions des conversations téléphoniques du colonel Behn pendant la guerre et qui pourraient à elles seules constituer la matière d'un livre. (Section 259 des archives du Bureau des communications en temps de guerre.)

danoise ; son père était danois et sa mère française, et il fut élevé dans un milieu où l'on parlait plusieurs langues. Son père qui occupait le poste de Consul de France l'envoya d'abord faire ses études en Corse puis à Paris. Quand en 1917 les Etats-Unis achetèrent les îles Vierges au Danemark (pour 30 millions de dollars), ils héritèrent de la famille Behn par-dessus le marché. Le jeune Sosthenes ainsi que son frère Hernand eurent tôt fait de porter leurs regards vers de plus vastes horizons.

Ils commencèrent leur carrière comme courtiers en sucre dans l'île voisine de Porto Rico, et ce ne fut que par accident qu'ils s'intéressèrent au nouveau gadget du moment, le téléphone, quand ils achetèrent d'un de leurs débiteurs défaillants une minuscule affaire de téléphones à Porto Rico. Mais le jeune Sosthenes se rendit compte des perspectives d'extension qu'offrait cette industrie à un moment où les réseaux téléphoniques commençaient à couvrir le territoire des Etats-Unis à une vitesse record, et il acheta plusieurs autres affaires de téléphones, d'abord à Porto Rico puis à Cuba. Après la première Guerre mondiale, où il parvint à décrocher les galons de colonel des transmissions de l'armée américaine, Sosthenes fonda avec son frère une petite société qu'ils baptisèrent du nom ronflant de « International Telephone and Telegraph » dans le dessein délibéré qu'on la confonde avec la grande compagnie AT & T qui exploitait des réseaux téléphoniques en Amérique (confusion qui a toujours persisté jusqu'à ce jour). Le rapport du premier exercice — comme ceux des 50 exercices suivants — mettait l'accent sur le fait que le pourcentage des abonnés par rapport à la population était infiniment plus élevé en Amérique que dans le reste du monde. C'est dans cette différence que résidaient les chances d'ITT.

L'ambition de Behn était d'établir un réseau international de téléphones pour rivaliser avec le système américain tout en le complétant ; cette conception conciliait à la fois son idéalisme et son goût du profit, et quiconque déplore le retard des systèmes téléphoniques étrangers par rapport au système américain devrait déplorer du même coup que Behn ne soit pas parvenu à ses fins. Mais bientôt ses grands desseins durent affronter les obstacles érigés contre eux par le nationalisme des pays concernés, dont les gouvernements tenaient à contrôler leurs propres réseaux de communications ; et dans ses efforts pour assurer la cohésion du système, Behn l'enveloppa peu à peu dans un filet à mailles serrées de corruption et de compromissions, dont le résultat fut pour lui l'effondrement de ses idéaux et pour sa compagnie une réputation singulièrement compromise.

Ce fut l'Espagne qui, en 1923, lui offrit la première occasion de donner à son affaire un développement de première grandeur. Le dictateur d'alors, Primo de Rivera, avait invité les compagnies privées à soumissionner pour l'exploitation du service des téléphones alors en plein chaos. Behn entrevoyant sa chance se précipita à Madrid, s'installa en grande pompe au Ritz, soucieux de paraître beaucoup plus opulent qu'il ne l'était en réalité. Grâce à sa diplomatie tout espagnole, à sa parfaite connaissance de la langue et à sa capacité de travail (il y passait des nuits), il finit par obtenir le contrat et l'Espagne fut dès lors le joyau de la couronne impériale d'ITT [5]. Behn constitua la Compania Telefónica de Espana avec le duc d'Albe pour président, et rassembla en toute hâte des ingénieurs américains pour remplir les conditions du contrat. C'était pour Behn le premier triomphe de sa philosophie des affaires, philosophie de caméléon qui consistait à soutenir avec enthousiasme le régime en place quel qu'il soit ; ou selon les termes du rapport pour l'exercice 1924,

5. Dans *So Werden Kriege Gemacht !* (Dietz Verlag, Berlin, 1968) Albert Norden affirme, pp. 90-92, qu'ITT eut l'astuce de nommer le fils de Primo de Rivera secrétaire général des filiales espagnoles de la société.

« pour installer des systèmes de caractère véritablement national dont la marche soit assurée par les ressortissants de chaque pays ».

Il devait se présenter en 1925 une occasion encore plus favorable. La compagnie Western Electric, qui fabriquait des téléphones dans le monde entier, dut faire éclater ses holdings internationaux en vertu de la loi anti-trust [6]. Les frères Behn, soutenus par la Banque Morgan, offrirent 30 millions de dollars pour l'achat de l'International Western Electric et l'affaire fut conclue. Le lendemain, ils étaient propriétaires d'une chaîne de compagnies spécialisées dans la fabrication des téléphones, maintenant connue sous la nouvelle raison sociale de « International Standard Electric » (ISEC), et qui comprenait une grande société située en Angleterre rebaptisée Standard Telephones and Cables (STC). La sauvegarde du réseau fut assurée par un accord secret de cartel intervenu avec l'American Western Electric et sa filiale chargée de l'exploitation, AT & T, qui s'engageait à ne pas concurrencer ITT à l'étranger, en échange de quoi ITT devenait son agent pour l'exportation ; et cette dernière compagnie s'engagea en outre à ne pas concurrencer AT & T sur le marché américain.

Maître de ce « Système international » comme il l'appelait, Behn voulut avoir pignon sur rue. La technique n'était pas son fort, mais il n'avait pas son pareil pour mener à bien une négociation et pour impressionner son monde. En 1928, il s'installa dans un nouveau gratte-ciel gothique de 33 étages situé au 67 Broad Street à New York. L'immeuble existe toujours — encore partiellement

6. N.d.T. La législation anti-trust comprend un assez riche arsenal, très peu utilisé en fait, ou bien utilisé contre... les syndicats. On peut citer la loi Sherman de 1890 qui interdit les monopoles, la loi Clayton de 1914 qui tente de lutter contre la discrimination dans les prix, la loi Robinson-Patman de 1936, la loi Miller-Tydings de 1937 interdisant en théorie aux grosses compagnies de vendre moins cher que les petits commerçants, l'amendement Celler-Kefauver à la loi Clayton de 1950.

occupé par ITT — tel un monument érigé à la mémoire de Behn, ce singulier visionnaire. L'entrée en est surmontée d'une mosaïque représentant un ange entre les mains tendues duquel jaillit l'arc d'un éclair ; deux demi-mappemondes recouvrent ce qu'il convient à un ange de cacher. Etait-ce là une allégorie circonstanciée ? Dans ce nouveau palais gothique, Behn eut vite fait de se tailler une réputation d'hôte princier ; il avait un sens de l'apparat dont la plupart des grands capitaines d'industrie étaient dépourvus, et il faisait figure d'aristocrate parmi eux ; il avait épousé une demoiselle Margaret Dunlap, apparentée à la famille des Berwind, les gros propriétaires de mines de charbon, et comme il se doit un Berwind fit son apparition au conseil d'administration. Behn travaillait dans un salon Louis XIV avec un portrait de Pie XI accroché au mur, et la salle à manger de la maison qu'il s'était fait construire sur la terrasse de l'immeuble lui permettait d'organiser des banquets de 200 couverts dont le menu était confié aux soins d'un chef français. Behn aimait faire étalage de sa connaissance des langues en invitant ses hôtes à prendre l'écouteur du téléphone qu'il utilisait. Raide comme s'il avait avalé un sabre, la taille haute, les yeux perçants, le nez en bec d'aigle, Behn avait grande allure : amplement pourvu de charme, il soignait son image et communiquait à la presse des anecdotes bien faites pour illustrer son sens de l'hospitalité et sa grandeur d'âme[7]. Il était le maître incontesté de la société, et cela surtout après la mort de son frère Hernand survenue en 1933 : Sosthenes

7. Un reporter du *Washington Post*, Lemuel Parton, décrivait (numéro du 24 septembre 1936) une interview qu'il avait eue avec le colonel Behn au sujet d'un poste qu'on lui proposait en Espagne au service des relations publiques : « Echangeant des propos par-dessus son bureau avec un Monsieur Behn nerveux, agressif, menant rondement son monde, il me sembla que ce qu'il voulait en peu de mots et avant tout, c'était un attaché de presse, mais ce dont il ne voulait à aucun prix, c'était de la publicité. »

se plaisait à citer le sobriquet attaché en Espagne au nom de Hernand : « Behn bueno » : le bon Behn, par opposition au sien, « Behn malo » : le mauvais Behn.

Il manquait une pièce maîtresse au puzzle que constituait le réseau téléphonique européen : l'Allemagne ; mais bientôt Behn combla le vide. En 1930, il constitua conjointement avec un des géants allemands, AEG, qui peu après céda ses intérêts, une société de holding dénommée Standard Elektrizitäts Gesellschaft (SEG) ; puis il acheta à Philips une autre compagnie, Lorenz. Ces deux compagnies le mirent en concurrence directe avec son plus grand rival mondial, Siemens, qui répliqua en fusionnant avec Ericsson, la société de téléphones suédoise alors contrôlée par Ivar Kreuger, qui devait plus tard être convaincu d'escroquerie. La parade de Behn ne se fit pas attendre : il traita avec Kreuger et lui racheta un paquet d'actions Ericsson pour 11 millions de dollars, plus un certain nombre d'actions ITT qui donneraient à Kreuger un siège au Conseil d'Administration d'ITT.

Pour fêter cet accord, Behn invita 200 personnes à un banquet suédois qui eut lieu dans sa maison de Broad Street. Peu après, les experts comptables de la firme Price Waterhouse, vérifiant les comptes d'Ericsson, relevèrent tardivement certaines « manipulations » inexplicables : ce fut le premier indice de la colossale escroquerie de Kreuger[8]. Behn communiqua ses soupçons à ses banquiers et Kreuger se suicida peu après (Behn envoya 75 dollars de fleurs pour l'enterrement). Behn se retrouvait avec un paquet d'actions Ericsson et un siège d'administrateur de cette société, mais la grande alliance qu'il avait espérée avait fait long feu. Il réussit cepen-

8. « Il paraît inconvenable que la direction d'ITT, qui comprenait certains des banquiers américains les plus en vue, n'ait pas été à même de découvrir ces irrégularités plus tôt. » (George Soloveylchik, *Ivar Kreuger*, Londres, 1933, p. 142.)

dant à consolider sa position grâce à une succession d'accords de cartel, taillant dans le vif de l'Europe et de l'Amérique latine pour en distribuer les morceaux entre ITT, Siemens, Ericsson et la General Electric.

Entre-temps, en Amérique, le « Système international » de Behn commençait à susciter la jalousie de ses rivaux et à éveiller les soupçons du gouvernement qui voyait d'un mauvais œil les engagements que la société concluait avec les gouvernements étrangers. Au cours de l'élabóration de la loi fédérale sur les communications de 1934, qui donna naissance à la Commission fédérale des communications, il fut prévu un article, le 310 (a), visant spécialement les activités d'ITT. Il y était stipulé entre autres que les licences d'installations de stations de radio ne seraient pas accordées aux sociétés qui auraient à leur tête un directeur ou un cadre supérieur étranger, ou dont plus d'un quart du capital serait détenu par des étrangers. A cette époque, environ 1/5 des actions d'ITT étaient entre les mains de porteurs non américains et Behn protesta avec véhémence auprès de la Commission du Commerce de la Chambre des Représentants : « Il n'est pas admissible, dit-il, que la bonne marche des échanges internationaux soit étouffée et jugulée par le croquemitaine de la défense nationale. » En l'occurrence, le fait que des étrangers détenaient des actions n'avait pas grand-chose à voir dans l'affaire ; bien qu'en effet le nombre majoritaire des actions détenues par les Américains soit en constante augmentation, les soupçons à l'égard d'ITT ne devaient pas diminuer pour autant.

## UN RÉSEAU NAZI

Il y eut à cette méfiance une cause autrement grave dans ses implications, et qui passa généralement inaperçue à l'époque : dans son numéro du 4 août 1933, le *New York Times* publia un court entrefilet rapportant que le nouveau Chancelier d'Allemagne, Hitler, avait reçu pour la première fois une délégation d'hommes d'affaires américains à Berchtesgaden. Elle comprenait deux personnes : le colonel Sosthenes Behn et son agent général pour l'Allemagne, Henry Mann. Cette rencontre marqua le début des rapports très particuliers qui devaient s'établir entre ITT et le Troisième Reich.

Behn était très impatient de nouer des relations d'affaires étroites avec le gouvernement nazi. Il demanda au conseiller économique d'Hitler, Wilhelm Keppler, de lui indiquer des noms d'hommes de confiance que les Nazis accepteraient de voir siéger au conseil d'administration des filiales allemandes d'ITT. Keppler suggéra plusieurs candidats dont le banquier Kurt von Schrœder de la Stein Bank, qui devait devenir par la suite général SS et principal pourvoyeur des fonds destinés à la Gestapo d'Himmler. Schrœder s'installa au conseil d'administration d'une des compagnies d'ITT, la SEG, et devint le garant du développement des affaires ITT en Allemagne. Il réorganisa la société, annula ses dettes, et ne tarda pas à signer de nouveaux et très substantiels contrats d'armement au profit de SEG et de Lorenz. En échange de sa collaboration et par l'entremise de Schrœder, Behn bénéficia d'un traitement de faveur de la part des Nazis : en 1935 et 1936, Schrœder parvint à persuader la Reichsbank d'honorer des traites arrivées à échéance détenues par Lorenz et qui représentaient un passif éventuel ; cela en un temps où d'autres sociétés s'en voyaient refuser le paiement. A mesure que se précipitait le rythme du réarmement, les affaires d'ITT en Allemagne progressèrent rapidement ; Behn se félicita de l'aide que lui apportait Schrœder et lui offrit 250 000 Reichmarks en récompense [9].

Behn eut un autre allié nazi d'importance en la person-

9. Interrogatoire de von Schroeder, 15 novembre 1945.

ne du Docteur Gerhardt Alois Westrick, membre du célèbre cabinet juridique Albert et Westrick, qui représentait les intérêts de nombreuses sociétés américaines en Allemagne : il fut nommé directeur d'une des filiales ITT et devint l'agent de renseignements personnel de Behn ; il fit plusieurs fois le voyage de New York où il descendait au Plaza, tous frais payés par le colonel Behn (ce qui fut noté par le FBI).

Behn eut également plusieurs entrevues avec Hermann Gœring, le chef de l'armée de l'air allemande, et ITT ne tarda pas à rendre à Gœring un important service. En 1938, Lorenz se rendit acquéreur de 28 pour cent des actions de la compagnie Focke-Wulf, dont les bombardiers devaient causer tant de dégats parmi les convois alliés : remarquable façon en vérité pour une industrie électrique de ne pas mettre tous ses œufs dans le même panier. Au cours de l'interrogatoire qu'il subit après la guerre, Schrœder affirma que le colonel Behn avait approuvé l'achat des actions Focke-Wulf ; il ajouta en outre :

> « De 1933 jusqu'à la déclaration de guerre, le colonel Behn aurait pu transférer aux Etats-Unis la plus grosse partie des bénéfices réalisés par les filiales allemandes ITT, mais jamais il ne me demanda de l'aider à le faire. Bien au contraire, il paraissait très content de réinvestir tous les bénéfices des sociétés dont il avait le contrôle en Allemagne dans de nouveaux bâtiments, de nouveaux équipements ainsi que dans d'autres entreprises d'armement. »

On lui demanda :

> « Avez-vous eu connaissance directement ou par ouï-dire d'une quelconque contestation de la part du colonel Behn ou de ses représen-

tants à l'égard des entreprises de son groupe qui participaient au réarmement de l'Allemagne en vue de la guerre ? »

Sa réponse fut : Non [10].

Behn avait une telle confiance en Hitler qu'il était prêt à renforcer la position des compagnies ITT en Allemagne aux dépens de ses autres filiales situées ailleurs. En 1935, Hitler décida de mettre l'embargo, sauf dérogations spéciales, sur tous brevets ou informations techniques allemands ; mais ITT n'en continua pas moins à communiquer de nouveaux brevets à ses filiales allemandes et à s'employer à stimuler l'exportation des produits en provenance d'Allemagne [11]. A mesure que les Nazis renforçaient leur contrôle sur l'industrie, les administrateurs allemands des filiales ITT devenaient de plus en plus soucieux d'affirmer leur loyalisme envers le Reich ; non seulement on fit comprendre aux Américains qu'ils n'étaient pas les bienvenus, mais le colonel Behn lui-même ne fut pas admis à visiter les agrandissements de ses propres usines qui travaillaient pour la guerre. Il n'en persistait pas moins à déclarer qu'en traitant avec Hitler il pouvait protéger les intérêts de ses actionnaires. En 1938, après l'Anschluss, la compagnie ITT autrichienne Czeija Nissl passa sous direction berlinoise et on mit à la porte tous les juifs y compris le président, Frank Nissl. Les Nazis voulaient exproprier la compagnie autrichienne en raison de son appartenance étrangère, mais Behn retourna voir Hitler. Ce dernier le rassura sur les perspectives d'avenir d'ITT au sein du Reich et lui affirma en outre qu'il n'avait plus d'autres ambitions territoriales. A la suite de cette visite, Behn déclara qu'Hitler s'habillait

10. Interrogatoire de von Schroeder, 19 novembre 1945.
11. Sayler Memorandum, 1943.

d'une façon impeccable et que c'était un vrai gentleman [12].

Entre-temps tout n'allait pas pour le mieux pour Behn en Espagne où sévissait la guerre civile, avec une partie du réseau téléphonique entre les mains des Républicains et l'autre entre celles des partisans de Franco ; Behn fit lui-même le voyage de Madrid où il s'installa pour un long séjour au quartier général de la compagnie, un immeuble de treize étages, le Telefônica. Il avait amené avec lui le chef du Ritz et donnait abri aux réfugiés et aux journalistes qui se servaient du Telefónica pour transmettre leurs dépêches et couvrir les opérations de guerre, tandis que les bombes tombaient tout alentour. Le personnel américain de la compagnie avait eu soin de rayer de son vocabulaire des mots tels que « ennemi » qui auraient semblé indiquer leur sympathie pour un des camps ; ses membres préféraient parler des « gens d'ici », et des « visiteurs ». Le colonel Behn lui-même régnait avec calme sur l'immeuble, abreuvant les journalistes de café et d'excellent cognac [13]. Madrid étant devenu en fin de compte trop malsain, même pour le colonel, il battit en retraite et vint s'installer en France pour retourner plus tard en Espagne afin de négocier avec Franco la reconduction de sa concession. Il y réussit pleinement.

Quand, en septembre 1939, Hitler envahit la Pologne, les compagnies ITT installées en Allemagne mais qui étaient alors sous la direction effective du Docteur Westrick avaient aussi sous leur contrôle des filiales en Autriche, en Hongrie et en Suisse. Il saute aux yeux qu'en retour de l'aide apportée à Hitler, ITT jouissait d'un traitement de faveur exceptionnel en Allemagne. Schroeder intervint auprès du ministère de l'Economie pour que les compagnies ITT soient les premières sociétés étran

12. Maurice Deloraine, *An ITT Memoir,* 1970.
13. Geoffrey Cox (aujourd'hui Sir Geoffrey Cox), *The Defence of Madrid,* Gollancz, Londres, 1937.

gères admises par le Reich à bénéficier de la nationalité allemande, échappant ainsi aux mesures de séquestre qui frappaient les biens étrangers.

Au printemps 1940, tandis que le continent européen tombait aux mains des Nazis, le Docteur Westrick arriva en grand appareil à New York, descendit au Plaza (toujours au compte d'ITT) avec sa suite, comprenant ses deux fils et une mystérieuse secrétaire : la baronne Ingrid von Wagenheim. Le Docteur Westrick et la baronne rencontrèrent successivement un certain nombre d'hommes d'affaires américains parmi lesquels Henry Ford, dans le dessein de les persuader de couper les vivres aux Anglais, ce qui, disaient-ils, signifierait la fin de la guerre en 3 mois. Westrick fit miroiter les brillantes perspectives des échanges germano-américains une fois l'Angleterre liquidée [14]. Westrick gardait le contact avec les usines ITT à Berlin et dans les pays occupés, ainsi qu'avec le colonel Behn alors installé à Lisbonne ; par l'entremise de Berlin, Westrick fit en sorte (comme le rapporta plus tard le FBI) que Behn puisse faire le voyage jusqu'à Biarritz afin d'y récupérer des affaires personnelles restées dans la maison qu'il y avait occupée.

Mais à la fin de juillet 1940, le *New York Herald Tribune* avait été informé de la présence du Docteur Westrick à New York par William Stephenson, chef des services de renseignements britanniques en Amérique. Il apparut que Westrick était l'émissaire personnel de Ribbentrop, le ministre des Affaires Etrangères du Troisième Reich, et agissait sur les instructions de Hitler ; c'est le colonel Behn qui au cours de ses voyages en Allemagne et en Hollande avait organisé le programme de sa visite aux Etats-Unis [15]. Westrick fut contraint de quit-

14. *The Times*, 11 et 20 août 1940.
15. Voir Ladislas Farago, *The Game of the Foxes*, Hodder and Stoughton, Londres, 1971, p. 403. *La guerre des grands espions*, Stock, Paris, 1972.

ter New York. Il traversa l'Amérique de part en part, accompagné de sa suite, s'embarqua à San Francisco pour le Japon et de là regagna l'Allemagne via la Sibérie. Il reprit en main l'empire d'ITT qui embrassait maintenant presque toute l'Europe.

Dès son retour à Berlin, Westrick montra à Schroeder la procuration générale que lui avait signée Behn, et qui l'autorisait à prendre toute initiative qu'il jugerait opportune pour sauvegarder les intérêts du colonel. Cette procuration était assortie d'un contrat aux termes duquel il pouvait s'allouer des appointements annuels de 100 000 Reichmarks. Behn poursuivit ses bonnes relations avec les Nazis. Il rencontra Goering à plusieurs reprises pour discuter avec lui des problèmes financiers d'ITT, et Goering lui demanda un beau jour de tâter le terrain en Angleterre en vue d'une proposition de paix. Behn prétendit en avoir fait part à Churchill, Chamberlain et Eden. Au cours de ces rencontres, Gœring envisagea avec Behn la possibilité d'acheter des filiales allemandes d'ITT, lui proposant de s'acquitter en marchandises ou en matières premières par l'intermédiaire de la Suisse. ITT aurait voulu en échange la mystérieuse et très prospère General Anilin and Film Corporation (G.A.F.), un rameau du cartel I.G. Farben, qui fabriquait les pellicules photographiques Agfa, des matières colorantes et des produits chimiques. On n'en connaissait pas les véritables propriétaires, qui conservaient l'anonymat sous le couvert de banques suisses ; mais la GAF fut saisie par le Département américain du Trésor [16].

Les contacts qu'avait établis Behn, tant en Europe qu'ailleurs, avec des personnalités haut placées contribuaient à alimenter en renseignements une sorte de deuxième bureau privé unique en son genre, et qui constituait peut-être l'avoir le plus précieux de sa compagnie.

16. Mémorandum interne de la FCC, 27 février 1943.

Quand des dirigeants étrangers venaient en Amérique, ils étaient souvent invités à déjeuner par Behn dans son penthouse [17] avant de se présenter au Département d'Etat et plus d'une fois les renseignements obtenus par Behn furent autrement précieux que ceux recueillis par son propre gouvernement. Ce fut en 1941, lorsque Ion Antonescu [18] voulut à tout prix mettre la main sur le réseau téléphonique d'ITT en Roumanie, que les services de renseignements de Behn révélèrent leur efficacité. Grâce à l'aide de son délégué allemand aux affaires économiques, Behn obtint après négociation une indemnisation de 13,8 millions de dollars qui comprenait un certain montant de bénéfices non distribués : les commentaires à ce sujet allèrent bon train ; c'était en effet la première fois depuis le début de la guerre [19] qu'une société américaine avait réussi à faire sortir des dollars d'un pays sous contrôle nazi. Et ce fut vraiment au dernier moment, car quelques jours plus tard les Nazis s'emparaient totalement du pouvoir en Roumanie. L'exemple de cette transaction ainsi que d'autres qui intervinrent par la suite, illustre l'excellence des renseignements que détenait Behn ; mais il s'en réservait l'exclusivité, ce qui était bien dans la manière d'ITT. Les choses n'ont pas changé depuis et l'homme placé en haut de l'échelle est le seul à connaître par le détail tout ce qui se passe au sein de la compagnie.

Il importe de situer dans leur véritable perspective les sympathies que manifestait Behn pour les Nazis. Nombre d'industriels américains avaient estimé jusqu'au dernier

17. N.d.T. Maison particulière construite sur la terrasse d'un immeuble.

18. N.d.T. Maréchal roumain né en 1882 ; nommé Premier ministre par le roi Charles II en septembre 1940, il exigea aussitôt son abdication. Il engagea la Roumanie dans la guerre aux côtés des puissances de l'Axe. Arrêté le 23 août 1944, il fut jugé, condamné à mort comme criminel de guerre par un Tribunal populaire roumain et exécuté le 1er juin 1946.

19. *New York Times*, 9 juillet 1941.

moment qu'Hitler et Mussolini étaient « bons pour les affaires » et que leurs ambitions territoriales étaient limitées. Sosthenes Behn, plus que bien d'autres, avait des excuses pour entrer dans le jeu des dictateurs. Il avait coutume de dire que son système de communications internationales devait par sa nature même aider à promouvoir la paix et qu'il ne pouvait survivre qu'à la condition d'accepter le régime de chacun des pays où il était installé ; il ne pouvait se payer le luxe d'être trop regardant à l'endroit de ses amis. Dans le privé, à en croire ses collègues, il ne ménageait pas ses critiques à l'égard des dictateurs mais il lui fallait rester en bons termes avec eux dans l'intérêt même des actionnaires. Ce n'était tout de même pas la faute d'ITT si le monde se divisait profondément en deux camps.

Mais il y avait longtemps que le système de Behn avait perdu ses vertus pacificatrices et qu'il ne se contentait plus de ne transmettre que des messages honnêtes ; il avait lui-même contracté l'habitude — qui devait devenir un trait marquant de la compagnie — d'exprimer une opinion dans un coin du monde et une autre ailleurs. L'ardeur qu'il mettait à maintenir ses bonnes relations avec chaque régime eut pour effet d'envenimer plutôt que d'atténuer le conflit, car on le sentait prêt à faire n'importe quoi pour éviter l'expropriation de ses entreprises. C'est ainsi qu'il aida les Nazis à bâtir leur machine de guerre en étendant ses activités habituelles aux fabrications d'armement, et en permettant à ses filiales installées en pays neutre de travailler la main dans la main avec eux.

Si, pendant la guerre, le personnel de la filiale anglaise d'ITT, la Standard Telephones and Cables, avait su ce qui se passait, il se serait trouvé dans une situation particulièrement angoissante. On avait toujours considéré la société Standard comme une entreprise cent pour cent britannique, surtout après le départ en 1931 de son directeur général américain, Henry Pease, et son remplacement par une succession de directeurs anglais parmi lesquels il faut citer tout spécialement Sir Thomas Spencer et Sir Frank Gill. Quand il venait en Angleterre, le colonel Behn débarquait du *Queen Mary*, s'installait dans l'élégante suite qui lui était réservée au siège de sa compagnie dans Aldwych, et traitait magnifiquement ses invités au Ritz. Personne apparemment n'était au courant des activités auxquelles il se livrait de l'autre côté de la Manche.

## TÉLÉPHONES ET TRAHISON

Il fallut Pearl Harbour pour que le gouvernement des Etats-Unis s'inquiète subitement des liens qui unissaient ITT aux pays de l'Axe. En janvier 1943, Allen Sayler produisit un rapport secret où il indiquait toutes les ramifications des réseaux ITT ; il était attaché à la Commission fédérale des communications, et destinait ce rapport à un organisme de guerre dénommé Comité consultatif interministériel pour les communications entre les deux hémisphères. Le rapport Sayler commençait par montrer comment, dès avant la guerre, ITT avait permis que les sociétés allemandes de son groupe établissent des rapports de plus en plus étroits avec les pays neutres et comment :

> « Loin de mettre un terme à ces tractations et de rompre les liens qui s'étaient formés entre ses filiales situées en pays neutre et les pays de l'Axe, ITT aux Etats-Unis a déployé des efforts constants et répétés pour obtenir l'autorisation de poursuivre de telles transactions avec l'ennemi. En outre et dès décembre 1941, ITT a cherché à exporter du matériel depuis les Etats-Unis vers ses filiales installées en pays neutre et qui travaillaient pour les forces de l'Axe. »

Le principal sujet d'inquiétude manifesté dans le rapport de la FCC concernait les pays d'Amérique latine d'où ITT continuait, après l'entrée en guerre de l'Amérique, de maintenir ses liens avec les pays ennemis ; on la suspectait très sérieusement de permettre que ses câbles servent à transmettre des renseignements aux sous-marins allemands. Le point le plus chaud en l'occurrence se situait en Argentine, pays fortement pro-nazi et où ITT détenait avec les Allemands des intérêts communs, parmi lesquels notamment la compagnie des câbles TTP dont elle était co-propriétaire avec Siemens. Nando Behn, neveu du colonel, sentant le danger, exposa la situation dans un message adressé à New York et qui fut intercepté (29 juin 1942) :

> « Il serait temps qu'on fasse quelque chose ici pour réduire au silence l'unique centre de communications qui existe entre les pays d'Amérique et Berlin. Nos concurrents, Transradio, ont une ligne directe avec Berlin et vous pouvez être à peu près sûrs que tout navire qui part de Buenos Aires est signalé à Berlin avant même qu'il n'ait disparu au large. Ce n'est un secret pour personne, mais il y aurait lieu de mettre un terme à cette situation. »

Mais (ainsi que le soulignait le rapport de la FCC) les filiales d'ITT en Argentine maintenaient, elles aussi, des communications avec l'ennemi ; au cours des sept premiers mois de 1942, par exemple, la société United River Plate Telephone Company (qu'ITT avait achetée aux Britanniques) transmit 622 appels téléphoniques entre l'Argentine et Berlin. En outre, l'influence d'ITT Argentine s'étendait à travers tout le continent, à la façon dont celle d'ITT Allemagne s'était étendue sur toute l'Europe. Les Argentins supervisaient les compagnies d'ITT au Brésil et au Pérou, pays qui l'un et l'autre s'étaient rangés du côté des Alliés, et en 1942, trois administrateurs locaux de la Montevideo Telephone Company en Uruguay furent remplacés par trois administrateurs argentins. En Amérique latine, ITT ne voulait pas rompre les relations avec les gens qui figuraient sur la « liste noire » des compagnies sud-américaines interdites par le gouvernement des Etats-Unis ; en outre, les responsables de la compagnie inventaient des fables de toutes pièces, ou avaient recours à la fraude pour échapper aux contrôles auxquels était soumise l'exportation des marchandises et des licences de fabrication ; mais, comme le reconnaissait une note expédiée d'Argentine, « sans doute, quelques-unes de nos histoires n'avaient rien de bien convaincant ». On soupçonnait une autre filiale d'ITT en Argentine, la All-America Cables Office, d'avoir recueilli sur ses câbles des renseignements confidentiels sur les minerais de tungstène, puis de les avoir transmis à la compagnie commerciale Havero qui les fit passer aux Nazis. Ailleurs également, au Chili, en Colombie, à Cuba et en Equateur, des messages furent transmis aux pays ennemis par l'intermédiaire d'ITT ; quand, en 1942, la Colombie rompit ses relations diplomatiques avec les pays de l'Axe, le chiffre d'affaires de la filiale d'ITT, CIRBOL, baissa de 50 pour cent.

Le Département d'Etat n'avait cessé d'observer, avec le constant souci de ne rien laisser échapper, les activités du colonel Behn dans son réseau d'ITT, interceptant lettres et câbles échangés entre les dirigeants de la société et leurs amis, échanges qui illustraient l'étendue de l'influence des pays de l'Axe. De toute l'Amérique latine affluaient les preuves de la collusion d'ITT avec les Nazis. Une lettre datée d'avril 1942 et adressée par ITT New York à Pinkney, le directeur général de la filiale du Brésil, faisait état des liens existant entre ITT et ses filiales allemandes ; elle comportait cet avertissement : « Faute de fournir à l'ennemi, grâce aux réseaux en question, les services qu'il attend de nous, les compagnies concernées pourraient s'exposer à des poursuites judiciaires et des confiscations dans les pays où s'exercent leurs activités. » Un rapport émanant d'un des agents d'une filiale ITT en Argentine, la Compania Unión Telefónica (CUT), mentionnait la note d'un inspecteur disant :

> « Nous possédons des pièces indiquant que CUT emploie les services d'un certain Ruys de Behrenbrouch, qui parle cinq langues et se prétend anti-nazi, ce qui ne l'empêche pas de faire de fréquentes visites à l'ambassade d'Allemagne et de travailler la nuit dans les bureaux de la CUT où il est fort possible qu'il se mette à l'écoute des conversations échangées avec des pays étrangers. »

« Mildred », qui travaillait pour une compagnie ITT au Brésil, se plaignait dans une lettre de l'importance des effectifs allemands de la compagnie et racontait comment le patron, « Harry », « avait eu tant à faire qu'il avait dû confier la ligne à un Allemand... La police a ramassé tant de bons éléments parmi notre personnel, aussi bien dans les bureaux que sur les chantiers, qu'à l'heure actuelle le manque d'employés se fait cruellement sentir. Mais sans doute tous ces ennuis sont-ils, en partie du moins, le lot des gens qui travaillent pour ITT ».

Le soutien apporté par ITT aux autorités pro-nazies d'Argentine déboucha sur un affrontement direct avec le Département d'Etat, et cela particulièrement après 1944 avec l'instauration du régime péroniste ; Behn et son directeur pour l'Argentine, Henry Arnold, insistaient pour embrasser la défense de Perón, à la grande fureur de l'ambassadeur américain, Spruille Braden, qui militait pour un affrontement direct. Peut-être Braden avait-il fait montre de brutalité et d'arrogance, mais comme dans l'Allemagne d'avant-guerre, ITT avait sans doute des raisons pressantes pour prêcher l'apaisement ; ses dirigeants savaient qu'ils risquaient la nationalisation et voulaient s'assurer qu'elle se ferait dans de bonnes conditions ; ils finirent par les obtenir en 1946, quand ils conclurent une excellente transaction aux termes de laquelle ils recevaient 90 millions de dollars sans compter (comme en Roumanie) l'arriéré des bénéfices non distribués. A coup sûr, l'amitié qui le liait à Perón avait été payante pour Behn. Comme en Roumanie encore, il s'en était fallu d'un cheveu : l'affaire à peine conclue, le gouvernement argentin n'avait plus un peso vaillant.

Cette transaction, comme bien d'autres conclues par ITT, n'alla pas sans éveiller de nombreux soupçons de corruption : l'ambassadeur Braden, dans sa profonde méfiance à l'égard de Behn, prétendit que ce dernier avait donné un dessous de table de 14 millions de dollars pour parvenir au règlement argentin. D'anciens employés de Behn insistent sur le fait que le colonel leur interdisait formellement de distribuer des pots de vin ; et l'avocat qui négocia la transaction avec l'Argentine nie qu'il y ait jamais eu aucune somme versée à quiconque à titre personnel. Mais, chaque fois qu'il s'agissait d'un règlement important, Behn gardait un mutisme absolu. Braden raconte comment, alors qu'il était ambassadeur à Cuba, il eut à discuter avec Behn des pots de vin qu'il donnait dans son « penthouse » d'ITT. Behn fit valoir qu'aucune société ne pouvait traiter des affaires avec les pays d'Amérique latine sans graissage de patte ; et devant les protestations de Braden, Behn promit de ne plus payer que « des petits pots de vin » à Cuba, ce qui allait tout de même chercher dans les 30 000 dollars par an.

Behn fut grandement aidé dans ses négociations par

son service de renseignements privé ; il suffit pour s'en rendre compte de consulter les transcriptions de toutes ses conversations téléphoniques du temps de guerre enregistrées et classées par les soins du Département d'Etat. Il était discret au téléphone, sachant que le fonctionnaire américain chargé de la censure (tout comme son homologue étranger sans doute) était branché sur la ligne ; il utilisait un code rudimentaire, se référant aux villes en leur donnant le nom du directeur de la filiale d'ITT locale, comme Pete's ville (Lisbonne, où Pete O'Niel dirigeait l'affaire), Spencer's ville (Thomas Spencer était à Londres) ou Arnold's ville (Buenos Aires) — peut-être ce code correspondait-il à l'idée que Behn se faisait du monde : une chaîne d'avant-postes d'ITT. Mais personne ne s'y laissait sérieusement prendre : le fonctionnaire de la censure griffonnait en marge le nom de la ville et il lui arrivait de couper la conversation quand le colonel parlait « patates » avec Caldwell, son agent de Madrid ; interrogé sur ce qu'il voulait dire, le colonel expliquait que « patates » signifiait « pesetas ».

La teneur de ces conversations montre à quel point Behn pouvait demeurer au fait des moindres oscillations politiques du continent ; on y voit aussi comment il réussit à maintenir la cohésion des différents éléments de la compagnie par la seule puissance de sa personnalité, comment il évitait les nationalisations, déjouait les contrôles, neutralisait les politiciens locaux, maintenait son ascendant sur ses délégués à l'étranger et les rassurait dans le bruit de friture des lignes téléphoniques. Toujours imperturbable, toujours détendu, il citait philosophiquement des proverbes espagnols, commentait le menu de son dernier déjeuner ; mais il n'en demeurait pas moins décidé à tout savoir et au besoin à intervenir en personne. Passé grand maître dans l'art des contacts humains, il s'inquiétait de la femme et des enfants de ses directeurs, demandait des nouvelles de leur santé ; il aimait parler de fêtes, de vacances, envoyait des cigares, des fleurs et des médicaments. Ses entretiens se terminaient par un : « Que Dieu vous protège, mon vieux. » Il savait tenir son monde en alerte sur la ligne de départ d'une course où il devançait toujours les autres d'une foulée. « Demain, c'est toujours trop tard » disait-il à Henry Arnold à Buenos Aires. Et d'ajouter : « Savez-vous ce que j'ai toujours constaté ? Quand un vice-président ne veut pas me voir, c'est juste le moment pour moi d'y aller. » Mais il savait aussi assumer le rôle apaisant du bon père de famille, comme en témoigne par exemple la conversation tenue en novembre 1943 avec un Arnold inquiet de voir accéder Perón pour la première fois au pouvoir à la tête d'un nouveau gouvernement argentin.

BEHN : Allo, Bill — Bonjour.

ARNOLD : Bonjour, Colonel...

BEHN : Désolé de n'avoir pu vous parler hier de Washington. J'étais coincé...

ARNOLD : Cette ligne est sûre. On peut parler librement... Colonel, j'ai beaucoup de choses à vous dire aujourd'hui, avons-nous le temps de bavarder ?

BEHN : Allez-y, mais ne vous faites pas trop d'illusions sur la « discrétion » de la ligne.

ARNOLD : De mon côté, le circuit est assez sûr.

BEHN : Oui, je sais bien mais...

ARNOLD : Les choses n'ont pas l'air de s'arranger ici, ça va de mal en pis. Chaque jour que Dieu fait, le gouvernement met son nez dans nos affaires. Chaque fois, d'une façon ou d'une autre, ses interventions sont plus pressantes et l'orientation politique s'avère nettement anti-américaine.

BEHN : ... Vous voulez dire la politique du groupe au pouvoir ?

ARNOLD : Exact, oui, nous avons des tas de preuves inquiétantes que notre société est tout particulièrement visée... Ils ont l'air de vouloir mettre l'embargo sur l'affaire d'une façon ou d'une autre... On parle d'une foule de projets de nationalisation, de prise de possession par l'Etat ou d'autres choses du même genre...

BEHN : Vous êtes un peu surmené, mon cher Bill... Je sais ce que c'est — oui, je sais, vous êtes là-bas avec tous ces embêtements qui vous tombent dessus mais ne vous laissez pas abattre, réagissez, mon vieux.

ARNOLD : Je suis parfaitement calme.

BEHN : Bon, je ne dis pas que vous n'êtes pas parfaitement calme, mais je suis sûr que vous êtes déprimé — on peut être en même temps calme et déprimé, vous savez ; mais vous savez aussi qu'il n'y a pas de nuage si noir qu'il n'ait un liséré d'argent, vous savez bien et les Espagnols ont un proverbe qui dit : « Il n'est rien de mauvais qui dure mille ans. »

ARNOLD : Je ne m'énerve pas, Colonel, je veux simplement profiter de ce que nous avons la ligne pour vous donner les dernières informations.

BEHN : D'accord, mon vieux, d'accord... Vous êtes toujours d'avis que ce n'est pas le moment que j'aille vous voir ?

Entre-temps, en Europe, et même après Pearl Harbour, Behn maintenait le contact avec les filiales de Suisse et d'Espagne et, par leur intermédiaire, avec les puissances de l'Axe. En Suisse (comme s'en plaignait la FFC dans son rapport), l'usine d'ITT continuait de collaborer à plein avec les Nazis, à un moment où sa rivale, la société Halser, qui appartenait exclusivement à des Suisses, refusait de fabriquer du matériel pour l'Allemagne. Quant à ITT Espagne, elle fournissait toujours des matières premières à l'Allemagne y compris du sulfate de zinc et du mercure et fabriquait du matériel « apparemment destiné à l'armée allemande ». Le Département d'Etat s'était plaint qu'en Espagne ITT « n'avait pas fait les efforts sincères pour rechercher les voies et moyens de se conformer aux désirs de notre gouvernement » ; mais le colonel Behn fit valoir ses arguments habituels : si la compagnie espagnole se refusait à collaborer, Franco procéderait à son expropriation. Il était d'une importance capitale pour ITT que sa filiale persiste à opérer en Espagne. En mai 1940, juste avant la défaite de la France, Franco annonça qu'ITT conserverait la concession du réseau téléphonique espagnol. En septembre 1943, Behn fit lui-même le déplacement de Madrid pour y négocier le droit d'exercer un contrôle plus serré sur les biens de la société. Il y donna en l'honneur des gens de Franco une série de dîners aux menus raffinés, arrosés de vodka et de champagne, puis il revint pour annoncer qu'il avait investi 60 millions de dollars supplémentaires dans la compagnie espagnole.

C'est surtout par l'Espagne que se maintenait le contact avec l'Allemagne en guerre, et les dirigeants d'ITT venus de New York pouvaient encore rencontrer à Madrid leurs homologues nazis ; en 1942, les hommes de la RCA [20] signalèrent une mystérieuse réunion au cours de laquelle Kenneth Stockton, un des vice-présidents d'ITT, avait discuté avec des représentants du gouvernement allemand du sort réservé dans l'avenir aux biens de la compagnie. Plus tard, en 1943, Behn parvint par l'intermédiaire de l'Espagne à organiser un rendez-vous en Suisse avec Westrick ; son intention, semble-t-il, était de céder la compagnie Lorenz, filiale d'ITT, à Siemens — singulière proposition qui, au même titre que la précédente transaction avec la Roumanie, donne à penser que Behn avait toujours une grande influence sur les Nazis. Mais

20. N.d.T. Grande chaîne de radio américaine.

Siemens ne pouvait payer qu'avec des fonds gelés en Amérique et le Département d'Etat se refusa à les débloquer.

Quel était donc le jeu du colonel Behn, quand grâce au téléphone ou à l'avion il se riait des frontières qui séparaient les belligérants ? A Washington, les opinions touchant à son loyalisme étaient partagées ; le Département d'Etat éprouvait une grande méfiance à son endroit et l'avait particulièrement à l'œil ; la FCC entretenait les plus graves soupçons à l'égard de ses contacts et de ses actionnaires étrangers, tandis que le Département de la Justice préparait une action anti-trust pour briser le cartel. De nombreux hommes politiques et journalistes savaient qu'ITT était éminemment suspecte [21] ; le colonel était assez averti de la réputation attachée à son nom pour charger, une fois la guerre terminée, un ancien attaché de presse du président Roosevelt, Thomas Blake, d'être son homme des lobbies [22] à Washington, dont le rôle principal, m'a-t-il confié lui-même, était de dissiper les « mauvaises odeurs » qu'ITT avait laissées dans son sillage.

Mais, en même temps, le colonel avait d'excellents amis dans les milieux politiques et surtout au Pentagone, où d'anciens ou futurs cadres d'ITT occupaient des postes

21. En novembre 1947, le magazine hebdomadaire *Time* reçut de son bureau de Washington un mémorandum confidentiel ainsi conçu : « On sait que depuis longtemps les services de renseignements américains ont exercé une surveillance sur Behn tout en l'utilisant. Tout cela est enregistré dans le département des « sombres histoires d'espionnage » et jamais nous ne pourrons avoir gain de cause devant les tribunaux avec des pièces du dossier G 2. »

22. N.d.T. Les groupes de pression (ou lobbies) ont aux Etats-Unis une existence légale depuis la loi de 1946 qui stipule en particulier qu'ils doivent se faire enregistrer au secrétariat du Sénat et de la Chambre des Représentants, publier leur budget et notamment la liste des bénéficiaires des fonds qu'ils dispensent. Le « lobbying » officiel n'empêche pas bien entendu des démarches plus discrètes...

de commandement. Le général Stoner, du service des transmissions, rendit plus tard hommage à Behn qui l'avait aidé à se familiariser avec les problèmes de communications, et après la guerre, Behn reçut la Médaille du Mérite, la plus haute distinction civile, pour avoir mis à la disposition de l'armée de terre son réseau de câbles aériens. Les rapports annuels des exercices de la période de guerre étaient pleins d'allusions à l'attitude patriotique d'ITT et montraient de nombreuses photographies où l'on voyait le drapeau américain flotter au vent, audessus des usines de la société ; Behn s'employait à implanter plus solidement ses entreprises sur le sol américain et, en septembre 1942, il annonça la construction d'une gigantesque nouvelle usine d'ITT dans le New Jersey. Les laboratoires de la société en Amérique, en collaboration avec un certain nombre d'ingénieurs parisiens réfugiés aux Etats-Unis, mirent au point quelques inventions de valeur comme la radiogoniométrie haute fréquence, surnommée Huff-Duff ; elle servit à repérer les sous-marins allemands qui s'attaquaient aux convois alliés dans l'Atlantique [23]. Ainsi donc, tandis que les avions Focke-Wulf lâchaient leurs bombes sur les navires alliés, et que les câbles d'ITT transmettaient des renseignements aux sous-marins allemands, les appareils de repérage de cette même compagnie protégeaient d'autres navires des torpilles ennemies.

## LES HÉROS CONQUÉRANTS

Quand l'espoir changea de camp et tandis que les Alliés envahissaient l'Europe, le colonel caméléon Behn arbora de nouvelles couleurs. Nous sommes le 25 août 1944, le jour même de la libération de Paris. Les ouvriers d'ITT France célèbrent l'événement dans les laboratoires

23. Deloraine, *An ITT Memoir*, op. cit.

de l'usine après avoir hissé le drapeau tricolore au faîte des bâtiments ; une jeep s'arrête devant la porte et qui voit-on assis au côté de son fils William au volant, sinon le colonel en personne, vêtu d'un battle-dress maculé de boue ? Il agissait en principe comme spécialiste des transmissions auprès de l'armée américaine ; mais son principal souci était de procéder à l'inspection des usines ITT de l'Europe de l'Ouest et de veiller à leur redémarrage. Il se rendit à Anvers, à Bruxelles puis revint à Paris sans jamais omettre de se livrer à de somptueuses agapes en chemin ; s'étant arrêté à Epernay, il en repartit avec un plein chargement de champagne [24]. L'arrivée en France de Behn et autres gros bonnets américains ne fut pas du tout du goût de Londres où le gouvernement refusait d'accorder des permis aux civils. Dans son numéro du 20 septembre, le *Daily Mail* racontait comment une cargaison de businessmen américains dont l'un « s'occupait de matériel électrique » avait atterri à Londres. Le secrétaire d'Etat américain, Cordell Hull, démentit la nouvelle avec indignation, mais entre-temps Behn procédait à l'inspection de toutes ses usines françaises. Au fur et à mesure de la pénétration des Alliés en Allemagne, il apparut clairement qu'ITT entretenait maintenant des relations étroites avec l'armée américaine. Pour des raisons demeurées mystérieuses, des personnalités officielles d'ITT, y compris Kenneth Stockton, arboraient l'uniforme de général de brigade ; or ce dernier personnage avait été président du Conseil des filiales européennes d'ITT et avait siégé aux côtés de Westrick et d'Hofer [25], ce qui ne manqua pas de provoquer des questions où perçait la colère, et de déterminer le Représentant Jerry Voorhis à faire devant le Congrès les commentaires suivants :

24. Deloraine, *An ITT Memoir,* op. cit.
25. Un des dirigeants d'ITT en Europe.

> « Nous voici donc devant une grande compagnie internationale qui possède en Allemagne des avoirs et des intérêts dont on connaît parfaitement la nature, et dont le propre vice-président est investi du pouvoir de décider des mesures à prendre pour empêcher l'Allemagne de reconstituer ses forces d'agression... »

Il fut un temps où les opérations militaires des Alliés en Allemagne cédaient le pas aux opérations commerciales et s'y trouvaient mêlées : un vrai cauchemar surréaliste. (A l'époque, je pus partiellement le constater alors que je servais dans la marine britannique près de Hambourg.) Les gouvernements militaires, incapables de comprendre de quoi il retournait, avaient perdu le contrôle de la situation. Dans les décombres que la guerre laissa derrière elle, grouillaient des affairistes et des pillards commerciaux de tout poil qui faisaient main basse sur tout ce qu'ils pouvaient trouver ; mais c'est encore ITT qui tenait le devant de la scène. En octobre 1945, elle alla jusqu'à démanteler deux usines aéronautiques de Focke-Wulf, situées à Mühlhausen (Thuringe) dans la zone soviétique, pour les remonter à Nuremberg, dans la zone américaine ; et cela avec l'appui du Docteur Westrick, qui maintenant aidait ITT à récupérer ses entreprises en échange de la protection que lui assurait la compagnie. Alexander Sanders, qui avait travaillé pour ITT en Allemagne et devint plus tard son directeur financier, retourna à Berlin en octobre 1945 comme colonel du service topographique des bombardements de l'armée américaine. Il se mit en rapport avec son ancien patron Westrick, qu'il avait vu pour la dernière fois à Tokyo en 1940. Ils passèrent deux jours ensemble au bord du lac de Constance et Westrick s'arrangea pour faire citer Sanders lors de son procès comme témoin à décharge [26].

Entre-temps, en juin 1945, on avait retrouvé Schrœder en France dans un camp de prisonniers de guerre ; il portait la tenue de campagne de caporal SS. Deux enquêteurs lui firent subir un interminable interrogatoire sur tous les détails de sa carrière, y compris les tractations avec Westrick et Behn concernant les entreprises d'ITT ; on l'interrogea aussi sur l'aide apportée par ITT aux SS de Himmler ; ce fut, jusqu'à la fin de sa vie, une succession de procès, de condamnations et d'appels [27].

Qu'y avait-il derrière cette singulière et clownesque métamorphose qui faisait d'un Behn, l'ancien supporter de Hitler, un héros de la cause alliée ? Plusieurs chapitres de cette aventure demeurent enterrés dans les dossiers secrets de l'histoire, mais de toute évidence le colonel Behn, à un certain stade de la guerre, collabora intimement avec les agents des services secrets américains ; en effet, grâce à son réseau privé de renseignements, il était en mesure de leur apporter un concours utile. Tandis que le Département de la Justice et le FBI persistaient à le considérer comme suspect, le service de contre-espionnage de l'armée le tenait, avec ses téléphones, pour indispensable. On plaça des agents américains dans les bureaux d'ITT d'Amérique latine, notamment en Bolivie, au Paraguay et en Argentine ; lors de ses voyages en Europe, Behn pouvait rapporter des renseignements via la Suisse ou l'Espagne concernant la situation des pays de l'Axe. Il se peut qu'Allen Dulles, qui travaillait pour les services de renseignements en Suisse, ait joué un rôle décisif dans la réhabilitation d'ITT ; on dit que Westrick, qui se rendait fréquemment en Suisse, avait souvent contacté Dulles au beau milieu de la guerre pour discuter des problèmes d'ITT ; Dulles rencontra Behn en temps

26. *Washington Post,* 1er novembre 1945. Egalement sources privées.

27. James Stewart Martin, *All Honourable Men,* op. cit., p. 54.

opportun et prit avec lui toutes dispositions utiles pour permettre à ITT, par le truchement de l'armée américaine, de se réinstaller en Europe et pour assurer la protection de Westrick [28].

Saura-t-on jamais, même après divulgation des dossiers secrets des services de renseignements, si Behn, en fin de compte, fut plus utile aux Alliés qu'aux forces de l'Axe ? Peut-être était-il seul à savoir s'il était un agent au service exclusif de son pays ou un agent double. Mais s'il est un point qui laisse peu de place au doute, c'est celui de savoir à qui allait par priorité son loyalisme : la seule puissance qu'il eût jamais servie sans faille fut la puissance supranationale d'ITT.

Dans l'immédiate après-guerre, les principes qui présidèrent à la dénazification étaient intimement liés à ceux de l'action anti-trust, et pendant une brève période, les Alliés eurent l'intention de briser la concentration de l'industrie allemande. Le Département américain de la Justice mit en place, sous la direction d'un avocat dynamique, James Stewart Martin, un service très actif de décartellisation. Mais les grosses sociétés, bénéficiant de l'appui sans cesse croissant de Washington, s'employèrent à assurer de nouveau leur emprise sur leurs anciennes positions, et les plans élaborés en vue de la dénazification et du démembrement des cartels se trouvèrent mystérieusement remis en question puis abandonnés ; en fin de compte, seul le combinat chimique de l'I.G. Farben

28. On trouvera d'intéressants détails sur les relations d'Allen Dulles en Allemagne, notamment avec Westrick, dans l'ouvrage de Jacques de Launay, *Histoire de la diplomatie secrète, 1914-1945*, Cercle du Bibliophile, Genève, 1973. J. de Launay y rappelle qu'Allen Dulles dirigeait avec son frère, John Foster Dulles, un cabinet juridique avant la seconde Guerre Mondiale. Parmi leurs clients : ITT. De même, le Docteur Gerhardt Aloïs Westrick, représentant d'ITT en Allemagne, y défendait les intérêts du cabinet des frères Dulles. Voir aussi Ladislas Farago, op. cit., pp. 305-319.

put être utilement divisé. ITT ne tarda pas à rentrer en possession de ses usines, et au cours de l'été 1946 un de ses vice-présidents, Gordon Kern, arriva en Allemagne muni d'un permis de séjour d'un mois, constamment renouvelé par la suite et prit en main l'usine Lorenz qui fabriquait du matériel téléphonique pour l'armée américaine. Entre autres initiatives, Kern se débrouilla pour qu'un conseiller juridique allemand au service d'ITT aille en Suisse afin de discuter « brevets » avec la compagnie ITT suisse, alors que ce genre de connivence était à l'époque strictement contraire aux lois ; Kern toutefois prétendit que le conseiller en question se rendait en Suisse pour suivre un traitement médical. Le service de décartellisation découvrit le pot aux roses grâce au contrôle postal et exigea qu'on retire à Kern son permis de séjour ; mais il fut finalement laissé en liberté sous caution.

A Washington, le Département de la Justice préparait en hâte une action anti-trust qui visait à la fois ITT et AT & T ; en 1946, au nom de l'Attorney General Tom Clark et de son chef du service anti-trust, Wendell Burge, une plainte sérieusement étayée fut dressée contre ces deux sociétés. Le dossier rassemblait de lourdes charges contre l'intime imbrication des monopoles. Il indiquait comment ITT, après 1925, « avait établi un monopole étranger qui canalisait vers le système ITT toutes les commandes de matériel téléphonique et d'équipement annexe passées par de nombreuses firmes, interdisant ainsi... l'accès de ce marché étranger aux autres fabricants ». Il expliquait comment, « en vertu des accords de monopole de 1925, le monde devrait être partagé de façon à prévenir et à éliminer la concurrence qui aurait pu surgir entre les différentes composantes des systèmes ITT et AT & T... ». Il ressortait également de l'étude de ces dossiers que plusieurs de ces accords étaient encore en vigueur à l'heure présente :

> « Pendant la durée de la guerre, les liens résultant de certains de ces accords se maintinrent entre la société défenderesse ISEC[29] et ses associés contractuels installés en Grande-Bretagne et dans les pays neutres. Au cours de ladite période, des liens de même nature furent également maintenus, dans la mesure où les conditions le permettaient, entre le système des compagnies ITT et les associés contractuels de l'ISEC, travaillant chez l'ennemi ou en territoire occupé par l'ennemi ; et cela sous la haute direction d'un nommé Gerhardt A. Westrick. Ce dernier avait été chargé par Sosthenes Behn, Président de la société défenderesse, et pour la durée de ladite période de guerre, de la gestion de l'ensemble des filiales ITT implantées dans différents secteurs de l'Europe continentale ; Westrick était en outre muni des pleins pouvoirs pour représenter les intérêts du système ITT en Allemagne. »

La plainte ne fut jamais signée ; la dernière note figurant sur le projet d'acte d'accusation resté sans signature date du 10 mars 1947. Le dépeçage territorial entre ITT et AT & T a continué jusqu'à ce jour par tacite reconduction : ITT n'est plus qu'un concurrent négligeable sur le marché américain du matériel téléphonique et AT & T s'abstient toujours de vendre des téléphones en Europe. L'élan anti-trust fut contré par la pression des grosses compagnies qui voulaient une Allemagne fortement industrialisée. Et la crainte du communisme succéda rapidement à celle du nazisme. Nous verrons au cha-

29. L'International Standard Electric Company était la filiale européenne d'ITT, et prit la suite de l'International Western Electric.

pitre suivant que le colonel Behn ne tarda pas à apparaître comme la cheville ouvrière de la lutte anti-communiste. Tant en Amérique latine qu'en Europe, ITT se présenta à nouveau comme le champion de la défense contre l'infiltration étrangère. En 1946, la compagnie alla jusqu'à demander à l'administration Truman de lui prêter son concours financier pour acheter ses compagnies rivales au Mexique, (propriétés de la société suédoise Ericsson) qui, du fait de la neutralité de leur pays, étaient présumées suspectes sur le plan politique. Le gouvernement finit par rejeter la demande, mais le secrétaire à la Défense du président Truman, James Forrestal, avait fortement appuyé cette requête [30].

En Europe, quand il fut évident que la politique de décartellisation avait changé, James Martin envoya sa démission et, par la suite, résuma ses conclusions en des termes qui rendent un son familier : « En Allemagne, ce ne sont pas les hommes d'affaires allemands qui nous ont tenus en échec... Nous avons été bloqués en Allemagne par les hommes d'affaires américains... Il nous incombe de mettre le gouvernement en mesure de contrôler la puissance économique au lieu d'en devenir l'instrument... Nous avons été longs à reconnaître les dangers inhérents aux empires des cartels en vertu de ce privilège, qui a toujours été le nôtre, que les affaires n'avaient pas besoin d'être gouvernées. »

Là encore il importe de situer cette histoire du temps de guerre dans sa véritable perspective. ITT ne représentait qu'un seul des groupes parmi des dizaines d'autres

30. Le 25 avril, Forrestal écrivait au secrétaire d'Etat George Marshall, insistant sur le fait qu' « il importe au plus haut point, dans l'intérêt et pour la sécurité de la nation, que tout le système de communications de l'hémisphère occidental soit entre les mains des pays dudit hémisphère et si possible entre celles de compagnies dont la majorité des actions appartient à des citoyens américains. (Documents publiés par le Département d'Etat ; voir le *Guardian* du 19 juillet 1972.)

tant anglais qu'américains qui bandaient toutes leurs énergies en vue de restaurer leurs intérêts d'avant-guerre, et pour résister aux tentatives de dénazification effectuées par les gouvernements ; et si l'on fait un retour en arrière, on s'aperçoit que les théories les plus extrêmes de décartellisation qui prévalaient à cette époque, paraissent aujourd'hui relever de l'illogisme ou de l'esprit de vengeance. Le cartel allemand de l'acier, qui après la guerre apparaissait comme une si dangereuse menace, n'est plus aujourd'hui qu'une industrie semi-nationalisée et qui ne bat que d'une aile ; et le Marché commun, depuis lors, s'est employé beaucoup plus activement à former des combinats qu'à les briser.

L'histoire d'ITT, cependant, représente un cas spécial de délit économique ; en effet, le cartel des téléphones, comme le laissait entendre la plainte en violation de la loi anti-trust, avait servi à aider secrètement les Nazis depuis des pays neutres ou hostiles aux Alliés, et à renforcer la machine de guerre allemande, rendue bien plus efficace encore du fait de l'existence même de ce cartel ; Behn avait beau protester qu'il n'avait agi que dans l'intérêt des actionnaires et dans le dessein d'éviter les expropriations, la cause de la paix aurait été bien mieux servie si le cartel avait été brisé et si les compagnies nazies avaient été effectivement expropriées. Behn mit à profit sa maîtrise des communications, non, comme l'impliquait sa mosaïque symbolique, pour diffuser la vérité de par le monde, mais au contraire pour la bâillonner et parler un langage différent dans chaque pays. Avec son caractère multinational et ses dons d'ubiquité, la société qu'il dirigeait pouvait être à la fois partout et nulle part. Tout en Behn, depuis son abord personnel jusqu'à son despotisme teinté de bienveillance, était mieux fait pour servir les dictatures que les démocraties. Il aimait les dictateurs et était aimé d'eux ; car il fit de ses téléphones les instruments de leur pouvoir.

Sans doute le chapitre le plus intéressant de toute cette histoire d'ITT est-il la façon dont elle fut « enterrée ». Les autres grands combinats, tels que Krupp, Siemens ou Mercédès, tandis qu'ils recouvraient leur ancienne prédominance, durent passer par un purgatoire de récriminations publiques et d'enquêtes qui, à mon avis, affectèrent profondément leur identité en tant que sociétés [31] ; et la nouvelle génération les obligea à se soumettre à une sorte d'autocritique portant sur leur caractère même. Mais ITT enfouit son histoire sous un monceau d'opérations de relations publiques, si bien que personne ou presque parmi les gens qui travaillent pour elle ne sait aujourd'hui qu'elle fut autrefois liée à la firme Focke-Wulf qui fabriquait des bombardiers, ou qu'elle collabora avec les SS d'Hitler.

Et ce qu'il y a de plus remarquable encore, c'est qu'ITT, non contente de se présenter maintenant comme la victime innocente de la seconde Guerre Mondiale, a reçu d'énormes dommages de guerre pour les dégâts qu'elle a subis. En 1967, soit plus de 20 ans après la fin des hostilités, ITT s'arrangea pour obtenir 27 millions de dollars du gouvernement américain au titre des dommages subis par ses usines d'Allemagne, y compris 5 millions de dollars pour les dégâts dont avaient souffert les usines Focke-Wulf, sous prétexte qu'elles constituaient des propriétés américaines en partie détruites par des bombardiers alliés .

31. William Manchester ne serait pas d'accord avec moi. Voir *The Arms of Krupp*, Harpers, New York, 1969 (« Les Armes de Krupp », Robert Laffont, Paris, 1970).

32. *Foreign Claims Settlement Commission of the United States* (Commission américaine pour la liquidation des dommages de guerre à l'étranger) : décision définitive du 17 mai 1967 et projet de décision du 27 mars 1967. Dans son projet de décision, la commission estima que le fait pour le gouvernement allemand d'avoir, après 1942, exercé un contrôle absolu sur les filiales d'ITT, en les coiffant d'une nouvelle société holding d'Etat, « revenait à placer ces compagnies sous séquestre d'un

Admirable façon en vérité de reconnaître les mérites d'une société qui avait si délibérément concouru à l'effort de guerre allemand et mis tant de soin à acquérir la nationalité allemande. Si les Nazis avaient gagné la guerre, Behn serait apparu comme un impeccable Nazi ; mais comme ils la perdirent, il refit surface comme un impeccable Américain.

pays ennemi ». Si l'on considère que préalablement à la mainmise des Allemands sur lesdites sociétés, Westrick et Schroeder, en plein accord avec Behn, avaient insisté pour qu'elles bénéficient de la nationalité allemande, cette décision a de quoi surprendre.

# CHAPITRE III

## LES COMBATTANTS DE LA GUERRE FROIDE

Longtemps après la guerre, la compagnie continua de subir l'influence du colonel Behn, mais celle-ci s'exerça plutôt dans le domaine de la diplomatie que dans celui de la finance. A vrai dire, sa réputation de négociateur commercial avisé s'était sérieusement dégradée. La guerre avait jeté quelque désarroi dans le « Système international » de sa socité et les bénéfices en avaient souffert. Les Russes mettaient la main sur l'Europe de l'Est ; en Espagne, dès 1945, Franco avait nationalisé la société d'exploitation du réseau téléphonique, laissant à ITT l'exclusivité des fournitures de matériel. En 1946, Perón avait décidé la nationalisation des téléphones, non sans accorder à ITT une généreuse indemnisation de 95 millions de dollars.

Behn décida d'opter pour une politique de diversification ; il acheta d'autres industries situées en Amérique où le climat politique offrait plus de garanties. Mais comme les talents du colonel étaient de caractère individuel, il ne se sentait pas très à l'aise face aux problèmes plus terre à terre de gestion. Il se rendit acquéreur de deux entreprises américaines d'apparence prometteuse. La première, Capehart-Farnsworth, fabriquait des postes de télévision et de radio ; l'autre, Colderator, fabriquait des réfrigérateurs. L'une et l'autre se révélèrent un placement désastreux.

Les actionnaires impatient de ne jamais percevoir de dividendes, tandis que Behn menait une vie fastueuse, commencèrent à s'agiter. En 1947, un groupe de riches actionnaires décida de brandir l'étendard de la révolte ; ils avaient à leur tête un certain Clendenin Ryan, petit-fils d'un grand fauve des affaires qui, entre sa famille et ses amis, possédait un sixième des actions d'ITT. Il se plaignait qu'en neuf ans les actionnaires n'avaient jamais touché un sou d'ITT tandis que Behn et les autres administrateurs avaient prélevé 3,7 millions de dollars à titre de salaires et d'émoluments divers. Rompant le silence dont il était coutumier, Behn répondit que la question n'était pas de savoir pourquoi les affaires allaient si mal mais bien plutôt comment la société s'était arrangée pour ne pas faire tout bonnement faillite. A l'issue d'une bataille dramatique pour l'attribution des pouvoirs, on parvint à un compromis grâce aux bons offices d'un autre « dur à cuire », J. Patrick Lannan, un grand et froid Irlandais du Minnesota. Sept nouveaux administrateurs, dont Ryan et Lannan (qui occupe toujours le poste), siégeraient au Conseil. On procéda à l'élection d'un nouveau président de la société : le général William Harrison ; c'était un des directeurs d'AT & T et avec ses cheveux blancs il faisait vraiment très bonne figure. Behn conservait ses fonctions de Président du Conseil d'administration et de principal responsable [1]. Au mois de juin 1948, une note annonça en termes galants que le nouvel arrangement « permettrait au colonel Behn de consacrer plus de temps aux problèmes pressants qui se posaient au niveau international et le laisserait libre de séjourner plus longtemps à l'étranger ».

Mais le tandem Harrison-Behn ne fut pas une heureuse solution : le général était un homme faible et le colonel une force de la nature ; étant toujours directeur général,

1. Dans les sociétés américaines on distingue les fonctions de « chairman » (président du Conseil d'administration) et de « président », équivalent de directeur général. Elles peuvent d'ailleurs être occupées par la même personne.

il pouvait garder en main les leviers de commande. Par ailleurs, les « problèmes pressants qui se posaient au niveau international » constituaient, comme les événements le démontrèrent, plus qu'une simple excuse pour mettre le colonel Behn sur une voie de garage. En effet, dès 1948, trois ans après la fin de la seconde guerre mondiale, l'Europe se débattait déjà dans les affres d'une guerre froide où ITT était à nouveau plongée. Encore une fois le colonel Behn devait jouer un rôle douteux. Anticommuniste inconditionnel, ses idées, en l'occurrence, s'inscrivaient beaucoup mieux cette fois dans le droit fil de la politique américaine. Mais là encore subsiste un doute sérieux : on peut se demander dans quelle mesure ITT servait la politique étrangère américaine et dans quelle mesure elle se fabriquait la sienne ; et à ce propos on est à même de rassembler aujourd'hui les éléments de deux histoires remarquables qui jettent une lumière crue sur les rapports ambigus qui s'étaient établis entre les filiales de la compagnie et les gouvernements des pays où elles avaient élu domicile.

## SABOTAGE EN HONGRIE

La première histoire se situe en 1950 dans un cadre particulièrement dramatique et sombre : une obscure salle d'audience quelque part en Hongrie communiste, où se tiennent au banc des accusés deux hommes d'affaires, l'un américain, l'autre anglais et quelques citoyens hongrois, tous inculpés de sabotage et d'espionnage. Le procès fut une sinistre comédie ; c'était l'époque, un an après la mise en accusation du cardinal Mindszenty, où l'on entamait la série de ces procès « pour la galerie » destinés à démontrer la perversité des pays de l'Ouest. Les accusés confessaient leur erreur à tour de rôle, se dénonçant l'un l'autre, tandis que le président du Tribunal leur soufflait les répliques d'un rôle soigneusement répété. C'était un événement historique, une nouvelle étape de la mainmise de Staline sur l'Europe de l'Est. Mais si ce procès s'insère logiquement dans notre récit, c'est que les trois principaux accusés, Robert Vogeler, Edgar Sanders, et Imre Geiger, étaient tous des représentants officiels d'ITT.

On ne connaîtra sans doute jamais le fin mot de l'histoire car il s'en faut de beaucoup qu'on en ait reconstitué tous les détails. Les dossiers anglais et américains ont gardé leurs secrets et les seules sources que nous ayons, mises à part quelques informations personnelles, sont le récit que nous en a laissé Vogeler dans son livre [2] et le « Livre blanc » hongrois reproduisant le compte rendu sténographique des audiences et accompagné de commentaires du cru [3]. Les témoignages recueillis au procès, les aveux passés dans l'enthousiasme, les simplifications criardes des faits de la cause ont bien de quoi éveiller les soupçons. Mais ils donnent un aperçu non seulement des rapports entre ITT et les services secrets des pays de l'Ouest, mais encore de l'image que s'en faisaient les Communistes, image dont l'ironie apparaît pleinement à la lumière des événements qui devaient se dérouler vingt ans plus tard.

Toute l'histoire gravitait autour de la filiale hongroise d'ITT, la Standard Electric Company, fondée en 1928 en tant qu'élément du « Système international » du colonel Behn. Par ses installations, elle était devenue partie intégrante du réseau téléphonique nazi et, fonctionnant pendant la guerre sous la haute autorité du Docteur Westrick qui la dirigeait de Berlin, l'affaire avait pris un tel essor qu'après la cessation des hostilités et bien que

2. Robert Vogeler, *I Was Stalin's Prisoner*, Harcourt Brace, New York, 1952.

3. *Robert Vogeler and Edgar Sanders and their accomplices before the Criminal Court*, Editions d'Etat hongroises, Budapest, 1950.

dépouillée de son équipement tant par les Allemands que par les Russes, elle restait encore le principal exportateur de matériel de télécommunications et d'appareillage électronique de l'Europe de l'Est. Elle était virtuellement la clé de voûte de l'empire européen d'ITT ; mais au fur et à mesure que s'aggravait la guerre froide, ses perspectives d'avenir devenaient de plus en plus hypothétiques.

Petit à petit, grâce à la « tactique du salami[4] » chère à leur leader Rakosi, les Communistes hongrois purent discréditer puis éliminer leurs rivaux ; et après le traité de paix de 1947, ils furent à même de prendre progressivement en main la direction du pays et d'activer le processus de nationalisation.

Tant à l'égard des Américains qu'à celui des Russes, l'usine ITT se trouvait dans une situation des plus fausses. Les Communistes hongrois de leur côté pouvaient difficilement exproprier l'usine ITT, ayant besoin pour la faire tourner de la compétence technique des spécialistes de l'Ouest, sans compter qu'aux termes du traité de paix ils devaient verser une indemnisation à toute entreprise qu'ils nationaliseraient. Ce qui avait le don d'exaspérer les Américains au plus haut point était que la Hongrie, en sa qualité d'ancienne puissance de l'Axe, devait payer 200 millions de dollars à l'Union soviétique au titre des réparations ; et l'Union soviétique exigeait qu'une certaine fraction de ces réparations lui soit versée sous forme de matériel ITT dont une grande partie destinée à des usages militaires. C'est ainsi que les Américains durent assister sans broncher au spectacle d'une de leurs propres usines envoyant un équipement ultra-moderne de télécommunications aux Russes, et cela

4. N.d.T. « Tactique du saucisson » qui consiste à absorber en fines rondelles ce qui serait trop gros pour être avalé d'un seul coup.

au moment où leurs relations avec ce pays se dégradaient à une cadence rapide. Un incident survenu à Budapest en 1947 était bien fait pour illustrer l'ironie de la situation : des diplomates américains découvrirent, cachés dans le plafond et les murs d'un petit bureau de leur légation, huit microphones ; il s'avéra (comme le raconta plus tard un des diplomates) que tous ces appareils sortaient de l'usine ITT de Budapest où ils avaient été fabriqués en secret [5].

Les installations téléphoniques et télégraphiques hongroises ayant subi les ravages de la guerre, en 1946, un des vice-présidents d'ITT, Ogilvie, était venu à Budapest avec le « Telecom Plan » pour remettre en marche le réseau de télécommunications hongrois qui dépendait de l'administration postale ; un comité de techniciens américains devait se charger de superviser les plans, et il était convenu que le coût des travaux en serait remboursé sur dix ans. Mais, comme on pouvait s'y attendre, le plan fut rejeté par Ernö Gero, le ministre communiste hongrois, et l'usine ITT continua ses activités discrètement tandis que les Communistes hongrois, en quête de fournisseurs non américains, finirent par s'entendre avec la firme hollandaise Philips. Mais, du fait que l'usine ITT demeurait le principal fournisseur du marché intérieur hongrois et que le gouvernement tenait à profiter au maximum de l'avance technique de ses spécialistes, il lui fallait bien continuer de traiter avec cette société. Le gouvernement en voulait d'autant plus aux Américains que ces derniers refusaient à leur filiale hongroise le droit d'exporter du matériel dans les pays d'Europe à devises fortes pour éviter de concurrencer les filiales d'ITT qui s'y trouvaient. Les Russes, persuadés, avec beaucoup d'exagération, qu'ITT constituait un des piliers de la puissance

5. Christopher Felix (pseudonyme), *The Spy and his Masters*, Londres, 1963.

américaine, éprouvaient à l'égard de la compagnie un sentiment où se mêlaient le respect et la crainte.

ITT se trouvait donc dans une situation délicate qui réclamait toute la diplomatie du colonel Behn. Mais il est possible qu'ITT ait revêtu une importance qui dépassait de loin son potentiel commercial dans la mesure où elle pouvait fournir une aide indispensable aux services secrets de l'Ouest dans un pays où la « couverture » devenat de plus en plus difficile à trouver.

L'histoire remonte à 1945 lorsque, si l'on en croit les Communistes, le colonel Behn travaillait en intime collaboration avec les services de renseignements américains. Le colonel reçut à New York la visite d'un ingénieur électricien, Robert Vogeler, qui avait servi dans l'armée américaine comme commandant dans les Marines. Behn nomma Vogeler directeur général des filiales ITT pour la zone de l'Europe de l'Est avec des bureaux à Vienne. Il le chargea en outre d'établir le contact avec les services secrets américains installés dans cette même ville. Vogeler s'exécuta et, à Vienne, fit la navette entre les bureaux d'ITT et le siège de l'ODI (l'organisation des services militaires de renseignements pour l'Europe de l'Est) où il avait son bureau au numéro 15 de l'Allianz building. Pendant les quatres années qui suivirent, Vogeler joua son double rôle, faisant de courtes incursions en Hongrie (huit semaines en tout). En 1946, le colonel Behn arriva en personne à Vienne et, accompagné de Vogeler, alla plusieurs fois en Hongrie.

En 1947, selon l'acte d'accusation, Behn recruta un autre agent, soupçonné d'espionnage, mais cette fois de nationalité anglaise. Edgar Sanders, alors âgé de quarante et un ans, comptable de son état, et natif de Leningrad, était à moitié russe ; c'était un cousin de George Sanders, la vedette de cinéma, à qui il ressemblait quelque peu — un beau brun à la chevelure gominée. Selon ses propres aveux, il avait commencé par travailler au

Moyen-Orient pendant la guerre pour le compte des services secrets britanniques puis, les hostilités terminées, avait fait partie de la mission militaire britannique à Budapest comme officier de renseignements avec le grade de capitaine. Quand fut signé le traité de paix avec la Hongrie, qui réduisait les perspectives d'action des services secrets, il dut aller se faire démobiliser à Londres ; mais un certain capitaine Barkley (?) du ministère de la Guerre lui demanda bientôt de revenir aux « renseignements ». Il fut engagé à ITT (comme couverture), son frère Alex Sanders (voir page 56) travaillant en Allemagne pour cette société. Il prit contact avec le colonel Behn qui le renvoya à Budapest pour y diriger l'usine de la compagnie. Mais il reçut l'ordre en même temps de se présenter au commandant Hanley à la légation britannique qui lui donna mission d'essayer d'isoler la Hongrie des autres pays communistes.

Celui qui jouait le rôle de troisième larron dans ce drame communiste était un Hongrois. Ingénieur en chef de l'usine ITT de Budapest, Imre Geiger, alors âgé de quarante-huit ans, était issu d'une famille juive de la classe moyenne. Travaillant pour la compagnie dès sa création, il avait, disait-il, eu des contacts avec les services de renseignements américains avant la guerre. C'était Ogilvie qui l'avait introduit auprès de ces services et, à l'automne 1947, s'étant rendu à New York pour discuter avec les gens d'ITT, il découvrit, dit-il, qu'il existait des liens étroits entre la société et l'Etat-Major général de l'armée américaine. Puis, en 1948, le colonel Behn vint en Hongrie et le nomma directeur général de la compagnie ITT Hongrie — étant entendu qu'il serait libre de se livrer à des opérations de sabotage et d'espionnage. Behn lui promit de l'aider à fuir en cas de besoin et de lui trouver une situation intéressante dans une des filiales occidentales d'ITT.

Bien qu'étranger à ITT, un quatrième complice n'en

jouait pas moins un rôle très important vis-à-vis des autres. Zoltan Rado occupait un poste de premier plan au ministère de l'Intérieur, avec mission d'exercer une haute surveillance sur l'usine ITT. Il disait avoir été élevé en Tchécoslovaquie et avoir gagné l'Angleterre pendant la guerre où il se mêla aux Trotskistes ; les services de renseignements britanniques le chargèrent d'espionner les Communistes ; puis il alla en Hongrie, toujours pour le compte des Anglais mais se donnant pour un Communiste hongrois, de sorte qu'il monta rapidement en grade au ministère où il était en mesure de délivrer des permis et des visas aux représentants d'ITT.

En octobre 1948, quatre mois seulement après son limogeage de la présidence, le colonel Behn se rendit à Budapest où il organisa dans le petit salon du « Gellert », un hôtel de grand tourisme, une réunion d'importance capitale ; il y avait convié Pinkney, Vogeler, Sanders et Geiger. Ils attendirent que Madame Zador, la secrétaire, ait quitté la pièce puis débranchèrent le téléphone par crainte qu'il ne soit relié à une table d'écoute. C'est alors que Behn entreprit d'exposer son maître plan. Une troisième guerre mondiale, dit-il, était imminente et la Hongrie serait dans le camp ennemi. Il allait donc à l'encontre des intérêts des Etats-Unis qu'une société américaine contribue au développement du réseau de communications hongrois. En conséquence, ils devaient ralentir la production et la saboter par tous les moyens possibles. Behn, à en croire Sanders, expliqua que la politique d'ITT ne lui était pas « précisément dictée par les autorités mais qu'elle avait l'accord de l'Etat-Major américain ». Geiger, qui voulait quitter la Hongrie pour trouver une situation à l'Ouest, plaida sa cause auprès de Behn mais ce dernier lui enjoignit de rester à son poste pour mettre le plan à exécution.

Il s'ensuivit, selon les aveux des accusés, que « sabotage et espionnage » reprirent de plus belle. On expédiait en Turquie des commandes destinées à l'Union soviétique. On trafiquait les écritures, déclara un commissaire aux comptes du gouvernement, afin de diminuer les valeurs de l'actif pour frauder le fisc. On promenait les machines-outils d'un coin à l'autre de l'usine pour gêner la production dont le chiffre baissa de 43 % par rapport à l'exercice précédent ; les fabrications étaient de mauvaise qualité, les commandes retardées. On donna instruction à l'usine de n'accepter de nouveaux dessins industriels que de Londres ; mais quand on les demandait à Londres, ils n'en finissaient pas d'arriver.

Entre-temps, par la voie de la légation américaine, les complices transmettaient au siège d'ITT à New York tous les renseignements qu'ils pouvaient recueillir. De là ils étaient communiqués aux services secrets à Washington. Bien que travaillant pour les services spéciaux britanniques, Sanders utilisait le canal des Américains, et Rado, qui au début ne travaillait que pour les Britanniques, fut également engagé en 1949 par les Américains qui étaient à même de lui offrir de meilleures conditions (il se plaignait que les Britanniques ne lui donnaient que 120 livres en 1948). Des espions fournissaient des plans des réseaux téléphoniques et installations diverses dûment relevés par l'attaché de l'air britannique, Bisdee, qui les agrémentait de cercles bleus et de petits drapeaux.

Mais il semble que Vogeler ait poussé un peu loin la témérité. Il s'était lié d'amitié avec une jeune et ravissante baronne du nom d'Edina Dory qui travaillait au bar de l'hôtel Astoria. Elle apparaissait comme une alliée naturelle : son père, en effet, un ci-devant gros propriétaire terrien, avait été dépossédé de ses biens par les Communistes hongrois et Edina s'était vue obligée de chercher un emploi au-dessous de sa condition. Sa sœur avait épousé un officier américain des services secrets, le colonel Kovach, qui avait d'abord fait partie de la mission américaine et Edina elle-même aurait voulu passer à l'Ouest. L'ayant rencontrée à l'hôtel Astoria, Vogeler lui fit confiance, l'utilisant pour recueillir de-ci de-là des bribes de renseignements : il lui arrivait en effet de tenir le standard téléphonique de l'hôtel. Peut-être Vogeler était-il déjà pisté, mais il semble qu'il ait fait preuve d'imprudence en fréquentant Edina de si près, car la police secrète, l'AVP, avait l'œil sur des endroits comme l'Astoria.

Fin octobre 1949, Vogeler commençait à se douter qu'il était filé, quand il rencontra le chef des services secrets américains, le colonel Kraft. Il prévint Geiger et Edina Dory de se tenir sur leurs gardes et leur dit qu'il s'arrangerait pour leur faire quitter la zone communiste. Il envoya un signal à la légation américaine de Vienne qui promit d'organiser l'évasion. Le 10 novembre, Geiger accompagné de sa femme et d'Edina Dory prirent le train comme on le leur avait dit à la gare de Budapest Est, puis changèrent à Gyor en direction de la ville frontière de Pinnye, sur la ligne de Vienne. Mais à Pinnye, la police frontalière les arrêta tous les trois. Neuf jours plus tard, Vogeler fut appréhendé à son tour et inculpé d'espionnage. Le surlendemain, ce fut au tour de Sanders d'être arrêté en pleine rue et embarqué dans un car de police.

Trois mois après leur arrestation, après avoir subi de la part de la police secrète un interrogatoire complet, les suspects furent appelés à comparaître devant un tribunal à Budapest ; le quatrième et principal personnage, Rado, venait d'être arrêté. A leur entrée dans la salle d'audience, les accusés, qui, selon le correspondant du *Times,* semblaient calmes et détendus, débitèrent leurs aveux au président du Tribunal qui ne les interrompit qu'occasionnellement pour leur souffler un mot de leur rôle. Hormis les aveux de culpabilité, les dépositions portèrent assez longuement sur les rapports entre ITT et le gouvernement américain.

Vogeler enchaîna en expliquant que « la collaboration entre la compagnie et l'autorité militaire était telle que cette dernière pouvait contrôler les opérations et les orientations politiques de la compagnie ; au surplus, ce qui était vrai pour ITT l'était également pour d'autres compagnies qui avaient d'importantes filiales à l'étranger ».

Imre Geiger, le directeur général hongrois, parla des liens que Behn avait noués avec les Nazis. Behn, disait-il, était venu en Hongrie en 1938 alors que le pays était déjà sous l'influence nazie ; au cours d'un dîner offert en son honneur, il avait déclaré qu'on devrait doubler la production. Puis le juge commença à lui poser des questions concernant les activités d'ITT pendant la guerre ; mais là, et pour la première fois, Geiger sembla hésiter à donner la réplique au juge :

> LE JUGE : Les Américains ont-ils eu des contacts indirects avec l'usine pendant la guerre contre les Fascistes ?
>
> GEIGER : Oui, ils ont eu des contacts.
>
> LE JUGE : Comment ?
>
> GEIGER : Ils ont envoyé ici des représentants qui travaillaient auparavant à Berlin aux filiales de la Standard et c'était le représentant de l'ancienne usine Standard de Berlin qui contrôlait et dirigeait les usines de Budapest.
>
> LE JUGE : Est-ce que, d'une façon ou d'une autre, cette personne était aussi en relation avec les Américains pendant la guerre ?
>
> GEIGER : Autant que je sache, oui.
>
> LE JUGE : Où ?
>
> GEIGER : A l'étranger.
>
> LE JUGE : Où donc ?
>
> GEIGER : D'abord en Allemagne et puis...
>
> LE JUGE : Les Américains ne devaient pas y aller facilement ?

GEIGER : Non, pas après leur entrée en guerre.

LE JUGE : Mais on a des pièces ici qui prouvent que même à ce moment ils gardaient le contact. Etiez-vous au courant qu'à certaines occasions ils avaient rencontré Behn en Suisse ?

GEIGER : Après l'entrée des Américains en guerre.

LE JUGE : Et même alors ils ont maintenu leurs directives de pousser la production de l'usine ?

GEIGER : Oui, cela a duré jusqu'au bout, jusqu'à la fin de la guerre.

Le procès dura quatre jours. Une fois de plus les accusés confirmèrent leurs aveux et adressèrent leurs remerciements à la Cour. Les avocats de la défense se levèrent pour réclamer l'indulgence du tribunal ; l'un d'eux plaida : « Nos clients n'ont été que des marionnettes entre les mains des capitalistes monopolistes : les banquiers-colonels, les généraux-rois du rail, les magnats des trusts des cigares... Ces imbrications compliquées sont caractéristiques des affaires telles qu'on les conçoit aux Etats-Unis d'Amérique. » Vogeler n'en fut pas moins condamné à 15 ans de prison, et Sanders à treize, deux autres accusés, un prêtre et un comptable, à dix ans, et Edina Dory à cinq. Geiger et Rado furent condamnés à mort et exécutés peu après.

Quant à l'usine ITT, elle fut expropriée sans indemnisation dans les jours qui suivirent les premières arrestations ; la découverte du complot avait fourni au gouvernement le prétexte dont il avait besoin. La raison sociale « Standard » fut supprimée et remplacée par « Beloyannis » en mémoire d'un Communiste grec qui avait été chef d'un réseau de résistance.

Vogeler ne fit qu'un an de prison. En manière de représailles, le Département d'Etat avait fermé les consulats hongrois et imposé des restrictions à l'octroi des visas. La jolie Lucile, femme de Vogeler, entama une adroite campagne en faveur de son mari, se lia d'amitié avec des agents russes pour discuter des conditions de sa libération éventuelle et fit mille chatteries à Dean Acheson en personne, alors secrétaire d'Etat, lors de son séjour à Londres. ITT pressa le Département d'Etat de transiger avec le gouvernement hongrois et enfin, en avril 1951, Vogeler fut relâché en échange de la réouverture des consulats et de la levée des restrictions sur les déplacements d'un pays à l'autre : il n'est pas exclu qu'ITT ait consenti à céder aux Communistes hongrois certaines licences et à leur fournir des plans de fabrication.

Vogeler commença par déclarer qu'il y avait eu « du vrai » dans ses aveux, mais par la suite il écrivit un livre expliquant qu'ils avaient été obtenus sous la contrainte et donna sa version complète de l'histoire. Ni lui ni personne ne se seraient livrés à l'espionnage ; les instructions qu'ils avaient reçues du colonel Behn leur enjoignaient simplement de faire leur possible pour éviter la confiscation des biens d'ITT. Les Hongrois déployaient tous leurs efforts pour mener la compagnie à la faillite, procédé connu sous le nom d'« expropriation rampante » ; et Behn, quand il vint en Hongrie en 1948, tenta désespérement de parvenir à une entente aux termes de laquelle ITT accorderait des licences et fournirait des plans de fabrication aux Communistes hongrois à des prix raisonnables mais moyennant paiement rapide. Soupçonneux, le Département d'Etat et l'attaché commercial américain à Budapest, Jule Smith, émirent des réserves à l'égard de ces négociations. Le diplomate américain estimait qu'ITT ne pourrait prévenir l'expropriation qu'en fournissant aux Communistes hongrois des informations qu'ils n'avaient pas à posséder. Vogeler insistait sur le fait que les cadres d'ITT étaient de loyaux citoyens américains ; s'ils ne parvenaient pas à traiter avec le gouvernement communiste, d'autres (comme Philips en Hollande) le feraient à leur place. En juillet 1948, Behn était effectivement parvenu à un protocole d'accord avec les Communistes hongrois aux termes duquel ces derniers recevraient de nouvelles informations techniques concernant notamment l'équipement des aéroports en appareils d'aide à la navigation ; mais alors qu'ils attendaient l'accord du Département d'Etat, des nuages annonciateurs de danger s'accumulèrent. Vogeler se vit refuser son visa pour retourner en Hongrie — signe lourd de présages — et Sanders le prévint que le pétard était à deux doigts d'éclater. Mais dans son impatience le colonel Behn lui-même lui câbla : « SURPRIS ATERMOIEMENTS VOUS ENJOINS PRENDRE DISPOSITIONS POUR VOYAGE BUDAPEST URGENT. » C'est alors que Vogeler retourna à Budapest pour constater que le Département d'Etat avait refusé d'approuver le protocole d'accord et que les Communistes hongrois avaient fini par signer avec Philips. Dès lors ils n'avaient plus que faire d'ITT et la police entra en scène. Vogeler tenta de s'échapper dans une voiture de la compagnie mais fut arrêté à la frontière.

Vogeler nia être un agent secret ; tout ce qu'il avait fait était d'aider quelques amis hongrois à s'échapper, transmettre quelques renseignements aux services secrets américains et rester en liaison avec son ami Fish Karpe, un intrépide agent américain qui fut plus tard éjecté de l'Arlberg-Express. On a peine à croire que Vogeler se soit livré à de sérieuses activités d'espionnage, car sa femme et lui-même étaient connus pour leur imprudence et leur franc-parler. Anti-communiste virulent, il était mieux fait pour exaspérer les Hongrois que pour les tromper ; une fois libéré, il devenait de plus en plus embarrassant également pour ITT, et il finit par les assigner en paiement de 500 000 dollars de dommages et intérêts. Sanders offrait par ailleurs l'image d'un personnage plus sérieux qui, de toute évidence, avait travaillé à une époque précédente pour les services britanniques ; on ne le relâcha que deux ans plus tard et il se retira sans histoire à Southend.

Quel était donc au juste le jeu dangereux du colonel Behn ? La réponse demeure obscure. Après 1947, les perspectives d'un accord avec le gouvernement hongrois étaient bien limitées ; et comme l'explique Vogeler, Behn espérait que la Hongrie à l'exemple des Yougoslaves pourrait se détacher de l'Union soviétique ; et il a pu penser qu'en y maintenant la présence d'ITT, il augmentait éventuellement ses chances d'obtenir une indemnisation au cas où l'entreprise serait nationalisée[6]. Behn, selon son habitude, poursuivait sa propre politique étrangère compliquée ; dans l'espoir de traiter aux meilleures conditions avec les Russes, il assumait à leur égard une attitude ambiguë qui suscitait la méfiance du Département d'Etat. Il préférait diriger son service de renseignements personnel plutôt que de collaborer avec ceux des autres, quels qu'ils soient ; mais ce faisant, il serait bien étonnant qu'il n'ait pas gardé le contact avec les services secrets américains. Il est clair qu'il poursuivait sans relâche les intérêts de son affaire, risquant la vie de son personnel, envoyant deux hommes à la mort à un moment où le danger était évident et fournissant au gouvernement hongrois le prétexte attendu. La téméraire aventure de Budapest présente des ressemblances troublantes avec l'équipée du Chili, vingt ans plus tard.

6. Vingt-quatre ans plus tard, en mars 1973, les Hongrois consentirent à payer 19 millions de dollars pour la nationalisation de biens américains ; une grande partie de cette somme ira à ITT.

## DU BON USAGE DES RELATIONS

Tandis qu'ITT s'employait activement aux frontières de la guerre froide, la société déployait une intense activité aux Etats-Unis et en Europe de l'Ouest aux fins d'établir des liaisons transatlantiques entre les deux continents ; et quatre ans après le procès de Hongrie, on s'affairait surtout à la réalisation d'un projet ambitieux qui consistait à poser un nouveau câble sous-marin. A la comparer avec l'aventure hongroise, il s'agissait là d'une entreprise de caractère franchement commercial, ce qui n'empêcha pas qu'elle fût placée sous le parrainage de l'OTAN et de l'Alliance Atlantique ; et il se trouve que les détails des transactions auxquelles ce projet donna lieu et que seul le hasard révéla, témoignent de la volonté délibérée de ses promoteurs de créer une confusion entre les intérêts d'ITT et ceux des gouvernements britannique et américain. Les documents circonstanciés de cette affaire, maintenant accessibles, donnent une image vivante des méthodes d'ITT en tant que groupe de pression. C'est l'intrépide amiral Ellery Stone que la compagnie désigna comme émissaire spécial pour la réalisation du projet. Avant la guerre, l'amiral avait été une des figures marquantes d'ITT. En 1933, ITT l'avait chargé de recevoir en son nom l'aviateur italien Italo Balbo à son arrivée à New York. Au cours des hostilités, Stone s'était élevé au rang de contre-amiral et de commandant en chef de la Commission de contrôle alliée en Italie tout en conservant des liens étroits avec ITT (il avait pour aide de camp un des propres fils de Behn) ; comme un de ses collègue se plaisait à le rappeler, on le prenait toujours plus pour un businessman que pour un amiral. Lors de la campagne d'Italie, il avait travaillé en étroite collaboration avec des personnalités anglaises de premier plan, en particulier Harold Caccia (plus tard Lord Caccia, ambassadeur à Washington, secrétaire général du Foreign Office, et aujourd'hui Président du conseil d'ITT Grande-Bretagne). La fin de la guerre le trouva couvert d'honneurs : Chevalier Commandeur de l'Empire britannique, Grand officier de la couronne d'Italie, décoré de la Légion d'Honneur française et de l'Ordre belge de Léopold II. La guerre terminée, il demeura en Italie au quartier général des forces alliées et épousa une jeune comtesse italienne (sa troisième femme). C'est alors qu'il rentra à ITT comme président de sa filiale Commercial Cables, et déploya une activité fébrile en Europe, se hâtant de droite et de gauche pour renouer le contact avec ses vieux amis, faisant sonner à tous propos le nom de ses hautes relations, offrant des réceptions dans ses appartements réservés de l'hôtel Métropole à Bruxelles et, comme s'en plaignit à moi un des directeurs d'ITT, « utilisant le bureau des uns et des autres comme sa passerelle de commandement ».

En 1954, l'amiral fut chargé d'obtenir les droits d'ancrage du câble qu'ITT voulait poser entre les Etats-Unis et l'Angleterre, vià le Canada et le Groenland. On donna au projet le nom de code de « Deep Freeze » (surgel). L'armée de l'air américaine devait se voir attribuer en location le onzième de la capacité du câble, en foi de quoi le gouvernement américain prit l'engagement d'aider ITT à obtenir les droits d'ancrage à l'étranger. Finalement, le projet fut abandonné et ITT avec un aplomb incroyable, et sous prétexte que le gouvernement des Etats-Unis ne lui avait pas apporté une aide suffisante[7], lui intenta une action en dommages et intérêts de 800 000 dollars pour rupture de contrat. ITT finit par être déboutée en 1968 ; mais au cours de l'instruction et des débats, le Département de la Justice put se procurer une pile de correspondance appartenant à l'amiral Stone ainsi que

7. Voir U.S. Court of Claims (Cour fédérale dont les attributions sont très proches de notre Conseil d'Etat). Affaire Commercial Cables c/U.S.A., avril 1968, p. 3.

d'autres documents concernant ITT (classés sous la rubrique J 261) et qui, rendus publics révélèrent les dessous de cette remarquable histoire [8].

L'amiral s'était vu confier pour principale mission de persuader le gouvernement britannique d'accorder les droits d'ancrage du câble, bien que ce dernier fût de nature à concurrencer directement la compagnie britannique nationalisée, Cable and Wireless, et que les Britanniques se soient déjà engagés par ailleurs à immerger un nouveau câble. Cela n'empêcha pas l'amiral, avec un esprit de suite méritoire, de déployer tous ses efforts en faveur d'ITT, exploitant ses amitiés du temps de guerre jusqu'à l'extrême limite. Avant d'entrer en action, il écrivit de New York à Sir Thomas Spencer, alors président de la filiale londonienne d'ITT, Standard Telephone and Cables, une de ces lettres caractéristiques où il aimait à étaler les noms de ses prestigieuses relations :

> « Je suis au mieux avec Sir Roger Makins [9], votre ambassadeur ici, et aussi avec Sir Harold Caccia [10] maintenant au Foreign Office. Je l'ai eu avec moi en Italie pendant un an comme conseiller politique britannique. Je connais également Harold Macmillan, dont on parle ici comme successeur éventuel de M. Eden, si Sir Winston se retire. J'ai servi en Italie aux côtés du général John Harding quand nous étions tous les deux sous les ordres d'Alex [11] ; par ailleurs l'amiral Mac Griger, premier Lord

8. Un certain nombre de documents sont reproduits dans *America Inc.* de Morton Mintz et Jerry Cohen, Londres, Pitman, 1972, pp. 330-337. J'y ai ajouté plusieurs extraits des documents J 261.

9. Plus tard Lord Sherfield.

10. Plus tard Lord Caccia, aujourd'hui président d'ITT Angleterre.

11. Le maréchal Lord Alexander.

> Naval[12], fut sous mes ordres en Italie ; je suis donc en droit d'attendre qu'au moins ces messieurs veuillent bien me recevoir s'il nous arrivait jamais de rencontrer de sérieux ennuis. »

Lorsque quatre mois plus tard Macmillan fut nommé ministre de la Défense, l'amiral y entrevit sa chance : il lui envoya une lettre de félicitations à laquelle le secrétaire du ministre lui répondit que ce dernier aimerait le voir. L'amiral alla trouver Macmillan le 3 novembre 1954 et l'entretint de « Deep Freeze » pendant vingt minutes. Puis, comme le nota Stone dans son rapport destiné à ITT à New York :

> « Vers le milieu de notre entretien, il dicta une note à l'adresse du secrétaire permanent de son ministère, aux termes de laquelle il le mettait au courant des relations qu'il avait eues avec moi pendant la guerre, l'informait de ma position actuelle et lui indiquait le coût et le tracé du projet « Deep Freeze » ; il lui faisait part en même temps de l'appui que nous apportait le JCS (Joint Chiefs of Staff — état-major interarmes) ; il disait savoir que notre demande était restée à l'étude pendant quelque temps... Je demandai qu'on me donne l'occasion d'être entendu par les plus hautes instances, dans l'éventualité d'une décision négative ou seulement restrictive... J'ai le sentiment très net d'avoir accompli du bon travail, étant donné la forte position qu'occupe Macmillan au gouvernement... »

12. N.d.T. Chef d'état-major de la marine.

Chose pour le moins surprenante, l'amiral s'était en même temps assuré le concours apparent d'un autre ancien compagnon d'armes qui avait servi en Italie, le général de division Sir Leslie Nicholls, et qui n'était autre que le président de la société Cable and Wireless. Deux jours après son entrevue avec Macmillan, l'amiral écrivait à New York :

> « J'écris ce mot — au lieu de le câbler — parce que j'ai toujours peur de causer des ennuis au général Nick [13] — il me parle toujours avec une telle franchise et m'en raconte toujours plus qu'il ne devrait, j'en suis bien sûr. Je l'ai appelé ce matin au téléphone pour savoir s'il avait reçu le nouveau document des Postes. Oui, il l'avait bien reçu et me dit : « Vous les avez toujours à dos. J'ai chargé mon personnel d'y chercher la petite bête et bien sûr ils n'en ont pas fini avec moi... » Il faudra que l'artillerie lourde en notre faveur vienne de la Défense et du Trésor. Après tout, c'est à ce dernier qu'appartient Cable and Wireless et il en reçoit des dividendes : ce sont des gens qui apprécieront à leur juste valeur nos dix-sept millions de dollars de dépenses et l'économie du câble Otan-Royaume-Uni-Islande... »

Nicholls et Macmillan demeurèrent d'utiles contacts ; cinq mois plus tard, en avril 1955, Stone fit savoir au président d'ITT, le général William Harrison, qu'il avait revu Macmillan dont l'attitude avait témoigné « d'une extrême amitié et de son grand désir de nous être utile ». Il ajoutait que « la personnalité militaire [le général

13. N.d.T. Il s'agit du général Sir Leslie Nicholls.

Nicholls] avait bien travaillé en faisant un exposé à Macmillan en notre faveur deux jours avant notre entrevue d'hier ».

A New York, entre-temps, ITT faisait pression sur Washington et Ottawa. Pour traiter avec le Canada, ITT demanda à son avocat d'Ottawa, Gordon Maclaren, de se mettre en campagne ; Maclaren avait le bras long, connaissant personnellement plusieurs membres du gouvernement canadien, y compris Lester Pearson, le ministre des Affaires Etrangères du moment. Un des passages de la note émanant du cabinet Maclaren (qui tomba plus tard entre les mains du Département de la Justice) mentionnait : « Reçu un coup de téléphone de L.B. Pearson : il s'efforce de faire avancer les choses et nous tient au courant des grandes difficultés qu'ils ont rencontrées ; tâcheront de nous mettre en selle si possible (confidentiel). » Le lendemain de ce coup de téléphone, l'agent d'ITT au Canada, chargé du projet « Deep Freeze », reçut une communication hautement confidentielle de Pearson (dont la teneur fut transmise sans délai à Stone) annonçant qu'un message était parvenu du haut-Commissariat du Canada[14] à Londres, d'où il ressortait que la Grande-Bretagne s'opposait à la demande du Canada et qu' « il serait sans doute désirable que le Canada s'abstienne de prendre une décision immédiate afin de permettre aux deux gouvernements de discuter plus avant la question ».

Au même moment ITT, prétextant que le câble, loin d'être une opération purement commerciale, intéressait avant tout la défense, demanda à Washington d'intervenir pour faire pression sur les Britanniques. Le 14 sep-

14. Pour les pays du Commonwealth, les termes haut-commissariat et haut-commissaire se subsistuent à ambassade et ambassadeur.

tembre 1954, Forest Henderson d'ITT New York expédia à Stone qui se trouvait à Londres un câble ainsi conçu :

> « PENSONS POUVOIR TROUVER AIDE AUPRÈS ÉTAT-MAJOR INTERARMES WASHINGTON LEUR DEMANDANT ALERTER HAUTES AUTORITÉS DÉFENSE ROYAUME-UNI SUR URGENTE NÉCESSITÉ HATER ICI MISE EN PLACE CABLE POUR RAISONS MILITAIRES SELON CALENDRIER PRÉCIS SANS AUCUNE ALLUSION ASPECT COMMERCIAL ENTREPRISE. »

Le mois suivant, Henderson s'adressant à l'amiral Stone lui dit : « Nous estimons qu'il est grand temps pour notre Département d'Etat d'intervenir en adressant une note énergique aux ministres des Affaires Etrangères de tous les pays concernés en leur demandant de s'occuper sans plus tarder de notre projet et d'agir en sa faveur. » Et il ajouta, s'adressant toujours à Stone, qu'il allait se rendre à Washington pour travailler au dit projet, et utiliser à cet effet les renseignements qu'ITT avait reçus de Lester Pearson, sans toutefois les divulguer.

En mai, eut lieu à Paris une conférence des ministres des Affaires Etrangères des pays de l'OTAN, à laquelle participèrent Dulles et Macmillan qui venait d'être promu de la Défense à ce nouveau poste.

C'était pour l'amiral Stone l'occasion de discuter du projet « Deep Freeze » au plus haut niveau. Il demanda à rencontrer à ce sujet le conseiller de Dulles, Livingston Merchant, à qui il déclara : « J'espère que Dulles trouvera le moyen de parler de l'affaire avec Macmillan, étant donné que j'en ai discuté avec lui officieusement à deux reprises quand il était ministre de la Défense ; d'ailleurs je l'ai connu alors que nous étions tous deux sous l'uniforme lors de la dernière guerre. » Stone alors rendit compte d'une rencontre « satisfaisante » avec Merchant, qui promit de presser Dulles d'en parler à Macmillan et d'aborder aussi la question avec Sir Harold Caccia, qui était maintenant l'adjoint de Macmillan et que la société ITT, comme l'amiral s'empressa de le rappeler à son siège de New York, avait eu la chance d'aider récemment « dans une affaire personnelle ».

Dulles s'exécuta dûment. Le même soir, le sous-secrétaire d'Etat Douglas Dillon, présent lui aussi à Paris, expédia à Washington un câble qui donne quelque aperçu de la collusion entre les milieux d'affaires et le gouvernement :

> « AMIRAL STONE RENCONTRÉ MERCHANT MATIN 12 MAI LUI LAISSANT NOTE AVEC DOCUMENTS ANNEXES TRANSMIS VALISE DIPLOMATIQUE. SOULIGNÉ URGENCE POUR SECRÉTAIRE [Dulles] MENTIONNER PROBLÈME A MACMILLAN CE QUE SECRÉTAIRE A FAIT PLUS TARD MATINÉE. SECRÉTAIRE DIT A MACMILLAN QU'IL DEVAIT SE RAPPELER COMME ANCIEN MINISTRE DÉFENSE QUESTION CABLE COAXIAL ET SON IMPORTANCE MILITAIRE. A EXPLIQUÉ ATTENDIONS TOUJOURS RÉPONSE A NOTE ADRESSÉE ROYAUME-UNI MI-MARS ET A DEMANDÉ FAIRE AVANCER AFFAIRE DÈS RETOUR LONDRES. MACMILLAN D'ACCORD. DANS CONVERSATION SUBSÉQUENTE ENTRE MERCHANT ET CACCIA, CE DERNIER A FAIT ÉTAT POSITION PRÉCEDENTE FONDÉE SUR DÉCISION DU CABINET ET DONC INUTILE ESPÉRER RÉPONSE NOUVELLE OU MODIFIÉE AVANT ÉLECTIONS BRITANNIQUES. LAISSONS AMBASSADE LONDRES SEULE JUGE DANS QUELLE MESURE COMMUNIQUER CE QUI PRÉCÈDE A AMIRAL STONE QUI S'ESTIME EN DROIT RECEVOIR AU MOINS MINIMUM RENSEIGNEMENTS. » SIGNÉ DILLON.

L'amiral poursuivit le bombardement de ses relations. Le mois suivant, le colonel Behn, alors âgé de soixante-douze ans, arriva à Londres et Stone s'arrangea pour lui ménager un entretien avec l'ambassadeur des Etats-Unis : « Du fait de ses liens d'amitié avec l'ambassadeur et de ses nombreuses relations avec d'éminentes personnalités londoniennes, il voudrait savoir s'il serait possible de faire quelque chose pour dégager le « goulot d'étranglement ». Le colonel lui-même n'y parvint pas. Jusqu'en 1956, à la suite d'un entretien qu'il eut le 28 février avec le ministre des Postes, Charles Hill, Stone garda bon espoir. Mais Londres et Ottawa continuèrent d'opposer une vive résistance au projet qui finit par être classé.

Bien que l'affaire se soit soldée par un échec, les documents « Deep Freeze » témoignent de l'habileté d'ITT à manœuvrer entre les gouvernements occidentaux. C'est seulement par hasard que ces pièces ont été mises au jour, mais saura-t-on jamais combien d'autres interventions sont demeurées secrètes ? D'entrée de jeu et jusqu'au bout le projet concernait une entreprise à but lucratif dont la vocation militaire n'était que secondaire, et qui devait entrer en concurrence directe avec une compagnie britannique, ce qui apparemment n'empêcha pas les responsables d'ITT de convaincre les hauts fonctionnaires et les ministres de part et d'autre de l'Atlantique de leur prêter assistance et de leur communiquer des renseignements confidentiels, tout en menant leurs propres opérations à l'insu de leurs gouvernements. Leurs services secrets ultra-rapides les mettaient à même d'exercer une pression savamment coordonnée sur Ottawa, Washington et Londres.

Ces deux aventures diplomatiques que nous venons de raconter, et dont l'action s'est déroulée des deux côtés opposés de l'Europe de l'Ouest, jettent une certaine lumière sur le caractère nébuleux d'ITT. Certes, les opérations de Budapest et de Londres étaient de nature essentiellement différente ; mais les unes comme les autres donnent à penser que les propres services secrets et diplomatiques de la compagnie étaient plus efficaces, mais aussi plus téméraires que ceux des pays de l'Ouest auxquels ils avaient affaire. D'aucuns pourraient prétendre que cela n'en était que mieux ; une industrie multinationale devait avoir une plus vaste perspective des événements d'ensemble que les bureaucrates travaillant pour leur gouvernement. Mais on n'oserait affirmer que les événements qui ont jalonné la carrière du colonel Behn confirment cette proposition. Tout en défiant les gouvernements il dépendait d'eux : il pouvait apparaître, tantôt comme le gardien de la sécurité du pays, tantôt comme un authentique flibustier. En dépit de son palmarès du temps de guerre, le vaisseau pirate que Behn avait lancé, poursuivait sa course, toutes voiles déployées, et battait de vitesse les flottes nationales.

Dans quelle mesure les sociétés offrent-elles un caractère de continuité ? Certes, avec des événements tels que la naissance de nouvelles industries, l'installation d'un autre président à la personnalité très différente, la révision nécessaire du plan d'expansion géographique de la compagnie, il était à prévoir qu'ITT passerait par de graves convulsions et subirait de profondes transformations dans les années à venir. Mais sous deux aspects principaux la société conserve sa ressemblance avec la création de Behn. D'abord, tout gravite autour d'un chef unique et dominateur. Aucun membre du conseil d'administration, aucun cadre supérieur n'a jamais eu assez d'envergure pour s'opposer aux erreurs du président. Dans leur grande masse les directeurs, comme me l'expliquait un des administrateurs, font figure de « sous-lieutenants téléguidés qui attendent des instructions pour agir ».

Par ailleurs, ITT se considère comme au-dessus des gouvernements, au-dessus de tout contrôle, de tous principes moraux. La société continue d'arborer un visage américain en Amérique, anglais en Angleterre, français en France ; toutefois elle ne s'estime tenue à aucun loyalisme envers les pays où s'exerce son activité, et considère chaque gouvernement comme un obstacle inutile. Il serait absurde à mon sens de comparer les derniers méfaits d'ITT à ses « exploits » du temps de guerre. Il n'en demeure pas moins que tout au long des cinq décennies de son existence, la façon dont elle a conduit ses affaires laisse planer un doute sur son véritable caractère et son mode de fonctionnement.

## CHAPITRE IV

## GENEEN ET SA MACHINE

Il fallut attendre 1956 pour que le colonel Behn finît par quitter ITT, trente six ans après avoir fondé la compagnie. En avril de cette même année, le général Harrison périt sous le harnais et le mois suivant Behn se retira à l'âge de soixante-quatorze ans. Il mourut en 1957. A eux deux ils laissaient un vide que le conseil d'administration, désemparé, ne savait comment combler. On nomma un président de transition. C'était un autre général du nom de Edmond Leavey, ancien cadet de West Point, à la mine grave et digne mais qui n'était pas trop fixé sur ce qu'il fallait faire d'ITT. Entre-temps, le conseil élit un sous-comité de trois administrateurs présidé par un banquier très distingué de chez Kuhn Loeb, Hugh Knowlton : sa mission était de se mettre en quête de la personne idoine pour faire redémarrer l'affaire. Ils firent tâter le terrain par des agences spécialisées dans la « chasse aux cerveaux » et finirent par entendre parler d'un bouillonnant directeur qui habitait Boston et jouissait d'une légendaire réputation dans l'art de faire surgir les bénéfices.

Harold Sidney Geneen était à l'époque vice-président directeur général de Raytheon, la compagnie géante de matériel électronique qui travaillait sous la haute direction du très aristocratique président Charles Francis Adams, issu de la fière famille Adams de l'époque coloniale. De toute évidence, Adams n'avait nulle intention d'abandonner la présidence et Geneen, alors âgé de cinquante ans, était impatient d'accéder au pouvoir. Les administrateurs d'ITT l'invitèrent à déjeuner. Il fut éblouissant, se livra à une étonnante démonstration de sa maîtrise des faits et de sa mémoire des chiffres ; en outre il fit comprendre clairement (comme se plaît à le rappeler Knowlton) que s'il entrait à ITT il faudrait que les choses tournent rond. Le sous-comité s'empressa de recommander le personnage au conseil et c'est ainsi qu'en 1959 Geneen devint président de la compagnie.

C'est en connaissance de cause que les administrateurs avaient fait un choix téméraire mais ils ne se doutaient pas alors du tout de ce que contenait en puissance ce « petit génie[1] » qu'ils avaient laissé échapper de sa boite. Les experts en matière de « management » et d'investissement étaient parfaitement au fait du phénomène Geneen ; quand ce dernier quitta Raytheon, les actions de cette compagnie tombèrent de 6 1/2 points. Mais il n'avait jamais été son propre patron ; et même pour ceux qui savaient quelque chose de lui, il demeurait impénétrable. Il y avait même beaucoup d'hésitation sur la façon d'épeler ou de prononcer son nom ; et aujourd'hui encore les spécialistes des relations publiques d'ITT se plaignent que de temps à autre ce nom apparaisse dans la presse tantôt comme « Geheen », tantôt comme « Green ». Une plaisanterie court à ce propos à ITT : « Faut-il prononcer Geneen avec un G dur comme dans God ou doux comme dans Jésus » (c'est un G doux comme dans Génie).

De toute évidence, il y avait peu de points communs entre le nouveau président d'ITT et Sosthenes Behn : ni cet abord imposant, ni ce panache cosmopolite, ni enfin ce goût de l'anecdote par où il se plaisait à raconter ses exploits. Geneen avait bien l'air de ce qu'il était : un maître ès comptabilité. Mais de temps en temps, il se comparait volontiers à Behn (« c'était un homme de son

1. N.d.T. Génie dans le sens mythologique de Djinn ou de génie des contes arabes.

temps, moi je suis un homme du mien ») et il existait effectivement certaines ressemblances. D'abord, Geneen, pas plus que Behn, n'était issu d'un système structuré selon les normes traditionnelles de la hiérarchie ou du pouvoir ; il avait fait cavalier seul et semblait surgir de nulle part, de sorte qu'il était tout désigné, comme Behn, pour être à la tête d'une société multinationale ; enfin, à l'image de Behn, c'était un despote.

La vie de Geneen avait toujours été celle d'un nomade, et aujourd'hui encore il est difficile de retracer ses pas. Aussi surprenant que cela soit, il naquit à Bournemouth, la très conservatrice station balnéaire de la côte sud de l'Angleterre. Son père, d'origine russe, y exerçait le métier d'imprésario de concerts. Avec son frère il avait émigré de Russie aux environs des années 1880 ; on trouve encore en Angleterre des Geneen dont certains font commerce d'antiquités à Bournemouth et Southampton. Mais les liens familiaux se sont relâchés ; un de ses cousins germains entendit parler pour la première fois de son riche parent il y a quelques années seulement. Son père avait épousé une demoiselle Aida de Cruciana, qui, en dépit de son nom, était considérée comme typiquement anglaise ; jusqu'à sa mort elle demeura très proche de son fils. Geneen a gardé un indiscutable sentiment d'affection à l'égard de l'Angleterre : il se sent en sécurité à Londres et peut se promener dans les rues sans crainte d'être kidnappé. Par-dessus tout il associe Londre à sa mère. On peut voir un banc de teck dans les jardins de Mount Street, en face de l'hôtel Connaught[2], où sont commémorés les noms de nombreux Américains ; sur ce banc une inscription : A LA MÉMOIRE D'AIDA GENEEN, QUI AIMAIT LES JARDINS DE SON ANGLETERRE NATALE. HOMMAGE DE SON FILS HAROLD S. GENEEN.

2. N.d.T. Hôtel surtout fréquenté par des Américains. Les jardins de Mount Street et cet hôtel sont situés dans le quartier américain.

Mais Geneen avait un an quand ses parents quittant l'Angleterre l'emmenèrent avec eux en Amérique. Le couple se sépara peu après son arrivée et Geneen resta seul avec sa mère. Elle l'envoya comme interne dans une école de Suffield dans le Connecticut, où il passa neuf années, de sept à seize ans. Evoquant ses souvenirs quarante ans plus tard, il décrit comment :

> « Je passais tout mon temps soit comme pensionnaire à l'école, soit dans des camps, sauf pendant les rares périodes de vacances où je retournais à la maison. Mais pendant des congés trop courts comme ceux de Thanksgiving[3] ou de Pâques, ou alors pour des raisons de famille, je restais à l'école. Ce qui explique que j'ai plus de raisons que beaucoup d'autres de me souvenir et me rendre compte de tout ce que l'école m'a apporté... »

C'était une vieille fondation baptiste avec une centaine d'élèves issus de milieux très différents. De toute évidence, le petit Geneen était un enfant solitaire. Mais évoquant son passé avec nostalgie, il voit en Suffield l'école qui avait fait de lui un citoyen américain, où il avait inconsciemment absorbé « les valeurs et principes encore fondamentaux et qui ne s'écartaient guère de ceux qui ont fait l'Amérique... ».

Au lieu de poursuivre ses études comme externe de première année à l'université, comme il en avait conçu le projet, il quitta l'école à seize ans et dès lors son ambition et la majeure partie de ses émotions trouvèrent leur exutoire dans les sentiers de la comptabilité. Il dénicha un emploi de « grouillot » à la Bourse de New

3. N.d.T. Thanksgiving Day : jour d'actions de grâce (quatrième jeudi de novembre), en commémoration de la moisson récoltée par la colonie de Plymouth en 1621 à la suite d'un hiver très rigoureux. C'est la fête nationale américaine.

York. Il assista au grand krach de 1929, expérience qui le marqua pour toujours, et s'inscrivit sans tarder aux cours du soir de l'université de New York. Il ne fut pas long à se rendre compte qu'il était particulièrement doué pour les chiffres. En outre il possédait ce genre d'imagination, si rare chez les comptables, qui leur permet d'apercevoir, par-delà les chiffres, la façon de conduire les affaires. Il entra dans le cabinet comptable Lybrand Ross et Montgomery (aujourd'hui Lybrand Cooper) à New York. Ses collègues étaient frappés par son enthousiasme et le bouillonnement de ses idées.

Geneen voulait connaître les grandes sociétés de l'intérieur et après huit ans passés chez Lybrand Ross, il occupa une succession de postes dans l'industrie. Mais bien qu'il pût réaliser des merveilles, il se sentait en proie à de constantes frustrations. A la compagnie Bell & Howell, qui fabriquait de l'appareillage électronique à Chicago, il travaillait jusqu'à minuit pour mettre en place un rigoureux contrôle de système financier ; toutefois, déçu que ses mérites soient si mal reconnus, il quitta la place pour entrer chez Jones and Laughlin, une des aciéries de Pittsburg ; cependant il eut le sentiment que son patron, Charles Austin, détruisait la confiance qu'il avait en lui-même ; et lorsqu'Austin fut élu président, Geneen quitta son emploi.

En 1956, il vit que Raytheon lui offrait sa chance. Les affaires de la compagnie allaient mal — c'était avant le boom sur les appareils électroniques qui suivit l'exploit du spoutnik — et les emplois supérieurs étaient tenus par des ingénieurs indifférents à la notion de profit. Le président Adams offrit à Geneen le poste de vice-président directeur général. Geneen avait alors quarante sept ans et c'était la première fois qu'on lui mettait le pied à l'étrier. Il s'attela à la tâche avec une indéfectible énergie, il réveilla de leur torpeur les cadres supérieurs, introduisit ses propres gens, acheta de nouvelles sociétés, et organisa un système de contrôle. Pour stimuler le zèle de ses ingénieurs, il tint ce discours : « Nous sommes une société commerciale et notre devise s'inscrit en nombre de dollars par titre que nos actionnaires reçoivent comme dividendes. » En trois ans le revenu de chaque action passa de deux à trois dollars cinquante. On le citait maintenant comme un maître dans l'art de la gestion. Mais il n'était pas encore le patron. « Je conduisais à vive allure », déclara-t-il plus tard, « mais à tout moment quelqu'un d'autre, sans crier gare, essayait de mettre la main sur le volant[4] ».

Il avait pris pleine conscience du pouvoir qu'il avait de faire agir les gens en les motivant tour à tour par la carotte ou le bâton. Mais il ne devait son ascension qu'à sa maîtrise des chiffres, et la comptabilité était toute sa vie. Il s'était marié deux fois, ayant épousé en secondes noces son ex-secrétaire de chez Bell & Howell, sa femme actuelle. Il n'avait pas d'enfant et ne vivait que pour ITT. Au cours de son ascension rapide de Suffield à Manhattan puis à Chicago, à Pittsburg, à Boston et de nouveau à New York, il ne semblait jamais fixé ; on aurait dit que son ambition inquiète n'était qu'un aspect de la quête de sa propre identité.

Dès son installation dans le gratte-ciel gothique d'ITT, Geneen prit des mesures radicales. A vrai dire, depuis le redressement de l'Europe, la société réalisait de substantiels bénéfices : détail sur lequel par la suite le service des relations publiques devait rester quasiment muet. Mais Geneen demeurait confondu devant la carence du « management » et l'absence de discipline. En réalité, ITT n'était rien de plus qu'une société holding qui investissait des capitaux dans des usines situées à des milliers de kilomètres de là en priant le ciel que tout tourne bien. « Une direction doit diriger » déclara-t-il un jour,

4. *Forbes Magazine,* 1er mai 1968.

peu après sa nomination à la présidence, à une conférence d'analystes de la conjoncture boursière, signifiant par là, comme il s'en est expliqué plus tard, qu'il s'agissait d' « une philosophie offensive consistant à *anticiper* sur les objectifs et problèmes de l'avenir et à en contrer les effets de surprise par des moyens efficaces et originaux, qui permettront en fin de compte d'atteindre ces objectifs et de résoudre ces problèmes [5] », ou en d'autres termes et selon la formule que l'écho répétait aux quatre coins de la compagnie : « Je ne veux pas de surprises. » Geneen se décida à instaurer, à une échelle bien plus vaste que celle de Raytheon, un système de contrôle et de surveillance lui permettant d'embrasser d'un seul coup d'œil l'ensemble de son empire dispersé et d'y faire régner sa loi, loi fondée sur la logique et non sur la fantaisie du moment. C'en était fini des coups de dés d'un Behn inspiré, de ce style excentrique qui lui était si personnel.

En 1961, on avait très opportunément transféré le siège d'ITT du palais à clochetons qu'avait érigé Behn, dans un gratte-ciel de couleur terne aux lignes géométriques, situé sur Park Avenue ; on n'y voyait ni mosaïque, ni mobilier Louis XIV, ni maître queux français ; rien qu'une succession d'étages où se superposaient les bureaux directoriaux. Du douzième étage où il s'était installé, Geneen s'employa à mettre graduellement au point le système le plus complexe de rigoureux contrôles financiers que le monde ait jamais connu. Pour ne pas leur laisser la bride sur le cou, Geneen convoquait ses directeurs à des conférences hebdomadaires, mensuelles, annuelles ; on avait prévu à cet effet une salle spécialement aménagée avec au milieu une grande table en fer à cheval ; c'est là que le patron épluchait les

5. Rapport annuel pour l'exercice 1967 : commentaires sur l'allocution prononcée par Geneen devant un groupe d'analystes boursiers à New York, en mars 1960.

comptes et posait aux directeurs toutes questions utiles à leur sujet. La direction de chaque filiale était tenue de soumettre au siège un rapport mensuel d'une telle complexité qu'il fallait souvent un service spécialisé pour en réunir les éléments ; on élabora des plans quinquennaux, on fixa des objectifs, on compara les bénéfices. Chaque détail était analysé et contre-vérifié, si bien que Geneen, le front penché sur ses livres dans son bureau de Park Avenue, pouvait désigner avec précision, parmi toutes ces usines réparties dans le monde, celles dont les fabrications n'avaient pas répondu à ce qu'on en attendait. Il fit comprendre une fois pour toutes que rien ne devait lui échapper, qu'il fallait l'avertir de l'éventualité d'un désastre. Il insistait sur le fait qu' « on ne peut cacher les erreurs — même à soi-même » ; et à tous ses directeurs, il ne cessait de répéter cet avertissement lourd de présages : « Je ne veux pas de surprises. »

Avant tout, Geneen ne voulait pas de surprises hors d'Amérique, car ITT faisait encore 82 % de son chiffre d'affaires à l'étranger. Peu après sa nomination à la présidence de la compagnie, on apprit que Fidel Castro avait nationalisé la compagnie de téléphones de Cuba dont ITT avait toujours été propriétaire, depuis que le colonel Behn en avait fait l'acquisition lors de ses toutes premières aventures dans le domaine des communications. Ce fut un grand choc pour Geneen, car l'événement venait confirmer ses pires craintes à l'égard des étrangers. Il observait la scène internationale avec une totale méfiance, bien qu'en apparence du moins, il fît confiance à ITT pour braver la tempête. Dans son rapport de 1962 aux actionnaires, rapport qui ne brillait pas par le tact, il se vantait qu'ITT :

> « Avait en son temps affronté et déjoué tous les stratagèmes mis en œuvre par les gouver-

> nements des autres pays pour encourager leurs propres industries et mettre des bâtons dans les roues aux entreprises étrangères au moyen de taxes, de barrières douanières, de contingentements, de contrôles des changes, de subventions, d'accords de troc, de garanties, de moratoires, de dévaluations — oui, et de nationalisations. »

Mais il était bien décidé à voir ITT rétablir l'équilibre entre ses investissements à l'étranger et en Amérique, ainsi que Behn avait déjà vainement tenté de le faire.

En 1963, une fois la direction réorganisée, il se sentit prêt pour l'action. Au mois de mars, il rédigea un document destiné exclusivement au conseil d'administration et intitulé « PHILOSOPHIE DE L'ACQUISITION[6] » qui révélait les grandes lignes des transformations prévues pour la société. Ce document donne une vivante image du pessimisme que lui inspirait à l'époque la situation du monde. « Pour la première fois en quarante ans », dit-il, « il faut convenir que le prestige de l'Amérique a atteint son niveau le plus bas, surtout aux yeux de l'Europe... la cause en est que l'Europe est peut-être à la veille de réviser son jugement à l'égard de ses rapports avec la Russie. » L'Europe lui apparaissait comme un continent éminemment instable. La France nourrissait selon lui un fort sentiment anti-américain. En Angleterre, « le nouveau mouvement travailliste (sic) s'était fixé pour but une politique nationaliste dirigée dans une certaine mesure contre les Etats-Unis. Pas plus tard que la semaine précédente un manifeste socialiste réclamait la nationalisation d'un certain nombre de sociétés, notamment de notre S.T.C. ». En Belgique, « l'opinion générale se rapprochera sensiblement de celle de la France ». En Italie

6. *Conglomerate Hearings,* vol. 3, p. 258 et suiv.

« nous avons assisté à une vague de grèves non justifiées qui a déferlé pendant six mois et dont le gouvernement a permis la prolongation, s'il n'y a pas contribué ». Le gouvernement italien « assumait une attitude semi-gauchiste ». Seul le gouvernement allemand semblait témoigner de l'amitié à ITT.

En outre, Geneen lançait cet avertissement que les deux tiers des revenus d'ITT en Europe provenaient des services des PTT (postes, télégraphes et téléphones) qui s'organisaient chaque jour de mieux en mieux sous la bannière du Marché commun : « De plus en plus les ministres des PTT comparent les devis, les prix courants, etc... Si les recommandations du Marché commun devaient un jour entrer en vigueur, elles entraîneraient obligatoirement le recours à des appels d'offres internationaux pour tout le matériel destiné aux PTT, sans qu'il soit tenu compte de son pays d'origine. »

Geneen calculait donc que les bénéfices réalisés par ITT à l'étranger seraient « soumis à des contraintes sans cesse plus sévères sur le plan des prix, des origines de fabrication et de l'appartenance des moyens de production » ; il recommandait de ce fait l'adoption immédiate d'une politique d'acquisition d'entreprises américaines, suggérant qu'en cinq ans les profits d'ITT en Amérique passent de 18 à 55 pour cent. Il importerait de se rendre acquéreur de grandes aussi bien que de petites sociétés dans des secteurs de forte croissance, notamment dans ceux des produits chimiques, pharmaceutiques, des assurances et de l'alimentation. Deux ans plus tard, alors que l'absorption de nouvelles entreprises allait bon train, Geneen élargit encore ses horizons [7]. Il mit l'accent sur le fait que les industries de services conviendraient tout spécialement au système de gestion d'ITT, et particulièrement si l'on avait affaire à des industries justifiant

7. *Conglomerate Hearings*, vol. 4, p. 266.

l'exportation de techniques de fabrication d'Amérique en Europe. Il prévoyait qu'ITT pouvait être le héraut d'une nouvelle génération de sociétés multinationales qui se consacreraient de par le monde à des activités diversifiées sous un contrôle strictement centralisé.

> « Au cours des cinq dernières années, nous avons dans cette compagnie assisté au développement et à la démonstration probante d'une nouvelle approche parfaitement fonctionnelle des problèmes que pose la direction d'une organisation mondiale comme la nôtre... C'est par nécessité que nous avons dû devancer de plusieurs années de nombreuses entreprises américaines en pleine expansion, qui seront amenées à développer leurs activités sur l'ensemble du globe comme de véritables compagnies internationales. »

Les plans de Geneen reçurent l'approbation des administrateurs, et c'est ainsi qu'ITT se lança dans un programme d'expansion et de diversification. Mais il est intéressant de noter ici à quel point étaient erronés les prédictions et jugements à l'égard de l'Europe sur lesquels Geneen fondait sa politique.

On doit à la vérité de reconnaître qu'à l'époque l'Europe paraissait plus menaçante que ne le confirma la suite des événements ; mais le tableau d'une Italie à demi gauchiste, aux sentiments pro-russes, d'une Belgique à l'image de la France, relevait d'une information défectueuse. Il s'avéra en fin de compte que ses filiales européennes demeurèrent comme par le passé l'élément le plus profitable des affaires d'ITT. Du point de vue des actionnaires, les bénéfices auraient été aussi substantiels, sinon plus, si Geneen ne s'était jamais aventuré dans son programme d'acquisitions. Et la question se pose de savoir si c'est vraiment sa méfiance à l'égard de l'Europe qui l'y avait poussé ou s'il n'avait pas cédé avant tout à un simple désir de s'agrandir.

Quels qu'aient été ses motifs, la nouvelle politique de Geneen devait avoir une grande incidence tant sur ITT que sur le processus général du développement industriel. Plus tard, en absorbant à la file un grand nombre de sociétés et en leur imposant son ingénieux système de contrôle, il contribua à donner naissance à un nouvel animal industriel : le « conglomérat » qui revêtait en même temps un caractère multinational ; il s'agissait, en d'autres termes, d'une compagnie qui pouvait faire n'importe quoi n'importe où. Les quelques exemples qui vont suivre illustrent le genre de contraintes et de conflits que de telles entreprises devaient rencontrer en cours de route ; mais si d'autres financiers ont éprouvé de semblables ambitions, la machine mise au point par Geneen était douée d'une puissance exceptionnelle. Grâce à son système subtil de centralisation, il pouvait présenter ITT, selon les besoins, soit comme une seule grande compagnie, soit comme des centaines de petites. La vaste gamme de ses activités industrielle faisait qu'il était bien plus difficile de lui imposer certaines astreintes qu'à des industries monolithiques et identifiables telles que la Géneral Motors ou Du Pont. Tout comme Geneen, ITT paraissait être à la fois de partout et de nulle part. On aurait presque dit que l'esprit insaisissable de Behn en matière de politique mondiale s'était transmis aux opérations américaines de Geneen. Etait-ce Geneen qui transformait ITT ou ITT qui transformait Geneen ?

## LES LAZARD

> M. CELLER : S'il n'y avait pas de Lazard Frères, y aurait-il moins de fusion de sociétés ?
> M. ROHATYN : Je crois, Monsieur le Président, qu'il y en aurait un peu moins [8].

Le programme d'acquisitions de Geneen était une entreprise colossale ; ITT en effet était déjà une très grosse société et il se proposait en cinq ans au minimum d'en doubler la dimension. Pour réaliser son grand dessein, il lui fallait s'appuyer sur l'expérience d'une banque qui l'aiderait à trouver des entreprises, à leur faire sa cour, à l'épouser (le vocabulaire des fusions a toujours eu un fort relent sexuel, comme si c'était une façon comme une autre de s'exciter ; les sociétés passent leur temps à se compter fleurette, à se violer les unes les autres. à se glisser à deux (ou trois) sous les mêmes draps). Geneen bénéficiait déjà des vénérables conseils de Kuhn Loeb, la firme de Wall Street qui avait contribué à sa nomination. Mais il lui fallait un allié ayant encore plus de mordant, un grand maître ès fusions et il le trouva en Lazard. Dès lors et pendant dix ans les destins d'ITT et ceux de Lazard devaient demeurer étroitement liés.

C'est une longue histoire cosmopolite que celle des Lazard. Elle remonte à 1848 quand, à la Nouvelle-Orléans, deux Français d'origine juive fondèrent la maison. On trouve d'importantes banques Lazard à Londres et à Paris. Celle de Londres, qui a pour actionnaire principal Lord Cowdray, une des plus grosses fortunes d'Angleterre, est dirigée par un ancien président du parti conservateur, Lord Poole ; c'est Pierre David-Weill, de la vieille famille de banquiers français, qui préside aux destinées de

8. *Conglomerate Hearings*, vol. 3, p. 236.

Lazard Frères à Paris. Avant la dernière guerre, Lazard de New York n'était guère plus qu'une succursale des sièges de Londres et de Paris. Mais en trente ans, par la vertu d'un cerveau remarquablement organisé et d'un flair financier exceptionnel, André Meyer, le chef du bureau de New York est parvenu tout naturellement à dominer de sa haute autorité les trois branches londonienne, parisienne et new-yorkaise de la banque. Meyer, âgé maintenant de 74 ans, est toujours doué de la même volonté de fer ; il est devenu le banquier privé le plus influent de toute l'Amérique. Il vit à l'hôtel Carlyle, n'assiste à aucune réception et marque un profond détachement à l'égard du monde. Après trente ans d'Amérique il n'a rien perdu de son aspect ni de son accent français. Il a travaillé autrefois en Indochine et préfère les Vietnamiens du Nord à ceux du Sud. Son fils est à Paris où il enseigne la physique dans une université. André Meyer a son bureau au dernier étage du Rockefeller Plaza ; c'est un homme au teint bistre, au visage tout ridé, que barre le trait des lèvres pincées pouvant soudainement grimacer un sourire ; il passe sans transition d'une apparente passivité à une démonstration d'énergie explosive : traversant la pièce à grandes enjambées ou agrippant le récepteur du téléphone comme il ferait d'une mitraillette. Le temps de grommeler un « oui », ou un « non », et il raccroche d'un coup sec. Il règne par le téléphone : levé le matin dès cinq heures, il termine ses affaires européennes avant de gagner son bureau ; ses confrères banquiers se plaignent que s'ils l'appellent le matin à 5 heures 1/2, il y a bien des chances que le numéro soit occupé. Il reçoit des appels d'augustes clients tels le président Pompidou, Madame Onassis, Gianni Agnelli [9], ou d'autres banquiers qui sollicitent ses conseils. En cas de crise monétaire, on le suit partout à la trace ; un de

9. N.d.T. Patron de Fiat.

ses amis raconte qu'étant en Suisse avec Meyer, il bavardait avec lui dans un jardin quand soudain apparut parmi les buissons un téléphone dont Meyer n'eut qu'à saisir le récepteur.

Depuis son arrivée à New York il a accumulé une fortune personnelle estimée à 200 millions de dollars et dirige un syndicat de familles multi-millionnaires qui comprend des noms comme les Rockefeller d'Amérique, les Bœls de Belgique et les Pearson (dont le chef de famille est Lord Cowdray) d'Angleterre ; un jour, quelqu'un se plaignit à moi : « En fait, Lazard n'est pas une banque ; c'est une monstrueuse machine à gagner des sous pour une poignée de foutus milliardaires », mais si Meyer sait « faire de l'argent », il le doit à sa compétence financière et à cet art qu'il possède de jouer de ses contacts sur le plan international sans pour autant négliger le moindre détail d'éxécution. Il s'est spécialisé dans les fusions de sociétés qui, ces dernières années, ont constitué le plus clair des bénéfices de sa banque ; en 1964 et 1968, elle n'a pas encaissé moins de 10,5 millions de dollars de commission pour les fusions et acquisitions où elle est intervenue. Meyer a été l'instrument des négociations entre Fiat et Citroën, entre les constructions aéronautiques Douglas et McDonnell (ce qui rapporta à Lazard un million de dollars de commission). En dépit de ces colossales interventions, Meyer a su garder une organisation compacte et très personnalisée : on le croirait presque offusqué d'avoir présidé à la naissance de pareils géants. L'industrie est en partie redevable à Lazard de ce que Meyer peut à la fois penser grand et petit. Les administrateurs de Lazard siègent dans les conseils de soixante sociétés américaines, et Meyer fait personnellement partie du conseil d'entreprises telles que Allied Chemicals, Fiat, Montecatini et R.C.A.

Il n'est pas surprenant que Geneen ait vu en Lazard l'allié qu'il lui fallait pour acquérir des sociétés. Il se mit en rapport avec Meyer qui accepta, sous réserve toutefois que Kuhn Lœb fasse toujours partie du syndicat de garantie (un des membres de Kuhn Lœb, Alvin Friedman, financier prudent à la parole mesurée et qui succéda à Hugh Knowlton, siège encore au conseil d'ITT). C'est ainsi que Meyer, qui était à la fois beaucoup plus subtil et plus rompu aux affaires que Geneen, gagna de plus en plus d'influence sur son client. Mais il était un autre associé de Lazard qui entretenait des rapports encore plus étroits avec Geneen : c'était un phénoménal cerveau financier du nom de Felix Rohatyn (comme pour Geneen, on n'a pas encore fini de se demander comment se prononce son nom : en fait, l'accent tonique devrait porter sur la première syllable — ROE-ah-tin). Rohatyn offre un contraste absolu avec Meyer dont il ne possède aucun des dons de souplesse et de feinte, qui avec des manières ouvertes et rassurantes sont de tradition chez les hommes de finance. Il a les cheveux coupés en brosse, un regard perçant ; son débit est précipité, sa voix aiguë. Il conduit une petite Toyota, porte un vieil imperméable et paraît indifférent à tout ce qui l'entoure. Démocrate, il a aidé Muskie [10] dans la campagne électorale présidentielle américaine de 1972. Né à Vienne de parents juifs polonais qui, fuyant Hitler, débarquèrent en Amérique dans les années 30, il n'est donc issu d'aucun milieu américain établi. Après avoir suivi des cours de physique et obtenu sa licence, il fut engagé par Meyer qui le forma et le traita à peu près comme un fils. Rohatyn possédait une absolue maîtrise des chiffres en même temps qu'il était doué d'un énorme dynamisme ; comme Meyer, il n'abandonnait jamais la partie et avait horreur de perdre. Dans les discussions d'affaires, aux dires d'un

10. Candidat à la candidature démocrate aux élections présidentielles américaines de 1972. En fait, il sera éliminé au profit de la candidature de Mac Govern.

témoin, il jouait avec l'adversaire comme un fox-terrier avec un rat. Il était appelé lui aussi à devenir un expert dans l'art des fusions, présidant aux épousailles de Kinney et Warner Brothers, de Lœw et de Lorrilard.

La première tâche que Lazard assigna à Rohatyn fut, juste après l'installation de Geneen à la direction d'ITT, de négocier pour lui l'achat d'une entreprise : il s'agissait en l'occurrence de Jennings, une petite affaire de matériel électronique en Californie. Ainsi s'amorcèrent les liens qui devaient unir étroitement les deux hommes. Geneen aimait la solide intelligence et l'enthousiasme de Rohatyn ; de son côté, Rohatyn se sentait stimulé par l'esprit de défi et le goût d'aventure de Geneen, dont il appréciait en outre l'amitié. Avec un Geneen dont l'unique obsession était le succès d'ITT, et un Rohatyn dont l'esprit embrassait de vastes perspectives, on se trouvait en présence d'un tandem de vainqueurs.

## AVIS EN FAIT PLUS POUR VOUS SATISFAIRE

La première affaire d'envergure que Lazard trouva pour Geneen fut la société Avis (location de voitures sans chauffeur). Cette entreprise dynamique fut celle qui offrit le plus de résistance à la discipline de Geneen. Fondée en 1956 par Warren Avis, elle était partie en flèche avec le développement des voyages aériens, mais incapable de suivre le mouvement, sa direction se laissa distancer par Hertz, son rival géant ; tant et si bien qu'en 1962 elle essuya une perte de 648 000 dollars. C'est alors que Lazard acheta l'affaire : Meyer et Rohatyn s'étaient rendu compte des promesses qu'elle contenait ; ils s'assurèrent les services d'un animateur jeune et dynamique venu de l'American Express, Robert Townsend, pour en assumer la direction conjointement avec Bud Morrow de chez Avis et Donald Petrie de chez Hertz. Rohatyn et les trois jeunes gens rivalisèrent d'habileté et d'astuce pour faire revivre l'affaire chancelante par tous les moyens possibles dont le moins spectaculaire ne fut pas leur fameuse campagne publicitaire avec Hertz pour cible (campagne conçue par Doyle Dane et Bernbach, une des plus grosses agences de publicité) et dont le slogan était : « Nous sommes le numéro deux, nous faisons plus pour vous satisfaire. » Townsend mena l'affaire avec une joyeuse désinvolture ; il portait au bureau la tunique rouge de l'uniforme Avis, et répétait à qui voulait l'entendre que les affaires n'exigeaient pas la morosité. En trois ans l'image de marque de la société avait changé, les bénéfices aussi ; ils atteignaient 5 millions de dollars en 1965 et entre-temps Townsend et ses collègues avaient fait fortune grâce à un avantageux système d'intéressement qui prévoyait des appointements modérés mais de généreuses options sur les actions de la société [11].

Avis une fois renfloué, Lazard chercha à vendre ; Geneen, qui était en quête d'industries de service à croissance rapide, fit faire à son sujet une étude exhaustive qui conclut à une marge de croissance de 20 à 25 pour cent, ainsi qu'à de vastes perspectives d'expansion. L'affaire fut conclue en juillet 1965 : ITT devenait propriétaire d'Avis pour 52 millions de dollars.

Quant à Townsend, il n'avait pas la moindre envie de faire partie d'un conglomérat ; comme il le dit par la suite : « Je voudrais qu'on grave sur ma tombe cette épitaphe : PAS UN SEUL JOUR TOWNSEND N'A TRAVAILLÉ

11. N.d.T. Dans son ouvrage, *Le monde des affaires aux Etats-Unis* (Armand Colin, 1973, p. 167), Jean Rivière explique que « le privilège le plus rémunérateur accordé à l'homme d'affaires américain est sans doute celui des *stocks options* qui lui permet de lever un certain nombre d'actions de sa firme au moment où le cours en Bourse est le plus favorable et au prix pratiqué lorsqu'on lui a accordé cette option. Ainsi il peut acheter 50 dollars en 1971 une action qui en vaut 80 en Bourse à la même date, mais n'en valait que 50 au moment où son entreprise lui avait fait cette faveur ».

POUR UNE COMPAGNIE COMME ITT. » Ces mots eurent le don de déclencher la fureur de Geneen. Cela n'empêcha pas Townsend d'émarger pendant plusieurs mois encore sur les livres d'ITT ; mais il finit par s'en aller et dès lors se donna du bon temps comme animateur-meneur de jeu pour réunions d'affaires, expliquant à son auditoire comment il s'y était pris pour transformer Avis, qui étouffait maintenant sous l'éteignoir de la bureaucratie. Il écrivit enfin un best-seller paru sous le titre de *Up the Organization*[12] où il racontait toute l'histoire, ce qui mit la fureur de Geneen à son comble. Il y décrivait sa façon personnelle, fort peu orthodoxe, de conduire les affaires et qui était aux antipodes de l'austère discipline d'ITT ; il disait comment il avait mis à la porte son personnel des relations publiques, s'était passé de secrétaire, avait interdit les bulletins d'information de la société, supprimé les places de parking réservées. Dans un passage traitant des « rapports mensuels » il écrivait : « C'est une vaste plaisanterie pour la raison que cela consomme dix kilos d'énergie pour chaque gramme de malentendus. » Au chapitre intitulé « Fusions, conglomérats et échecs communs » il écrit :

> « Si vous avez une bonne affaire, ne la vendez pas à un conglomérat. On m'a vendu moi-même une fois, mais j'ai donné ma démission (voir « De la Désobéissance et de sa nécessité[13] »). Les conglomérats vous promettront la lune (si vos actions en bourse capitalisent à un faible multiple de leurs dividendes et si le taux de croissance de ces derniers est plus rapide que les leurs) mais sitôt sous leur houlette, votre compagnie passe dans l'atomiseur avec leurs autres acquisitions de la semaine

12. Au sommet de l'organisation.
13. Titre du livre de Townsend.

> et tout ce qu'elle compte de plus zélé et de meilleur en fait de personnel s'en va. Deux et deux peuvent faire cinq quand un conglomérat lance ses dés, mais d'après ce que j'ai vu c'est tout juste pour lui un jeu de hasard et il se moque éperdument de vous réduire tous au rang de robots. »

En fait une grande partie du personnel abandonna la place ; un des employés se plaignit en ces termes [14] : « On avait l'impression de passer plus de temps à s'occuper d'ITT que de location de voitures. » Townsend fut remplacé par Bud Morrow, un avocat qui avait travaillé dix ans chez Avis et à qui incombait maintenant la tâche de faire rentrer la compagnie dans les rigides brancards d'ITT. Morrow parvint mieux que tout autre à maintenir la personnalité de la compagnie, mais les lettres mensuelles qu'il envoyait à Geneen témoignaient de la lassitude qu'il en éprouvait ; dans sa quatrième lettre couvrant le mois d'octobre 1965, il ronchonnait à propos du plan d'activités pour l'année à venir : « Nous en avons enfin terminé avec ce projet monstrueux qui ne manquera, j'en suis sûr, ni d'intérêt ni d'utilité. J'estime cependant que ce rapport représente au moins un treizième mois de travail pour le personnel du siège. » Heureusement pour Avis, comme Morrow le soulignait dans sa lettre numéro 39, ses deux concurrents, Hertz et National, avaient également passé la main et leurs directeurs étaient pareillement occupés à élaborer des plans. « C'est plutôt rassurant », disait-il avec une amère ironie, « parce que cela tend à égaliser la concurrence dans notre secteur ».

Les lettres de Morrow montraient en outre comment Avis s'efforçait de louer ses voitures aux autres filiales d'ITT, fait qui allait offrir un intérêt tout parti-

14. *Wall Street Journal*, 12 janvier 1970.

culier pour les enquêteurs chargés de relever les infractions à la loi anti-trust. Mais Morrow fait maintenant valoir qu'en l'espèce ses relations d'affaires avec ITT constituaient plus une charge qu'un profit. Ses lettres toutefois révélaient l'ambition qui régnait de part et d'autre de mettre à profit le marché fermé que protégeait le parapluie d'ITT[15].

Townsend observant la bureaucratisation d'Avis laissait ouvertement percer son exultation : « Et ce fut bientôt », dit-il, « le début de l'ère des conneries ». Avis s'installa dans de nouveaux locaux ultra-chics, organisa un service de relations publiques, et se mit à ressembler à toutes les autres composantes d'ITT. Morrow proteste avec indignation contre la version que donne Townsend de la façon dont on travaillait chez Avis. « Ce n'est pas avec de pareilles méthodes qu'on pouvait renflouer ou faire marcher une compagnie », me confia-t-il un jour. « Townie n'a rien d'un administrateur, il n'a pas assez de suite dans les idées. C'est un artiste. Bien sûr, il n'avait pas besoin d'une secrétaire : il prenait celle des autres ; c'est même la mienne qui a tapé son livre. Mais, Bon Dieu, je ne serai pas ingrat à son égard, je lui dois d'être président ».

Sous l'impulsion de Morrow, Avis poursuivait allègrement sa marche en avant — aidée en cela par le déclin de Hertz qui se débattait à son tour dans des problèmes de gestion. Morrow installa un ordinateur géant, baptisé « le magicien d'Avis », pour gérer un service mondial de réservations et les activités de la société couvrirent bientôt toute l'Europe ; les jeunes hôtesses vêtues d'écarlate surgissaient de partout dans les aéroports du continent. Les lettres mensuelles de Morrow révélaient ses difficultés à construire un empire européen. En Italie, Avis se trouvait confronté avec Fiat, « du

15. *Conglomerate Report*, pp. 106-124.

mauvais côté de la barrière face à un monopole ». En Espagne, le réseau de télécommunications (pourtant l'œuvre d'ITT) était si désespérément déficient qu'« il se pourrait bien que nos prochaines annonces d'offres d'emplois s'adressent à des opérateurs de sémaphore qualifiés ». En Allemagne, Hertz entreprit des poursuites contre Avis pour publicité mensongère, l'empêchant d'utiliser son slogan : « Wir Geben Uns Mehr Mühe » (Nous faisons plus pour vous satisfaire). En France, les clients faisaient moins de kilomètres, soit 90 par jour contre une moyenne de 120. En Grande-Bretagne, de nouveaux trains plus rapides détournaient des aéroports une clientèle dont Avis dépendait pour son développement.

Mais en dépit de tous ces contretemps, Avis Europe avait si bien grandi qu'elle atteignait en 1972, à elle seule, la dimension de l'ensemble de la société, avant sa prise de contrôle par ITT.

Elle avait maintenant un parc de 110 000 voitures réparties sur 98 pays, et opérant à partir de 2 800 succursales et 1 300 aéroports. C'était un triomphe du « management » à l'échelle mondiale, triomphe aussi pour l'efficacité de la discipline et du contrôle imposés par ITT : à chaque aéroport on pouvait voir les hôtesses en uniforme écarlate remplir les mêmes formules et les enregistrer selon le même système de comptabilité. Morrow mettait l'accent sur l'aide que lui avait apportée ITT. « Nous avons pris le départ en 1969 », me dit il, « jamais nous n'aurions été si loin ni si vite avec quelqu'un d'autre. Ils ont été assez avisés pour investir en Europe sans en attendre des profits immédiats ».

A ne considérer que les bénéfices en valeur absolue, Avis est montée en flèche mais si l'on examine le montant des bénéfices nets par rapport à l'actif, la performance est bien moins spectaculaire. Il fut reconnu plus tard qu'entre 1964 et 1968, après trois ans de gestion

ITT, ce même rapport était tombé de 4 à 2,6 pour cent[16].

L'absorption d'Avis eut pour effet de resserrer les liens d'ITT avec Lazard et tout particulièrement avec Felix Rohatyn qui, comme prix de son intervention, reçut, pour sa femme et lui-même, la valeur de 135 000 dollars d'actions. Deux ans plus tard, il entrait au conseil d'administration d'ITT et en devenait sans doute le personnage le plus influent après Geneen. Les Lazard furent en mesure de trouver d'autres compagnies pour Geneen, d'établir une estimation de leur valeur et de mener rondement les pourparlers d'achat ; ils furent d'ailleurs superbement payés pour leur collaboration. Entre 1966 et 1969, Lazard reçut 3,9 milions de dollars d'ITT pour prix de ses interventions dont 2,1 millions à titre de commissions pour les seules fusions.

## LES MARCHÉS VIERGES

Après Avis, les compagnies affluèrent rapidement et en rangs serrés chez Geneen grâce non seulement aux bons offices de Lazard, mais aussi à la mise en place chez ITT d'un nouveau service conçu à cet effet. Le milieu des années 1960 fut une période de boom ; la manie de la fusion balayait l'Amérique comme une tempête et l'on voyait toujours Geneen à la crête des vagues. La Bourse, encouragée par les espérances que suscitait sa gestion, voyait monter les actions d'ITT dont les cours élevés facilitaient l'acquisition de nouvelles sociétés, les actionnaires étant presque toujours payés en titres de la société. Geneen était toujours disposé à acheter n'importe quelle affaire, quelle qu'en soit la nature, pourvu qu'elle affiche un taux de croissance rapide et substantiel. Peu désireux de voir contester ses offres d'achat, ou plutôt ce qui aurait déclenché une publicité hostile, il

16. *Conglomerate Report*, p. 124.

était prêt à payer les actions à un prix sensiblement supérieur à leur valeur boursière.

En cinq ans il réussit à enfourner dans son sac un étonnant assortiment de compagnies dont l'aptitude à faire des bénéfices était le seul dénominateur commun. Les unes étaient colossales, les autres minuscules ; on y trouvait l'institut de commerce de Bramwell (coût 40 000 dollars) et le cours de secrétariat Nancy Taylor de Chicago (coût 50 000 dollars). Geneen devint acquéreur de compagnies d'assurances, de mutuelles, de fabriques d'appareils de pompage, de manufactures de lampes ; à mesure que s'étendait l'empire d'ITT, les intérêts des différentes entreprises commencèrent à se chevaucher, de sorte qu'elles pouvaient s'aider l'une l'autre. En 1966, il acheta par l'intermédiaire de Lazard et pour une somme de 27 millions et demi de dollars la société des parkings APCOA qui complétait utilement les activités d'Avis, et l'année suivante il acquit pour sept millions et demi de dollars les Cleveland Motels qui offraient un but de promenade et un gîte d'étape aux clients d'Avis ; en 1968, il absorba la société Transportation Displays, une affaire de publicité routière louant des panneaux réclame destinés à frapper la vue des automobilistes. Il se rendit acquéreur de Speedwriting, méthode de sténographie qu'on pouvait appliquer dans les autres filiales d'ITT. Il absorba une importante maison d'édition, Howard Sams, qui, avec sa propre filiale Bobbs-Merrill, ouvrit à ITT le marché des manuels techniques et scolaires.

En 1966, se présenta une occasion exceptionnelle lorsque William Levitt décida de céder les 70 % de parts qu'il détenait dans l'entreprise de construction de maisons individuelles fondée par son père, et qui avait fait de « Levittown » le mot clé en matière de conformisme banlieusard. Levitt pressentit Lazard ; dans une lettre adressée à Meyer, Rohatyn écrivait à son sujet : « A première vue, Monsieur Levitt est un homme à l'esprit vif et à l'humeur changeante ; le sentiment qu'il a de sa propre importance requiert de qui veut l'aborder une approche hautement personnalisée [17]. » Mais Rohatyn fut vite convaincu de la valeur que représentait l'affaire ; comme il le notait dans l'analyse qu'il en avait faite : « Cette société a là un marché absolument vierge, tout prêt à absorber une gamme complète de biens de consommation et de services. Levitt ne se contente pas de construire de nouvelles maisons mais il s'emploie à installer de nouveaux foyers qui représentent un pouvoir d'achat permanent. Toute entreprise qui entre dans l'orbite de Levitt a de ce fait les meilleures chances possibles d'accéder à ce nouveau marché. » C'était justement ce qu'il fallait à ITT pour élargir son assise tant en Amérique qu'à l'étranger.

Geneen mit un certain temps à se laisser convaincre : « Sincèrement je ne crois pas que ce soit une affaire dont ITT doive se mêler », écrivit-il dans une note assez sèche à l'intention de Hart Perry [18] en mars 1966 [19], mais il changea bientôt d'avis et deux mois plus tard proposa la transaction à son conseil d'administration : « Avec une compagnie telle que Levitt comme élément du système ITT, nous serons dans une situation unique pour participer, dans le monde entier, à des programmes d'expansion hautement souhaitables sur le plan politique et pour présenter au public une image de marque de notre société... en pourvoyant à un de ses besoins les plus essentiels [20]... » Dans une note du 15 septembre, de son écriture de pattes de mouche, il écrivit : « 25 % des salariés des Etats-Unis travaillent directement ou indirectement pour l'industrie du logement... Levitt a construit 175 000 maisons qui abritent 350 000 personnes [21]. »

17. *Conglomerate Hearings,* vol. III, p. 774.
18. Attaché à la direction d'ITT.
19. *Ibid.,* p. 329.
20. *Ibid.,* p. 331.
21. *Ibid.,* p. 353.

La conclusion de l'affaire Levitt souffrit quelques retards dus en partie aux complications rencontrées par ITT dans ses tentatives d'achat de la compagnie de radio-télévision ABC (que nous décrirons plus loin). Mais Geneen fit sa cour à Bill Levitt en y mettant toute « l'approche hautement personnalisée » dont il était capable. Rohatyn de son côté emmenait Levitt jouer au tennis et enfin l'affaire fut conclue pour 92 millions de dollars. Lazard préleva en passant une commission de 250 000 dollars, perçue sur Levitt.

Levitt fut vite intégré au système ITT avec tout ce que cela comportait d'inévitables lettres et rapports mensuels, et d'essaims d'experts ITT bourdonnant aux oreilles de toute la compagnie. On mit à la tête de l'entreprise un champion du « management », Richard Wasserman ; mais ce dernier était un entrepreneur avec ses intuitions propres et qui considérait que les affaires immobilières méritaient d'être menées rondement sans que la rigueur des chiffres vînt en exclure l'inspiration spontanée. Les contrôles de la direction, la règle de fer des comptables le faisaient ruer dans les brancards. Geneen, qui le respectait, tenta vainement de l'amadouer mais Wasserman lui tira bientôt sa révérence pour rejoindre un autre conglomérat, Gulf Western, et c'est ainsi que ce vieux Levitt, « cet homme à l'esprit vif et à l'humeur changeante », dut, à la demande d'ITT, reprendre du service temporaire dans sa bonne vieille affaire. L'épisode Wasserman fut pour ITT l'illustration d'un fait d'importance : il n'y avait de place dans l'affaire que pour un seul patron.

1968 fut une année miracle. Deux importantes fusions permirent à ITT de s'introduire beaucoup plus avant dans le domaine des matières premières, ce qui protégeait la société contre les risques d'inflation. (Lazard reçut une commission de 850 000 dollars pour les deux affaires.) La société Pennsylvania Glass Sand, acquise pour 112 millions de dollars, était le plus gros producteur de silice et d'argile pour la fabrication du verre et de la céramique. Rayonier, dont le prix atteignit 293 millions de dollars, était une affaire de produits chimiques qui fabriquait de la cellulose et possédait plus de quatre cent mille hectares de forêts aux Etats-Unis et au Canada. Les propriétés Rayonier pouvaient également constituer un avantage précieux pour la « banque foncière » de Levitt — la vaste réserve de terrains que Levitt se constituait pour ses futurs besoins immobiliers : ITT en effet pouvait dès lors utiliser Rayonier comme « couverture » pour acheter d'autres terrains à bas prix, évitant ainsi d'en passer par les exigences des vendeurs éventuels faisant monter les enchères au seul nom de Levitt [22]. C'était un de ces tours de prestidigitation dont Geneen était coutumier : prétendant un moment que ses compagnies étaient totalement indépendantes, alors que la minute d'après, et par un habile artifice, elles se trouvaient intimement liées.

Une autre importante compagnie, dont l'achat par ITT suscita de nombreuses controverses, Continental Baking, fut acquise en 1968 pour 279 millions de dollars. C'était la plus grande boulangerie industrielle d'Amérique : elle fabriquait des chips à Memphis, de la confiserie à Minneapolis, des produits chimiques au Kansas. Avec l'aide de son agence de publicité, la firme Ted Bates, et grâce à des procédés publicitaires très élaborés, elle avait réussi à lancer ses produits sur le marché. « Profile Bread » (le pain de la ligne) prétendait contenir moins de calories par tranche que le pain ordinaire et « Wonder Bread » (le pain miracle), qui avait adopté pour slogan : « Douze manières de vous aider à construire un corps solide », affirmait contenir des éléments nutritifs spé-

22. Voir la déposition de Geneen dans *Conglomerate Hearings*, vol. III, p. 134.

ciaux. La publicité télévisée montrait des enfants qui grandissaient par bonds et saccades après avoir consommé de ce pain précieux. Au début de l'année 1971, Ralph Nader, parmi ses nombreuses attaques contre ITT, entreprit une enquête sur le bien-fondé de ces allégations ; il protesta auprès de la Commission fédérale du commerce (F.T.C.[23]) contre leur caractère mensonger. Il s'ensuivit qu'en mars 1971 la F.T.C. déposa une plainte, soulignant que le « pain miracle » avait les mêmes composants nutritifs que n'importe quel autre pain du commerce et que si le « pain de la ligne » contenait moins de calories par tranche, c'était tout simplement parce que lesdites tranches étaient coupées plus minces. ITT et Ted Bates capitulèrent sur le « pain de la ligne » et durent signer un « consent order[24] » aux termes duquel il leur fut imposé de consacrer à l'avenir un quart de leur publicité pour pallier les conséquences de leurs allégations mensongères — exigence qui eut pour effet de déchaîner la fureur de la profession publicitaire.

## UNE QUESTION DE COMMUNICATIONS

Les affaires de Geneen progressaient rapidement. Il essuya cependant un échec très sérieux quand il tenta d'acheter la société de radio-télévision American Broadcasting Company (ABC). La longue bataille qui s'ensuivit devint une « cause célèbre[25] » qui mérite qu'on s'y

23. La Federal Trade Commission (F.T.C.) a été instituée en 1971. Son but est de faire appliquer la législation commerciale et anti-trust aux Etats-Unis, en même temps que d'arbitrer a l'abri des regards indiscrets les rivalités entre grandes sociétés.
24. N.d.T. «Consent order»: Il s'agit d'un arbitrage du Tribunal jugeant non selon la loi, mais en équité et selon lequel le défendeur se voit infliger une peine suspensive en échange de la prise de certains engagements, notamment celui de mettre fin aux activités qu'on lui reprochait.
25. En français dans le texte.

arrête tout spécialement en ce qu'elle illustre bien l'âpreté que mettait Geneen à jouer son double jeu. L'affaire provoqua un vif échange de répliques au cours d'un affrontement entre deux agences gouvernementales, et la question cruciale fut posée de savoir s'il appartenait aux conglomérats de contrôler les moyens d'information.

Le réseau ABC était une affaire tentante pour ITT qui s'était toujours intéressée au domaine des communications et avait déjà investi des capitaux dans la télévision par abonnement et la télé-distribution par câble. Depuis sa création en 1941, ABC avait constitué une chaîne considérable de 400 salles dans 34 Etats différents, installé dix sept stations locales de radio et, fait plus important encore, contrôlait l'un des trois principaux réseaux de télévision du monde. ABC possédait des intérêts dans 25 stations étrangères (le groupe Worldvision) et distribuait des films de sa fabrication dans le monde entier. Depuis 1953 elle n'avait jamais cessé de publier des bilans favorables et son pourcentage des bénéfices de l'ensemble des réseaux de télévision était passé de 9 à 27 pour cent. Mais son président, Leonard Goldenson, un magnat dans la grande tradition hollywoodienne, s'inquiétait sérieusement de la menace que les offres publiques d'achat ou d'échange faisaient peser sur sa société ; il jugea donc que la prudence militait en faveur d'une fusion avec Geneen. L'année 1965 touchait à sa fin lorsque Geneen décida de lui offrir pour son affaire 85 dollars par action, ce qui représentait 400 millions de dollars pour l'ensemble de la compagnie. Goldenson accepta et la fusion fut entérinée par les actionnaires en avril 1966. Cela s'annonçait comme la plus importante fusion de toute l'histoire de la radio et de la télévision.

Mais en vertu de la loi sur les communications de 1936, ITT et ABC devaient introduire une demande auprès de la FCC (Commission fédérale des communications) pour obtenir le transfert des licences. Cette loi assez ironiquement avait été élaborée à l'époque, en faisant preuve d'une vigilance toute particulière vis-à-vis des vastes intérêts d'ITT à l'étranger (voir ch. 2). Il incombait tout spécialement à la FCC d'assurer la liberté des ondes ; en fait la compagnie ABC devait son existence aux exigences mêmes de la Commission, qui avait insisté en 1941 pour qu'il fût fait « meilleur usage de la radio comme instrument de la liberté d'expression », ce qui obligea la RCA à céder un de ses deux réseaux.

En septembre 1966, Goldenson et Geneen, flanqués de juristes et d'économistes, comparurent dûment devant les sept membres de la Commission. Geneen mit toute son éloquence à expliquer les nombreux avantages matériels et techniques, y compris les émissions en modulation de fréquence, que pourrait apporter ITT. Il mit l'accent sur le fait que les activités d'ABC « se dérouleraient sans être affectées par celles d'ITT dans le domaine des communications commerciales et autres domaines annexes ». Il allégua en outre qu'ABC, à l'instar d'autres unités au sein d'ITT, conserverait toute son indépendance grâce au « système de gestion assurant à ses filiales une grande autonomie ». Il protesta de son profond respect à l'égard de l'indépendance des journalistes, affirmant : « Ce qu'un journaliste peut offrir de meilleur à ses lecteurs, c'est son intégrité professionnelle. » Goldenson fit valoir qu'ABC avait un besoin urgent de 140 millions de dollars pour couvrir les frais d'installation de la couleur et que les banques se refusaient à lui consentir le moindre crédit supplémentaire.

Mais le Département de la Justice, qui avait déjà étudié le dossier de la fusion, ne tarda pas à opposer un démenti formel aux arguments avancés par Geneen et Goldenson. En décembre, Donald Turner, de la division anti-trust, rédigea un rapport à l'intention de la FCC d'où il ressortait qu'ITT estimait qu'ABC produirait un cash-flow[26] de 100 millions de dollars au cours des cinq années à venir, « dont la presque totalité, dans l'esprit d'ITT, serait affectée à des investissements hors du secteur de la télévision ». Loin de penser à déverser de fraîches liquidités dans les caisses d'ABC, Geneen n'avait pas d'autre intention que d'y puiser largement.

La Commission devait-elle autoriser la fusion ? Les avis étaient partagés (quatre étaient pour, trois contre) mais les trois minoritaires étaient des personnages de taille ; parmi eux, l'enfant terrible de la commission, Nicholas Johnson, était ce jeune et brillant avocat de l'Iowa, auteur de *How to Talk Back to Your T.V. Set*[27]. Johnson éprouvait une méfiance épidermique à l'égard des conglomérats et Ralph Nader, qui essayait de muscler les agences gouvernementales, lui avait demandé de s'activer en coulisses. Johnson, dans un long rapport hostile à la fusion, dénonçait l'incompatibilité qui existait entre les intérêts étrangers d'ITT et la libre diffusion des nouvelles : « On peut se faire une idée de la mesure dans laquelle les hautes personnalités d'ITT se trouvent engagées dans les affaires étrangères quand on sait que trois d'entre elles sont membres d'assemblées législatives d'autres pays, deux siégeant en Grande-Bretagne à la Chambre des Lords et une en France à l'Assemblée nationale[28]. » Johnson mettait l'accent sur le fait que la position désavantageuse où se trouvait ABC vis-à-vis de la concurrence, n'avait rien à voir avec un manque de trésorerie ou avec des programmes en couleur, mais résul-

26. N.d.T. « Le terme anglo-saxon *cash-flow* est passé dans le langage économique ; il désigne la somme du bénéfice net, des amortissements et des provisions dans le bilan d'une entreprise. C'est le gain de l'entreprise après paiement de l'impôt mais avant constitution des amortissements et des provisions » (Gilbert Mathieu, *Vocabulaire de l'économie,* Editions universitaires, 1970, p. 33).

27. N.d.T. Comment répliquer à votre petit écran.

28. Il s'agit de Lord Caccia et de Lord Glende non en Grande-Bretagne, du député centriste Pierre Abelin en France.

tait de ce que la société possédait moins de stations affiliées et il concluait ainsi : « Parmi toutes les grandes compagnies américaines, rares sont celles dont les intérêts spécifiques appartiennent aussi clairement que ceux d'ITT à ce type qui ne devrait pas disposer d'amples moyens de radiodiffusion et de télévision. » Dans cette conjoncture et juste au moment où Geneen estimait que l'affaire était dans le sac, les autorités judiciaires se plaignirent que la Commission n'avait pas encore vidé la question et elles lui demandèrent d'instruire l'affaire plus à fond. Ce fut l'occasion d'une bataille serrée entre le Département de la Justice et la FCC, tandis qu'entretemps les actions d'ABC et d'ITT faisaient les montagnes russes au gré des nouvelles. Ce retard mettait Geneen au comble de la fureur cependant qu'ITT tentait l'impossible pour mobiliser l'opinion. Maniant avec dextérité le pavé de l'ours, le chef des relations publiques Ned Gerrity (dont nous aurons l'occasion de reparler plus loin) se mit à faire pression sur les journalistes au moment précis où la compagnie protestait de l'intérêt qu'elle portait à leur intégrité professionnelle. Eileen Shanahan, du bureau du *New York Times* à Washington, journaliste très estimée et pleine d'entrain, eut avec ITT une suite d'entrevues dont elle fit plus tard le récit en qualité de témoin. Un des dirigeants de la société lui téléphona pour lui signaler un rapport établi par ITT et lui dit : « Je compte sur vous pour le passer en bonne place dans votre article. » Puis Ned Gerrity entra en personne dans son bureau et lui demanda la permission de jeter un coup d'œil sur le papier qu'elle était en train d'écrire. Devant son refus, il la harcela sur un ton « accusateur et malveillant » pour qu'elle insère dans son article le texte d'un ordre de la FCC. N'avait-elle, lui demanda-t-il, aucun sentiment de responsabilité à l'égard des actionnaires d'ABC et d'ITT, dont les titres seraient affectés par la teneur de ses propos ? Savait-elle que le commissaire Johnson préconisait une loi interdisant aux journaux de posséder la moindre station radiophonique ? (cette histoire fut démentie par la suite). A la pression exercée par Gerrity succéda celle de Jack Horner du bureau des relations publiques d'ITT à Washington, et longtemps après la fin du procès, Eileen Shanahan découvrit que ce même Jack Horner, ainsi que d'autres, avaient entrepris de cuisiner ses amis sur sa vie privée afin de constituer un dossier contre elle.

Finalement, en avril 1967, la commission d'enquête fut obligée de poursuivre l'instruction. Celle-ci dura seize jours au cours desquels furent rédigées 3 300 pages de texte comprenant 550 pièces et documents. De nouveaux faits préjudiciables à la cause d'ITT apparurent. La preuve se faisait jour que la compagnie n'avait nulle intention de financer ABC. En même temps il s'avéra que loin de vouloir accorder une quelconque autonomie à ses filiales, ITT était une société au pouvoir hautement centralisé, exerçant un contrôle rigoureux sur les entreprises de son groupe, ce qui était en fait l'essence même du système Geneen. Ce dernier changea rapidement de cap et s'engagea à inaugurer avec ABC des rapports d'un type « tout à fait unique », laissant à cette société un conseil qui lui serait propre et comprenant des administrateurs venus de l'extérieur. Une fois de plus, il jouait les prestidigitateurs, faisant surgir tour à tour l'image d'un groupe centralisé de sociétés ou celle d'entreprises autonomes.

Mais la FCC approuva de nouveau la fusion malgré les trois minoritaires qui persistaient à voter contre. La majorité avait décidé qu'il ne pouvait y avoir « aucun doute raisonnable sur le maintien de l'intégrité et de l'indépendance d'ABC » et qu'il n'existait pas de « preuve qu'ITT ou ABC faisaient rien de plus que de demander aux journalistes couvrant cette affaire de rapporter les faits avec précision et tels qu'ils se présentaient ». La minorité, dont le leader était Nicholas Johnson, produisit un rapport contradictoire encore plus long où était analysée la présentation trompeuse de la position d'ITT et qui concluait par ces mots : « C'est avec plus de regret que de colère que nous maintenons notre désaccord car le véritable perdant en l'occurrence est le grand public dont l'intérêt exigerait des services de télévision et de télécommunications à la fois dynamiques, concurrentiels et libres. »

Mais la bataille n'était pas perdue pour autant. Le Département de la Justice en effet, intervenant à nouveau, citait cette fois la Commission devant la Cour d'Appel en révision de son jugement, ce qui donna lieu entre ces deux hautes instances, à un procès d'importance historique intitulé :

Etats-Unis d'Amérique, appelants
contre
Commission fédérale des Communications
et
International Telephone and Telegraph
Corporation et
American Broadcasting Companies,
intervenants.

Le Département de la Justice développa ses arguments dans des conclusions extrêmement sévères à l'égard de la FCC et d'ITT. Il en ressortait qu'ABC était parfaitement en mesure de faire face à ses propres besoins de trésorerie sans avoir à fusionner avec quiconque. On refusait de croire qu'ABC pourrait conserver son autonomie une fois soumise aux « contrôles tentaculaires et centralisés » d'ITT : « Tous les administrateurs et cadres d'ABC seraient inévitablement tenus de céder à l'ultime autorité représentée par Monsieur Geneen et ITT. » Les instances judiciaires considéraient les interventions auprès d'Eileen Shanahan et de ses confrères comme

« autant d'atteintes à la liberté de jugement d'une presse indépendante ».

L'argument le plus intéressant portait sur le fait que l'intégrité des nouvelles diffusées par ABC subirait l'influence d'ITT, dont les intérêts qu'elle possédait hors des Etats-Unis « avaient créé des liens étroits et secrets entre elle-même et des gouvernements étrangers ». Les auteurs des conclusions considéraient qu'ITT pouvait être fortement tentée d'utiliser son réseau de diffusion de l'information pour mobiliser l'opinion publique à son avantage et promouvoir certains intérêts que possédait la société hors d'Amérique en projetant une lumière favorable sur les représentants des gouvernements étrangers et sur leur politique et, à l'appui de leur thèse, ils faisaient allusion aux documents « Deep Freeze » (voir ch. 3) qu'on venait de sortir des dossiers à l'occasion de la plainte d'ITT en dommages et intérêts et que le commissaire Johnson avait déjà cités. Le Département de la Justice se référait au soutien qu'Harold Macmillan, Lester Pearson, et d'autres avaient apporté à l'amiral Stone, et ajoutait à titre de commentaire : « On imagine facilement l'embarras d'ITT devant un programme défavorable intéressant le ministre britannique de la Défense et le ministre canadien des Affaires Etrangères, personnalités qui sont au premier plan de l'actualité et qui fournissaient à la société des renseignements confidentiels relatifs à l'approbation éventuelle du projet de câble transatlantique. »

Pour finir, le Département de la Justice reprochait à Geneen et à ses collaborateurs, en des termes dont on ne saurait trop apprécier la mesure : « De ne pas s'être comportés selon les normes de franchise absolue requises en pareille matière. » Ils avaient manqué de sincérité à différentes reprises : au sujet des difficultés de trésorerie d'ABC, des autres intérêts d'ITT dans le secteur de la radio et de la télévision, enfin de l'autonomie dont jouissaient les différentes entreprises au sein d'ITT. Autrement dit, on les avait pris en flagrant délit de mensonge.

Cependant, l'attente d'une décision constamment remise exaspérait Geneen chaque jour davantage. Par ailleurs, les perspectives de la fusion, même si elles se matérialisaient, apparaissaient sous un jour moins enchanteur. ITT, aussi bien que Lazard, avaient souffert de cette succession d'échecs ; cette banque, confiante dans l'heureuse issue de l'affaire, avait spéculé sur les titres et essuyé de lourdes pertes quand les cours avaient baissé ; comme pendant deux ans l'alternance des espoirs et des déceptions avait provoqué de profondes fluctuations à la hausse comme à la baisse, on prétendait que les spéculateurs de Wall Street avaient perdu 50 millions de dollars dans l'aventure [29].

En fin de compte, Geneen décida la convocation d'un conseil d'administration extraordinaire pour le Jour de l'An 1968 (événement sans précédent), afin de proposer de retirer son offre de fusion ; sans dissimuler sa colère, il déclara que l'opération n'était plus conforme à l'intérêt des actionnaires. ABC poursuivit ses activités de façon autonome, battant tous les records de bénéfices sans subir aucun des désastres qu'on lui avait prédits, et Geneen de son côté partit pour de nouvelles conquêtes. Mais il n'est pas douteux que l'échec du projet ABC l'affecta sérieusement. Il s'imagina frustré par les machinations des autorités de Washington qui ne lui inspiraient que dégoût et mépris. Il était résolu dès ce jour à intensifier l'action de ses groupes de pression dans les couloirs du Congrès pour le laisser libre d'assurer l'expansion d'ITT sans que les gouvernements viennent lui mettre des bâtons dans les roues.

Mais les problèmes qu'avait soulevés l'affaire ABC dépassaient maintenant la question des méthodes et ambi-

29. Voir la déposition de Felix Rohatyn, *Conglomerate Hearings*, vol. III, p. 223.

tions de Geneen et des doutes qu'elles inspiraient. C'est qu'une autre question bien plus grave encore posée par le commissaire Johnson et le Département de la Justice réclamait une réponse : Pouvait-on faire fond sur une compagnie multinationale, quelles que soient ses bonnes intentions, pour respecter la libre diffusion de nouvelles qui seraient de nature à contrarier ses intérêts étrangers ? Certains des arguments avancés à l'encontre d'ITT peuvent paraître empreints d'un nationalisme exagéré, lorsqu'ils impliquent que les influences étrangères sont nécessairement préjudiciables à la sincérité du reportage. On pourrait souhaiter en effet que dans un monde idéal les informations télévisées projettent une image sincère de la scène internationale. Il semble cependant que dans la conjoncture actuelle, une compagnie multinationale ait plutôt tendance à supprimer les nouvelles qu'à en élargir la diffusion[30], et (comme le fit Behn dans les années trente) à appliquer tout son zèle à faire le jeu des régimes en place, quels qu'ils soient. (On tremble rétrospectivement à l'idée de l'image que le colonel Behn aurait voulu donner du monde s'il avait disposé d'un réseau de télévision à l'époque.) Toute compagnie multinationale d'une certaine envergure aura ses intérêts particuliers à défendre ; et pour peu qu'elle ait le contrôle des communications, elle sera en mesure d'aider à créer la politique qui lui convient.

30. Pendant que je rédigeais le présent chapitre un événement mineur mais significatif, survenu en Angleterre, illustrera mon propos : on venait d'y terminer l'impression d'un livre sur Hastings Banda, président du Malawi ; il devait être publié par les Editions Penguin, aujourd'hui filiale de Longman et rattachées au *Financial Times*, Lazard, etc. En décembre 1972, Penguin décida de renoncer à la publication de l'ouvrage sous prétexte que la succursale de Longman au Malawi en pâtirait sérieusement. Si Penguin n'avait pas fusionné avec un groupe plus important, un tel empêchement ne se serait pas produit.

## SHERATON CRÉE L'ÉVÉNEMENT

Pour un conglomérat multinational la possession d'hôtels présentait un intérêt évident et Geneen y pensait depuis un certain temps. Il lorgnait d'un regard concupiscent le succès phénoménal de Hilton dont les bénéfices étaient passés de 15 millions à 140 millions de dollars en dix ans ; il enviait de même Holiday Inns dont les bénéfices avaient fait un bond de 2 à 50 millions de dollars [31]. Mais Holiday aurait coûté beaucoup trop cher et Hilton ne tarda pas à se faire absorber par la TWA. Cependant, en 1967, Geneen entrevit sa chance d'acquérir la deuxième chaîne d'hôtels par ordre d'importance : les Sheraton ; il envoya donc une équipe d'experts pour étudier l'affaire.

Sheraton n'avait rien de bien tentant. Ses hôtels, dont beaucoup étaient situés dans des quartiers excentriques et assez sordides, étaient dans l'ensemble passablement délabrés. La compagnie avait eu des débuts plutôt minables : deux jeunes gens de Boston, Ernest Henderson et Robert Moore, anciens camarades de chambre à l'université, avaient gagné quelque argent en Allemagne après la première guerre mondiale en achetant de vieux stocks consistant en jumelles, vêtements de seconde qualité, chiens policiers, etc., qu'ils pouvaient acquérir à des prix dévalués défiant toute concurrence. Avec cet argent vite gagné, et histoire de faire une petite spéculation immobilière, ils achetèrent un hôtel en faillite à Springfield (Massachusetts). Ils le revendirent avec un certain bénéfice et continuèrent d'acheter des hôtels de troisième ordre pendant la crise de 1929 ; sur le toit de l'un d'eux, à Boston, se détachait en lettres énormes le nom de « Sheraton [32] ». Nos compères calculèrent que la dépose

31. *Conglomerate Hearings*, vol. III, p. 352.

32. N.d.T. Sheraton (Thomas) — 1751-1806. Ebéniste anglais créateur de nouvelles formes — Auteur de plusieurs manuels d'ébénisterie.

de cette enseigne leur coûterait plus cher que ne le valait l'hôtel ; ils trouvèrent plus avantageux de baptiser tous les hôtels de leur chaîne du nom de Sheraton.

Ils poursuivirent leurs acquisitions qui comprenaient certains établissements majestueux et vétustes comme le Carlton de Washington ou le St-Regis de New York ; mais ils étaient plus intéressés par les affaires immobilières que par la gestion des hôtels. Au début des années 1950 on assista à un boom de l'industrie hôtelière ; après 1958 cependant, les bénéfices s'amenuisèrent et la société Sheraton s'était laissée largement distancer par Hilton dans les opérations bien plus profitables consistant à implanter des hôtels à l'étranger. Au milieu des années 1960, Sheraton avait repris du poil de la bête grâce à la double action d'une gestion centralisée et d'un énorme ordinateur de 4 millions de dollars, le Reservatron II, qui pouvait assurer un système de réservation couvrant le monde entier.

Les experts de Geneen étaient conscients des défauts de la cuirasse [33] : il n'existait pas une forte « image de marque de la chaîne » ; bien des hôtels étaient mal situés et la prospection était faible. Mais c'était un secteur de croissance qu'on pouvait selon eux jumeler à d'autres secteurs d'ITT ; ils prévoyaient en outre que le « développement international des hôtels » serait de nature « à produire d'extraordinaires résultats ». Ces affaires risquaient moins la nationalisation que les sociétés de téléphone et, tout en augmentant le prix des chambres, ITT pourrait faire davantage d'économies. Et par-dessus tout, Sheraton employait une méthode de comptabilité désuète, qui consistait à utiliser ses bénéfices pour consolider l'actif plutôt que de faire apparaître des profits subtantiels [34]. En appliquant d'autres méthodes comp-

33. *Conglomerate Hearings*, vol. III, p. 345.
34. *Ibid.*, p. 359.

tables, rien n'empêcherait ITT d'afficher des progrès spectaculaires.

Geneen, faisant de Sheraton l'objet de ses rêves, donna libre cours à son imagination contumière. Le président et co-fondateur de la société, Ernest Henderson, était un homme de tempérament paternaliste sentimentalement attaché à ses hôtels ; il composait des ballades et aimait que l'orchestre de ses établissements en attaque les premières mesures dès qu'il apparaissait dans le hall. Mais son intérêt pour l'affaire allait en diminuant. Maintenant âgé de soixante sept ans, il venait d'épouser une jeune femme qui en avait vingt cinq. Son fils, Ernest Henderson III, l'avait remplacé comme directeur général sans être autrement passionné par les problèmes de gestion. Les cadres supérieurs de la société n'étaient pas trop bien payés, et Geneen selon son habitude leur promit des appointements infiniment plus élevés s'ils acceptaient de travailler pour ITT. L'un d'eux, Richard Boonisar, fut augmenté de 56 000 à 105 000 dollars avec une gratification supplémentaire de 34 000 dollars[35] ; Geneen offrit un prix très élevé pour la chaîne d'hôtels : 200 millions de dollars. Vers le milieu de l'année 1968 Sheraton à son tour fut absorbé par ITT.

Les directeurs d'ITT prirent rapidement possession des lieux pour cueillir les bénéfices. Ils tirèrent des plans pour liquider quinze hôtels dans le Sud et le Middle West et en restaurer vingt huit autres. Henderson jeune démissionna bientôt pour se consacrer à un groupe de maisons de convalescence dénommées Henderson Homes. Geneen le remplaça par un rude et solide hôtelier du Colorado, Bud James, un mordu du sport qui, avec un diplôme d'études hôtelières de l'université de Denver en poche, s'était élevé à la présidence de la chaîne d'hôtels Sahara-Nevada. James et Geneen s'activèrent à

35. *Ibid.*, pp. 719-729.

mettre en œuvre un plan quinquennal destiné à tripler le nombre des Sheraton, sans compter l'implantation des motels et de convatels (hôtels-cliniques très chers destinés à une clientèle du troisième âge économiquement forte). Avec l'aide du Reservatron, ils resserrèrent les liens entre les hôtels déjà existants et les raccordèrent à l'ensemble du système ITT ; on trouvait des téléphones ITT dans les halls. Chaque pain de savon, chaque boîte d'allumettes, chaque serviette en papier portait imprimée la devise « ITT à votre service dans le monde entier. »

Chose plus importante encore, le plan quinquennal prévoyait, défi aux empires Hilton et Intercontinental, l'installation d'un réseau d'hôtels Sheraton qui devait couvrir trente-huit pays. Les Sheraton apparaissaient un peu partout en Europe comme autant de falaises miroitantes surgissant au centre des villes. Dès qu'il y pénétrait, le voyageur pouvait oublier qu'il était en terre étrangère ; il s'y sentait protégé, détaché de l'environnement comme un passager à bord d'un transatlantique. Aucun problème de langue : tout le personnel parle anglais ; aucun problème de devises non plus : tout se règle par carte de crédit (Sheraton détient même une partie des actions du Diner's Club) ; pas non plus de problème de transport : il y a un bureau d'Avis dans le hall. Au surplus, qu'est-il besoin de sortir ? Il y a tout ce qu'on peut désirer en fait de boutiques, agences de voyages, kiosques à journaux, librairies à l'intérieur de l'hôtel ; si l'envie vous en prend, on peut même se faire projeter un film américain dans sa propre chambre : il suffit de composer un numéro sur un cadran. Et pourquoi irait-on visiter la ville dans un car panoramique, puisque Sheraton vous sert à domicile comme sur un plateau les merveilles locales, telle la sirène de Hans Christian Andersen au restaurant du Sheraton de Copenhague. Sheraton vous offre sa géographie maison : sûre, hygiénique, confortable. Non, son slogan ne ment pas : « Sheraton crée l'événement. »

L'édification de l'empire Sheraton, comme celle de l'empire Avis, fut un triomphe du « management », d'un « management » passé maître dans l'art d'imposer l'usage des mêmes mécanismes bien huilés à une cohorte de gens obstinés et bizarres, représentant une bigarrure de nationalités — performance aussi étonnante en l'espèce que celle qui consiste à construire des clubs de gymkhana anglais sur tout le territoire indien ou africain. Iraniens, Suédois, Mexicains et Péruviens, furent tous formés à fournir un même service calme et détendu, à manier les ordinateurs, les cartes de crédit, les machines comptables et à dire « Bonjour » ou « Merci » avec la même courtoisie impersonnelle.

En fait, les Sheraton ne se sont pas révélés très rentables et aujourd'hui ITT préfère le système de gérance libre qui consiste à laisser à d'autres le soin de construire les hôtels, la société se contentant de leur prêter son nom et d'en assurer le fonctionnement. Mais Geneen a toujours porté un intérêt particulier aux Sheraton, allant jusqu'à s'occuper personnellement de la publicité ; et il est dans la nature des choses que ces hôtels aient eu leur rôle à jouer dans l'histoire qui va suivre. Ces forteresses autarciques, qui dressent leurs remparts de verre au-dessus des plus vieilles cités du monde, symbolisent assez bien le nouveau phénomène que constituent les compagnies multinationales : elles exercent leurs activités au cœur de toutes les nations du globe, mais séparées d'elles. Elles grouillent aussi de cette nouvelle faune. « l'homo multinational », ce manager nomade, sitôt arrivé sitôt parti, qui, la serviette sous le bras et avec son imperméable clair, traverse à pas pressés les vastes halls d'hôtels, ou bien veille solitaire sur son seul foyer : sa valise.

# CHAPITRE V

## L'INDEX ACCUSATEUR

> ITT, dont l'expansion a été le résultat d'acquisitions successives, en est venue à constituer une société multinationale aux productions infiniment diversifiées ; ses structures lui confèrent une autonomie virtuelle qui lui permet de vivre et d'agir au-delà des perspectives de chacun des pays d'accueil auxquels elle fournit ses services.
>
> *Conglomerate Report*, juin 1971,

Tous les derniers lundis du mois, un Bœing 707 s'envole de New York à destination de Bruxelles avec à bord soixante cadres d'ITT y compris Geneen ou l'un de ses suppléants ; l'avion comporte un bureau spécial tout équipé pour que le patron puisse y travailler. Ils restent quatre jours à Bruxelles enveloppés dans le cocon que leur tisse la compagnie, et passent le plus clair de leur temps à assister à une de ces conférences-marathon chères à ITT. Ce genre de conférences offre un spectacle surnaturel qui fait penser par plus d'un côté au Docteur Folamour. Cent vingt personnes se trouvent rassemblées dans la grande salle du quatrième étage, avec son air conditionné, ses lumières tamisées et ses microphones discrets. Les rideaux tirés interdisent l'entrée du soleil et un grand écran laisse apparaître une invraisemblable quantité de tableaux et de statistiques. Une énorme table en fer à cheval recouverte de drap vert et entourée de fauteuils basculants occupe presque toute la surface de la pièce. Sur cette table et devant chaque fauteuil on peut voir un nom, une bouteille d'eau minérale et un volumineux dossier contenant des états chiffrés. Dans les fauteuils sont assis les gros bonnets d'ITT venus de tous les coins de l'Europe tels des diplomates convoqués à une conférence ; vers le milieu trônent les premiers vice-présidents. Parmi eux, face à la réglette gravée au nom de Harold S. Geneen, calé dans son fauteuil auquel il imprime un perpétuel balancement, se tient un homme à face de chouette dont l'œil perçant scrute les visages et fixe les statistiques.

A voix basse un des contrôleurs financiers débite d'un ton monotone les faits saillants que révèle chaque tableau chargé de nombres, et tandis que se poursuit la mélopée, une flèche effilée apparaît sur l'écran, la pointe dirigée vers le chiffre incriminé. Certains de ces chiffres, cernés de parenthèses, indiquent des pertes. Là, plus qu'ailleurs, la flèche s'attarde (on croirait voir le prolongement de l'index de Geneen). De temps à autre Geneen intervient et, de sa voix aussi basse que celle du récitant, pose une question. Pourquoi n'a-t-on pas atteint tel objectif ? Pourquoi avoir chiffré si haut cet inventaire ? En quelques mots secs et concis le directeur général placé sur la sellette se justifie : « Nous étudions déjà la question, Monsieur Geneen. » Monsieur Geneen fait oui de la tête ou pivote sur son fauteuil ou encore murmure quelques reproches indulgents. Et la flèche poursuit sa course vers le prochain chiffre accusateur.

Qu'elles aient lieu à Bruxelles ou à New York, ces conférences constituent l'épreuve cruciale qu'impose la discipline d'ITT ; elles permettent de vérifier si les hommes sont bien accordés au diapason du système, s'ils en apprécient l'ouverture. Comme Geneen me l'expliquait un jour, il ne lui suffisait pas d'examiner les comptes, il voulait voir aussi le visage de celui qui les présentait et la façon qu'il avait de les présenter. Les mots « je ne veux pas de surprises » sont toujours là, comme inscrits sur une toile de fond. Et s'il y a malgré tout surprise, la réaction est instantanée. On désigne une commission d'experts du plus haut niveau, deux ou trois au besoin, qui s'ignorent l'une l'autre, afin de rechercher la cause et de fournir une solution. Pour un directeur nouvellement nommé, et particulièrement s'il vient d'une société récemment acquise par ITT, l'épreuve peut être terrifiante : on raconte que l'un d'eux s'est évanoui en pénétrant dans la salle de conférences, qu'un autre encore est sorti précipitamment pour se saouler et rester ivre mort deux jours de suite. Pour un cadre endurci d'ITT il ne s'agit là que d'un test de routine, destiné à éprouver son sang-froid. « Il faut être prêt » me dit l'un d'eux « à se voir arracher les couilles en public et quand c'est fini se mettre à rigoler comme si de rien n'était ».

Les sessions les plus éprouvantes reviennent chaque année en septembre et en octobre, quand Geneen et sa cour débarquent d'avion à Bruxelles pour plusieurs semaines, afin de procéder à l'examen annuel des activités. Du matin 10 heures jusque parfois tard après minuit, Geneen (ou son suppléant) siège dans la salle à air conditionné. Calé dans son fauteuil tournant, il regarde venir à lui tour à tour chaque directeur général porteur du rapport qu'il doit présenter. Il les tient l'un après l'autre sur la sellette, devant tous leurs collègues réunis qu'on encourage à participer au cérémonial. Comme le remarquait un ancien directeur : « Nous nous disions entre nous : « Quelle farce ! » Mais il faut cette mise en scène théatrâle pour vous forcer à penser. » La tension qui règne au cours de ces réunions n'est pas la simple somme des tensions de chacun des participants au moment d'affronter l'interrogatoire. C'est aussi celle, inévitable, d'un groupe de directeurs en poste à des milliers de kilomètres l'un de l'autre et qui s'efforcent de contrôler un empire d'industries diverses dont la gamme de fabrications s'étend des aliments pour chiens aux transistors, des crèmes de beauté aux téléphones. Mais peut-être est-ce la seule méthode pour empêcher cet empire de craquer aux entournures. Cependant le témoin d'un tel supplice peut difficilement éluder la question de savoir si un pareil gigantisme ne dépasse pas la mesure.

En Europe comme en Amérique, le premier soin de Geneen fut d'instaurer ce rigoureux contrôle dont il aurait été vain d'imaginer la possibilité avant l'avènement des avions à réaction et des ordinateurs. Dès son installation à la direction d'ITT il fut décontenancé par l'absence de supervision. Comme il le décrivait à sa façon en 1969 :

> Au moment de notre démarrage, nous employions 110 000 personnes en Europe. Cela remonte au tout début de l'entreprise. Nous n'avions même pas un bureau sur le Continent. Tout juste un seul représentant flanqué de cinq assistants ; pour faire ses tournées, il empruntait un avion des lignes régulières et organisait ses réunions dans des chambres d'hôtel... pour 110 000 personnes ! Aujourd'hui, nous avons un bureau de coordination au niveau directorial installé à Bruxelles ; c'est notre quartier général européen qui doit comprendre environ 300 cadres supérieurs dont la tâche est de régler le fonctionnement de toutes nos filiales européennes [1].

Bruxelles, avec sa vocation commerciale, ses communautés d'expatriés, cette impression qu'elle donnait d'une capitale de nulle part, était un centre adéquat. Geneen aurait déclaré une fois : « Ce qu'il y a de mer-

1. *Conglomerate Hearings,* vol. III, p. 141.

veilleux à Bruxelles, c'est qu'on ne peut rien faire d'autre que d'y travailler. » La Belgique est accueillante aux sociétés américaines dont les investissements sont les bienvenus, et ITT y a fait du bon travail avec une compagnie de téléphones qui laisse de gros bénéfices sans compter bien d'autres acquisitions encore. Geneen pourtant y essuya un échec lorsqu'en 1970 il essaya d'acheter l'importante fabrique de produits alimentaires General Biscuit. La riposte de cette dernière se manifesta sous forme d'une grande page de publicité dans les journaux annonçant que : « En Europe toutes les grandes compagnies ne sont pas américaines », et les actionnaires de la société coupèrent l'herbe sous les pieds de Geneen en votant une augmentation de capital.

Le quartier général bruxellois d'ITT doit bientôt élire domicile dans un gratte-ciel de vingt-quatre étages dominant les dignes et tranquilles demeures de l'avenue Louise, et projetant son ombre sur l'abbaye médiévale qui lui fait face. Cette construction déchaîna la fureur des habitants car la hauteur des bâtiments faisait l'objet de règlements stricts. Les Belges en rendirent responsable ITT New York ; mais, en fait, l'initiative en revenait au directeur général pour la Belgique, Pepermans, solide Flamand, titan des affaires, et doué d'une inflexible volonté. Il se mit d'accord avec les élus municipaux de la capitale (encouragé peut-être par l'ancien Premier ministre, Paul-Henri Spaak, qui était l'un des administrateurs d'ITT Belgique). En dépit de toutes les protestations, on vit s'élever vers les nues la carcasse métallique du gratte-ciel, indiscret monument aux méthodes de pression de l'influente société.

Bruxelles constitue un poste d'observation de choix pour qui veut étudier les mœurs, le pelage et les habitudes de nidification de cette nouvelle et curieuse espèce qu'est l'animal multinational, dont l'homme ITT ne représente qu'une sous-espèce commune. Le sigle, dit-on, signifie réellement Internationale Tourisme et Témoignage [2]. Les directeurs européens sont condamnés à poursuivre leur ronde éternelle entre aéroports et hôtels internationaux. « Géographie tu défieras » est l'un des commandements essentiels du système, et il n'est pas rare qu'un directeur général soit convoqué à New York juste le temps d'un déjeuner. On estime que la note annuelle des frais de transport s'élève à 4 millions de dollars, et rien qu'à Bruxelles ITT occupe chaque année 24 000 chambres d'hôtels, de quoi faire le plein d'un grand hôtel du Jour de l'An à la Saint-Sylvestre (on vient d'ouvrir un hôtel Sheraton à Bruxelles.) Au cours de l'année un directeur d'ITT n'a guère d'autre foyer qu'une chambre d'hôtel, et Geneen lui-même, bien que disposant d'une résidence dans l'immeuble directorial de Bruxelles, préfère s'installer dans une suite ordinaire de l'hôtel Westbury. Partout en Europe, les gens d'ITT tombent les uns sur les autres dans les halls d'hôtels. Dans cette existence nomade, les téléphones revêtent un caractère obsessionnel, non seulement pour la raison qu'ITT les fabrique, mais aussi parce qu'ils abolissent les distances et donnent à chacun le sentiment sécurisant d'un contact permanent avec le siège. Plus le directeur multinational est déraciné par son genre de vie, et plus il se sent dépendant de sa compagnie qui le protège comme une carapace au cours de ses voyages. Il m'est arrivé d'entendre un directeur d'ITT parlant à New York d'une chambre d'hôtel de Bruxelles, et qui n'arrêta pas de plaisanter avec son correspondant pendant les vingt minutes que dura la communication téléphonique.

C'est un monde qui se suffit à lui-même, plus encore, aux dires de certains, que cet autre monde que représente l'omniprésente société IBM ; il existe entre les deux un contraste très marqué : IBM, dont les activités

2. N.d.T. Traduction libre de International Travel and Talk.

gravitent autour d'une seule et même fabrication essentielle, avec ses traditions paternalistes et ses règles régissant la marche de l'entreprise, se laisse bien mieux cerner. ITT, beaucoup moins structurée, est aussi beaucoup moins définissable, avec ses produits hétéroclites et sa multiplicité de circuits de commandement ; mais l'égarement qui en résulte pour ceux qui la servent les rend d'autant plus enclins à se serrer les coudes. Au sein de ces organismes géants, il apparaît souvent que l'homme se différencie moins par sa nationalité que par la compagnie à laquelle il appartient.

## LES FILS EMMÊLÉS DU TÉLÉPHONE

Tandis que Geneen s'activait fiévreusement à acquérir des compagnies américaines dans le but de rétablir l'équilibre avec ses investissements d'outre-Atlantique, les sociétés européennes de leur côté se développaient avec une telle rapidité qu'il était difficile de les rattraper. En dépit de ses sombres prédictions de 1963, aucune des usines d'appareillage téléphonique européennes ne fut nationalisée ou même brimée ; elles constituaient en fait le secteur le plus rentable de tout l'empire d'ITT. Dans les cinq premières années du règne de Geneen, les bénéfices des filiales européennes firent plus que doubler[3], pour atteindre aujourd'hui un taux de croissance annuel de 15 %. ITT occupe une place de choix en Europe où, avec son personnel de près de 200 000 salariés, elle représente la compagnie américaine la plus importante et s'y classe au dix-septième rang de toutes les compagnies pour son volume de ventes.

La vulnérabilité de ses compagnies de téléphone était pour Geneen un souci constant qui allait même jusqu'à l'obsession. Comme il le répétait à nouveau à ses action-

3. *Conglomerate Hearings*, vol. III, p. 747.

naires dans son rapport pour l'exercice de 1972 : « On peut craindre que la tendance vers une intégration plus poussée des pays du Marché commun n'entraîne des mesures de plus en plus discriminatoires à l'égard des compagnies multinationales dont le siège est en Amérique, et cela au profit de celles d'origine purement européenne ». Il est certain que cette inquiétude est en partie justifiée ; en matière de télécommunications, la concurrence européenne n'est pas de taille à envahir le marché américain pour faire pièce à l'invasion d'ITT en Europe ; et ITT ne peut faire la preuve, qu'à l'instar d'IBM, elle exporte les progrès de la technologie américaine puisqu'en ce qui concerne les communications, le plus clair des recherches s'effectue en Europe dans ses laboratoires d'Angleterre, de France et d'Espagne. Mais comme on le verra dans la suite de ce chapitre, on aperçoit peu de signes de cette discrimination que redoutait tant Geneen.

Avec ce souci en tête, Geneen s'est efforcé d'échapper à la dépendance européenne dans le secteur des télécommunications et, comme il l'a fait en Amérique, s'est lancé dans un programme d'achats de centaines d'entreprises, et notamment d'industries de service, qui devaient offrir à la fois plus de sécurité sur le plan politique et plus de facilité sur celui de la gestion. Parmi les grandes compagnies américaines acquises par Geneen, nombreuses étaient celles qui s'étaient déjà fait une place en Europe où elles connurent une forte croissance dans la période d'expansion des années 60. Les voitures Avis et les hôtels Sheraton se mirent à envahir les capitales européennes et il n'est pas jusqu'aux maisons Levitt, qui, en dépit de leur conception typiquement américaine, allaient, entre toutes les régions de France, choisir les environs de Paris pour y pousser comme des champignons. Les maisons Ardsleigh furent rebaptisées Arcy avec un seul changement pour la disposition de la cuisine ; et dans *Les Résidences du Château,* selon le pur style américain, aucune maison ne fut enclose de barrières ou de haies. Ces nouvelles entreprises, qui n'étaient pas confinées comme les vieilles compagnies de téléphones à l'intérieur de leurs propres frontières, revêtaient un caractère multinational beaucoup plus marqué. Hôtels, voitures sans chauffeur, assurances, pouvaient déborder les limites des Etats sans jamais sortir du système de standardisation et de contrôle télécommandé depuis New York ou Bruxelles.

Les télécommunications représentent cependant la plus grosse part des affaires d'ITT en Europe. Comme le prophétisait Sosthenes Behn, les téléphones continuent de se multiplier sur le continent sur le modèle américain. En France, aux Pays-Bas, en Espagne, en Autriche, leur nombre a plus que doublé au cours de la dernière décennie ; en Grande-Bretagne, il a augmenté de 81 %. Mais comme le souligne ITT, les Européens ont le complexe téléphonique bien moins développé que les Américains : le tableau ci-dessous indique le nombre de téléphones pour 100 habitants en janvier 1971 :

| | |
|---|---|
| Autriche | 19,3 |
| Belgique | 20,8 |
| Danemark | 34,4 |
| France | 17,2 |
| Italie | 17,4 |
| Pays-Bas | 26,0 |
| Norvège | 29,4 |
| Portugal | 7,7 |
| Espagne | 13,5 |
| Suède | 55,6 |
| Royaume-Uni | 26,7 |
| Allemagne de l'Ouest | 22,4 |
| Amérique du Nord | 57,1 |

Les affaires de télécommunications d'ITT en Europe sont difficiles à définir ; disons encore une fois qu'elles revêtent un double aspect. D'une part, elles offrent l'image d'un corps surmonté d'une seule et énorme tête ; de l'autre, celle d'une hydre aux multiples têtes surgissant un peu partout, et de cette double image découlent quelques avantages. D'un côté, ITT constitue de loin la plus grosse compagnie de télécommunications d'Europe, couvrant un tiers de tout le marché, et deux fois plus importante que Siemens, la concurrente la plus proche. Par ailleurs, ITT se compose d'une vingtaine de compagnies nationales, chacune avec ses particularités et ses traditions locales, à commencer par la Bell Telephone de Belgique, fondée en 1882, suivie de la Standard Telephones et Cables (STC) d'Angleterre, fondée en 1883 et de deux compagnies françaises : Le Matériel Téléphonique (LMT) (1889) et la Compagnie Générale des Constructions Téléphoniques (CGCT) (1892). Chacune d'entre elles est prise dans l'étreinte intime mais gênante de l'administration des postes de son pays qui est la seule et unique cliente ; il en résulte que la plupart de ces sociétés se battent à trois ou quatre entre les cordes d'une espèce de ring de la concurrence. C'est pour cette raison entre autres qu'ITT doit, dans chaque pays où s'exerce son activité, faire figure de « bon citoyen » ; en effet les téléphones (elle l'a appris à ses dépens) sont des appareils à haute sensibilité politique.

La situation archaïque du téléphone en Europe fait le désespoir des visiteurs américains et peu d'industries démontrent plus clairement à quels inconvénients peut conduire le manque d'homogénéité d'un marché. La responsabilité en incombe surtout aux gouvernements nationaux, dont chacun tient à conserver son propre système téléphonique indépendant et qui, pour n'avoir pas su prévoir la demande, sont pris entre les différents stades de développement technique. C'est ainsi qu'ITT doit pourvoir aux besoins de dix-sept systèmes distincts pour vingt Etats différents, avec très peu d'espoir de parvenir à une standardisation. On pourrait croire que cette diversité constitue un grave désavantage pour ITT, car face à tous ses concurrents elle serait la mieux placée pour fournir un système standardisé à l'ensemble de l'Europe, comme le fait son homologue d'Amérique, AT & T, pour les Etats-Unis. Mais cette parcellisation lui procure d'excellents résultats financiers : en échangeant recherches et méthodes, en rationalisant les exportations, elle réalise de plus gros bénéfices que la plupart de ses rivaux qui n'ont qu'une assise nationale. Comme l'exprime un rapport d'un spécialiste français[4] : « ... au milieu de la confusion, le groupe ITT réalise la synthèse des diverses politiques des administrations européennes, choisit la meilleure pour l'exportation et développe sa prospérité. » Petite et grosse société à la fois, elle tire avantage de ce double visage. Si l'on réussissait à unifier le système, elle jouerait toutefois un rôle apparemment plus dominateur et serait l'objet soit de mesures de discrimination, soit de contrôles plus sévères — comme c'est le cas pour AT & T en Amérique, dont le rendement des actions par rapport au capital investi est inférieur à celui d'ITT.

Dans chaque pays il est tentant pour les détracteurs d'ITT d'imputer son succès au résultat de manœuvres maléfiques. Mais en vérité les pressions venant des compagnies nationales sont d'ordinaire beaucoup plus intenses, du fait qu'elles peuvent plaider « l'intérêt national » auprès de leur gouvernement respectif. En France, par exemple, le gouvernement subit un échec marqué quand il voulut encourager des sociétés françaises rivales d'ITT dans leur lutte contre ses deux filiales ; celles-ci n'en continuèrent pas moins de figurer pour 60 % dans le total des exportations françaises de matériel de télécom-

4. Jean-François Rugès, *Le Téléphone pour tous,* Le Seuil, Paris, 1970, p. 100.

munications. En Grande-Bretagne, une grande querelle éclata en 1972 lorsque l'administration des postes choisit le système ITT de relais semi-électroniques, le TXE 4 ; les rivaux anglais, GEC et Plessey, entreprirent sans vergogne le siège des fonctionnaires responsables, des hommes politiques et du Trésor ; dans le climat de chauvinisme qui régnait à l'époque, on y regardait à deux fois avant de signer un contrat colossal avec une compagnie américaine. Le gouvernement dut cependant admettre que le système proposé par ITT était le meilleur et il apaisa les concurrents britanniques en leur accordant d'autres contrats. GEC en fin de compte abandonna son opposition et décida même de collaborer avec ITT dans la recherche et l'élaboration de matériels électroniques de pointe.

A mesure que progresseront les techniques des télécommunications, la concurrence européenne changera de nature et d'échelle. Les téléphones seront de plus en plus étroitement reliés aux ordinateurs ; ces derniers pourront enregistrer en mémoire et retransmettre les appels, calculer le montant des factures et même gérer les centraux téléphoniques. ITT occupera alors une forte position par rapport à ses rivaux de moindre envergure, mais il lui arrivera de marcher sur les brisées de la compagnie dont elle a toujours soigneusement évité le contact : la redoutée IBM. Geneen, soucieux de ne pas connaître le même fiasco que la RCA, s'est toujours bien gardé d'empiéter sur le domaine des ordinateurs. Il a même loué très cher les services d'un spécialiste à New York pour retenir les filiales d'ITT de mettre le doigt dans l'engrenage. Mais rien ne pourra empêcher que les ordinateurs s'installent au cœur des centraux téléphoniques au fur et à mesure de leur extension, et ITT devra dans ce domaine affronter ses rivaux multinationaux du monde entier. La confrontation d'ITT et d'IBM, ces deux géants des télécommunications, qui se rapprochent peu à peu dans l'arène, peut avoir pour effet d'intensifier la concurrence ; mais l'idée que les deux frères géants vont se tailler chacun leur part du gâteau n'a rien de réjouissant, et le tiers rival tout désigné pour participer à la concurrence mondiale dans ce secteur, AT & T, se garde encore soigneusement d'entrer dans la lutte.

Assistant à ce scénario multinational, il est peu probable que les gouvernements européens renonceront à contrôler leurs systèmes téléphoniques nationaux : face à des réseaux de communications rendus plus compliqués encore du fait de leur branchement sur ordinateurs, il se pourrait bien que le secret et la sécurité des communications prennent un aspect de plus en plus politique. Aucun gouvernement ne voudra négliger les bénéfices de cette technologie multinationale, avec les améliorations de fonctionnement et les économies qu'elle devrait apporter. Il faudra cependant à ces gouvernements une tout autre compétence et un tout autre pouvoir de contrôle, s'ils ne veulent pas se laisser submerger ou miner par les conséquences mêmes de cette technologie.

## 8
## VICE-ROIS ET ÉMISSAIRES

Du fait de ses intérêts multinationaux, ITT s'est toujours engagée à fond dans la diplomatie industrielle, s'efforçant de recruter d'éminents conseillers chargés d'arrondir les angles avec les gouvernements. Le plus important de ses conseils siégeant à New York comprend Eugène Black, l'ancien président de la Banque Mondiale et John McCone, autrefois à la tête de la CIA, avec laquelle les liens d'ITT nous apparaîtront plus tard comme particulièrement significatifs. En Europe, l'amiral Stone, lui-même négociateur non négligeable, recruta pour les installer au conseil d'administration des filiales locales Trygve Lie[5] en Norvège, Paul-Henri Spaak en Belgique, et Lord Caccia en Grande-Bretagne. En Espagne et en Amérique latine, ITT a toujours su s'adjoindre des hommes politiques et de hautes personnalités du cru. Qui ces diplomates représentent-ils ? Leur propre pays, les Etats-Unis, la Grande-Bretagne ou l'Etat souverain qui a nom ITT ? Réponse difficile peut-être pour les intéressés eux-mêmes : un homme politique belge particulièrement coriace comme Pepermans, l'homme au gratte-ciel de Bruxelles, pourrait bien damer le pion à ITT New York. Un représentant d'ITT se plaignait un jour : « Ce n'est pas aussi facile que l'on pense d'acheter les gens : après tout ils ont leur réputation à défendre dans leur propre pays. » Tant en Amérique qu'en Europe, la question du loyalisme se pose chaque jour avec plus d'acuité ; voici par exemple ce qu'en dit le professeur Willard Mueller, ancien principal conseiller économique de la Commission fédérale du commerce :

> Ce n'est pas commettre une injustice que de se demander si les hommes qui siègent au conseil d'ITT sont à ce poste pour leur perspicacité en affaires, ou en raison du prestige dont ils jouissent dans le monde de la diplomatie internationale. Et par voie de conséquence se pose une autre question : savoir qui, du Département d'Etat ou de gigantesques conglomérats comme ITT, l'emporte en matière de diplomatie internationale[6].

Dans ses négociations avec les pays d'Europe (par opposition à ses négociations latino-américaines), ITT nous a donné un échantillon de sa diplomatie la plus raffinée. Voici la façon dont Geneen présente les choses : « Quand une flopée d'Américains comme nous arrive en

5. Homme politique norvégien, ancien Secrétaire général de l'ONU de 1946 à 1952.
6. Williar Mueller, *Conglomerate Mergers*, cité dans *Conglomerate Report*, p. 95.

Europe pour diriger une flopée de compagnies, chacune située dans un pays différent, avec son personnel local qui selon l'endroit parle une langue ou une autre, ce n'est pas du tout pareil qu'aux Etats-Unis où il n'y a qu'à commander pour que les choses se fassent[7]. » ITT tire vanité de ce que sur ses deux cent mille employés en Europe on ne compte qu'une centaine d'Américains. Les présidents-directeurs généraux qui siègent chaque mois autour de la table en fer à cheval de Bruxelles sont tous des ressortissants de leur propre pays et ils aident à jeter des ponts entre la direction d'ITT et leurs compatriotes.

Le président d'ITT Europe, maillon principal de la chaîne qui relie les deux continents, est un jeune Franco-Américain qui à quarante ans est responsable (dans une certaine limite) d'un chiffre d'affaires annuel de 2,7 milliards de dollars. « Mike » Bergerac est un homme de haute taille, d'abord affable, portant sur ses épaules un visage rond et lisse qui rappelle un peu une tête d'otarie ; il ferait un assez bon portrait robot de l'homme multinational. Né en France, il décrocha une bourse Fulbright qui le conduisit en Amérique où il obtint un diplôme d'administration des affaires à Los Angeles. Il travailla à la mode californienne sur des ranchs, puis entra dans une compagnie de la côte Ouest, la Cannon Electric. Quand ITT acheta Cannon, elle acheta Bergerac du même coup et se rendit vite compte du parti qu'elle pouvait en tirer. On l'envoya à Bruxelles et cinq ans plus tard il était nommé président. « Jamais il n'aurait eu ce coup de chance s'il n'avait pas été absorbé par ITT avec sa compagnie » dit un des administrateurs. « Il pourra bien se tuer à la tâche mais au moins il ne s'y ennuiera pas ». Bergerac est un être difficile à situer. Il vit à Bruxelles comme citoyen américain et se fait appeller Mike

7. *Conglomerate Hearings,* vol. III, p. 142.

plutôt que Michel. Il consacre la moitié de son temps à voyager et sa distraction favorite est la chasse au gros gibier en Afrique : la porte de son bureau est surmontée de cornes de buffle. Il parle un robuste américain en grasseyant ses r avec parfois quelques intonations françaises, mais sans cette ironie et cette retenue propres aux Français. Il est Américain pour les Européens et Européen pour les Américains.

Les directeurs généraux européens des filiales d'ITT mènent une vie double pour le moins curieuse. A les voir dans leurs propres fiefs, on les dirait puissants et indépendants comme autant de petits Geneen ; beaucoup comme lui sont des « self made men » qui sont parvenus au sommet après avoir brûlé les échelons de la hiérarchie traditionnelle. Ils reçoivent des émoluments princiers et offrent des réceptions somptueuses. Dans leur pays, leur conseil d'administration, tout en conférant une dignité accrue à la compagnie, ne met pas leur autorité en question. Mais en coulisse, de sévères contraintes viennent aliéner cette apparente liberté. Leur contrôleur financier envoie directement ses rapports à son homologue new-yorkais et s'il y a quelque chose qui cloche, un essaim de comptables dépêché par New York envahit aussitôt la place. Chacun des secteurs : composants électroniques, systèmes intégrés, produits de consommation, etc..., est supervisé à l'échelle européenne par le directeur général du groupe qui siège à Bruxelles, et court-circuite le patron dans chaque pays. Et une fois par mois, les directeurs de toutes les filiales européennes se rendent à Bruxelles pour passer au gril de l'interrogatoire devant l'index accusateur. Cette double position cadre bien avec le principe d'ITT, selon lequel on ne doit jamais accorder pleine confiance à un homme seul ; mais il y faut une peau de pachyderme pour tenir le coup.

ITT a bien soin d'adopter la couleur locale de tous les pays où elle opère et sait mettre l'homme qu'il faut à la place qu'il faut. Pour l'Afrique du Sud, par exemple, elle met en avant un riche Texan du nom de Rex Grey qui réside à Londres, possède un ranch en Rhodésie et un appartement en Afrique du Sud ; il entretient des relations privilégiées avec Geneen (qui souvent pour ses opérations de grande envergure préfère utiliser des personnalités extérieures à la société) ; notre Texan aime réserver aux délégations sud-africaines en visite l'accueil princier qui convient. L'Afrique du Sud constitue un vaste champ d'expansion pour ITT, qui a recruté à Londres le personnel nécessaire aux filiales qu'elle y a installées.

Qu'elle traite ses affaires avec les pays étrangers ou avec des sociétés comme Sheraton ou Levitt, ITT, selon les convenances du moment, tire le meilleur parti possible de la double personnalité de ses filiales, les présentant un jour comme des entreprises purement locales, et le lendemain comme des sociétés groupées sous une direction centralisée : Geneen, tel le chat du Cheshire [8], apparaît et disparaît à volonté. Lors de mes contacts avec le service des relations publiques d'ITT je me suis rendu compte de cette tendance ; au début, les filiales étrangères de la société affichaient une fière autonomie mais dès que j'abordai certaines questions plus épineuses, le directeur des relations publiques de New York me signifia sans ambages que toutes les demandes de renseignements devaient lui être transmises, et à lui seul. Si nécessaire, ITT New York peut tenir fermement en main la direction de ses entreprises dispersées ; mais à l'étranger, dans chaque pays, la société peut compter sur des hommes politiques et des directeurs autonomes chargés de présenter un front indépendant et d'assurer la liaison avec le milieu politique local.

8. N.d.T. Le chat du Cheshire — Personnage du roman de Lewis Caroll, *Alice au pays des merveilles*. Ce chat savait faire la grimace et pouvait se rendre à volonté totalement invisible, sauf pour la grimace qui persistait.

En Espagne, la figure de proue de son navire (ITT Espagne se classe au troisième rang des filiales européennes) est le général Barroso, âgé maintenant de quatre-vingts ans, et qui fut en son temps ministre de la Défense de Franco ; il a joué un rôle important pendant la guerre civile quand, attaché militaire à Paris, il parvint à empêcher la France de fournir des armes aux Républicains. Barroso et son directeur général, Marquez Balin, figurent au nombre des patrons de choc. Quand, en avril 1971, 10 000 travailleurs d'ITT de Madrid réclamèrent une augmentation de 22 dollars par mois (1 500 pesetas), sa réaction fut d'appeler la police et de faire appréhender les responsables ouvriers. Revendications et arrêts de travail redoublèrent ; c'est alors qu'un millier d'ouvriers furent licenciés, tandis que d'autres « agitateurs » étaient arrêtés. Les syndicats organisèrent des manifestations en Amérique et en Europe et, à l'exception de 14 ouvriers, tout le personnel fut finalement réembauché [9]. ITT détient toujours le monopole de la fabrication des téléphones espagnols (bien qu'Ericsson ne désespère pas de s'y tailler une part) et la Standard Electrica arrive au huitième rang des grandes sociétés espagnoles avec un chiffre de ventes annuel de plus de 200 millions de dollars. Mais, en échange, le général Franco ne se prive pas de lui tenir la dragée haute et ce fut sa demande de meilleures conditions de crédit qui contribua en 1971 à précipiter la crise d'ITT (voir chapitre X).

## ITT EN FRANCE

Mais c'est en France qu'ITT est en butte aux réactions les plus délibérément anti-américaines, ce qui explique pourquoi la diplomatie y joue un rôle primordial. L'ad-

9. Fédération internationale des organisations de métallurgistes, *News*, mars 1972.

ministrateur général des filiales françaises d'ITT est un technocrate comme Bergerac qui, par sa formation, est à cheval sur deux cultures : Claude Etchegaray, ancien élève de l'Ecole Polytechnique, est également diplômé de la Harvard Business School ; il est en outre assisté d'un conseil d'administration où siègent entre autres le colonel Gaston de Bonneval, ancien aide de camp de De Gaulle, Pierre Abelin, député réformateur, ancien ministre, Jean Guyot de chez Lazard Frères et quelques autres banquiers parisiens.

Au cours de la dernière décennie, en dépit de l'opposition politique rencontrée, les affaires d'ITT en France ont connu une croissance rapide. Les plus gros bénéfices viennent encore de leurs deux sociétés de télécommunications, CGCT et LMT, qui, depuis quarante ans, occupent une position dominante. La compagnie ITT originelle, Le Matériel Téléphonique, fut renforcée au cours des années vingt par l'adjonction de la CGCT vendue à ITT par Thomson-Houston, de sorte qu'avant la seconde Guerre mondiale ITT avait un monopole virtuel du secteur des communications. Les deux compagnies sont restées distinctes, quitte même à se faire parfois concurrence, pour camoufler dans une certaine mesure la prépondérance d'ITT.

Le gouvernement français s'est efforcé de faire naître une opposition efficace en encourageant la société fransaise CGE et sa filiale CIT, et en stimulant la recherche nationale au Centre national d'études des télécommunications (CNET). Il a également encouragé la concurrence de la filiale française de la société suédoise Ericsson. Les résultats toutefois n'ont pas été probants. Le CNET est trop détaché des problèmes de fabrication. La CGE n'a pas trouvé la même rentabilité dans les télécommunications que dans ses autres secteurs d'activités.

En conséquence, les compagnies d'ITT ont pu conserver une fraction très importante du marché français et assurer la majeure partie des exportations françaises. Leurs laboratoires de recherche communs, le Laboratoire central des télécommunications (LCT) sont plus importants que ceux de leurs concurrents, et en outre ils bénéficient de l'échange d'informations avec les autres établissements européens de recherche du conglomérat. C'est pourquoi ITT est dans une position plus favorable pour les exportations. Aussi longtemps que ses concurrentes françaises resteront confinées dans le cadre national, ITT sera en mesure de tirer avantage de son infrastructure internationale. La compagnie bénéficie de sa situation de géant parmi les Pygmées et ne fait rien pour encourager la coopération entre Européens : « Il semble bien qu'ITT se soit comportée en société financière cherchant à tirer le maximum de bénéfices de situations locales plutôt qu'en société industrielle cherchant à généraliser un système unique et à tirer bénéfice de l'effet de masse » (Jean-François Rugès, *Le Téléphone pour tous*, op. cit., p. 85).

Comme dans le reste du monde, ITT s'est efforcée d'acquérir à toute vitesse d'autres types de compagnies en France pour parer à la vulnérabilité politique des télécommunications. Elle s'est ainsi diversifiée dans le domaine de la télévision (Océanic et Sonolor), des contacteurs et pièces détachées pour l'électronique (Jeanrenaud), des produits surgelés (Groko) et même des écoles de commerce (Pigier). Avis, après de sérieux ennuis de jeunesse, s'est imposée en France et Sheraton construit un hôtel de 1 000 chambres dans le quartier Vandamme-Montparnasse.

En 1966, ITT s'engagea dans une bataille de géants pour prendre le contrôle de la compagnie d'éclairage française Claude Paz et Visseaux. Elle avait été fondée en 1911 par Georges Claude, le savant qui avait créé l'Air Liquide, et avait mis au point le premier tube au néon. Air Liquide détenait toujours quinze pour cent des actions, ce qui lui donnait le contrôle de fait. Les actions Claude avaient été longtemps sous-évaluées jusqu'au moment où, en juin 1966, la compagnie américaine General Electric fit savoir qu'elle était intéressée ; les actions montèrent de 100 à 160 francs dans l'éventualité d'une offre publique d'achat. C'est alors que deux autres compagnies étrangères entrèrent en lice : la compagnie néerlandaise Philips et ITT. Les actions firent un bond, atteignant 340 francs alors que les acquéreurs éventuels attendaient impatiemment si le gouvernement autoriserait la transaction. Finalement, en novembre, le ministère des Finances autorisa une O.P.A. Philips et General Electric alarmées par le coût de l'opération s'étaient retirées de la course, mais ITT poursuit de l'avant et négocia l'achat de dix pour cent des actions d'Air Liquide. A la fin novembre, ITT avait pris le contrôle de Claude à un prix astronomique, avoisinant 50 millions de francs. Mais Claude ne fut pas une heureuse acquisition ; elle a été le théâtre d'affrontements pénibles entre cadres français et américains. ITT a procédé à des licenciements qui ont entraîné des grèves dures. La Harvard Business School en a fait une étude de cas à l'usage de ses étudiants, pour leur donner un exemple de ce qu'il ne faut *pas* faire.

Une autre bataille eut lieu en 1970, lorsqu'ITT essaya d'acheter les pompes Guinard. Cette fois, cependant, le gouvernement français refusa d'autoriser la vente, affirmant nettement que la compagnie devait rester française. Depuis cette époque, l'opposition aux acquisitions d'ITT s'est renforcée, et beaucoup pensent qu'il est peu probable qu'elle puisse en faire de nouvelles en France. Contrairement à ce qui se passe dans d'autres pays d'Europe, le gouvernement français a fréquemment exigé d'ITT qu'elle laisse une part minoritaire des actions à des Français. ITT ne détient que 54 % de Claude, 67 % d'Océanic et 68 % de LMT. C'est pourquoi, les actions d'ITT sont cotées à la Bourse de Paris et on en sait ainsi un peu plus sur les compagnies qu'elle contrôle que dans d'autres pays. ITT a essuyé le feu des critiques pour avoir gagné trop d'argent sur le dos des P et T. Le conglomérat est souvent exaspéré par des difficultés qu'engendre l'actionnariat national. Cependant, je pense que la politique française de résistance sera suivie par d'autres gouvernements européens qui ressentent le besoin de surveiller de près les activités d'ITT (voir chapitre XII). Les Français ont été accusés de nationalisme arriéré mais ils pourraient bien être les précurseurs d'une tendance générale en Europe. Dans le « programme commun de gouvernement » du parti communiste, du parti socialiste et des Radicaux de gauche qui a été au centre des débats de la campagne électorale de mars 1973, la nationalisation d'ITT France était prévue en même temps que celles de Dassault, Roussel-Uclaf, Rhône-Poulenc, Thomson-Brandt, Honeywell-Bull, Péchiney-Ugine-Kuhlmann, Saint-Gobain-Pont-à-Mousson, la Compagnie Générale d'Electricité.

On trouvera en annexe des renseignements détaillés sur l'ensemble des activités d'ITT en France et en Belgique, la composition des conseils d'administration de ses filiales, le curriculum vitae de certains administrateurs parmi les plus caractéristiques, et enfin différentes opinions émises sur le conglomérat.

Par contraste, ITT a trouvé en Allemagne son terrain d'élection ; avec son effectif de 65 000 salariés c'est pour elle le pays le plus important d'Europe. Le directeur général d'ITT Allemagne, Dieter Moehring, est un Allemand américanisé et extroverti disposant de nombreux contacts avec les milieux politiques allemands. Les deux compagnies d'avant-guerre qui ont fusionné pour devenir la Standard Elektrik Lorenz (SEL) pour fabriquer toute une gamme d'appareillage électronique et de télécommunications, constituent toujours, dans leur spécialité, la pièce maîtresse de l'industrie allemande. Réinstallée à Stuttgart dans les années qui ont suivi la guerre, SEL apparut comme une de ces compagnies prodiges qui distançaient la Grande-Bretagne et la France à pas de géant. Depuis dix ans Geneen s'est employé à absorber toutes sortes de sociétés allemandes, dont la liste comprend des compagnies d'assurances (Intercontinental), des usines d'aliments surgelés (Groenland), et diverses fabriques de pièces détachées et de matériel automobile. La plus importante d'entre elles, Alfred Teves, avec ses douze mille ouvriers, eut tôt fait d'afficher un accroissement spectaculaire de ses bénéfices. Mais ITT Allemagne n'est plus la compagnie miracle qu'on a connue ; il y a moins à gagner aujourd'hui dans les télécommunications et Teves n'est plus aussi rentable. Enfin l'Allemagne à son tour donne des signes de ressentiment à l'égard du géant américain.

## ITT GRANDE-BRETAGNE

La Grande-Bretagne, pourtant moins ouvertement hostile que la France, est sans doute le pays qui offre le plus de résistance au système ITT et fait preuve à son égard de la plus grande obstination. Il existe entre elle et cette compagnie des rapports de caractère ambivalent. Même Geneen qu'exaspère l'attitude des Britanniques (« on les croirait impatients d'atteindre l'âge de la retraite ») éprouve un faible pour Londres où il aime à parcourir les rues à l'abri d'un incognito rassurant. J'ai remarqué que le personnel britannique accusait un double comportement : les employés s'amusent de l'enrégimentement et de la minutie que leur impose ITT de New York. « Je commence à me rendre compte maintenant à quoi ça ressemblait de vivre sous l'empire romain » dit l'un d'eux. « C'est idiot, déclare un autre, cette idée qu'ils ont de s'occuper de téléphones un jour, de produits de beauté le lendemain et d'assurances le jour suivant. » Mais en même temps les Britanniques peuvent se sentir stimulés par l'enjeu, soulagés d'échapper à leur système hiérarchique fondé sur le cloisonnement des classes, pour passer dans celui d'ITT fondé sur l'argent, tout en étant mieux protégés contre la tension excessive dont souffrent leurs homologues américains.

C'est en Grande-Bretagne que se trouve implantée la seconde ITT européenne par l'ampleur de ses effectifs qui comptent trente cinq mille salariés ; et comme partout ailleurs, ses acquisitions précipitées ont conduit à un salmigondis d'affaires et de fabrications où l'on trouve les produits de beauté Rimmel, les aliments pour chiens Shirley, les indéfrisables Eugene, la sténographie Speedwriting, les déodorants Amplex, les locations de voitures sans chauffeur Victor Britain, autant de sociétés qui sont venues s'ajouter aux plus anciennes comme Commercial Cables, la radio-télévision KB, et les téléscripteurs Creed. Même Sheraton a maintenant ouvert un hôtel à l'aéroport de Londres.

Mais la principale affaire d'ITT Angleterre, la Standard Telephones and Cables (STC), est la plus ancienne Cataloguée sous la rubrique « attention, danger », elle avait été longtemps la bête noire de Geneen. Sa direction était surtout assurée par des ingénieurs à qui échappait singulièrement la notion de bénéfice. C'était un va-et-vient continuel de directeurs généraux. Vers la fin des années 60, les Travaillistes étant au gouvernement, il fut sérieusement question de nationaliser l'affaire et de la placer sous la tutelle du ministre de la Technologie, Anthony Wedgwood Benn. L'administration des Postes voulait avoir sa propre société de fabrication, travaillant en liaison avec ses laboratoires de recherche ; dans la perspective d'une nationalisation, le choix de STC, qui avait le double avantage d'appartenir à des étrangers et de posséder une technologie avancée, paraissait s'imposer. Il y eut des conversations entre ITT et l'administration des Postes. Mais sur ces entrefaites eurent lieu les élections de 1970 qui mirent un terme à l'expérience travailliste.

Entre-temps, on désigna un nouveau directeur général, Ken Corfield, qui changea du tout au tout le destin de la compagnie. Il réduisit les effectifs, reprit en main les ingénieurs, fit davantage payer les Postes pour son matériel, et exigea que la compagnie ne se consacre dans l'avenir qu'aux recherches rentables. Fier produit du Staffordshire, cet homme, à l'inverse de la plupart des directeurs d'ITT, avait acquis son expérience en menant sa propre affaire (K.G. Corfield, matériel photographique et optique). Entré à ITT cinq ans auparavant comme assistant du président-directeur général d'ITT Europe à Bruxelles, il prit rapidement du grade et fut promu directeur général de STC en 1970. Corfield est un homme de droite à l'air détaché et réfléchi. Très coriace en dépit de son apparence apathique et rêveuse, il est capable de tenir tête à Geneen : il estime que c'est une chose plus facile pour des Européens qui sont à quelque six mille kilomètres de l'Olympe new-yorkais et peuvent toujours invoquer leur propre mystique nationale : « Ce n'est pas comme ça qu'on fait chez nous. »

Rien ne vient rappeler aux travailleurs de STC que leur compagnie est propriété américaine. Les usines de Southgate, Newport et Foots Cray sont toutes des univers clos où les ouvriers, pour la plupart, ont de longues années de service derrière eux ; c'est à peine si l'histoire officielle de la compagnie publiée à l'occasion de son soixante quinzième anniversaire a fait allusion à ses attaches américaines et le magazine de la maison est farouchement insulaire. Depuis la Deuxième Guerre mondiale, moment où STC éprouva le besoin impérieux d'arborer les couleurs britanniques, on a installé un conseil d'administration britannique. Ses membres se réunissent tous les deux mois et touchent 2 500 livres par an. Parmi eux Lord Penney, l'ancien directeur de la Commission de l'Energie Atomique ; Lord Glendevon (anciennement Lord John Hope), ancien ministre conservateur des Travaux Publics du gouvernement Macmillan, et Sir Thomas Spencer, qui à quatre-vingt quatre ans, est le doyen de la compagnie après une longue carrière qui commença en 1907 à la Western Electric où il s'éleva au rang de directeur général, poste qu'il occupa pendant vingt-cinq ans. Le président de ce conseil d'administration est Lord Caccia, ancien ambassadeur de Grande-Bretagne à Washington et maintenant président du conseil de surveillance de la « Public School » d'Eton. Caccia prend contact avec le directeur général une fois par semaine, préside le conseil d'administration tous les deux mois et reçoit pour prix de sa collaboration 15 000 livres par an. Le conseil d'administration peut parfois mettre de l'huile dans les rouages entre la compagnie et le gouvernement ; il peut aussi rassurer le public en lui prouvant que STC prend à cœur les intérêts britanniques, mais cela ne modifie en rien la puissante structure hiérarchique d'ITT : Corfield en effet, au même titre que les autres directeurs généraux, est directement responsable, via Bruxelles, à l'égard de New York. S'il bénéficie d'une large autonomie dans le domaine de l'emploi, des rapports avec le personnel et de la recherche, et s'il est mieux partagé en cela que la plupart des directeurs britanniques de compagnies américaines, il n'en demeure pas moins que les ultimes décisions touchant aux investissements et à la nomination des cadres supérieurs demeurent toutes de la compétence de Park Avenue, siège d'ITT à New York.

Lorsqu'ITT acquiert une nouvelle société européenne, il s'ensuit toujours une pénible période de réorganisation ; telle Procuste, ITT lui fait subir amputation ou étirement pour l'ajuster à son lit et l'intégrer à son système ; le chapiteau d'un cirque ambulant semble tomber du ciel sur le nouveau membre de la confrérie, pour lui prêcher l'évangile ITT et lui expliquer le rituel des réunions, des rapports, des budgets et des règlements. Parfois les anciens directeurs se voient offrir des avantages spéciaux pour rester. Parfois on s'arrange pour les liquider en douceur. Parfois encore ils s'effacent aussi vite qu'ils le peuvent.

L'acquisition en Grande-Bretagne de la compagnie d'assurances Abbey Life constitue une étude de cas révélatrice. En 1962, Geneen avait pensé qu'il serait intéressant de vendre des polices d'assurance en Europe pour se constituer des liquidités en encaissant les primes ; mais ne connaissant pas grand-chose à la question, il s'associa à parts égales avec une petite compagnie américaine : la Georgia Insurance. Ils créèrent ensemble une société par actions qui commença par acquérir pour trois cent mille dollars une minuscule affaire londonienne du nom de Abbey Life, elle-même tout récemment fondée par un jeune Sud-Africain particulièrement avisé, Mark Weinberg, qui, avec l'aide de trois démarcheurs, proposait des polices assorties de droits sur des actions. L'entreprise prospérait à souhait mais Geneen, maintenant fort occupé à recruter ses propres experts en assurance à New York, décréta qu'à l'avenir il pourrait très bien se passer de Georgia. Il lui fit une offre pour lui racheter l'autre moitié des parts mais Weinberg refusa et, chaque fois que Geneen revenait à la charge avec une proposition améliorée, il s'obstinait dans son refus. Geneen décida d'en finir. En dépit de son rationalisme, il est capable de s'énerver quand on lui tient tête. Mais en la circonstance il fut bien obligé de demeurer passif tandis qu'ITT essayait par ailleurs d'acheter la Hartford Insurance Company du Connecticut [10]. Mais une fois cette dernière affaire dans le sac, il pouvait aller de l'avant ; et puisque

10. Voir chapitre VII.

Abbey Life ne représentait qu'une minime fraction de l'empire ITT, et une très large fraction de Georgia, peu lui importait de faire du tort à Abbey Life en cours de route. Pour être mieux placé dans la compétition, il acheta une autre compagnie d'assurances anglaise, la London and Edinburgh, qui n'hésita pas à attirer chez elle un des directeurs d'Abbey Life. Mark Weinberg, écœuré de ces manigances, décida que si ITT finissait par absorber toute la compagnie il donnerait sa démission mais on ne le crut pas. En fin de compte ITT réussit à persuader Georgia de vendre sa moitié d'actions pour 38 millions de dollars et offrit alors à Weinberg et à son équipe de nouveaux contrats des plus avantageux. Mais Weinberg déclina l'offre et quitta la place, emmenant avec lui cinq de ses collaborateurs pour monter avec le concours de la banque Hambro une société rivale (qui, elle aussi, est aujourd'hui en pleine prospérité) ; entretemps, Geneen faisait appel à des gens d'ITT pour faire marcher Abbey Life.

ITT prit assez mal le départ de Weinberg qui portait atteinte au renom de la compagnie. Après conclusion de l'accord, une équipe d'avocats et de spécialistes des relations publiques s'envola pour Londres dans le but d'établir des contrats et de convoquer une conférence de presse. Ils avaient préparé à l'avance une liste de questions et de réponses à l'intention de Weinberg, dont l'une était : « Refusez-vous, comme Townsend d'Avis, de travailler un seul jour de plus pour ITT ? » ; la réponse prévue soulignait qu'en fait Townsend avait travaillé plusieurs mois pour la compagnie avant de la quitter. Mais bien entendu la question ne fut jamais posée.

Les deux compagnies d'assurances anglaises d'ITT ont connu un essor spectaculaire. La London and Edinburgh a mis au point un nouveau système d'assurances contre les risques d'hospitalisation qui remporte le plus vif succès ; quant à Abbey Life, elle arrive en tête de ses concurrentes anglaises pour le chiffre qu'elle réalise en placements d'obligations hypothécaires. Comme il se devait pour une filiale d'ITT, Abbey Life grâce à ses obligations hypothécaires a ouvert la voie aux investissements en Europe par l'acquisition à Bruxelles, pour une somme de 18 millions de dollars, d'un gratte-ciel de trente-trois étages : la Tour Madou. C'est ainsi qu'ITT est propriétaire aujourd'hui de deux des plus grands gratte-ciel de Bruxelles, l'un pour ses clients en quête de placements et l'autre pour elle-même.

## UNE QUESTION D'IDENTITÉ

Pour les ressortissants de chaque pays, toutes ces sociétés européennes apparaissaient comme autant d'unités totalement indépendantes, battant fièrement pavillon français, allemand ou espagnol suivant le cas. ITT, comme beaucoup de compagnies du même genre, préférait ne pas se mettre en avant. Elle avait de bonnes raisons pour se faire aussi petite que possible : si elle se mettait à battre tambour à la tête de son régiment de filiales, cela ne ferait, au dire des directeurs de ces dernières, que déclencher des réactions d'anti-américanisme.

Mais à mesure que son empire s'étendait, Geneen voulait qu'il soit reconnu : « Un fait me trouble, avait-il dit, c'est que sur quinze personnes interrogées, pas une seule ne peut dire qui est ou ce qu'est ITT. » Si les épargnants au cours de leurs déplacements voyaient partout apparaître les lettres ITT, cela ferait monter les titres en bourse. La publicité aurait un meilleur rendement (budget annuel de 24 millions de dollars) pour peu qu'elle mette toujours en vedette le nom d'une seule et même compagnie. ITT pourrait alors vendre plus cher le matériel de sa fabrication : Geneen en effet jetait un regard d'envie sur certaines machines IBM qui, selon lui, par la seule magie de ces initiales, se vendaient le double, à service égal, de celles d'ITT. Sa société avait une notoriété bien moins grande que d'autres compagnies géantes ; les Américains eux-mêmes en étaient toujours à la confondre avec AT&T (c'était d'ailleurs ce qu'avait cherché Behn). Geneen, qui n'était pas l'homme des démonstrations tapageuses et ne recherchait pas particulièrement la publicité, aimait cependant que ses performances ne passent pas inaperçues.

C'est ainsi que New York pressa les vice-rois d'adopter le nom de la puissance impériale. On lui opposa une âpre résistance. Ce fut en France une levée de boucliers, et à Londres Allister Mackay, un des prédécesseurs de Corfield, défendit pied à pied le nom de Standard. Mais les collaborateurs de Geneen tenaient à ce que les lettres ITT soient accolées à chacune des raisons sociales des filiales étrangères et en décembre 1968, ils annoncèrent le lancement d'une campagne de publicité massive, qui proclamerait que toutes les sociétés du groupe dispersées autour du globe avaient une seule et unique identité. En 1970, lors du cinquantième anniversaire de la naissance d'ITT, la plupart de ses satrapes étaient rentrés dans le rang ; en Angleterre, la STC s'était transformée en ITT-STC. On forgea un slogan : « Partout au service des hommes et des nations », qui apparut sur tous les supports publicitaires en même temps que des tableaux symboliques commandés dans chaque pays à des artistes locaux. Le rapport annuel de l'exercice 1970 comportait en manière de préambule un petit poème qui exaltait cette notion de service :

> Les problèmes qui maintenant se posent
> Nous laissent inquiets et songeurs :
> Le lendemain de nos enfants sera-t-il aussi brillant
> Que le fut notre aujourd'hui ?

ITT se voue à la tâche de faire de notre globe
Un monde toujours meilleur :
« Partout au service des hommes et des nations ».
Telle est notre devise.

Des circonstances fort pénibles vinrent troubler le déroulement de cette campagne : c'est alors qu'elle battait son plein en 1972, que survinrent des événements qui altérèrent du tout au tout l'image de marque du conglomérat ITT. Les vice-rois auraient volontiers désavoué leur appartenance à cette « personne morale ».

## COMPAGNIES ET NATIONS

Dès ses débuts avec le colonel Behn, ITT réunissait toutes les caractéristiques requises pour devenir une compagnie multinationale moderne, ne se contentant pas de vendre ses produits dans le monde entier, mais les fabriquant également dans chacun des pays. Et au fur et à mesure que la société poursuivait son expansion et son développement au cours des années 1960, grâce à des moyens de communication et de contrôle plus stricts, elle tenait le devant de la scène d'un nouveau phénomène.

L'apparition de la puissance autonome des compagnies multinationales obligeait les économistes et les hommes politiques à réviser leurs concepts sur la nature du commerce mondial et sur les rapports existant entre les milieux d'affaires et les gouvernements.

C'est un lieu commun d'affirmer que les compagnies géantes ont souvent des revenus plus importants que beaucoup des pays où elles ont implanté leurs filiales. Les bénéfices de la General Motors dépassent les recettes budgétaires de la Belgique ou de la Suisse. Et même ITT, qui n'est que la onzième par rang d'importance, voit affluer dans ses caisses plus que le produit national brut du Portugal ou (mieux à propos encore) celui du Chili. La compagnie qui vient écraser le petit État de sa puissance mondiale est maintenant le nouveau croquemitaine de la gauche. Il est facile d'exagérer la menace qu'elle représente. Après tout, le succès des compagnies multinationales provient d'abord de ce qu'elles fournissent aux habitants des pays d'accueil le genre d'emplois et de produits qui leur conviennent ; et s'il est un risque plus alarmant encore pour un petit pays que la présence de telles sociétés, c'est leur absence. Le vrai problème n'est pas de savoir si l'implantation des compagnies multinationales devrait être autorisée, mais s'il est possible de les contrôler et éventuellement d'en contrebalancer les effets. L'échelle de grandeur du développement industriel a largement dépassé celle du développement politique et c'est ce décalage qu'il est facile à certaines sociétés d'exploiter sans ménagement. ITT s'est montrée particulièrement apte à ce jeu, non seulement du fait de ses dimensions et de la multiplicité de ses vocations mais aussi de ses traditions tortueuses, de son visage aux multiples facettes et de sa maîtrise des communications.

## LES PRINCIPALES COMPAGNIES MULTINATIONALES [11]

(compagnies dont les filiales à l'étranger constituent au moins 20 % de leur actif)

11. Fenga and Freyer, 1972.

| Compagnie | Lieu du siège social | Chiffre des ventes mondiales * |
|---|---|---|
| General Motors | Etats-Unis | 28,3 |
| Exxon (Standard Oil) | Etats-Unis | 18,7 |
| Ford Motor | Etats-Unis | 16,4 |
| Royal Dutch/Shell | Grande-Bretagne, Pays-Bas | 12,7 |
| General Electric | Etats-Unis | 9,4 |
| IBM | Etats-Unis | 8,3 |
| Mobil Oil | Etats-Unis | 8,2 |
| Chrysler | Etats-Unis | 8,0 |
| Texaco | Etats-Unis | 7,5 |
| Unilever | Grande-Bretagne, Pays-Bas | 7,5 |
| ITT | Etats-Unis | 7,3 |
| Gulf Oil | Etats-Unis | 5,9 |
| British Petroleum | Grande-Bretagne | 5,2 |
| Philips | Pays-Bas | 5,2 |
| Volkswagen | Allemagne | 5,0 |
| Westinghouse Electric | Etats-Unis | 4,6 |
| Du Pont de Nemours | Etats-Unis | 3,8 |
| Siemens | Allemagne | 3,8 |
| Imperial Chemical | Grande-Bretagne | 3,7 |
| RCA | Etats-Unis | 3,7 |

* En milliards de dollars.

La comparaison entre compagnies et nations peut aboutir à des conclusions trompeuses. Quelques enthousiastes des géants industriels les considèrent comme plus importants que les Etats ; c'est ainsi qu'Antony Jay, dans *Management and Machiavelli*[12], nous explique que « les futurs étudiants du vingtième siècle trouveront que l'histoire d'une société comme la General Motors est bien plus importante que celle d'un pays comme la Suisse ». Je pense pour mon compte que la chose est impro-

12. Antony Jay, *Management and Machiavelli*, Hodder and Stougton, Londres, 1967.

bable. Chaque pays, même doté d'un gouvernement faible, procure au citoyen des avantages qu'aucune compagnie ne saurait lui donner. L'Etat veille au respect de ses droits fondamentaux, sur sa santé, sur sa sécurité. Il lui communique le sens de sa propre identité et lui inspire un sentiment de loyalisme qui ne manifeste aucun signe de régression en dépit de l'avènement des marchés communs et d'une plus grande mobilité des populations. Ce sont les gouvernements et non les conseils d'administration qui brossent l'essentiel du décor où se déroulera la vie des citoyens, non pas seulement leur vie professionnelle, mais leur existence quotidienne avec leur femme, leurs enfants, leurs hôpitaux, leurs écoles, leurs villes et leur cadre rural.

Telle n'est pourtant pas l'opinion de Geneen derrière les remparts de sa forteresse ITT. Pour lui, comme pour beaucoup d'autres, la compagnie revêt plus d'importance que les gouvernements, parce qu'elle crée des emplois, donne la sécurité, suscite des motivations, procure l'indépendance. Dans son discours aux actionnaires réunis à Memphis en 1972, il cita Thomas Jefferson qui déclarait que nul ne pouvait être indépendant s'il n'était propriétaire, et il ajouta :

> Dans la mesure des ressources dont nous disposons, et dans le cadre de notre Système, notre but est d'aider le plus grand nombre possible de citoyens à acquérir leur indépendance. A l'heure où je vous parle, il y a, dans toutes les régions du globe, quelque quatre cent mille personnes qui possèdent leur indépendance de jugement et qui, dans quatre-vingt-dix pays, sont libres d'agir selon ce qui leur paraît juste. Et il ne s'agit là que d'employés d'ITT. Je ne tiens même pas compte des dizaines de milliers d'emplois créés par ce pouvoir d'achat que nous leur donnons. Ils

> ont un endroit pour y demeurer, pour s'y reposer, ils ont un toit au-dessus de leur tête — et peut-être n'auraient-ils rien de tout cela sans ITT...

En face de ce dynamisme efficace, générateur de vie, l'action des gouvernements lui semble mesquine et négative. Geneen considère ses fonctions comme plus importantes que celles des premiers ministres, des présidents ou des monarques. On raconte bien des histoires à ITT sur le manque de respect de Geneen à l'égard des dirigeants nationaux : comment il a fait faire antichambre au roi des Belges, comment il a remis une audience avec le Shah d'Iran. Geneen ne manque pas de motifs pour se prendre pour le monarque d'un Etat souverain. Rares sont les occasions qu'il a de poser le pied au-delà de ses territoires d'ITT, et quand il voyage à l'étranger il se fait suivre de sa cour.

On ne saurait contester que les responsables des compagnies multinationales ont hérité des anciennes prérogatives des dirigeants nationaux. Les vieilles théories ont été balayées, selon lesquelles il incombait aux nations de débattre entre elles du libre-échange des marchandises, car les sociétés multinationales fabriquent leurs produits à l'abri des frontières des pays étrangers où elles ont élu domicile, les font circuler aux quatre coins de leur empire, échappant ainsi dans une large mesure aux restrictions, droits de douane, contingentements fixés par les pays d'accueil. Bien plus, un pourcentage toujours plus élevé des exportations de chaque pays provient de marchandises expédiées d'une filiale à l'autre d'une même compagnie multinationale, si bien que les pays en question comptent sur les rentrées d'argent qui en résultent pour équilibrer leur balance des paiements. C'est ainsi que les sociétés multinationales, dans leur quête des régions les moins chères et les mieux adaptées à la fabrication de chacun de leurs produits, en arrivent peu à peu à oublier la géographie. On voit des transistors manufacturés à Hong Kong et vendus en Europe au profit d'actionnaires américains. A une société multinationale bien organisée, un marché commun comme celui de l'Europe ne confère aucun avantage particulier. En fait, c'est peut-être l'inverse et dans les discours de Geneen les mots « Marché commun » résonnent comme une menace : celle d'une discrimination éventuelle à l'égard des compagnies non européennes et de restrictions frappant les acquisitions nouvelles. Du point de vue de Geneen, l'Europe serait un terrain plus sûr sans le Marché commun.

Certains pays voient la structure de leurs échanges commerciaux façonnée au gré des stratégies des compagnies multinationales qui se partagent les marchés intérieurs de leurs produits afin d'éviter le gaspillage qui résulterait de l'affrontement de deux filiales concurrentes ; c'est ainsi qu'on décidera que l'Allemagne et non la France fournira tel ou tel article à la Suisse, ou que tous les réfrigérateurs seront fabriqués en Italie et tous les postes de radio en Allemagne. A l'occasion, ces découpages peuvent donner lieu à des sévères affrontements derrière les murs d'ITT ; mais on finira par se mettre d'accord entre hauts dignitaires de l'empire en attendant que tombe de New York le verdict final.

Par ailleurs, les compagnies multinationales sont très peu affectées par les mouvements de capitaux. Elles peuvent spéculer sur le marché des changes, changeant rapidement des livres sterling contre des marks ou des yens, réalisant parfois des gains faciles au passage. Elles peuvent encore anticiper les dévaluations, soit en différant certains paiements, soit en en précipitant d'autres. En 1965, ITT s'attendait déjà à une dévaluation de 10 % de la livre qui, selon les calculs de ses experts, réduirait de

1 million et demi de dollars[13] les profits réalisés en Angleterre. Quand, un beau jour de 1967, la Grande-Bretagne se décida à dévaluer, ITT annonça dès le lendemain qu'ayant prévu l'événement, ses bénéfices de l'année n'en seraient pas affectés[14] et, en 1971, on soupçonna ITT d'avoir déclenché sur le sterling la panique qui se termina par la flottaison de cette devise[15]. Ce qui indispose les gouvernements, c'est que ces compagnies géantes, par le seul fait qu'elles prévoient la dévaluation, contribuent à la provoquer. Les Britanniques se plaisent à rendre les gnomes de Zurich[16] responsables de toute spéculation contre la livre ; ils seraient bien avisés de penser d'abord aux gnomes d'ITT. Les prophètes des compagnies multinationales, tels que le professeur Howard Perlmutter, prévoient le moment où l'industrie du monde entier sera sous l'empire de quelque trois cents compagnies géantes qui se feront concurrence à l'échelle des continents. S'il devait en être ainsi, ITT, à condition de parvenir à maintenir sa cohésion, aurait toutes les chances de servir de modèle. Car le système de Geneen, fondé à la fois sur l'esprit d'entreprise et sur le contrôle, est fait pour couvrir le monde entier. Et plus vastes sont les territoires couverts, plus l'appareil de contrôle au centre de toute l'organisation devient essentiel ; c'est seulement grâce aux moyens de communications : avions à réaction, ordinateurs, télex rapides, téléphones internationaux, etc..., que les éléments dispersés mais intimement imbriqués d'une société multinationale deviennent gouvernables. La plupart d'entre elles ont conçu des systèmes qui, tout en

13. *Conglomerate Hearings*, vol. III, p. 748.

14. Voir John Brooks *Business Adventures,* Penguin, p. 359.

15. Voir le discours de Gordon Hayman de la Fédération britannique des courtiers d'assurances, protestant contre l'acquisition par ITT d'Excess Holdings (22 janvier 1973).

16. N.d.T. Expression forgée par M. Wilson, à l'époque Premier ministre britannique, pour désigner les banquiers de Zurich.

donnant aux vice-rois une apparence d'autonomie, répercutent au centre nerveux leurs moindres initiatives en matière de dépenses ou d'investissements. Mais le contrôle institué par Geneen est en même temps multinational et « multi-produits ». Dans son système aucune raison logique ne s'oppose à ce qu'une filiale fabrique n'importe quoi n'importe où.

Les grandes compagnies rivalisent pour présenter d'elles-mêmes l'image « la plus multinationale ». Une étude publiée sous le titre : « Dans quelle mesure les multinationales sont-elles multinationales ? » et publiée dans la revue d'affaires européennes, *Vision*, établit une cote des quinze principales sociétés européennes d'après leur chiffre d'affaires respectif, leur capital, leur direction, leurs filiales et leurs services de recherche : ITT y figure au cinquième rang devant les quatre autres compagnies américaines (General Motors, Du Pont, IBM, Kodak [17]). Mais ses performances polyglottes ne peuvent dissimuler le fait qu'ITT est une compagnie américaine, propriété d'actionnaires américains. (Dans sa structure actuelle et aux termes de la loi il ne pourrait en être autrement ; car le réseau mondial de communications d'ITT est soumis aux règles édictées par la Commission fédérale des communications — et ne peut de ce fait nommer des cadres ou des administrateurs étrangers.)

Le fait qu'ITT ait son siège en territoire américain n'entraîne pas pour autant que ses intérêts soient liés à ceux du gouvernement des Etats-Unis ; et ITT se trouve toujours entre deux feux : à l'étranger on l'accuse d'être trop américaine, en Amérique de ne pas l'être assez ; les attaques les plus sévères contre les compagnies multinationales sont couramment menées en Amérique par les syndicats (voir chapitre XII). En même temps qu'ITT

17. *Vision*, 15 juin 1972.

réclame aide et protection du gouvernement américain, elle est libre de poursuivre sa politique personnelle, jouant une nation contre une autre. Et, tandis que la baleine ITT souffle son jet puis disparaît sous l'onde aux quatre coins du monde, il devient de plus en plus difficile de dire avec certitude si elle possède quelque part un véritable foyer.

## CHAPITRE VI

## LE CONGLOMÉRAT - FORTERESSE

> C'est aux grandes compagnies qu'incombe chaque jour davantage le soin de veiller au bon fonctionnement de notre système.
>
> Harold Geneen, 1970.

En 1969, Geneen avait réussi à transformer de fond en comble la compagnie qu'il avait prise en main dix ans auparavant. Ce n'était plus cet ensemble de compagnies téléphoniques aux liens distendus opérant à l'étranger, mais une organisation fortement centralisée contrôlant une gamme sans précédent d'industries diverses, avec ses 331 sociétés filiales auxquelles il y avait lieu d'ajouter 708 sous-filiales. Le nom même d'International Telephone and Telegraph ne correspondait plus à rien de réel. La société possédait des usines dans 27 pays différents et réalisait des transactions dans 70 ; mais maintenant 60 % de son chiffre d'affaires se faisait en Amérique du Nord, dépassant en cela l'objectif des 55 % qu'avait visé Geneen. En dix ans le bénéfice net était passé de 29 millions à 234 millions de dollars et les ventes de 766 millions à 5,5 milliards de dollars. Dans sa progression continue, jouant des coudes avec IBM et Unilever, la société était passée du 52eme rang en 1959 au 9eme en 1970 sur l'échelle des compagnies géantes publiée par la revue *Fortune.*

Mais, derrière les coulisses de cette vaste scène, comme aux jours de Behn, se devinait la personnalité d'un seul homme. Les théories à la mode ébauchées par John Kenneth Galbraith et autres économistes, selon lesquelles le « big business » était maintenant entre les mains de comités, de techniciens et d'une nouvelle « technostructure », paraissent en complète contradiction avec le développement d'ITT et des autres conglomérats aux progrès parallèles. Il semblerait en fait que plus une compagnie comprend d'entreprises diversifiées et dispersées, plus elle doit reposer sur les épaules d'un seul homme. L'unique lien explicable entre un hôtel à Los Angeles et une manufacture de pompes à Paris, entre une compagnie d'assurances à Londres et une exploitation forestière au Canada, était l'ambition de l'homme qui voulait les incorporer dans un tout. Les noms d'ITT et de Geneen étaient aussi indissolublement jumelés que l'avaient été trente ans plus tôt ceux d'ITT et de Behn. Mais l'hégémonie de Geneen était d'une tout autre espèce que celle de Behn, comme le déplorait Madame Sosthenes Behn II (qui avait épousé le neveu du colonel) dans une lettre adressée au magazine *Time* (numéro du 22 septembre 1967). :

> Je me félicite de ce que le colonel Behn n'ait pas vécu pour voir ce qu'on a fait de son rêve : un gigantesque conglomérat où la note personnelle et les valeurs humaines sont noyées parmi les chiffres d'un bilan, et distancées loin à l'arrière dans la course au dollar tout-puissant.

A observer Geneen, on ne peut pas dire que la puissance de sa personnalité saute aux yeux. Physiquement, il n'a rien du rude gaillard qui cherche à épater la galerie. Toujours tiré à quatre épingles, ses lunettes sur le nez, il est le type même du parfait comptable. Toute son existence gravite autour des comptes de sa société : il habite à deux pas de son bureau et y travaille souvent jusqu'à minuit, soit qu'il se penche sur ses registres, soit qu'il interroge ses collègues. Il possède une résidence secondaire à Key Biscayne en Floride, non loin de la maison d'été de Nixon ; il est en outre propriétaire d'un yacht baptisé *Génie IV*, à bord duquel il se livre aux plaisirs de la pêche. Mais il apparaît que des motifs d'ordre commercial ne sont pas totalement étrangers à la présence sur son yacht de ses compagnons de la gaule, car le poisson qu'il essaye d'attraper, m'expliquait un jour quelqu'un d'ITT, n'est pas tant dans l'eau que sur le pont. Où qu'il aille, ses dossiers le suivent et à Key Biscayne il se retire sous sa tente (en l'occurrence son « bungalow de la méditation ») où il reste des heures à les étudier. Indifférent à la grande vie et aux mets raffinés, il aime les beefteaks hachés et, en voyage, descend dans les hôtels ordinaires. Il lit peu en dehors des états de la compagnie. Un de ses collaborateurs, qui avait pris place avec lui à bord d'un avion, fut surpris de le voir lire un magazine féminin, mais il en trouva vite la raison : ITT venait d'absorber la société Rimmel (produits de beauté) et Geneen en examinait la publicité.

A l'instar des nations, toutes les sociétés cherchent à créer des mythes autour de leur leader, afin que leurs employés donnent un sens à leur existence. Mais en l'occurrence Geneen ne constitue pas un matériau très prometteur. Les services des relations publiques font bien tout ce qu'ils peuvent et ressassent incessamment les mêmes anecdotes. Il y a cette histoire qui s'est passée à San Francisco : on avait invité Geneen dans un restaurant où le personnel féminin travaille à buste découvert et là, fasciné par une soubrette à demi nue, il écarquilla les yeux en disant : « Vous savez, si j'avais eu le temps, j'aurais pu devenir un sacré play-boy. » On raconte aussi comme il joue du banjo, collectionne les disques de Dixieland, prend plaisir au théatre de variétés, aime faire du surf à Hawaii. Et puis il y a encore l'histoire de sa toute nouvelle passion pour le cricket. Les spécialistes des relations publiques mettent l'accent sur le fait que ses hobbies comprennent également la photographie, la nage et même l'astronomie. Mais nul n'ignore que son véritable hobby qui, la nuit comme le jour, le dimanche comme en semaine, lui procure le plus de joie, c'est ITT.

Ce serait une grave erreur d'en conclure que Geneen n'est rien de plus qu'un brillant comptable qui manœuvre ses marionnettes avec des fils d'argent. Quand, battant l'air de ses bras, pointant vers vous son index tendu comme pour vous en larder les côtes, il lui prend de faire valoir ses arguments ou de donner libre cours à son enthousiasme, vous pouvez voir dans ses yeux luire cette étincelle par qui tant de gens se sont laissé envoûter.

L'ayant rencontré, il me fit penser à Bernard Cornfeld[1], l'ex-président de Investors Overseas Service qui avait, comme lui, ce don diabolique de communiquer aux autres son enthousiasme et son dynamisme. Mais Geneen possède en plus cette maîtrise qui fait que rien ne lui échappe, et c'est l'ambivalence de cette aptitude à voir à la fois petit et grand qui lui confère cette puissance unique. A le voir tenir fermement en main les rênes de son empire, il fait penser à Sir Arnold Weinstock, le P.D.G. de la General Electric (britannique), sa principale rivale en Grande-Bretagne ; Geneen, toutefois, est beaucoup plus ferme dans son propos de débarrasser le monde de l'inefficacité et de l'incompétence qui l'encombrent. La voie qui s'ouvre devant ses pas lui paraît dégagée, libre de sérieux obstacles tels que nations et familles ; et une fois ses buts acceptés, comme le disait un de ses anciens directeurs, vous ne pouvez vous retenir de l'admirer. Cependant que, nuit et jour, il mène tambour battant ses plus proches collaborateurs dans les opérations de contrôle, il émane de lui une atmosphère exaltante et

1. N.d.T. Actuellement incarcéré en Suisse pour diverses infractions aux lois sur les sociétés.

joyeuse de croisade. Quels que soient leur épuisement ou leurs rancœurs, ceux qui finissent par quitter ITT, se retrouvent désemparés comme les gens qui se sont exclus d'un système fortement structuré comme l'Eglise, le parti communiste ou l'armée en temps de guerre. Geneen en effet pousse le système capitaliste jusqu'à ses limites logiques et pour tout homme d'affaires ambitieux, c'est une brutale retombée sur terre que d'avoir à s'écarter de ces limites.

## LE RÉGIME DE LA RAISON

Pour imposer sa loi sur ses mille compagnies, Geneen a élaboré et mis en place un système de contrôle unique en son genre. Bien placé dès le début de sa carrière de comptable pour observer les erreurs des autres, il avait pris la ferme résolution d'organiser ses propres affaires de façon à toujours les tenir bien en main. Son système devait acquérir une grande notoriété bien au-delà du cercle d'ITT. Partout, en Amérique comme en Europe, les écoles de préparation aux affaires, les cours de gestion d'entreprises firent de son système un sujet d'étude qui inspira également de nombreux articles dans les revues spécialisées. A un moment où le « management » devenait le mot d'ordre de toute l'Europe, Geneen apparut comme le grand champion de cette discipline (la revue française *Entreprise* alla jusqu'à le qualifier de « Michel-Ange du management »). Mais, noblesse oblige, il s'octroie le plus fort salaire jamais accordé à un président de société, à savoir la bagatelle de 812 000 dollars par an, ce qui n'avait rien d'exagéré, confiait-il à *Forbes Magazine*, pour un homme qui avait fait rentrer en onze ans 11 milliards de dollars dans les caisses de sa compagnie.

Il forma une nouvelle race de managers dont beaucoup le lâchèrent plus tard pour s'employer dans d'autres entreprises, ce qui valut à ITT le surnom d' « Université Geneen ». Il enseigna à tous ses cadres la manière d'envisager leurs objectifs en termes de profits, de ne pas dévier des cibles visées, d'appliquer une discipline d'airain à la surveillance des moindres détails ; et nombre de ses techniques furent transférées à d'autres entreprises par toute la lignée des « petits Geneen ». Il a poussé jusqu'à ses extrêmes limites la théorie selon laquelle un bon manager peut s'atteler à n'importe quelle tâche : on ne saurait aller plus loin dans la séparation entre bénéfices et produits fabriqués. Et, du fait de l'ampleur de leur influence, les méthodes de Geneen ont des retombées bénéfiques hors du cercle d'ITT. Geneen s'employait à édifier un système de gestion des entreprises qui, il en était persuadé, lui survivrait longtemps ; à l'exemple d'Alfred Sloan, le fondateur de General Motors et l'un de ses héros (et qui à l'instar de Geneen faisait passer sa compagnie avant tout), il œuvrait pour la postérité.

Comme il le dit lui-même, son système paraît mieux fait pour présider aux destins du monde, que pour diriger une société par actions. Lorsque je le rencontrai, je lui posai la question de la taille des entreprises ; n'y avait-il pas un moment où leur dimension même constituait un danger ? Il me demanda ce que j'entendais par taille : à regarder ITT, force était de constater qu'elle représentait un groupe de multiples compagnies, nombre d'entre elles de très faibles dimensions, dont la cohésion était le fruit d'une logique commune et d'un système fondé sur la raison. Mais, lui demandai-je, un seul homme peut-il contrôler un ensemble aussi vaste ? Il m'expliqua qu'il n'était pas question pour lui de le contrôler mais d'expliquer à ses collaborateurs comment s'y prendre pour y parvenir ; une fois le système assimilé, d'autres pouvaient l'appliquer aussi bien que lui ; quand vous l'aurez vu à l'œuvre, dit-il (et dans sa ferveur on eût cru entendre la voix d'un missionnaire), vous conviendrez que c'est la seule méthode possible. Mais ne craignait-il pas que ses sociétés, par leur taille même, ne dépersonnalisent l'individu, surtout les jeunes ? Non, répliqua-t-il, ceux qui travaillent dans les mauvaises conditions de rendement des petites entreprises ne sont pas des gens heureux ; l'inefficacité n'a jamais engendré la satisfaction. ITT a le pouvoir de libérer toutes les ressources d'un individu et de lui montrer comment travailler d'une façon rationnelle. Quant aux jeunes, poursuivit-il, qu'est-ce qu'ils connaissent au travail et à la création d'emplois ? Ils constituent un problème dont il abandonne volontiers la solution à la génération suivante.

Il insiste inlassablement sur le fait que son système fondé sur la logique pure n'a rien de machiavélique. C'est, dit-il, la seule façon de procéder. Dans son rapport annuel pour l'exercice 1971, il réitéra ses principes philosophiques :

> Un peu partout à travers le monde plus de 200 journées de travail par an sont consacrées aux rencontres directoriales à différents niveaux organisationnels. C'est au cours de ces réunions à New York, Bruxelles, Hong Kong, Buenos Aires, que sont arrêtées les décisions fondées sur la logique, cette logique des affaires qui débouche sur des choix quasiment inévitables pour la raison que nous disposons de tous les éléments fondamentaux qui sont nécessaires à nos décisions. Au même titre que notre planification, nos réunions périodiques ont pour fonction de dégager clairement la logique des choses et de la présenter au grand jour où sa valeur et sa nécessité apparaissent aux yeux de tous. Pareille logique échappe à toutes les lois et tous les décrets d'Etat. Elle résulte d'un processus naturel.

Comme il se plaît à l'expliquer, ce n'est pas en donnant des ordres qu'il dirige la compagnie, mais en faisant apparaître les faits en pleine lumière. « Le véritable tyran en l'occurrence », faisait remarquer un des directeurs de New York, « n'est pas Geneen, mais bien la conjuration des faits et des chiffres. Geneen est hors de lui quand il découvre que quelqu'un cherche à camoufler ses erreurs. Par contre, ce qui le met en joie, c'est de voir arriver un de ses collaborateurs pour lui confesser ses échecs. J'en ai même vu dont la position s'est trouvée raffermie par la seule vertu de cette franchise ». Geneen a le chic pour impressionner ses collaborateurs par la façon qu'il a de dénicher les faits « vrais et indiscutables » qui intéressent une de ses filiales ou de ses fabrications, en dégageant la vérité essentielle de la gangue des contingences trompeuses qui la recouvrait. Et avant tout, c'est peut-être cette méthode qui a fait d'ITT un conglomérat mieux paré que les autres contre les désastres menaçants. En 1965, Geneen rédigea à l'intention de ses collaborateurs un court sermon intitulé « FAITS ». Il y était dit en substance : « Effectivement, je veux que, d'entrée de jeu, chaque rapport comporte un résumé succinct, à la fois spécifique, direct et brutal des faits qui doivent suivre dans l'ordre que voici... » Il professait que l'art suprême du « management » exigeait qu'on eût littéralement assez de « nez » pour distinguer le « fait réel » entre tous les autres. Il se plaisait à répéter que tous ses collaborateurs devaient être des experts en « faits indiscutables » et il leur lançait cet avertissement : « Au cours de notre marche en avant, vous en entendrez encore beaucoup plus sur le contenu de cette formule qui tient en deux mots : « faits indiscutables ».

A en croire les dirigeants de la société, la diversité même de l'empire d'ITT le rend plus apte à subir un contrôle objectif. « Si, comme disait l'un d'eux, vous n'êtes chargé que d'une seule tâche, comme de construire des automobiles ou de gérer un hôtel, vous vous trouvez de ce fait affectivement engagé, et vous en arrivez à aimer exagérément les choses ou les tâches pour elles-mêmes ». On enseigne donc aux directeurs d'ITT non pas à faire des choses, mais à gagner de l'argent (les ingénieurs, avec leur désespérante vanité de perfectionnistes, sont les enfants terribles de la compagnie).

Une fois dégagés de la matérialité concrète des objets, force leur est de chasser de leurs pensées tout ce qui s'écarte de leurs propres ambitions élémentaires et de leur talent à rechercher le profit. Ce n'est pas non plus sur le plan psychologique que l'organisation d'ITT peut vous inspirer un sentiment de sécurité. Comme le disait un jour un membre de leur personnel : « Ce n'est pas la société idéale pour ceux qui aiment évoluer dans un monde bien structuré. Vous pouvez vous croire responsable d'un certain secteur, pour vous apercevoir bien vite qu'il y a deux ou trois autres bonshommes chargés de la même tâche. »

Il est implicitement convenu que personne, dans tout le système Geneen, n'a la pleine responsabilité de quoi que ce soit ; plus les directeurs occupent un poste élevé dans la hiérarchie de la compagnie, et plus ils sont soumis à inspections, vérifications et contre-vérifications. Le P.D.G. d'une très importante filiale peut donner l'illusion d'être son propre maître ; mais chacun de ses services est supervisé par des experts dépêchés par le siège central : experts en fabrication, en comptabilité, en relations publiques, en contrôle de qualité, en opérations immobilières, qui tous sont en liaison directe avec les plus hautes instances de la compagnie. Semblable en cela à tous les despotismes, celui d'ITT repose sur le principe de « diviser pour régner » ; mais ce principe de division peut se justifier au nom du profit. Dans chaque rapport, à chaque réunion mensuelle, les cadres supérieurs doivent signaler les « voyants d'alarme » qui indiquent un objectif manqué, un événement imprévu. Dès qu'apparaît le voyant, les experts se groupent en un essaim qui va « fondre sur le malheureux délinquant ». Ou, pour utiliser un autre cliché d'ITT : « Geneen lâche sa meute. »

Le système de protection de Geneen consiste essentiellement en une équipe spéciale de contrôleurs affectés à chaque compagnie et qui sont en liaison directe avec le contrôleur en chef résidant à New York, comptable d'une rigueur légendaire du nom de Herb Knortz, un des seuls collaborateurs de Geneen qui ose lui tenir tête. De son poste d'observation, il vérifie tous les mouvements des inventaires, des bénéfices, de l'échéancier. Knortz est capable de détecter les premiers signes annonciateurs de pertes, le gonflement excessif des stocks ou les fabrications non rentables, et si le directeur responsable de la filiale a négligé de signaler ces faits, il aura des ennuis. Avant tout, Knortz est l'œil secret de Geneen. « A voir la véritable façon dont fonctionne le bureau de Herb Knortz », me dit un jour un des directeurs de la compagnie, « on se rend compte que le sort d'un manager d'ITT consiste à vivre au milieu d'une chambre avec autour de soi une télévision en circuit fermé et en plus un micro enfoncé dans le trou de balle ».

Geneen procure à ses directeurs suffisamment de stimulants pour leur faire supporter les rigueurs du système. A tous les échelons, les salaires d'ITT sont supérieurs à la moyenne (Geneen estime que la différence est de 10 % [2]) si bien qu'il en est peu parmi les membres du personnel qui puissent quitter leur emploi sans perdre au change. Selon la formule de l'un d'eux : « Nous sommes tous payés un tantinet plus que ce que nous pensons valoir. » A l'ultime sommet où les exigences sont le plus rigoureuses, les rémunérations ainsi que les

2. *Conglomerate Hearings,* vol. III, p. 303.

options sur actions constituent des compensations suffisantes aux rigueurs de la vie qu'on y mène. Comme le disait l'un d'eux : « Il les tient par leur limousine. » En 1971, on comptait au moins six directeurs au sommet de l'échelle qui gagnaient plus que le Président des Etats-Unis (200 000 dollars par an[3]) et comme dans le milieu où ils évoluent, ils mangent, voyagent en avion, sont reçus, aux frais de la compagnie, ils ont peu l'occasion de dépenser tout cet argent.

Dès que Geneen tient ses collaborateurs prisonniers dans ses chaînes d'or, il peut donner toute la pression qui entraînera la machine. Comme l'expliquait l'un d'eux : « La clé du système est la prévision des bénéfices. Une fois cette prévision examinée, réexaminée et arrêtée, le directeur général de la filiale concernée se trouve personnellement engagé à atteindre l'objectif. C'est par ce moyen que Geneen crée la tension dont dépend le succès de l'aventure. » Cette tension se répercute à tous les échelons de l'entreprise, diffusant une certaine émulation, excitante peut-être mais toujours empreinte d'un certain sentiment de frayeur : qu'adviendra-t-il si l'on manque la cible ?

Exprimée en termes humains, la note à payer est très élevée. « Geneen nous voudrait tous aussi « dingues » que lui pour les coups durs » remarqua un directeur, « mais pour nous autres ça n'a rien de très amusant ». On ressent vivement cette impression d'effort et de lassitude dans le gratte-ciel de Park Avenue : ce n'est pas tant la tension résultant de l'inquiétude et du labeur, que l'absence de cette satisfaction qui est la récompense ordinaire de la tâche personnelle bien accomplie. Cet accablement se reflète dans l'abus de la boisson, dans la ruine des foyers, dans l'œil de l'individu complètement sonné qui semble le triste apanage des gens d'ITT. Sou-

3. Geneen, Dunleavy, Benett, Williams, Westfall, Perry.

mis à l'impitoyable tyrannie des faits, il n'est pas question qu'on cède aux impulsions personnelles, qu'on engage de ces paris qui accordent aux affaires cette marge de jeu et leur confèrent ce côté sport ; cette tyrannie interdit impitoyablement toute participation affective au succès d'un produit quelconque, aussi sûrement que s'il s'agissait d'une « bunny girl[4] » d'un club playboy. Pas de récit héroïque où l'on chante le courage et l'acharnement finalement récompensés de celui qui, contre vents et marées, a cru à un produit maudit comme la xérographie ou la fermeture éclair. Qu'y a-t-il d'étonnant à ce que Geneen soit sceptique en matière de recherche et qu'ITT ne brille pas par son esprit inventif ? On ne veut pas de surprises, surtout pas de surprises. Tout doit être testé, analysé, extrapolé, et si d'aventure les prévisions s'avèrent fausses, il faut couper sans tarder la branche morte. ITT est très fière de sa rapidité à changer d'orientation, cessant une fabrication et en lançant aussitôt une autre. De temps en temps, on note bien quelques ruades dans les brancards de la discipline. Il y a deux ans, on sortit un film du genre canular que les gens d'ITT aiment montrer ; il était accompagné d'un grave commentaire où les réalisations de la société étaient montées en épingle : on y vantait l'efficacité de ses services, la qualité de sa technologie de pointe, le parfait fonctionnement de ses réseaux de communication, cependant que les images montraient des catastrophes burlesques, des braillards essayant de crier plus fort les uns que les autres, des meubles qui s'effondrent, et des combats à la tarte à la crème. C'est sans doute à tort qu'on attribue le film à Harold Geneen. Peut-être fallait-il y voir la manifestation de quelque inconscient collectif, une mini-révolte contre la tyrannie des faits. Un penseur d'ITT avait affiché au mur de

4. Hôtesse, court vêtue, habillée en petit lapin.

son bureau de Park Avenue cette citation pessimiste de Lord Keynes, tirée de son essai *Economic Possibilities for Our Grand Children*[5] et qui résumait sa propre attitude à l'égard des affaires :

> « Pour au moins encore un siècle, nous devons nous persuader et persuader notre prochain que le bon est mauvais et que le mauvais est bon ; car le mauvais est utile et le bon ne l'est pas. Pour un peu plus longtemps encore, il faudra faire nos dieux de l'avarice, de l'usure et de la prudence. Car eux seuls peuvent nous conduire hors du tunnel des nécessités économiques vers la lumière du grand jour. »

Comme l'a souvent expliqué Geneen : « La première qualité requise d'un cadre supérieur est sa disponibilité immédiate. » Il doit toujours faire passer la société qui l'emploie avant sa propre famille ; se tenir prêt à partir à tout moment n'importe où, ou, plus simplement, rester dans les parages au cas où on aurait besoin de lui. Un ancien vice-président me raconta qu'il avait vu trois directeurs attendre toute une soirée que Geneen voulût bien paraître. Il les avait convoqués pour qu'ils se tiennent simplement à sa disposition ; aucun d'eux n'osa solliciter la permission d'aller dîner ni lui demander qui, des trois, il voulait voir en premier. L'« immédiate disponibilité » signifie disponibilité à l'égard de Geneen ; bien qu'il attribue à ses méthodes un caractère universel, le système ITT repose sur le postulat que la valeur par excellence de la société se nomme Geneen. Il aime à entretenir autour de ses collègues un climat d'insé-

5. « Les perspectives économiques pour nos petits-enfants ».

curité, peut-être pour se protéger contre son propre sentiment d'insécurité, peut-être encore parce qu'il le considère comme un des éléments de son système rationnel de contrôle. Mais on peut douter de l'efficacité de cette technique ainsi que le remarquait avec amertume un ex-directeur d'ITT : « Il les achète, les presse puis les jette comme un citron. Il traite les hommes comme des machines. La seule façon de se faire entendre, c'est de lui expliquer que même une machine, on ne peut la faire tourner nuit et jour sans la graisser. » J'ai demandé à un autre ancien d'ITT, qui y avait fait une belle carrière, la raison de son départ. Il me répondit : « J'avais décidé de rejoindre la race humaine. »

Il serait absurde de penser que c'est par l'argent seul que Geneen attire et retient ses directeurs. Ses idéaux de rendement et de contrôle, eux-mêmes soutenus par son « tonus d'entrepreneur », ont incité nombre de ses collaborateurs à déployer de grands efforts. Comme Geneen me l'a dit, on peut se sentir bien plus frustré encore par le mauvais rendement d'une petite entreprise que par la perte de son identité au sein d'une grande compagnie. Le jeu qui consiste pour ITT à prendre la relève d'une société somnolente comme Sheraton ou Claude et à la « doper » pour lui faire rendre le maximum de bénéfices, a quelque chose de stimulant pour ceux qui vivent l'aventure de l'intérieur ; ce jeu libère leur énergie et suscite en eux de nouvelles ambitions. Le système de supervision institué par Geneen, l'épreuve de « l'index accusateur » constituent un procédé de contrôle plus rationnel et compréhensible que les décrets fantaisistes des actionnaires. Comme me le confia un directeur européen : « On ne peut pas discuter avec la Bourse, mais on peut toujours parler raison à Geneen. » Le sentiment d'avoir affaire à un monde où règne la raison parfaite, où s'exposent à nos yeux dans leur intégrale nudité des faits indiscutables, peut constituer une source de grandes joies d'ordre intellectuel et affectif.

Pourtant le monde de Geneen n'est pas autant fondé sur la raison qu'il y paraît. Geneen remplace les vieux procédés inefficaces par de nouveaux qui le sont tout autant et qui s'appellent : gaspillage, excès de centralisation, réunions, communications internationales, etc., dont l'abus revient, selon la formule d'un représentant d'ITT : « A mettre de la mélasse dans une essoreuse ». Il se peut que le système de Geneen soit « la seule façon » de tirer des bénéfices d'une compagnie aux vastes dimensions et aux productions diversifiées, et d'autres conglomérats se sont inspirés de ses méthodes ; mais on est conduit à se demander si une telle dimension est proprement nécessaire ou même souhaitable.

Bien qu'elle mette constamment l'accent sur la vertu de la logique, ITT n'en ressemble pas moins à une cour où tous les éléments de la décision gravitent autour du monarque. Geneen est entouré de conseillers qui peuvent faire figure d'experts objectifs : comme Herb Knortz, son ministre des Finances, comme Ned Gerrity, son ministre des Affaires étrangères, ou encore comme Howard Aibel, son Garde des Sceaux ; mais leur principale vocation est de transformer en actes les fantaisies du souverain. Les notes qui circulent en une ronde perpétuelle autour du building peuvent apparaître comme un libre échange de communications, mais chaque fois qu'un mémorandum porte la mention « copie à H.S.G. », il est de notoriété publique qu'il a été rédigé à l'intention de l'homme qui siège au douzième étage, et que les faits qu'il relate peuvent être très loin de mériter le qualificatif d'« indiscutables ».

Et l'édifice tiendrait-il debout sans le monarque ? La question mérite qu'on s'y arrête : en dépit de sa jeunesse d'aspect, Geneen a soixante-trois ans et l'âge de la retraite est à soixante-cinq ans. On a souvent insisté auprès de lui pour qu'il règle sa succession ; à cet effet, il a créé en 1968 un nouveau département dénommé Bureau du Président, qui comprend trois de ses collègues haut placés, de sorte qu'aux dires d'ITT, la société comporte maintenant trois présidents. Ce sont tous des protégés de Geneen, formés à penser et à agir comme lui. Le plus jeune d'entre eux, Richard Bennett, est un ingénieur qui a quitté il y a huit ans une petite entreprise, Daystrom, pour entrer à ITT comme assistant de Geneen. C'est un homme trapu et rude qui fume de gros cigares et n'a pas son pareil pour les discours de fin de banquet mais il ne possède pas la finesse de Geneen. Jim Lester, avec sa mine de mandarin triste, est un ancien président d'ITT Europe, où il s'était montré plus habile à inspirer la crainte que l'enthousiasme. Tim Dunleavy, l'Irlandais à la poignée de main cordiale, qui avait précédé Lester à son poste en Europe, est bien plus coriace qu'il n'en a l'air, mais beaucoup plus humain que Geneen (il créa un précédent historique un jour à Bruxelles : la chaleur était telle qu'il dit à toutes ses secrétaires de rentrer chez elles). Ce qu'il manque à ces trois personnages, ce n'est pas tant l'intransigeance de Geneen que son imagination et cette manière qu'il a d'insuffler à tout le conglomérat le sentiment de sa finalité et de son importance.

En décembre 1972, le conseil d'administration d'ITT annonça ce qu'on attendait depuis longtemps : Geneen devenait président du conseil d'administration tandis que Tim Dunleavy devait cumuler le rôle de président-directeur général et de « directeur en chef de l'exploitation ». Mais Geneen conserverait la fonction de principal responsable (« chief executive officer »), ce qui lui permettait (à l'exemple de Behn vingt-cinq ans plus tôt) de maintenir fermement en main tous les leviers de commande. L'annonce de ce mouvement mettait l'accent sur le fait qu'il était destiné à « assurer dans l'ordre la passation des pouvoirs » et que la promotion de Dunleavy était « l'aboutissement ultime et logique » du programme élaboré par les plus hautes instances de la compagnie. Mais Geneen serait présent à son bureau tous les jours, et personne n'émettait de doutes sérieux sur la question de savoir qui demeurerait le véritable patron.

## RELATIONS NON PUBLIQUES

Il était essentiel pour la défense du conglomérat-forteresse qu'ITT possède son propre service de renseignements. Depuis l'époque du colonel Behn, le fait pour elle d'exploiter un réseau de communications lui conférait entre autres avantages, celui d'avoir accès à de nombreuses sources d'information et souvent avec plus de rapidité et d'efficacité que les gouvernements eux-mêmes. Ce service de renseignements se développa parallèlement à l'expansion de l'empire de Geneen. Grâce aux téléphones d'ITT, à ses câbles, à son réseau Télex, les compagnies du groupe disséminées dans le monde entier pouvaient correspondre rapidement et à bon compte ; et du même coup ITT pouvait se mettre à l'écoute des conversations échangées entre les membres de son personnel (un double de tous les messages télégraphiques qui parviennent à l'immeuble de Park Avenue, qu'il s'agisse de chiffres de vente ou d'un rendez-vous galant pour un dîner avec l'amie d'un de ces messieurs, monte à la direction générale). Ce qu'il y avait de remarquable, c'était la prolifération des notes de service ; indispensables pour maintenir le contact entre les différents Etats d'un empire mondial, elles étaient l'unique moyen pour un grand nombre de membres du personnel de prouver à Geneen qu'ils s'activaient à leur tâche. Battant le record de la plupart des compagnies, ITT se vautrait littéralement dans les notes de service.

Les questions de sécurité intérieure devinrent le souci majeur d'ITT et l'on organisa un service de sûreté pour prévenir les fuites, sous la direction de Richard Lavoie. Ce dernier était l'auteur d'une brochure traitant de l'espionnage industriel où était soulignée la nécessité de « l'endoctrinement, de l'éducation et de la rééducation des employés » ; elle comportait un certain nombre d'images illustrant les dangers à éviter. Sous l'une d'elles on pouvait lire cette légende : Ce couple distingué qui se tient près de vous à l'entracte, en fumant une cigarette, est peut-être en train d'enregistrer toute votre conversation sur un magnétophone miniature facilement dissimulé dans la poche de sa veste. » Les nouvelles instructions publiées en décembre 1969 mettaient l'accent avec force détails sur trois catégories de renseignements secrets : 1. secrets concernant le système. 2. secrets concernant les affaires personnelles. 3. secrets concernant les rapports avec les autorités. On indiquait en même temps comment préserver les secrets : « ... Pour prévenir toute tentative subreptice de viol de la correspondance, les enveloppes doivent être scellées au moyen d'une bande gommée et imprimée qu'on appliquera sur leur rabat... Les renseignements confidentiels transmis par des moyens électriques (en cas d'urgence) seront préparés et envoyés en code CRYPTEL[6]. »

La liste des précautions observées semblait suffisamment exhaustive. Mais, comme nous aurons l'occasion de le constater, les gens d'ITT semblent avoir l'obsession de tout vouloir coucher par écrit. Les machines à photocopier Xérox n'arrêtent pas de sortir des doubles :

6. *Kleindienst Hearings*, 2e partie, pp. 705-710. Il s'agit du code d'ITT.

mais il suffit d'une seule secrétaire mécontente pour photocopier un document à l'insu de tous.

Le principal lien entre Geneen et le monde extérieur est Ned Gerrity, premier vice-président chargé des relations publiques et destiné à jouer un rôle de premier plan dans notre récit. C'est un homme qu'il est difficile de ne pas aimer ; de ses lèvres au sourire quasi permanent qui reflètent une indéfectible bonhomie, s'écoule un flot ininterrompu de plaisanteries et de joyeuses anecdotes. Il a l'air d'un de ces journalistes vieux jeu qui sortirait tout droit d'une scène de comédie de boulevard. Il avait débuté dans le métier comme reporter au *Scranton Times* en Pennsylvanie. Mais Gerrity est un personnage plus important qu'il n'y paraît ; il représente tout autre chose qu'un membre comme les autres d'un service de relations publiques. Depuis l'installation de Geneen à ITT, Gerrity s'est vu confier, outre le service des relations publiques, la responsabilité des contacts politiques, la direction des groupes de pression, la diplomatie internationale ; il n'est donc pas exagéré d'affirmer que l'image du monde parvient à Geneen filtrée par les soins de Gerrity. On dit qu'il gagne 200 000 dollars par an.

Gerrity règne sur un personnel considérable, et dispose d'un budget annuel de quelque cent millions de dollars utilisés en publicité, en lancement de produits, en relations publiques de tous genres. Plus encore que pour les autres compagnies, les responsables des relations publiques d'ITT sont réputés pour avoir la peau dure : ils évoluent de par le monde comme des tanks fonçant au milieu d'un escadron de cavalerie. Mais il advient parfois qu'un ou deux de ces messieurs aient un remords de conscience. Un jour que je descendais dans un ascenseur du building ITT de Park Avenue, l'appareil s'arrêta à un étage pour laisser entrer un homme âgé à l'air triste qui venait d'assister à une conférence de relations publiques. Poussant un profond soupir et persuadé que je faisais partie de la maison, il se tourna vers moi et me cita un vers du *Paradis Perdu* de Milton :

« Faire apparaître la plus mauvaise cause comme la meilleure. »

En vérité, pour bien des activités de la compagnie, le terme « relations publiques » est incorrect, car les relations qui revêtent le plus d'importance sont clandestines, et tandis qu'à l'intérieur d'ITT Geneen marque sa volonté de tout faire apparaître au grand jour, à l'extérieur il est plus enclin à cacher ce qui s'y passe. Nous avons déjà eu un aperçu des techniques employées par Gerrity à l'encontre d'Eileen Shanahan et autres journalistes dans l'affaire ABC (voir page 124) ; une autre technique intéressante s'est fait jour quand ITT fut contrainte par la FTC (Commission fédérale du Commerce) d'engager une campagne publicitaire rectificative destinée à corriger les affirmations mensongères concernant son « Pain de la ligne » (voir page 119). Peu après, la FTC subit l'assaut furieux du professenr Brozen, un économiste de Chicago, qui fit allusion au « procès des sorcières de Salem[7] » et aux « méthodes dignes de la Chambre étoilée[8] » ; mais quelque temps plus tard le professeur convint qu'il avait reçu des honoraires à titre de conseiller d'une firme de relations publiques, Harshe-Rotman, qui

7. Ce petit port de la Nouvelle-Angleterre, fondé en 1626, est en partie associé à l'hystérie qui se saisit de la ville en 1692 pendant la « chasse aux sorcières » menée par un juge qui condamna et fit exécuter dix neuf personnes accusées d'occultisme. Dans son œuvre célèbre, *les sorcières de Salem* (*The Crucille*), publiée en 1953, Arthur Miller évoque ces événements.

8. N.d.T. La Chambre étoilée ainsi nommée parce que le plafond de la salle était décoré d'étoiles. Cour de justice anglaise à la dévotion de la couronne, créée en 1487, jugeant rapidement et sans recours les grands seigneurs attentant à la paix publique. Ce tribunal d'exception, dont la compétence avait été étendue à tous les actes d'opposition et au jugement des juges dont les décisions n'avaient pas plu, fut aboli en 1641.

travaillait pour ITT[9]. Par la suite, au cours de l'enquête sénatoriale qui eut lieu à cette époque[10], Ned Gerrity dut subir un interrogatoire :

> *Le Sénateur Bayh* : Est-il dans vos attributions de recruter des spécialistes dans le monde universitaire pour appliquer le label « Good Housekeeping[11] » sur les produits d'ITT ?
> *Monsieur Gerrity* : Oui, Monsieur.
> *Le Sénateur Bayn* : Et de les payer pour leur peine ?
> *Monsieur Gerrity* : Oui, Monsieur.

C'est un principe bien établi chez ITT qu'en fait de relations publiques, moins elles sont publiques et plus elles sont efficaces. Et la divulgation d'une collection de notes de service en provenance de Porto Rico allait illustrer ses méthodes. La compagnie portoricaine des téléphones, qui, depuis que Behn l'avait acquise en 1914, était toujours gérée par ITT, fonctionnait de plus en plus mal, à tel point que dans les années 1960 son insuffisance était de notoriété publique. On retrouve même une lettre datée de 1965 signée de l'amiral Stone (dont nous avons déjà apprécié les dons d'ubiquité) aux termes de laquelle il se plaignait à Geneen de l'incompétence qui régnait dans ce service. Il suggérait qu'ITT se mette en rapport avec un de ses vieux amis, sénateur de Porto Rico, pour tenter d'apaiser le mécontentement général. En 1967 enfin, lorsqu'ITT parla d'augmenter les tarifs, la commission portoricaine des services publics exigea qu'on examine les plaintes au cours d'auditions publi-

9. *New York Times,* 14 avril 1972.
10. *Kleindienst Hearings,* p. 1176.
11. *Good Housekeeping* est un magazine américain de grande diffusion pour la défense du consommateur.

ques ; c'est alors que l'état-major d'ITT lança une offensive de première grandeur qui mettait en œuvre toutes les ressources des relations publiques pour rehausser son image de marque, ladite offensive étant assortie d'une série de notes confidentielles.

Un des problèmes qui se posaient était celui d'une organisation dénommée SOPRECAB (Société pour la prévention de nouveaux abus concernant le réseau des téléphones publics de Porto Rico), créée par un homme d'affaires américain du nom de John Hennessey, que cette carence avait le don d'exaspérer. ITT s'employa sans perdre de temps à ficher Hennessey, mais tout ce qu'on put relever contre lui était une contravention qu'il avait encourue dix-huit ans plus tôt pour infraction au code de la route. Un représentant d'ITT nommé Zoffinger alla le trouver et adressa à ITT un rapport le concernant rédigé dans le plus pur style policier :

> HENNESSEY : Age environ quarante-cinq ans. Blanc, U.S.A., bonne condition physique. Intelligent.
> Revenus estimés à 10/20 000 dollars par an.
> Appartement bien meublé. Style plutôt conventionnel. Propre.
> Paraît vivre seul avec caniche. Aucune trace de femme ou enfants.
> Apparence calme et réservée. Donna des signes évidents d'énervement et d'irritation une seule fois au cours de l'entretien (expérience de la facturation).
> Occupation : représentant de commerce (Van Haughton). Aucune affiliation apparente à Telco (a utilisé équipement ITT en Iran).

Les enquêteurs d'ITT se demandaient quelles pouvaient bien être ses motivations, mais émirent l'idée qu'il serait peut-être intéressé par un emploi dans le secteur des communications.

Comme la date de l'audition approchait, les gens des relations publiques élaborèrent un programme très détaillé : discours, publicité, siège des notabilités locales ; ils firent l'impossible pour mettre fin aux critiques du public, ceci non pas en s'adressant directement à lui, mais par l'entremise des journalistes et des hommes politiques. Dans une de ses notes, le service des relations publiques se vantait qu'ITT avait fait passer plus de quarante articles dans les journaux locaux et s'employait à mettre en place un « programme permanent de contacts amicaux de plus en plus étroits avec les principaux journalistes ». Une autre note soulignait que « le *San Juan Star* n'avait publié aucune lettre de réclamation contre la compagnie téléphonique Ricotelco pendant le mois de février... Je pense que le facteur clé de ce changement, plus encore que l'accord conclu avec le rédacteur en chef, a été l'empressement mis par la compagnie à répondre aux demandes de services formulées par le *San Juan Star* et ses rédacteurs ».

Ils firent une cour assidue au jeune homme politique portoricain chargé de l'enquête sur les téléphones, Benny Frankie Cerezo, tantôt l'invitant à déjeuner, tantôt l'abreuvant de conseils, lui proposant enfin de le mettre en rapport avec des experts en téléphone à l'étranger. Bien qu'il leur portât sur les nerfs à jouer les incorruptibles, on disait qu'il commençait à s'amadouer. Ils chargèrent des agences spécialisées d'établir des rapports sur la vie privée des hommes politiques concernés, y compris Cerezo : « A première vue, il ne semble pas que son mariage avec Carmen Consuelo Vargas, inscrite au barreau comme lui, pose des problèmes d'ordre conjugal. Cerezo n'a que vingt-cinq ans et est issu d'un milieu modeste. Ce qui expliquerait pourquoi il ne tient pas à faire partie de clubs comme le Lions ou le Rotary. »

Quand en septembre 1969 commença l'audition des témoins, ITT dans le but de s'assurer une presse favorable, eut recours à l'expédient le plus simple qui consistait à rédiger elle-même les comptes rendus. Fernando Gomez d'ITT raconta comment il avait transmis à deux reprises les comptes rendus d'audition par les circuits de l'agence de presse U.P.I.

En fin de compte, une augmentation des tarifs fut accordée et les gens des relations publiques indiquèrent dans leurs *Recommandations pour 1970* la stratégie à appliquer en l'occurrence. Le rapport en question fournit une image vivante de la façon dont ITT conçoit les relations publiques :

> « Il y aurait lieu de convoquer une conférence de presse à grand renfort de publicité. Le président de la compagnie, assisté d'une série d'experts distingués, exprimerait ses regrets des mauvaises nouvelles qu'il se voit dans l'obligation d'annoncer. Les « experts » ne devraient pas se contenter de siéger pour la galerie, mais s'emploieraient à fournir au public toutes les explications de détail qu'autorise leur compétence et qui viendraient appuyer les points principaux de la déclaration présidentielle... On peut également espérer qu'en leur faisant à tête reposée la leçon avant la conférence, quelques journalistes influents poseront des questions intelligentes et raisonnables et que les autres suivront dans la même foulée... L'idéal serait que les directeurs de notre société aient des contacts de toutes sortes avec des journalistes et des hommes politiques... Alors, petit à petit, la presse, c'est-à-dire l'ensemble des individus qui la constituent, se rapprochera amicalement de nous au lieu de garder ses distances, et ses membres, de détracteurs, deviendront nos alliés. Gagner la presse, c'est accomplir un pas de géant

dans la conquête de l'opinion publique... N'oublions jamais que les relations publiques devraient être tout sauf publiques ; elles doivent rester dans la coulisse, à l'abri des regards ; c'est à la direction d'occuper le devant de la scène pour exposer aux yeux de tous son image de marque, et non pas à ceux qui sont censés fabriquer cette image. »

Mais, le 21 décembre, cette prudente création d'une image de marque fut brusquement démasquée lorsque le *San Juan Star* publia dans ses colonnes la substance de plusieurs notes confidentielles. Benny Frankie Cerezo, qui fut ainsi en mesure de lire les rapports d'ITT le concernant personnellement, fit la déclaration suivante : « Je crois que chacun sait maintenant à Porto Rico que ces gens sont capables de tout pour atteindre leurs objectifs économiques. »

## LES CONTES DE LA COMPTABILITÉ

> La société avait perdu sa vocation première qui consistait à assurer la marche des affaires ; elle n'était plus maintenant qu'une machine à enregistrer des bénéfices.
>
> *Forbes Magazine,* mars 1969.

Geneen était bien décidé à ce que l'état des bénéfices d'ITT présente une augmentation régulière à chaque trimestre ; cela pour tranquilliser l'actionnaire le plus sceptique et l'assurer que, tel un transatlantique équipé de stabilisateurs, la compagnie était invulnérable aux tempêtes économiques. Pour Geneen comme pour tous ceux de sa génération, le souvenir du grand krach de 1929, alors qu'il était petit commis à la Bourse de New York, avait renforcé sa détermination de résister aux vicissitudes des cycles économiques[12] ; peut-être aussi éprouvait-il un besoin plus personnel de se rassurer lui-même, d'ériger de hautes murailles contre le monde extérieur, d'être ainsi paré contre les surprises, toutes les surprises. A l'abri de telles fortifications, ITT serait en mesure de démontrer qu'en sa double qualité de conglomérat et de compagnie multinationale comprenant des centaines d'industries dans des dizaines de pays, elle pourrait voguer sans crainte des ouragans qui ont raison de compagnies de moindre envergure. L'augmentation régulière de ses bénéfices semblait tenir du miracle. En février 1973, ITT annonça des bénéfices records pour le cinquante troisième trimestre de suite. C'était le triomphe de la haute technique comptable de Geneen.

Ce colossal et massif conglomérat, qui s'étendait géographiquement de Tokyo au Chili, et industriellement des jambons fumés aux téléphones, était comme une énorme pyramide inversée reposant sur une pointe d'aiguille : le cours du titre à la Bourse de New York. Comme chaque nouvelle acquisition était payée en actions d'ITT, c'était leur cours qui déterminait les perspectives de son expansion. Et, quelles que soient la valeur et la solidité des biens de la société, la côte boursière de ses actions subissait de brusques fluctuations à la hausse comme à la baisse qui n'étaient pas le contrecoup d'événements concrets mais la résultante d'espoirs, d'apparences, et de ce mystérieux facteur qui a nom « confiance ». Par contre, le cours des titres était intimement lié au bénéfice net par action ou taux de capitalisation des bénéfices nets, ce baromètre qui indique dans quelle

12. Voir son discours devant l'assemblée des actionnaires, 1970, p. 6 et le « Profil de Geneen » par Michel Herblay dans *L'Expansion* (Paris), octobre 1972.

mesure les porteurs ou les acheteurs éventuels ont foi dans l'avenir de ces titres en tant que valeurs de croissance. Geneen était fermement résolu à communiquer au public en quête de placements cette confiance en l'avenir d'ITT qu'engendrerait un bénéfice net par action élevé.

Mais cette ascension régulière des bénéfices n'était pas aussi remarquable qu'on voulait bien le prétendre. Chaque fois que la baleine ITT avalait une nouvelle société, le bilan de cette dernière, qui présentait jusqu'alors des chapitres nettement distincts, disparaissait aussi complètement que Jonas dans le ventre du monstre. Les comptes de chaque entreprise individuelle, qu'il s'agît d'hôtels, de voitures de location ou d'entreprises de construction, se trouvaient tous confondus et méconnaissables dans un bilan consolidé ; en outre, la ventilation des chiffres d'affaires respectifs se faisait selon des rubriques très générales telles que : « programme de défense et de recherche spatiale » ou « services au consommateur ». Dans la présentation des comptes généraux du conglomérat, on pouvait tranquillement compenser les pertes et profits d'une compagnie par une autre, d'un pays par un autre, sans que personne n'en sache rien. Les produits des ventes d'actions japonaises, d'usines allemandes ou d'hôtels Sheraton pouvaient tous être mis dans le même panier sous l'étiquette : « rentrées diverses » ; et par un artifice comptable qui consistait à jouer sur les résultats des différents exercices, on pouvait afficher une courbe des bénéfices en progression miraculeusement régulière — de l'ordre de 10 % par trimestre.

Par ailleurs, à l'instar des millionnaires nomades, le caractère multinational d'ITT la plaçait dans des conditions exceptionnelles pour se défendre contre les exigences du fisc. C'est un fait qu'étant au départ une société américaine, elle était responsable à ce titre vis-à-vis des actionnaires de son pays et soumise à l'inspection et au contrôle de la Commission des opérations de bourse [13] (S.E.C.) et du fisc ; mais ce contrôle perdait de son efficacité en raison de la vocation mondiale de la société. Peu après sa nomination à la présidence, Geneen réunit en conférence extraordinaire ses conseillers juridiques et comptables les plus compétents pour décider du meilleur usage qu'ITT pourrait faire des paradis fiscaux situés à l'étranger, dans le dessein de payer moins d'impôts aux Etats-Unis. Devant le doute des experts, Geneen insista, affirmant qu'il devait exister des moyens pour y parvenir ; et depuis lors, le faible montant des impôts payés par ITT a toujours été un sujet d'étonnement pour les comptables des autres compagnies. En 1969 et 1970, alors que ses bénéfices accusaient une nouvelle augmentation, la société acquittait encore moins d'impôts que l'année précédente [14].

Lors de leur montée en flèche au cours des années 1960, les conglomérats bénéficièrent largement de la confusion qui régnait dans les méthodes comptables et de l'élasticité des « Principes de comptabilité généralement admis » (G.A.A.P. [15]). Des compagnies établies depuis longtemps utilisaient souvent des méthodes comptables surannées, consistant à sous-évaluer de nombreux postes de leur actif et à ne laisser apparaître que de faibles bénéfices, de telle sorte que l'acheteur potentiel ou un conglomérat pouvaient rapidement étaler aux yeux des actionnaires des profits spectaculaires en extrayant de leur cachette les bénéfices ainsi dissimulés. Grâce au procédé comptable consistant à placer ses participations dans un tronc commun, le conglomérat pouvait passer

13. N.d.T. Nous avons retenu cette terminologie française pour traduire Securities and Exchange Commission.
14. Voir Dirks Brothers, *The Manageers*, Newsletter, 10 mai 1972.
15. Generally Accepted Accounting Principles.

l'actif net de la compagnie qu'il venait d'acquérir à son ancienne valeur d'inventaire, même si les actions de cette dernière avaient été payées avec une prime considérable. Les responsables du conglomérat pouvaient alors disposer à leur guise des actifs nouvellement acquis. Leur produit, comparé aux estimations antérieures, permettait de dégager d'énormes profits comptables susceptibles désormais de figurer au bilan du conglomérat comme des gains réels. Presque toutes les acquisitions de Geneen s'effectuèrent par le placement des participations en un tronc commun. Selon un rapport établi par une commission du Congrès, ITT parvint, grâce à ce procédé, à escamoter jusqu'en 1968 744 328 000 dollars sur le prix de ses acquisitions [16]. Ces sommes, qui représentaient la valeur dissimulée des actifs des compagnies absorbées, pouvaient apparaître au grand jour par simple décision de Geneen quand le besoin s'en faisait sentir, et sans que personne en dehors du petit cercle fermé des dirigeants de la société pût s'en apercevoir. Il n'y avait rien d'étonnant à ce que Geneen soit en mesure d'afficher une expansion continue. Selon les termes d'un rapport sur les conglomérats publié en janvier 1973, par la Commission fédérale du commerce : « Une compagnie absorbée par un conglomérat disparaît virtuellement sans laisser aucune trace de ses véritables résultats. »

La comptabilité des conglomérats est obscure : « C'est », comme me le dit un jour un journaliste financier, « une branche de la littérature d'imagination mais pas uniquement de la science-fiction. » A vrai dire, la comptabilité d'un conglomérat multinational comme ITT est encore plus obscure du fait que certains de ses éléments peuvent passer les frontières dans le ventre de la baleine sans que personne n'en sache rien. Les bénéfices de Sheraton en Allemagne peuvent fort bien apparaître

16. *Conglomerate Report*, p. 414.

comme des gains réalisés à Boston. En outre, les filiales étrangères risquent moins d'attirer la curiosité des analystes boursiers ou des journalistes économiques, du fait que sur place les experts sont enclins à ignorer les compagnies appartenant à des étrangers — comme par exemple en Grande-Bretagne la STC — dont les actions ne sont même pas cotées à la Bourse des pays où s'exercent leurs activités. Comme il se doit, les gardiens traditionnels des intérêts des actionnaires sont les commissaires aux comptes. Quand, vers la fin des années soixante, on commença à assister à l'effondrement de certains conglomérats, les commissaires aux comptes américains furent l'objet de pressions sans cesse croissantes pour appliquer des règles plus rigoureuses dans l'exercice de leurs fonctions et la soudaine faillite de la compagnie Penn Central en 1970 déchaîna de nouvelles tempêtes de protestations. Mais aucun changement essentiel n'intervint dans les principes qui régissaient la comptabilité. Les commissaires aux comptes d'ITT, de la firme Arthur Andersen, ont été parmi les défenseurs les plus obstinés du « laissez faire » en faveur de leurs propres clients (bien qu'un de leurs associés, Leonard Spacek, ait fréquemment écrit pour réclamer une stricte normalisation des règles de comptabilité). La firme Arthur Andersen est un cabinet d'experts comptables de classe internationale qui fait partie des « huit grands » exerçant en Amérique et en Angleterre. Ils furent les commissaires aux comptes de l'Investors' Overseas Service de Bernard Cornfeld, ce qui leur valut d'être sévèrement critiqués pour avoir accepté trop volontiers certaines évaluations de Cornfeld, notamment en ce qui concerne les champs pétrolières d'Alaska, bien qu'en fin de compte ce fût la firme Andersen elle-même qui sonna l'alarme. Les plus gros clients d'Andersen en Amérique sont ITT, et récemment les experts comptables de la firme ont été nommés commissaires aux comptes de toutes les filiales étrangères d'ITT, ce qui donnera plus de souplesse à leurs comptabilités européennes. C'est ainsi qu'en 1969, ITT voulut incorporer une dotation pour investissements d'un montant de 844 000 livres dans les bénéfices de sa filiale anglaise STC, pratique absolument contraire aux principes comptables du pays, et que leur commissaire aux comptes britanniques refusait d'autoriser. Mais on l'expédia aussitôt par avion à New York où un des collaborateurs d'Andersen finit par lui faire admettre qu'il s'agissait là d'une pratique parfaitement acceptable, et le poste apparut en bonne place au compte de pertes et profits pour l'année 1969. Le groupe Andersen est aujourd'hui commissaire aux comptes des affaires anglaises. Il a été, dans les derniers temps, un peu moins avare d'informations à l'égard des actionnaires d'ITT, mais il y a peu de chances qu'il en dise jamais plus long qu'il n'est nécessaire. En 1972, il publia une brochure intitulée : « Objectifs des avis financiers », qui portait imprimé sur sa couverture l'emblème de leur firme, en somme assez bien trouvé : une porte à doubles battants solidement fermés. Ses auteurs y exprimaient leur regret que la profession de comptable ait récemment fait montre d'un souci « exagéré et irréaliste de l'uniformité jusque dans les moindres détails » ; et ils poursuivaient en préconisant d'établir les inventaires non d'après la valeur des éléments d'actif à la date de leur acquisition mais selon leur estimation au cours du jour. Mais (comme le soulignait le *Guardian*) cette façon d'opérer aurait pour effet de donner encore plus de facilité aux conglomérats pour surévaluer leurs actifs et leurs bénéfices [17].

Le parti pris d'obscurité dont s'entoure la comptabilité des conglomérats suscite de plus en plus de critiques de la part des gens de la profession. L'un des adversaires les plus déterminés des usages incriminés est un

17. *Guardian*, 24 octobre 1972.

professeur de comptabilité de Baruch College à New York : Abraham Briloff. Cet homme vif argent et enthousiaste a installé ses bureaux au Gramercy Park Hotel. Il est l'auteur d'un livre pétillant d'esprit intitulé *Unaccountable Accounting* [18] où il analyse tous les tours de passe-passe que peuvent exécuter les conglomérats. Il prend plaisir à remettre à leur place ses collègues comptables en un style brillant et imagé, regardant les fondateurs de conglomérats, genre Geneen, comme des cow-boys envahissant les propriétés des fermiers, vendant la terre arable et ruinant définitivement le sol ; ils étendent leurs territoires par le viol, la saisie des récoltes, l'intimidation des occupants. Briloff s'élève contre ce qu'il appelle la comptabilité « sexy », qui consiste à exhiber les parties excitantes pour mieux dissimuler l'essentiel. Il décrit la façon dont Geneen s'y prend pour ne laisser paraître à la surface, comme les icebergs, qu'une faible fraction de ses actifs. Briloff s'efforce de répandre un esprit de prosélytisme évangélique parmi les jeunes générations de comptables, afin de les encourager à résister de pied ferme aux méthodes appliquées dans les conglomérats ; mais il pressent que la lutte sera longue.

Cette impossibilité d'y voir clair dans les comptes d'ITT a le don d'exaspérer chaque jour davantage ceux des experts dont le rôle est d'examiner la situation des grosses sociétés, ainsi que les analystes financiers qui agissent comme conseils auprès des actionnaires (près de la moitié des titres d'ITT sont dans les portefeuilles d'établissements tels que banques, compagnies d'assurances, caisses de retraite, etc.). La majorité des agents de change se contente des comptes qu'on leur envoie, mais un certain nombre d'analystes ont commencé à faire cam-

18. N.d.T. « Unaccountable Accounting », jeu de mots intraduisible signifiant littéralement comptabilité qui n'a à rendre de comptes à personne. Nous proposons « Les contes de la comptabilité » qui sert de titre à cette section.

pagne pour réclamer une information plus complète. Et, ironie des choses, ce qui a éveillé leurs doutes est justement la publication, quelle que soit la conjoncture, de résultats trimestriels en progression constante, dans le temps même où d'autres conglomérats étaient en train de mordre la poussière. Un de ces analystes financiers, Ray Dirks, dont la figure poupine s'encadre dans une longue chevelure, et qui dénonça le scandale d'Equity Funding [19], fait un travail de détective et se lance dans des enquêtes très minutieuses afin de découvrir quels sont les bénéfices réels d'ITT. A titre d'exemple, il montre comment, en 1968, ITT avait annoncé un accroissement de bénéfices de 56 millions de dollars dont 17 figuraient sous la rubrique « Profits divers ne résultant pas d'opérations commerciales ». En comparant les chiffres avec ceux que donnaient les documents d'information fournis par leur filiale européenne, International Standard Electric, Dirks parvint à prouver que 11 millions de dollars de ces « revenus divers » provenaient en fait de la réalisation d'actifs, si bien qu'un cinquième de l'augmentation du revenu global d'ITT provenait de la liquidation d'actifs immobiliers européens.

Deux autres épines dans le cuir coriace d'ITT ont noms : Bob Olstein et Thornton O'Glove, deux analystes qui éditent ce qu'ils appellent un « Rapport sur la fiabilité des bénéfices déclarés », destiné à dévoiler au public la vérité sur les résultats obtenus par les grosses sociétés. Eux aussi ont découvert que des ventes importantes d'immeubles et de titres avaient été comptabilisées comme bénéfices. En 1972, ils sont même allés jusqu'à écrire à Geneen, mais sans succès, pour lui demander de les éclairer sur dix-huit points distincts, en ajoutant que : « L'attitude évasive des hauts responsables de votre compagnie ne sert pas les intérêts bien compris de vos action-

19. N.d.T. Escroquerie aux primes d'assurances.

naires. Il est certain qu'une société qui accuse une croissance aussi spectaculaire que la vôtre devrait capitaliser plus de seize fois le bénéfice net de 1972 estimé à 3,85 dollars par action. »

Et c'était pure vérité. Dès 1971, Geneen était pleinement conscient qu'en dépit de la courbe régulièrement ascendante des bénéfices et de la rapide croissance de la société, le taux de capitalisation des bénéfices nets était très décevant, comparé par exemple à celui d'IBM, cette compagnie qui servait si souvent à Geneen d'étalon de mesure. C'était un soufflet à son orgueil, un affront personnel. Comme le disait un de ses collègues : « Tous les jours, il a les yeux fixés sur le taux de capitalisation des bénéfices nets comme sur un miroir, pour se rendre compte de l'image qu'il donne de lui-même au monde. » Mais le miroir ne lui fournit jamais la réponse qu'il attendait. Comment l'expliquer ? Etait-ce que la Bourse craignait qu'il ne meure un jour ? Qu'adviendrait-il après, quand Dunleavy ou d'autres l'auraient remplacé ? Etait-ce que le pourcentage des bénéfices d'ITT par rapport à son chiffre d'affaires était faible ? Etait-ce, comme le prétendaient les analystes, parce que la société était trop avare d'informations ? Etait-ce, surtout après le scandale qui éclaboussa ITT en 1972, une inquiétude d'ordre politique, ou une appréhension des retombées de l'affaire ? Etait-ce encore, comme Geneen s'en plaignait lui-même, qu'ITT marchait trop bien ? ou s'agissait-il du sentiment instinctif qu'il y avait quelque chose de malsain dans la compagnie ? Selon la formule d'un expert en investissements : « A la regarder ça va, mais si vous mettez le nez dessus... pardon [20] ! » Le fait que les sociétés multinationales n'ont, au sens strict du terme, de comptes à rendre à personne n'inquiète pas seulement

20. Voir *Fortune*, « Geneen's Moneymaking Machine », septembre 1972.

les actionnaires : il inquiète tout autant les gouvernements des pays où elles exercent leurs activités. D'énormes capitaux peuvent franchir les frontières dans un sens ou dans un autre, des profits figurer comme des pertes, des éléments d'actif se liquider, sans que personne en soit informé.

Derrière tous les autres éléments qui assurent la souveraineté d'un conglomérat, il y a le secret de ses documents comptables, secret qui ne le cède en importance ni à celui qui couvre les finances du Vatican ni à celui qui couvre celles de la reine d'Angleterre. Si rien n'est fait pour le percer, on ne voit pas comment on pourrait obliger les sociétés multinationales à rendre également des comptes dans d'autres domaines.

# CHAPITRE VII

## LES BRISEURS DE TRUSTS

> Dans cette société qui est la nôtre, la diffusion du pouvoir est le meilleur moyen dont nous disposions pour assurer la démocratie politique.
>
> Le sénateur Philip Hart[1], 1968.

> Si nous avons commis une faute, que votre homme rencontre le mien et ils pourront arranger ça.
>
> J. P. Morgan à Théodore Roosevelt, 1902[2].

Tout en renforçant son contrôle sur son empire européen, Geneen poursuivait son expansion en Amérique et, au cours de l'année 1968, ses acquisitions se multiplièrent à une allure record. En octobre de cette même année, il annonça l'absorption par l'intermédiaire de Lazard de la Canteen Corporation qui occupait la première place dans l'industrie des plats cuisinés pour distributeurs automatiques et se spécialisait dans la fourniture de ce qu'on nomme d'une façon assez sinistre : « L'alimentation sur les lieux de travail », en sortant à la chaîne des mets congelés. Il publia en même temps

1. Sénateur démocrate du Michigan, président de la commission anti-trust du Sénat.

2. Lettre de J. P. Morgan, patron de la célèbre banque du même nom, à Theodore Roosevelt, président des Etats-Unis à l'époque.

la nouvelle de la fusion d'ITT avec la Grinnell, la plus grosse entreprise américaine de protection contre l'incendie qui fabrique 87 pour cent des appareils d'alarme utilisés dans les casernes de pompiers des Etats-Unis. Et juste à la veille de Noël il annonça, excusez du peu, la plus importante fusion de toute l'histoire des Etats-Unis.

## LA HARTFORD

Depuis quelque temps, Geneen avait eu les yeux fixés sur une imposante compagnie d'assurances, la Hartford-Incendie, dont le siège était à Hartford (Connecticut), capitale américaine de l'assurance. C'était une ancienne compagnie fondée en 1810 et qui avait compté parmi ses clients Robert E. Lee[3] et Abraham Lincoln. Elle avait marché avec son temps et se classait maintenant au cinquième rang des plus importantes compagnies du pays spécialisées dans les dommages matériels et la responsabilité civile ; elle avait encaissé en 1968 pour 969 millions de dollars de primes et son actif atteignait près de 2 milliards de dollars. Les compagnies d'assurances constituaient des proies particulièrement tentantes pour les conglomérats, dans la mesure où elles permettaient des rentrées régulières de liquidités sous forme de primes encaissées, et qu'elles détenaient d'énormes portefeuilles de titres dont la plus-value, par un artifice de comptabilité, pouvait passer de l'actif du bilan au chapitre des revenus annuels. Felix Rohatyn de chez Lazard avait su persuader Geneen de l'importance de ces actifs et des perspectives à long terme des affaires d'assurances. ITT avait déjà réuni un groupe d'assurances-vie qui comprenait Hamilton-Vie, ITT-Vie, et Mid-Western-Vie, ainsi

3. N.d.T. Général américain, chef des armées sudistes pendant la guerre de Sécession. Il fut vaincu à Gettysburg en 1863.

qu'Abbey-Vie en Angleterre. L'adjonction de Hartford-Incendie ferait du groupe une des plus importantes compagnies d'assurances générales du monde.

Hartford avait pour président Harry Williams qui était dans la maison depuis trente ans ; il était entouré d'administrateurs sérieux et traditionnalistes, qui menaient les affaires avec la plus grande prudence. A l'instar de bien d'autres compagnies d'assurances, chaque fois qu'elle réalisait des titres de son portefeuille avec bénéfice, elle inscrivait en réserve le produit de l'opération, pour ne pas avoir à faire ressortir les plus-values comme profits et à payer les impôts correspondants ; au cours des années 1968 et 1969 ses gains en capital avaient dépassé 100 millions de dollars. Mais les résultats de la branche accidents étaient beaucoup moins heureux, et au printemps de 1968 les actions de Hartford avaient fait un brusque plongeon. Les administrateurs se rendirent compte qu'ils risquaient l'assaut d'un conglomérat qui pourrait leur faire une offre d'achat avec « de la monnaie de singe », autrement dit en leur proposant ses propres actions en échange, à un cours exagérément gonflé. Ils consultèrent leur banquier, Robert Baldwin de chez Morgan Stanley, sur les meilleurs moyens à leur opposer. Pendant l'été ils eurent des entretiens avec Dow Chemical[4], dont le président, Carl Gerstacker, siégeait à leur conseil d'administration, sur les possibilités de trouver un havre où se réfugier. Mais en octobre, ces discussions furent interrompues. Peu après, Rohatyn pressentit Baldwin, et lui suggéra l'idée d'une fusion entre Hartford et ITT ; mais Baldwin répliqua que sa compagnie n'était pas à vendre[5]. C'est sur ces entrefaites qu'au 1er novembre un des administrateurs de Hartford, Bill Griffin, reçut un coup de téléphone lourd de sinistres présages. C'était André Meyer de chez Lazard lui annonçant que ses

4. N.d.T. Grand trust chimique.
5. Déposition de Baldwin, 16 mars 1971.

clients ITT venaient de prendre une option sur 1 200 000 dollars d'actions Hartford, représentant 6 pour cent du capital de la société ; ces titres appartenaient à une caisse mutuelle de la côte Ouest.

Ce même après-midi, Meyer, Geneen et Rohatyn s'envolèrent pour Hartford afin de s'entretenir avec des administrateurs passablement effrayés, et au cours des mois qui suivirent on organisa deux déjeuners pour permettre aux principaux administrateurs de Hartford de rencontrer Geneen et son équipe. Geneen fit preuve d'une extrême cordialité et entreprit d'expliquer comment ITT et Hartford pouvaient faire du bon travail ensemble (par la suite un des administrateurs, Raymond Deck, commenta l'événement : « Geneen voulait nous pousser la romance »). ITT sortit un rapport secret appelé « Le mémorandum Tabac » (se référant à Hartford sous le nom de « Tabac », la ville étant située dans le secteur des plantations de tabac du Connecticut). Le rapport insistait sur les brillantes perspectives promises à cette collaboration. Hartford pourrait vendre des polices d'assurances-accidents aux employés d'ITT, à ses actionnaires, à ses compagnies d'assurances-vie en Europe ainsi qu'à tous ses autres clients, y compris les 2,7 millicns de titulaires de cartes de crédit Sheraton et Avis. Sans compter que Hartford pourrait encore investir des fonds dans les banques foncières Levitt, dans les terrains de Rayonier en Floride et dans les immeubles Sheraton à l'étranger. En d'autres termes, rien n'empêcherait Hartford et ITT de marcher la main dans la main dans les verts sentiers d'un paradis où ils se suffiraient à eux-mêmes ; leurs clients et employés s'y trouveraient assurés tous risques du berceau à la tombe, tandis qu'on les verrait quittant leur maison construite par ITT au volant de voitures louées à ITT en direction de leur hôtel ITT. (On doit à la vérité de dire qu'ITT n'est jamais allée très loin dans la voie des échanges réciproques mais elle ne cachait pas pour autant l'ampleur de ses ambitions.) Les administrateurs de Hartford n'étaient pas très chauds pour cette collaboration : ils s'organisèrent fiévreusement dans la coulisse pour se défendre contre un raid éventuel. Harry Williams demanda à Baldwin de mettre en place un programme de diversification de manière à assurer leur protection. Baldwin répliqua qu'il se joindrait à eux à la seule condition qu'on le nomme directeur général ; les administrateurs de Hartford finirent par accepter et l'on fixa la date du 26 décembre pour la signature du contrat. Mais Geneen eut vent de la chose. Trois jours avant la date convenue pour la signature, Howard Aibel, le principal conseiller juridique d'ITT, arriva à Hartford porteur d'une lettre de Geneen où il se plaignait de ce que les administrateurs de Hartford n'avaient pas respecté l'engagement qu'ils avaient pris de collaborer avec ITT et les informait par la même occasion que cette dernière faisait une offre publique d'achat pour l'ensemble de leur compagnie. Il proposait de les payer en actions ITT estimées par Lazard à 1,5 milliards de dollars, soit le double de la valeur boursière des actions Hartford au cours du jour.

Devant cette offre assez mal venue pour Noël, le conseil d'administration de Hartford répondit poliment que la proposition méritait d'être étudiée et s'empressa de faire rédiger un rapport sur le projet de fusion par un conseiller indépendant, Drexel Harriman Ripley. Mais Geneen était paré contre une opposition éventuelle. Il enjoignit à son état-major d'exercer « une inexorable pression » sur Hartford et ses actionnaires. Pour créer une disposition d'esprit favorable chez les membres du conseil d'administration de Hartford, il entreprit de faire donner « toute la panoplie » des contacts utiles. Il persuada « un ami dans les assurances » d'envoyer une lettre « pour ainsi dire de sa propre initiative » à Drexel Ripley où il mettrait l'accent sur tous les avantages de la fusion envisagée. ITT poursuivit ses achats d'actions en dépit du problème fiscal que posait l'opération (ainsi qu'on le verra plus loin). On avisa Ned Gerrity de se tenir particulièrement aux aguets dans l'éventualité d'une contre-attaque venant de Hartford ou de Washington ou encore d'objections soulevées par des actionnaires [6]. Il n'était plus question pour ITT de figurer une flottille de petits bateaux ; c'était maintenant un seul et unique grand navire de guerre.

Les effets de « l'inexorable pression » ne tardèrent pas à se faire sentir et en mai, les administrateurs de Hartford, cédant à la forte insistance des actionnaires, donnèrent leur accord pour la fusion. Mais il restait encore un obstacle à franchir en la personne du commissaire aux assurances de l'Etat du Connecticut, William Cotter.

Les raids qui s'étaient succédé précédemment sur les compagnies d'assurances avaient alarmé les autorités locales, au point de faire promulguer par l'Etat une nouvelle loi (numéro 444) destinée à protéger ces compagnies contre la convoitise des conglomérats, et qui conférait à cet effet d'importants pouvoirs d'opposition au commissaire. Cotter, ambitieux Démocrate (la nomination à ce poste est politique), était très averti de l'opinion locale. La plupart des gros bonnets des assurances du Connecticut étaient hostiles au projet d'absorption de Hartford, et bien qu'ITT se soit employé à les rassurer, en décembre 1969 Cotter prit un arrêté contre la fusion. Il s'élevait entre autres contre le fait que d'importantes options sur des actions ITT avaient été offertes aux administrateurs de Hartford et que les perspectives d'avenir de cette compagnie seraient meilleures si elle maintenait son indépendance à l'égard d'ITT. C'était pour cette dernière un coup d'arrêt retentissant.

Mais Geneen ne désarma pas et fit aussitôt pousser

6. Note de C.T. Ireland à H.S. Geneen, 2 janvier 1969, *Kleindienst Hearings,* vol. III, p. 1217.

la pression. Il était fermement résolu à éviter un nouveau fiasco comme celui d'ABC deux ans plus tôt. Dès que fut connue la décision de Cotter, Howard Aibel d'ITT alla le voir pour l'informer qu'ITT en appellerait de sa décision et il fit une nouvelle offre qui s'avéra ressembler comme une sœur à la première. Au cours des trois mois qui suivirent, une armée de gens d'ITT, dont Geneen, envahirent Hartford, faisant le siège de Cotter et de son état-major. C'est à ce moment précis que Cotter décida de présenter sa candidature au Congrès et se mit à solliciter les électeurs de sa ville dans le cadre d'une campagne électorale dont il estima lui-même le coût à 100 000 dollars.

La seconde audition de l'affaire par Cotter eut lieu à Hartford en mars 1970. Geneen s'y rendit avec tout un contingent d'administrateurs d'ITT. Il prit l'engagement solennel de maintenir le siège de Hartford dans la ville, de ne pas débaucher de personnel, ni d'intervenir dans la direction. Comme pour ABC, il affirma que Hartford avait beaucoup plus besoin d'ITT qu'ITT n'avait besoin de Hartford : « Nous sommes personnellement convaincus, dit-il, que le secteur des assurances devra bientôt faire appel à de nouveaux capitaux. » Toujours comme pour ABC, il insista sur l'autonomie dont jouirait la compagnie au sein du système ITT et promit qu'elle aurait son propre conseil d'administration. Cotter posa quelques questions embarrassantes au sujet d'Avis, et demanda pourquoi Townsend « avait refusé de travailler un seul jour de plus pour ITT ». Mais Bud Morrow, maintenant directeur d'Avis, était là pour assurer à Cotter que Townsend n'avait pas dit cela sérieusement. Eugene Black, l'ancien patron de la Banque Mondiale, maintenant administrateur d'ITT, fit la déclaration suivante : « Je ne connais aucune autre compagnie dont la direction me fasse une impression plus favorable que celle d'ITT. »

Il se trouve que Cotter rencontra Ralph Nader juste

après cette seconde séance. Nader, tout comme Geneen, avait été élevé dans les environs de Hartford, et comme suite logique à ses campagnes en faveur de la sécurité automobile, son intérêt s'était porté tout spécialement sur les assurances. On l'avait invité à s'adresser aux agents d'assurances à l'occasion d'une conférence tenue à Hartford où Cotter devait également prendre la parole. On avait déjà mobilisé Nader contre ITT dans l'affaire ABC et il avait contracté à l'égard des méthodes d'ITT une méfiance qui ne le cédait qu'à celle que lui inspirait la General Motors. A la seule mention des initiales ITT (je l'avais remarqué) l'apparence de Nader change du tout au tout ; comme bandée par un ressort, sa haute et souple silhouette se raidit subitement, ses yeux lancent des flammes, tandis que ses lèvres grimacent un sourire forcé. Il voit en Geneen un dictateur intéressé par le pouvoir, et non par le profit ; un homme qui veut construire son propre Etat-Nation économique et qui, s'il en avait l'occasion, achèterait volontiers les Etats-Unis. A entendre Nader parler d'ITT on sent que Geneen trouve là un homme à sa mesure, un adversaire qui sait comme lui où il veut en venir, qui comme lui peut entraîner et animer les gens, n'hésitant pas, le cas échéant, à briser la vie familiale de ses subordonnés. Mais Nader a pour lui un avantage : il peut fournir à ses collaborateurs d'autres motivations que le culte du profit.

Après la conférence, Cotter bavarda avec Nader et l'invita à monter jusqu'à son bureau. A en croire Nader, Cotter se mit à lui expliquer qu'il était soumis à de fortes pressions pour approuver la fusion et qu'ITT avait commencé d'enquêter sur son compte et sur celui d'autres personnes [7]. Plus tard Cotter nia les faits devant la Cour et prétendit que les pressions dont il avait été l'objet s'étaient limitées à des lettres et des appels télé-

7. Affaire Nader/Cotter. Conclusions du plaignant. Janvier 1972.

phoniques d'agents de change et d'actionnaires. Mais il est indiscutable que Cotter demanda à Nader de lui procurer tous les renseignements qu'il pourrait recueillir sur ITT et sur Hartford.

Sur ces entrefaites Nader demanda à l'un des hommes de ses « commandos » d'enquêter sur l'affaire ; il avait désigné à cet effet un jeune avocat, Reuben Robertson III, qui était appelé à jouer un rôle important dans l'histoire d'ITT. Robertson était d'une nature beaucoup plus détendue que Nader ; à l'inverse de ce dernier, il ne se lançait pas frénétiquement dans une entreprise mais se vouait à sa tâche avec une ferme constance. Après Yale il était entré chez Covington & Burling, le très ancien cabinet juridique de Dean Acheson[8] à Washington, qui travaillait pour de nombreuses compagnies géantes y compris ITT. A l'exemple d'autres jeunes juristes aux idées progressistes, il sentit vite les limites d'une activité consacrée à la seule clientèle des sociétés. Il resta un an au contentieux du Département des Transports avant d'entrer chez Nader où son intérêt se porta tout spécialement sur les industries réglementées. Quand Nader lui confia l'affaire Hartford-ITT, il y consacra toute son énergie ; et depuis lors, secondé par le réseau des jeunes « nadériens », il est devenu le plus tenace des limiers lancés aux trousses de Geneen. Il s'est installé dans un bureau sans prétention situé au-dessus d'un magasin de fournitures pour artistes dans le centre de Washington ; là, le front penché sur une montagne de documents d'ITT, de notes confidentielles, de procès-verbaux d'auditions, accordant de courtes interviews aux journalistes et aux hommes politiques, il ne quitte son bureau que pour courir de procès en procès, d'un tribunal à l'autre.

Après étude du dossier, Robertson acquit la conviction que les véritables raisons qui poussaient Geneen

8. Ancien secrétaire d'Etat américain de 1949 à 1954.

à absorber Hartford étaient à l'opposé de celles qu'il avait exposées à Cotter ; la vérité était qu'il avait besoin de Hartford non seulement pour user de la capacité d'emprunt que lui fourniraient ses énormes avoirs mais aussi pour pouvoir disposer de son cash-flow [9]. Il soumit à Cotter un certain nombre de documents dont un mémorandum où il démasquait les véritables intentions d'ITT et émettait des doutes sur sa solidité financière. Mais entre-temps, et pour une raison qu'on ignore, il semble que Cotter en était venu graduellement à changer d'avis.

Après l'audience publique, ITT accentua encore sa pression sur ses opposants. La société loua les services d'un avocat conseil de second ordre du nom de Joe Fazzano qui exerçait à Hartford ; elle se garda bien cependant d'en informer les autres importants cabinets qui étaient déjà sur l'affaire. Fazzano était un vieil ami à la fois de Cotter et de Howard Aibel d'ITT, et s'était livré à d'heureuses spéculations sur les actions de Hartford. Il avait maintenant de longues conversations avec Cotter pour le compte d'ITT, au restaurant, à son bureau ou par téléphone, au cours desquelles il mettait l'accent sur tous les avantages que présentait la fusion [10]. Puis un samedi matin, Geneen se rendit à Hartford pour avoir une conversation privée avec Cotter et une personnalité des compagnies d'assurances, Peter Kelly. Il évoqua des souvenirs de sa vie d'écolier à Suffield, parla de sa maison à Biscayne près de celle du président Nixon et expliqua combien ses distributeurs automatiques de plats congelés de Canteen seraient utiles dans les appartements. Il les assura que les administrateurs d'ITT étaient

9. N.d.T. Terme passé dans le vocabulaire financier français : Bénéfice net + amortissements.

10. Pour un exposé complet des ambiguïtés des conversations Fazzano-Cotter, voir *The Hartford Courant*, 8 novembre 1970 et 13 mars 1972.

tous gens honorables qui n'avaient rien de diabolique.

Deux mois après la seconde audience, le 19 mai, Cotter eut un entretien privé avec des membres de la section locale du parti démocrate, dont son président d'alors, Michael Kelly, et un certain Nicholas Carborne, président d'une société civile, chargée de construire un nouveau centre communal, qui se trouvait dans une passe financière difficile. Ils demandèrent à Cotter de solliciter l'aide d'ITT. Cotter s'expliqua comme suit : « Puisque je suis sur le point d'approuver la fusion, nous devrions en profiter pour faire quelque chose en faveur de notre ville, d'autant qu'ITT a exprimé le désir d'apporter sa contribution à une œuvre charitable de notre communauté. » Trois jours après cette rencontre, Howard Aibel et Ned Gerrity d'ITT se rendirent à Hartford pour envisager avec Cotter et les autres la meilleure façon de venir en aide au centre communal et pour prévoir la construction d'un nouvel hôtel Sheraton ; puis le groupe emprunta une voiture d'ITT et alla visiter le terrain.

Le lendemain, Cotter annonça qu'il autoriserait l'acquisition de la compagnie Hartford. Et c'est ainsi que fut conclue la plus grande fusion de l'histoire.

## CRISE DANS LA CONCENTRATION

Mais entre-temps, à Washington, des adversaires d'une autre envergure allaient se dresser contre Geneen. La fiévreuse expansion de sa compagnie avait fini par attirer l'attention des briseurs de trusts. ITT représentait un exemple extrême de cette tendance que manifestaient les sociétés à accélérer leur politique de concentration, phénomène qu'on pouvait observer aussi bien en Amérique que dans tous les pays du monde occidental ; il y avait donc lieu de s'attendre d'un moment à l'autre à une confrontation majeure entre le gouvernement et le « big business », dont l'issue ferait jurisprudence.

Bien que la première en importance, ITT n'était pas la seule compagnie du groupe des « conglomérats », dont les dimensions s'étaient accrues avec une inquiétante rapidité, grâce au boom durable de la Bourse qui intervint après 1965 avec l'intensification de la guerre au Vietnam. Une poignée de financiers astucieux et dynamiques avait réussi à créer des grappes de sociétés aux activités très diversifiées. Ces opérations n'exigeaient même pas de leur part l'apport de gros capitaux supplémentaires ; il leur suffisait de contracter un emprunt pour acheter une nouvelle société puis d'affecter les bénéfices au paiement des intérêts des sommes empruntées. Toutes les entreprises qui accusaient des bénéfices suffisants étaient bonnes à prendre et il en résultait un incroyable salmigondis d'affaires disparates. En 1960, James Ling de la firme Ling-Temco-Vought se rendit acquéreur d'une obscure entreprise travaillant pour la défense nationale, qui allait devenir en 1969 la quatorzième société industrielle américaine par ordre d'importance ; ses activités couvraient entre autres une conserverie de viandes, une compagnie d'aviation, une société de location de voitures sans chauffeur, enfin une grande usine d'avions à réaction. Charles Bluhdorn, un émigré autrichien qui avait gagné de l'argent dans les cafés du Brésil, reprit en 1956 la Gulf & Western de Grand Rapids qui fabriquait alors des pare-chocs pour automobiles, et finit par se rendre acquéreur de quatre-vingt-douze sociétés dont la gamme de fabrication allait du zinc au sucre en passant par les cigares et les films Paramount. « Tex » Thornton acheta une petite entreprise de matériel électronique, Litton Industries, pour un million de dollars et lui adjoignit en l'espace de neuf ans 103 compagnies allant de l'exploitation de chantiers navals, la fabrication de machines à calculer, l'édition de manuels scolaires, à la construction d'appareils de sismologie. Saul Steinberg, « l'enfant prodige » de la société d'informatique Leasco Data, réussit, en l'espace de quatre ans, à accroître son actif de 8 à 402 millions de dollars en achetant des fabriques de containers, des compagnies d'assurances, des sociétés immobilières et ce nonobstant une importante (et désastreuse) prise de participation dans les éditions Pergamon Press en Grande-Bretagne.

Ces conglomérats étaient une des expressions de la tendance à la diversification suivie par de nombreuses sociétés importantes d'Amérique et d'Europe, soucieuses de ne pas mettre tous leurs œufs dans le même panier. En Grande-Bretagne, Imperial Tobacco avait absorbé les parfums Yardley et les aliments surgelés Ross ; Unilever, qui au début fabriquait du savon et de la margarine, avait fini par posséder un énorme assortiment de compagnies diverses. Alors que les plus anciens tenants de la politique de diversification se contentaient d'opérer des placements grâce à leurs excédents de trésorerie, les nouveaux venus des conglomérats étaient plus enclins à jouer les sorciers de la Bourse. Leurs succès dépendaient du maintien de leurs actions à un cours élevé, qui à son tour dépendait de la poursuite de leur croissance par l'acquisition de nouvelles compagnies. Les promoteurs des conglomérats insistaient sur le fait que leurs fusions de sociétés avaient le pouvoir de secouer de leur torpeur les industries somnolentes et de fournir un résultat global supérieur à la somme des résultats individuels. La société Litton Industries emprunta au vocabulaire médical le néologisme « synergisme » qui signifie « coordination des énergies » et le mot fit désormais partie du bla-bla-bla des conglomérats pour vous faire accroire que 2 et 2 font 5. Mais comme l'exprimait un article de la revue *Fortune* dans son numéro de février 1969, au sommet du boom des conglomérats, on pouvait observer une réaction en chaîne dont le stade terminal risquait de provoquer quelques grincements de dents. Le raz de marée des conglomérats répand aujourd'hui un sentiment quasi général de doute, d'appréhension et même de frayeur.

Les animateurs des conglomérats formaient eux-mêmes un groupe bizarre de marginaux et, de même que pour ITT, plus la compagnie gagnait en complexité et en diversification, plus elle semblait dépendre d'un seul homme. La plupart d'entre eux étaient issus de milieux totalement étrangers à « l'Establishment » américain. Bien plus, leur apparition sur la scène américaine ne fit que renforcer ce concept, tandis que les compagnies faisant partie de cet « Establishment » serraient les rangs pour les en exclure. Nombre de ces nouveaux venus appartenaient à une première génération d'immigrants, comme par exemple Bluhdorn, « l'Autrichien fou », ou Meshulam Riklis, le Palestinien qui mit sur pied la Rapid-American Corporation, ou Geneen lui-même. Beaucoup avaient abandonné l'école de bonne heure avec un minimum de connaissances livresques. Presque tous, avides de publicité, vivaient avec panache : Ling, dans son palais de 2 millions de dollars à Dallas ; Kerkorian, dans son DC 9 lambrissé de panneaux de noyer ; Riklis, dans son hôtel particulier de Manhattan.

Mais Geneen était d'une espèce différente. C'était, lui aussi, un marginal, un isolé, un immigrant qui avait commencé à travailler à quinze ans. Son ambition, comme celle des autres, était sans limites. Mais il ne cherchait jamais à en imposer, à figurer à la une des journaux, et ne s'en laissait pas conter par sa propre publicité. Il savait exercer un rigoureux contrôle sur lui-même, allait répétant que sa vocation était la gestion en profondeur et que sa croissance devait être plus régulière que spectaculaire. « L'Establishment » lui manifestait aussi sa méfiance, tout en retenant sa leçon.

Les conglomérats n'étaient que l'illusion la plus étourdissante de cette tendance à la concentration des entreprises qui coïncida avec le boom des années 1960 et qui fit que le « big business » atteignit des dimensions records. En 1948, les 200 plus importantes compagnies industrielles d'Amérique contrôlaient 48 pour cent des actifs du secteur de la transformation ; en 1969, elles en contrôlaient 55 pour cent [11]. Pour les trois quarts, ce gonflement des actifs provenait des fusions, contre un quart seulement pour la croissance interne. Nombreux étaient les économistes qui justifiaient cette concentration massive comme le prix à payer pour la technologie de pointe et la planification à long terme : citons parmi eux le professeur Galbraith dans son éloquente apologie des géants : *Le nouvel Etat industriel.* La concentration pouvait aussi se justifier par les menaces d'aggravation de la concurrence mondiale qui se profilaient à l'horizon. Les géants rivaux se provoquaient mutuellement d'un continent à l'autre. En Europe, piquées par le « défi américain », les fusions progressaient à une cadence plus rapide encore, et souvent avec le soutien actif des gouvernements concernés. Renault conclut un accord avec Peugeot, Montecatini fusionna avec Edison, Fiat s'entendit quelque temps avec Citroën et Michelin, Dunlop se lia à Pirelli. En Grande-Bretagne, l'« Industrial Reorganisation Corporation », mise en place par le gouvernement britannique en 1967, contribua au mariage des deux plus grands constructeurs d'automobiles anglais pour former la British Leyland, et à la réunion de trois compagnies d'électricité qui devinrent la General Electric. Au début des années 1950, les cent plus grosses sociétés britanniques ne possédaient que 22 pour cent de l'ensemble des actifs industriels ; en 1970, elles en possédaient 50 pour cent. Partout dans le monde la décennie 1960 fut l'ère des géants.

En Europe, la vague des fusions continua de déferler

11. Discours de l'Attorney General, John Mitchell, à Savannah, le 6 juin 1969.

sans provoquer apparemment de sérieux soucis d'ordre politique, le Marché commun ayant plutôt tendance à encourager les concentrations qu'à les limiter. Mais en Amérique, vers la fin de la décennie, le rythme fiévreux auquel se faisaient les nouvelles concentrations et tout particulièrement la précarité des conglomérats provoquaient des réactions d'inquiétude. C'était une de ces manifestations cycliques d'humeur, semblables à celles qu'on avait connues au siècle précédent et qui avaient conduit, par étapes successives, à la mise au point de procédures de régulation.

## « BIG BUSINESS » CONTRE GOUVERNEMENT

Surtout pour l'observateur situé hors d'Amérique, les mécanismes anti-trust peuvent apparaître comme un témoignage impressionnant de la démocratie américaine et de son pouvoir d'auto-correction ; et pour un pays qui voue un culte aussi fervent au dieu « business », oser mettre ses prêtres en prison force l'admiration des Européens, accoutumés à un système de contrôle plus discret et moins assuré. Toutefois les organismes anti-trust américains n'ont jamais été aussi féroces qu'ils en ont l'air et les violents affrontements entre le gouvernement des Etats-Unis et le « business » ont, pour des raisons mystérieuses, l'habitude de finir en queue de poisson. L'histoire des actions anti-trust engagées en Amérique est une longue suite d'échappatoires et de compromis ; à maintes reprises, en effet, les plus importantes sociétés se sont montrées plus fortes à ce jeu que les gouvernements.

C'est vers la fin des années 40 que les pouvoirs publics ont engagé leur dernière action d'importance contre les concentrations industrielles. A cette époque, et en dépit des dispositions législatives prises antérieurement en vue de leur faire échec, notamment les lois Sherman et Clayton, rien ne s'opposait pratiquement à ce que les grosses sociétés absorbent les actifs d'autres entreprises, de connivence avec leurs dirigeants. Ces procédés soulevèrent une vague de réaction de caractère politique. Comme l'exprimait le sénateur Kefauver : « Les citoyens sont en train de perdre le pouvoir d'orienter leur propre progrès économique. » L'amendement Celler-Kefauver de 1950 renforça l'article 7, fort controversé, de la loi Clayton qui interdisait aux sociétés d'acquérir les actifs d'autres entreprises si l'opération était susceptible de diminuer la concurrence, « dans tout domaine commercial et dans tout secteur géographique du pays ». Cette loi serrait de beaucoup plus près les problèmes de la limitation des concentrations en tant que telles, que ceux de la sauvegarde de la libre concurrence ; et l'exposé des motifs de la Chambre des Représentants mettait l'accent sur le fait que la loi devrait aussi bien s'appliquer aux fusions horizontales que verticales, ainsi qu'aux fusions au sein de conglomérats qui couvraient plusieurs secteurs industriels. L'amendement Celler-Kefauver n'avait pas l'air d'une plaisanterie, et Kefauver lui-même, en tant que président de la Commission anti-trust du Sénat, montra à quel point il prenait les choses au sérieux lors de l'enquête spectaculaire qu'il mena en 1960 sur la « conspiration électrique » ; toute l'affaire tournait autour de la General Electric, qui avait fraudé le gouvernement d'un milliard de dollars. Il s'ensuivit un procès et le juge infligea des peines de prison aux businessmen « conspirateurs », ainsi qu'une amende de 2 millions de dollars aux compagnies incriminées. C'était la première fois dans l'histoire de la lutte anti-trust que des hommes d'affaires étaient envoyés en prison.

Mais les briseurs de trusts brillaient plus par leur carence que par leur initiative. Pour une part, ils souffraient d'un manque de ressources. Les effectifs de la section anti-trust se sont accrus parallèlement à la mise en vigueur de chaque nouvelle législation et, de l'extérieur, paraissent formidables : 316 juristes, plus 38 économistes et statisticiens, le tout disposant d'un budget annuel de 11,4 millions de dollars [12]. Mais, pour chaque action devant les tribunaux, ces juristes succombent sous une nuée de spécialistes mobilisés par les sociétés menacées ; ces avocats sont experts en tactiques dilatoires qui peuvent retarder le déroulement du procès jusqu'à ce qu'il ait perdu toute raison d'être.

La faiblesse essentielle de la section anti-trust est qu'on n'a jamais pu l'isoler complètement de la politique. Elle exerce son action dans le cadre du Département de la Justice ; toutes ses décisions doivent être entérinées par l'Attorney General et son adjoint ; et les fonctionnaires de cette section sont parfaitement conscients des pressions politiques auxquelles leur administration est soumise, du fait de sociétés dont elle se sent d'une façon ou d'une autre l'obligée. Les briseurs de trusts les plus courageux s'épuisent à la longue devant les délais, compromis et contradictions qu'on leur impose de toutes parts. Les Républicains se proclament souvent meilleurs briseurs de trusts que les Démocrates, de même qu'en Grande-Bretagne les Conservateurs se vantent d'exercer un contrôle plus sévère sur le « big business » que les Travaillistes, pour la raison qu'ayant plus foi dans le capitalisme ils éprouvent la nécessité d'intervenir pour en assurer le libre fonctionnement ; en d'autres termes, ils pensent que le « business » est une chose trop importante pour être confiée à des businessmen. Il est certain qu'en Amérique le palmarès des briseurs de trusts de 1960 à 1968 est rien moins que brillant. Les frères Kennedy, aussi bien le Président que l'Attorney General, son frère Robert dit Bobby, hésitaient à met-

12. Voir Mark Green, *The Closed Enterprise System*, 1972.

tre des bâtons dans les roues du « big business », et Bobby Kennedy se trouva en désaccord avec le chef de sa section anti-trust : Lee Loevinger (qui devint plus tard un des conseillers d'ITT). Sous la présidence de L.B. Johnson, arriva un nouveau patron de la section anti-trust qui promettait d'accomplir des merveilles, le professeur Donald Turner, auteur d'un livre intitulé *Anti-Trust Policy,* où il était question d'appliquer des mesures radicales : mais elles le furent beaucoup moins, une fois le professeur installé dans ses fonctions. Il joua son rôle dans l'opposition faite à l'offre d'achat d'ABC par ITT (voir page 122), mais il souligna en même temps qu'une législation spéciale serait nécessaire pour intervenir utilement contre les conglomérats (il fut nommé par la suite conseiller d'ITT pour l'affaire Hartford). Ce ne fut guère que dans les derniers mois de la présidence démocrate, avec Ramsey Clark au Département de la Justice, que se dessina un mouvement anti-trust sérieux lorsque le secrétaire constitua un dossier monumental contre IBM qui n'a toujours pas abouti. C'est précisément au cours des huit années où les Démocrates occupèrent le pouvoir qu'on assista à la plus forte concentration d'entreprises depuis le début du siècle.

Les Commissions qui siégeaient à Capitol Hill[13] ne se montrèrent guère efficaces. Philip Hart, le président de la commission anti-trust du Sénat, est un des hommes les plus respectés de la politique américaine : sénateur démocrate du Michigan, c'est un catholique aux principes rigoureux. Il se méfie aussi bien des conséquences sociales qu'économiques des grandes fusions, qui drainent au profit des grands centres le pouvoir financier des petits. En 1964, sa commission commença une série d'auditions sur les problèmes des concentrations économi-

13. N.d.T. Cette expression désigne le Congrès des Etats-Unis (Chambre des Représentants et Sénat).

ques et Hart ne mâcha pas ses mots. Mais il était sévèrement limité dans son action par sa propre commission, dont la plupart des membres, y compris des Républicains extrémistes comme Roman Hruska, Strom Thurmond et Hiram Fong, étaient fondamentalement bien plus protrust qu'anti-trust.

La commission anti-trust de la Chambre des Représentants avait à sa tête un vieux routier de la politique, âgé de quatre-vingt quatre ans : Emmanuel Celler ; c'était un lutteur accompli et le co-auteur de l'amendement Celler-Kefauver de 1950. Mais son propre cabinet juridique agissait comme conseil dans les procès antitrust et ce n'est un secret pour personne qu'il est intervenu sur la scène politique en faveur de ses clients. Au cours des années 60, l'activité de la commission Celler se ralentit sensiblement, peut-être parce que son président avançait en âge, ou que le problème des droits civiques le préoccupait trop.

En 1969, le rythme de croissance des concentrations et particulièrement des conglomérats avait pris un caractère trop alarmant pour être ignoré. Pas moins de six sous-commissions et plusieurs agences étudiaient le problème. La démonstration la plus bruyante et la plus spectaculaire vint de la Commission fédérale du Commerce, institution réputée d'habitude pour sa mesure ; ses conseillers économiques, sous la direction du professeur Mueller, publièrent un rapport sur les fusions de sociétés qui apporta de l'eau au moulin de nombre de leurs adversaires. Il en résultait entre autres que les 200 premières sociétés américaines possédaient maintenant plus des trois cinquièmes de tous les actifs industriels, soit un montant supérieur à la part revenant aux mille plus grandes compagnies en 1941, et qu'entre les années 1953 et 1968, 21 pour cent des actifs industriels des sociétés avaient été acquis au moyen de fusions. Il indiquait les rapports de cause à effet entre la centralisation de l'industrie et la régression de la concurrence et ajoutait en manière de commentaire :

> « Ces liens intimes qui se développent entre les entreprises, constituent une sérieuse menace à l'encontre des institutions démocratiques et sociales d'Amérique dans la mesure où ils donnent naissance à un certain pouvoir de décision centralisé et privé incompatible avec le système de la libre entreprise, système qui s'appuie sur les lois du marché pour imposer au pouvoir économique privé la discipline qui lui est nécessaire. »

Les économistes étaient loin d'être d'accord sur ce qu'il y avait lieu de faire à propos des conglomérats. Un rapport rédigé sous la direction de Philip Neal, doyen de l'université de Chicago, conclut que le vrai problème ne résidait pas dans l'existence des conglomérats mais dans le maintien des vieux oligopoles[14] comme ceux de l'automobile, de l'acier, des ordinateurs et qu'une nouvelle législation devrait les briser. Un autre rapport, dont l'auteur est lui aussi un professeur de Chicago, George Stigler, n'était pas non plus d'avis de démembrer les conglomérats, tant qu'on n'était pas mieux renseigné sur leurs incidences économiques ; Stigler ne partageait pas les idées de Neal sur la législation mais recommandait une enquête minutieuse sur les oligopoles et leurs méthodes de fixation des prix.

On ne savait pas trop comment s'y prendre pour engager une action contre les conglomérats qui, du fait de leur diversité, échappaient aux vieilles définitions de monopole et d'ententes commerciales ; et c'est en par-

14. N.d.T. Mot dérivé de monopole : marché où quelques vendeurs ont le privilège de l'offre.

tie pour éviter de tomber sous le coup des lois anti-trust qu'ils s'étaient à ce point diversifiés. Rares étaient ceux qui occupaient une position dominante dans un seul secteur et théoriquement une poignée de gigantesques conglomérats pouvait faire tourner l'industrie mondiale, chacun en concurrence avec des dizaines d'autres industries, sans pour autant tomber sous le coup des lois anti-trust. L'argument fondamental invoqué contre eux n'était pas tant d'ordre économique que politique et social : on leur reprochait de restreindre la part d'individualité à laquelle chaque homme avait droit ainsi que sa liberté de choix ; de centraliser et de concentrer des activités qui auraient pu survivre séparément ; en un mot de constituer des unités trop grandes, trop portées à l'ubiquité et dotées de trop de puissance : autant de griefs difficiles à définir en termes légaux.

## ENQUÊTES SUR LES CONGLOMÉRATS AUDITION DES TÉMOINS

Au début de l'année 1969, Emmanuel Celler avait enfin décidé qu'il fallait faire ou au moins dire quelque chose à propos des conglomérats, et en juillet il commença de procéder à une série d'auditions de témoins, qui n'avait pas de précédent dans les annales du Sénat. Au cours des dix mois qui suivirent, la commission qu'il présidait procéda à l'interrogatoire de 72 témoins dont les procès-verbaux remplirent 6 300 pages en sept volumes. On sélectionna pour les étudier spécialement six conglomérats dont le plus important par ses dimensions était l'International Telephone and Telegraph. La commission se procura une montagne de notes de service et de rapports d'ITT et le 20 novembre de cette même année convoqua Geneen en personne pour recueillir son témoignage.

Ce fut une rencontre historique que celle de l'entrepreneur évangélique qu'était Geneen et de Celler, ce vieillard aussi coriace que sceptique, assez âgé pour être son père. Geneen, au sommet de sa forme, commença par vanter, sans omettre un détail, les splendeurs de son système et par attaquer le rapport du professeur Mueller, où l'on chercherait en vain un mot aimable à l'endroit des conglomérats. Il expliqua comment, en dépit de leurs dimensions, les conglomérats n'avaient en rien provoqué la concentration des marchés et comment ils avaient, au contraire, stimulé la concurrence et favorisé la décentralisation en implantant de nouvelles usines dans les petites villes ; en outre, ils procuraient aux épargnants l'avantage de la sécurité en les protégeant des risques. Celler l'écouta imperturbable et quand Geneen eut terminé, lui dit : « A vous entendre, j'en viendrais presque à m'imaginer ITT avec des petites ailes d'ange dans le dos. »

Celler interrogea Geneen sur ses méthodes : « Je me demande si le Seigneur a jamais fait don à personne de la prodigieuse somme de connaissances et d'ingéniosité nécessaires à l'accomplissement de telles prouesses et au contrôle de ces innombrables opérations. »

Geneen expliqua comment, dans la pratique, les filiales d'ITT fonctionnaient sous la responsabilité de 2 000 directeurs qui jouissaient chacun d'une grande indépendance. Mais Celler lui demanda par quel miracle ils pouvaient rester indépendants avec le genre de contrôle dont il avait lui-même expliqué le mécanisme. Geneen répliqua : « Personnellement, je ne serais pas en mesure de diriger le centième de nos affaires et je ne le fais pas mais je veille à ce que ce soit fait. » Celler lui posa la question : « Qu'est-ce qui crée plus de concurrence ? plus de compagnies ou moins de compagnies ? » Geneen répondit qu'avec le système ITT il n'y avait en réalité pas moins de compagnies mais simplement des compagnies mieux armées pour la concurrence, du fait qu'elles s'appuyaient sur une organisation qui leur fournissait plus d'éléments de production. « Bien sûr », répliqua Celler, « je ne peux que vous désapprouver énergiquement... Avec cette forte concentration économique qui caractérise votre compagnie, vous me faites penser à ce propos énoncé il y a quelques années devant cette commission : « Chacun pour soi », s'écria l'éléphant, « en esquissant un pas de deux parmi les poussins. »

Le conseiller juridique de la commission, Kenneth Harkins, questionna Geneen sur la pratique de la réciprocité : « J'achète-chez-toi,-tu-achètes-chez-moi. » Il produisit une série de notes montrant la façon dont ITT pressait ses filiales d'échanger des services mutuels afin d'exclure les concurrents et d'appliquer le « principe du levier » qui consiste à utiliser le potentiel d'une filiale pour en aider une autre à recevoir des commandes. Une lettre du directeur de Rayonier, Russell Erickson, décrivait les plans qu'il avait élaborés pour vendre plus de pâte à papier à l'Argentine en utilisant le « levier » de la Continental Baking, qui importait de ce pays de grandes quantités de viande de bœuf. Des rapports de Levitt, Sheraton et Aetna Finance décrivaient les plans élaborés par ces entreprises en vue de se passer mutuellement des affaires. Une lettre de Geneen à Robert Townsend expliquait comment tous les employés d'ITT pouvaient agir comme démarcheurs de la société Avis :

HARKINS : « Non seulement vous proposez qu'Avis accapare le marché fermé des employés d'ITT mais en plus qu'on les mobilise comme agents de publicité ? »

GENEEN : « Voyons, entendons-nous bien. Je ne vois pas ce qu'il y a de mal à ce que nos employés, qui ont foi en notre compagnie, agissent comme ses représentants. »

Mais le président Celler fit remarquer que les notes de service d'ITT dévoilaient sans vergogne ses batteries : « Monsieur Geneen, il y a un vieil adage qui dit : « N'écrivez jamais. » Or tout est noté ici noir sur blanc[15]. »

L'exposé que fit Geneen du système ITT fut un brillant plaidoyer en faveur du principe qui consiste à jouer sur les deux tableaux. Il expliqua la façon dont ITT procédait pour assurer à la fois plus d'indépendance et plus de contrôle, une plus grande rationalisation et une plus grande concurrence ; à l'entendre, il n'y avait aucune raison pour qu'ITT ne prenne pas en main l'ensemble des activités économiques américaines, mais Celler l'interrompit : « Vous savez, si ce que vous dites était vrai, qu'aurait-on à faire des lois ?... Tout le monde serait si bon, et si aimable et si gentil, si dépourvu de malice que les règles répressives deviendraient sans objet, n'est-ce pas ? Mais la nature humaine est tout autre. Et aussi la nature des affaires. »

C'est seulement un an après l'audition des témoins cités par Celler, en juin 1971, que son rapport fut publié. C'était un document explosif de 700 pages, qui constituait l'étude la plus complète jamais entreprise sur les conglomérats. Elle démolissait plusieurs de leurs affirmations, notamment le « phénomène tant vanté » dénommé synergisme : « En fait, les problèmes d'administration des compagnies nouvellement acquises montraient, entre autres, que ces opérations avaient des effets désastreux sur le rendement, la productivité et la déontologie professionnelle. »

Les chapitres consacrés à ITT étaient extrêmement critiques. On y lisait que la compagnie avait « créé un type de structure virtuellement autarcique lui permettant d'exister et d'agir sans tenir compte des pays auxquels elle fournissait des services... Les rapports entre les prin-

15. *Conglomerate Hearings,* vol. III, p. 101.

cipes d'action d'ITT et la politique des pays où la société exerce ses activités ont de quoi nous faire réfléchir ». Le rapport accusait ITT d'utiliser le système du renvoi de l'ascenseur ainsi que celui du « marché maison » pour pousser ses ventes ; il lui reprochait également de donner à certains marchés déterminés le « coup de pouce » nécessaire. On y expliquait encore comment des astuces comptables cachaient les faiblesses des compagnies nouvellement acquises, et faisaient ressortir des bénéfices exagérément gonflés. ITT offrait moins de stabilité financière que d'autres grosses sociétés ; le rapport des dettes à long terme sur les capitaux propres d'ITT était supérieur à celui de chacune des trente sociétés figurant à l'indice Dow Jones [16] des valeurs industrielles, exception faite pour Alcoa. Circonstance peut-être encore plus fâcheuse pour Geneen, il était écrit que l'on disposait « d'indications selon lesquelles le rendement et les résultats des filiales constituant le groupe se dégradaient après leur intégration dans le système ITT ».

Le rapport était de la dynamite politique. I.F. Stone rédigea un vibrant appel aux armes : « Les jeunes peuvent lire dans les pages de cette étude les principes moraux et les usages qui façonnent notre économie et risquent de creuser le moule où se refondront un jour nos principes politiques. Car la menace d'un Etat régenté par les grandes sociétés s'accroît en fonction du développement de la concentration de ces sociétés [17] ». Mais en présentant le rapport, Celler laissa paraître son embarras. Il en suspendit la publication jusqu'au week-end de la Fête du Travail [18] et prétendit qu'il était l'œuvre du personnel de la sous-commission et n'avait pas été soumis

16. N.d.T. Indice des cours moyens des actions et obligations cotées à la Bourse de New York. Cet indice représente le baromètre de la situation économique du pays.
17. I.F. Stone's Bi-Weekly, 20 septembre 1971.
18. N.d.T. Labor Day : Fête légale dans la plupart des Etats américains qui tombe tous les premiers lundis de septembre.

à l'appréciation de ses membres. Sa publication fut accompagnée d'un communiqué de presse qui lui donnait un ton beaucoup plus approbateur qu'il ne l'avait en réalité. Il ne comportait pas d'index et le peu d'écho qu'il rencontra constituait un exemple intéressant de la méthode du « nouveau secret » selon laquelle on peut noyer des révélations explosives sous la simple marée des faits, un peu comme un voleur se cache au milieu de la foule.

## MCLAREN ENTRE EN SCÈNE

Peu après leur installation en 1969, les membres de l'Administration Nixon avaient manifesté beaucoup plus d'inquiétude que leurs prédécesseurs démocrates devant le développement des compagnies géantes. John Mitchell, Attorney General du gouvernement Nixon, prononça devant l'Association du barreau de Géorgie à Savannah un discours resté célèbre où, donnant les chiffres indiquant les progrès de la concentration il faisait ce commentaire :

> « On ne peut surestimer les dangers que présente la super-concentration pour nos structures économiques, politiques et sociales. Une concentration de pareille ampleur a toutes les chances d'éliminer la concurrence d'aujourd'hui comme celle de demain. Elle multiplie les conditions qui rendent possible le système de réciprocité et autres formes injustes d'avantages mutuels faussant les rapports acheteurs-vendeurs. Elle crée à l'échelle mondiale des structures de marketing, de management et de financement dont les énormes ressources matérielles et psychologiques érigent de solides obstacles aux entreprises de moindre envergure qui veulent participer à un marché accessible à la concurrence. Enfin, la super-concen-

tration instaure une « communauté d'intérêts » qui décourage la compétition entre les grandes entreprises et crée sur le marché un climat propice au développement accéléré des fusions. »

Et il termina son discours par cet avertissement très précis que le Département de la Justice ferait bien de s'opposer à toutes fusions entre les deux cents premières sociétés industrielles et d'interdire de même toute absorption par l'une d'elles de producteurs de premier plan.

Pour montrer qu'il prenait les choses au sérieux, Mitchell pressentit comme chef de la section anti-trust un homme unanimement respecté pour son indépendance, Richard McLaren. C'était un avocat de cinquante et un ans, membre du parti républicain et appartenant à un cabinet de Chicago spécialisé dans la défense des intérêts des grosses sociétés impliquées dans des affaires anti-trust : il avait assisté la compagnie Sealy Mattress et la National Dairy Products. Mais McLaren ne faisait que fouler des sentiers battus en passant du camp des braconniers à celui des gardes-chasse ; au vrai, les dispositions de la loi anti-trust sont si complexes que seuls les experts dans l'art de passer au travers sont assez compétents pour les renforcer. En décembre 1968, avant l'installation officielle du président Nixon, Mitchell et son adjoint, Richard Kleindienst, eurent une entrevue avec McLaren à l'hôtel Pierre de New York, pour connaître exactement le fond de sa pensée. McLaren posa trois conditions : la première, qu'on mettrait en place un rigoureux programme anti-trust ; la seconde, que les affaires seraient portées devant la Cour Suprême ; enfin, que les jugements seraient prononcés en équité et en dehors de toute intervention politique [19]. Mitchell et Kleindienst lui

19. *Kleindienst Hearings*, vol. II, p. 117.

donnèrent leur accord et sa nomination fut aussitôt décidée.

McLaren pensait qu'il y avait une grande chance de démembrer un certain nombre de conglomérats en invoquant la loi Clayton de 1950 toujours en vigueur ; il préférait tenter une action judiciaire avant de recourir à une nouvelle législation. On discuta beaucoup parmi les avocats spécialistes des affaires anti-trust pour savoir si le cas des conglomérats était vraiment justiciable de la section 7 de la loi Clayton qui donnait matière à force controverses. Les prédécesseurs de McLaren, Turner et Zimmerman, ainsi que le Procureur général en exercice, Erwin Griswold, optaient pour la négative. Mais McLaren avait profondément réfléchi aux principes qu'il voulait appliquer et s'y cramponnait fermement. C'était un homme résolument indépendant qui était rempli de ce scepticisme particulier aux citoyens de Chicago à l'égard de New York et de Washington.

Il entra immédiatement en action et prononça de courageux discours. En mars 1969, il déclara à la commission des Voies et Moyens de la Chambre des Représentants qu'il était urgent et impératif de mettre fin aux fusions opérées par les conglomérats, parce qu'elles conduisaient à une dangereuse « dislocation de l'ordre économique et social » ; dans les jours qui suivirent, il parla devant l'association du Barreau américain de « course galopante vers la concentration économique ». Le même mois, joignant l'action à la parole, il obtint que le Département de la Justice intente une action contre le conglomérat Ling-Temco-Vought, pour faire échec à son projet de fusion avec la Jones and Laughlin Steel Corporation [20].

20. La fusion fut en fin de compte réalisée sous la condition que LTV se délesterait de deux autres compagnies, Braniff Airways et Okonite, en raison surtout de la crainte que LTV doive autrement déposer son bilan : situation à peu près parallèle à celle d'ITT.

Mais il était inévitable que la cible principale de McLaren soit l'International Telephone and Telegraph Corporation : c'était déjà le plus gros conglomérat et il continuait sans cesse de grossir. Au moment de l'entrée en fonctions de McLaren, ITT venait juste d'absorber Canteen et Grinnell, et se préparait à fusionner avec Hartford. Sur les quatre actions judiciaires intentées par McLaren en 1969, trois furent menées contre ITT du fait de ces trois dernières fusions.

La première de ces actions de McLaren visait Canteen dont le mariage avec ITT devait se consommer le 10 avril 1969. Il avait en l'occurrence un redoutable chef d'accusation du fait qu'ITT avait toutes les raisons de commettre l'infraction de « réciprocité » avec Canteen, en persuadant ses autres filiales de recourir à cette dernière firme pour la fourniture de leurs restaurants d'entreprise, lésant ainsi les concurrents de Canteen. Trois jours avant la date fixée pour le « mariage », McLaren demanda à Kleindienst, l'Attorney General adjoint, de prendre un arrêté suspensif destiné à empêcher provisoirement la fusion, ce qui serait bien moins compliqué que de la faire déclarer nulle après coup. Les avocats d'ITT acceptèrent de remettre à plus tard la fusion mais plaidèrent devant Kleindienst et McLaren que Canteen était en mauvaise posture et réclamait d'urgence une bonne gestion. Peu après, on donna le feu vert au projet de fusion tandis que se préparait une nouvelle action judiciaire dans le dessein de la condamner plus tard. Cette mystérieuse issue du procès éveilla les doutes de ceux qui y flairaient une supercherie. Les « Nadériens » intervenant à leur tour enquêtèrent sur l'affaire et fournirent leur propre version : ITT aurait fait pression sur la Maison-Blanche, qui aurait insisté pour que Kleindienst abandonne l'accusation : McLaren furieux aurait menacé de donner sa démission ; il en serait résulté ce compromis aux termes duquel on autoriserait d'abord la fusion quitte à la dénoncer plus tard[21]. McLaren a toujours contesté cette version ; mais les soupçons qu'avait éveillés le cas « Canteen » vinrent renforcer ceux qui alimentèrent un nouveau scandale.

McLaren cependant mit toute son énergie à agir contre les autres fusions d'ITT. En août 1969, soit quatre mois avant que la première enquête judiciaire de Cotter ait abouti à l'approbation finale de l'absorption de Hartford, il réclama un arrêté, suspendant la fusion avec Grinnell et, ce qui était beaucoup plus important encore, avec Hartford. Le prétexte invoqué à l'encontre de la fusion avec Hartford était que :

> « La concurrence actuelle et potentielle entre les deux firmes s'en trouverait diminuée, et que la fusion projetée exclurait les compagnies rivales de Hartford de la vente de polices dans des conditions concurrentielles tant aux employés qu'aux clients d'ITT ; qu'elle accentuerait en outre les avantages résultant de leurs accords de réciprocité pour le placement des contrats d'assurances, et déclencherait une série de fusions entre d'autres compagnies soucieuses de parer le coup que leur porterait cette opération et de se placer dans une position aussi favorable que leur rivale à l'égard de la concurrence. »

C'est ainsi que débuta la plus grande affaire anti-trust de l'histoire et aussi la plus controversée. Entre McLaren et Geneen l'affrontement était désormais inévitable, et il finirait par ruiner les ambitions de l'un et de l'autre.

Geneen, après sa victoire dans cette première affaire de fusion, était fin prêt pour affronter le nouvel obsta-

21. Mark Green, *The Closed Enterprise System*, pp. 44-45.

cle et il s'employa sans tarder à monter sa contre-attaque, dont les implications ne lui apparurent clairement dans toute leur étendue que beaucoup plus tard (voir chapitre X). Pour faire face à tous ces problèmes, ITT disposait d'un important contingent d'avocats de tous calibres et de tous poils ; c'est un des talents de Geneen de savoir mettre tel homme à tel poste de combat et de savoir quelle arme choisir dans son arsenal pour la circonstance. Au siège d'ITT on pouvait dénombrer 150 conseillers juridiques et un nombre incalculable d'avocats ayant chacun leur spécialité et dont la gamme s'étendait de Joe Fazzano de Hartford à Covington & Burling de Washington. Geneen avait pris la précaution au préalable de demander à l'ancien chef de la section anti-trust, Donald Turner, son opinion sur la fusion Hartford, et Turner avait pensé qu'il était possible d'aller de l'avant en toute sécurité. Maintenant ITT avait mobilisé toute une armée d'hommes de loi, flanquée de spécialistes des relations publiques, pour lutter contre la décision de la section anti-trust.

Plus tard, dans le courant de l'année 1970, la société fit une proposition officielle de transaction ; Ephraim Jacobs, de la firme de Washington Hollabaugh et Jacobs, alla trouver McLaren et lui déclara qu'ITT serait disposée à se délester de Canteen, de la majeure partie de Grinnell et de Levitt, à condition de conserver Hartford. McLaren tint bon ; il ne consentirait à une transaction que si ITT renonçait également à Hartford [22].

Les deux affaires, l'une contre Grinnell, l'autre contre Hartford, furent dûment soumises au Tribunal du district en octobre et pour chacune d'elles le juge refusa de prononcer un arrêt suspensif. Il n'y avait pas là de quoi surprendre McLaren ; n'avait-il pas déclaré en effet à Mitchell au moment de sa nomination qu'il deman-

22. *Kleindienst Hearings,* vol. II, p. 102.

derait pour ce genre de procès la juridiction de la Cour Suprême ; il fit aussitôt appel des deux jugements et continua de prononcer des discours où il émettait l'idée que les quatre procès intentés contre les conglomérats avaient servi d'avertissement aux autres ; en janvier 1970, il était en mesure de déclarer que : « Les fusions entre les très grosses sociétés, et les acquisitions faites par elles d'entreprises de premier plan dans d'autres secteurs industriels semblaient avoir virtuellement cessé. »

En vérité, McLaren apparaissait comme un héroïque briseur de trusts dans la grande tradition de Teddy Roosevelt[23] osant s'en prendre au « big business » comme les Démocrates ne l'avaient jamais fait. Celler le félicita pour son action et l'aile droite du parti l'attaqua pour son attitude anti-business. Un membre de la Chambre des Représentants, Bob Wilson, dont nous reparlerons plus loin, se plaignait de son « acharnement à ruiner les affaires » ; James Ling fit allusion à une « vivisection légale » et complota une vendetta personnelle contre McLaren. D'autres se plaignirent d'une façon plus subtile que McLaren s'attaquait à « l'argent nouveau » des conglomérats qui provenait principalement de la poche des Démocrates, des étrangers et des Juifs, tandis qu'il ne touchait pas au « vieil argent » des sociétés géantes qui avaient depuis longtemps pignon sur rue et dont beaucoup présentaient un caractère de monopole infiniment plus prononcé que les conglomérats.

La campagne anti-McLaren reçut même l'appoint de l'aile droite britannique car McLaren avait commencé par s'opposer à la fusion entre la British Petroleum et la compagnie pétrolière Sohio et l'*Economist* le désignait comme un « briseur de trusts chatouilleux de la gâchette ». Le gouvernement britannique, qui possédait la moitié du

23. N.d.T. Il s'agit du président Theodore Roosevelt.

capital de BP, fit plus tard pression de tout son poids, et le président de la société, Sir Eric Drake, alla trouver en Amérique l'Attorney General Mitchell. McLaren ne tarda pas à céder, maintenant comme seule exigence que BP renonce à quelques-unes des stations-service Sohio situées dans l'Etat de l'Ohio, ainsi qu'à ses points de vente au détail dans la Pennsylvanie de l'ouest.

Au moment même où Washington s'inquiétait des dimensions que prenait le « big business », les Européens pensaient plutôt à favoriser les fusions qu'à les briser. En Grande-Bretagne, le rôle régulateur de la Commission des monopoles s'était trouvé éclipsé sous le gouvernement travailliste par les nouvelles attributions accordées à IRC [24] qui encourageait littéralement les nouvelles fusions. Partout en Europe elles allaient bon train, et beaucoup avec la bénédiction des gouvernements, qui les considéraient comme des bastions nécessaires contre la concurrence massive des envahisseurs américains ou japonais. Il est vrai qu'à l'échelle de la compétition mondiale, la plupart de ces géants européens étaient de stature encore relativement modeste ; mais dans leur contexte national ils étaient impressionnants.

## LA TRANSACTION

McLaren activait sa croisade contre ITT tandis que les trois procès s'acheminaient lentement vers la Cour Suprême. En décembre 1970, le Tribunal de district débouta McLaren dans l'affaire Grinnell ; comme il le déclara plus tard : « Il ratait toutes ses balles de service [25]. » Il conservait cependant l'espoir que la sentence de la Cour Suprême lui serait favorable. La plus haute

24. Il s'agit de l'Industrial Reorganisation Corporation créée par le gouvernement travailliste de M. Wilson pour organiser des fusions et restructurations d'entreprises.
25. *Kleindienst Hearings*, vol. II, p. 171.

instance judiciaire du pays, qui avait la solide réputation de faire respecter les lois anti-trust, avait souvent adopté des positions infiniment plus dures que celles du Département de la Justice.

Entre-temps les avocats d'ITT et les fonctionnaires de la section anti-trust poursuivaient leurs conversations (comme c'est l'habitude dans les affaires de ce genre dont 80 % se terminent par des règlements amiables). Mais McLaren tenait bon pour contraindre ITT à renoncer à Hartford.

C'est alors qu'en Juin 1971 McLaren s'inclina d'une façon aussi subite que mystérieuse. Il adressa une note à Kleindienst, l'Attorney General adjoint (note qui attendit quelque temps avant d'être publiée), où il expliquait qu'on avait réussi à le persuader que l'abandon de Hartford signifierait la paralysie de la compagnie, du fait de la prime élevée qu'avait payée ITT quand la compagnie avait acquis le groupe d'assurances. Il avait donc proposé une transaction aux termes de laquelle ITT devrait s'alléger de Canteen, Levitt, Avis et d'une partie de Grinnell et s'interdire en outre, sauf autorisation spéciale, d'absorber toute société dont les actifs atteindraient ou dépasseraient 100 millions de dollars ; en échange de quoi il lui serait permis de conserver Hartford[26].

C'était une volte-face. Les termes de la transaction étaient en effet très proches de ceux suggérés à McLaren par l'avocat de Geneen, Ephraim Jacobs, sept mois plus tôt ; il s'y ajoutait seulement la clause supplémentaire concernant Avis et la limite des 100 millions de dollars. Ce règlement allait à l'encontre de toutes les précédentes déclarations de McLaren ; il n'était plus question, entre autres, de porter aucune de ces trois affaires devant la Cour Suprême pour l'ultime décision que McLaren avait sollicitée.

26. *Kleindienst Hearings*, vol. III, p. 1582.

La transaction fut dûment annoncée le 31 juillet 1971 et fit immédiatement sensation. McLaren cria victoire : il avait « cloué sur place » le véritable chef de file du mouvement de concentration. C'était le plus fort dessaisissement jamais enregistré dans une affaire anti-trust. La Bourse convint que le coup était dur : l'ensemble des actions ITT baissa de 1 milliard de dollars dans les trois jours qui suivirent. « Il se peut bien que le glas des fusions géantes ait sonné » pouvait-on lire sous la plume de Gene Smith dans le *New York Times.* Et quels que fussent les sombres pronostics auxquels on pouvait se livrer, il s'agissait bien d'une décision historique : ITT en Amérique ne serait jamais plus tout à fait la même.

Mais d'autres observateurs plus hésitants ne savaient pas trop à qui attribuer la victoire. *Business Week* titrait ainsi son éditorial : « Les briseurs de trusts se défilent » ; on y déplorait que McLaren n'ait pas poussé l'affaire jusqu'à la Cour Suprême dont la décision aurait une bonne fois pour toutes fait jurisprudence. *Fortune* (septembre 1971) s'exprimait ainsi : « Il saute aux yeux que dans ces négociations Harold Geneen a remporté une sorte de victoire. » Les deux principaux conseillers économiques de la section anti-trust (bien qu'ils n'en aient rien dit) étaient hostiles à cette décision mais ils n'avaient pas été consultés. L'un d'eux, le professeur Mueller, déclara plus tard [27] : « Le fait que la décision ait été prise à la veille du jugement de la Cour Suprême, dont McLaren avait dit qu'il le désirait vivement, donne à penser qu'il y a eu dans ce domaine une très brusque volte-face d'ordre politique. » Pourquoi McLaren, si ferme jusqu'alors dans son propos, avait-il tout d'un coup changé d'avis ? Le mystère resta enfoui dans les entrailles du Département de la Justice.

Six mois plus tard, McLaren était promu juge fédéral

27. *Kleindienst Hearings,* vol. III, p. 1582.

à Chicago (cette nomination ratifiée sans retard eut lieu à la sauvette) et il abandonna la section anti-trust. Ce poste de juge, il l'avait toujours souhaité, mais sa promotion donna lieu à de nouvelles spéculations : n'avait-il pas renoncé à sa croisade anti-trust écœuré par les pressions qu'il subissait de toutes parts, surtout après qu'on eût autorisé, contre sa volonté dûment motivée, une autre fusion entre les laboratoires pharmaceutiques Parke-Davis et Warner-Lambert ?

Il est vrai que la crise des conglomérats était, pour l'instant du moins, dépassée ; et cela s'expliquait autant par d'autres facteurs que par la croisade de McLaren. En 1969, une dépression succéda au boom économique. Dès cette année la plupart des conglomérats se mirent à péricliter. Ling-Temco-Vought annonça une perte colossale de 38 millions de dollars pour l'exercice 1969 ; les titres qui avaient atteint le cours de 169 dollars en 1967 étaient tombés à 27 dollars en janvier 1970 et James Ling avait dû abandonner son fauteuil de président. Litton Industries, affaiblie par le départ de nombre de ses chercheurs parmi les plus compétents, vit ses titres atteindre des records de baisse. Les actions Gulf & Western s'effondrèrent également et Bluhdorn n'entreprit plus aucune fusion, bien que la compagnie continue, du haut de son gratte-ciel de Manhattan, de régner sur un vaste empire et que les films Paramount portent toujours le label Gulf & Western. Les conglomérats eurent beaucoup plus à souffrir de la dépression que les sociétés industrielles traditionnelles, ce qui permit à « l'Establishment » de murmurer sous cape : « Je vous l'avait bien dit. »

Mais il y eut un conglomérat qui survécut presque intact à la dépression. Narguant vagues et marées, Geneen fut en mesure de publier trimestre après trimestre des résultats d'ITT en augmentation constante. Il n'avait jamais perdu le contrôle de son empire aux ramifications compliquées ; il n'avait jamais non plus acquis une « grosse mauvaise affaire » comme Jones and Laughlin. Le conglomérat-forteresse était toujours solidement défendu et bien que les briseurs de trusts aient réussi à lui enlever quelques-unes de ses filiales, il avait conservé ses plus récentes et plus importantes acquisitions, celles qu'il avait le plus convoitées. Il lui était désormais interdit d'acheter en Amérique des sociétés d'une valeur supérieure à 100 millions de dollars, mais il pouvait se rabattre sur l'Europe, sa première base de départ, où les lois anti-trust étaient bien moins sévères.

Par ailleurs, Geneen pouvait espérer, à certains signes, que toute cette agitation anti-trust finirait bien par se calmer. A mesure en effet que la position de l'Amérique sur le marché international apparaissait plus périlleuse, et que la concurrence européenne et celle bien plus sérieuse encore du Japon s'intensifiaient, tous les principes philosophiques qui avaient justifié les mesures anti-trust étaient remis en question. Le secrétaire au Commerce, Maurice Stans, appelé à formuler son avis devant la Commission mixte des Affaires économiques en juin 1971, émit l'opinion qu'il se pouvait que les principes actuels de l'action anti-trust aient cessé d'être applicables à des entreprises en butte à la concurrence étrangère ; et en 1972 Geneen se sentit vivement encouragé par les vues de John Connally, alors secrétaire au Trésor[28], qui préconisait « qu'on retourne comme un gant la politique anti-trust, de sorte qu'en de nombreux cas le gouvernement encourage les fusions plutôt que de les décourager. Il faut désormais que Washington fasse moins figure d'adversaire de l'industrie américaine et apparaisse bien plus comme son associé actif[29] ».

Peut-être le Japon commençaçit-il à contraindre ses rivaux à se fondre dans son propre moule : celui d'une

28. L'homologue, aux Etats-Unis, du ministre des Finances.
29. Voir l'allocution de Geneen aux actionnaires, mai 1972.

économie fortement centralisée où l'Etat et l'industrie coopèrent en étroite liaison, pour se lancer ensemble à la conquête du monde et des marchés étrangers. Pourquoi, protestait Geneen, Washington devrait-il perdre son temps à démanteler son conglomérat alors qu'il constituait précisément l'arme dont l'Amérique avait le plus grand besoin pour tenir ferme contre l'agression des Mitsubishi et des Sony [30] ? On ne pouvait donc pas comprendre au gouvernement qu'ITT était le glaive envoyé du ciel pour permettre aux Etats-Unis de lancer leur contre-attaque ; n'avait-elle pas en Amérique une base solide et des industries de caractère international qui faisaient rentrer dans les caisses du Trésor les devises étrangères nécessaires à l'équilibre de la balance des paiements ? Livré à ces réflexions, Geneen pouvait penser qu'au moment même où McLaren avec son arsenal de lois désuètes lançait ses dernières escarmouches, les responsables de l'économie et des finances américaines commençaient enfin à voir la lumière.

## LA MINE D'OR

ITT poursuivit ses efforts pour vendre les compagnies dont elle devait se dessaisir. La société Canteen qui ne battait que d'une aile fut difficile à placer et l'on retira la première offre. Mais le public accueillit favorablement les actions Avis : l'entreprise avait pris une telle extension que la réalisation de 23 pour cent du capital de la société rapporta autant que le prix payé par ITT pour la totalité de l'affaire sept ans plus tôt. Son président, Bud Morrow, ne chercha pas à cacher le plaisir qu'il éprouvait à faire cavalier seul : « Quand Geneen m'appela au téléphone pour m'annoncer qu'ITT devait se dessai-

30. Célèbres groupes financiers et industriels japonais.

sir de nous », dit-il, « je parvins héroïquement à dissimuler ma déception. » Il m'avoua se féliciter d'avoir été dressé aux méthodes de Geneen : mais il préférait voler de ses propres ailes. Pour Geneen, les restrictions qui lui interdisaient d'acquérir de nouvelles entreprises de trop grande dimension constituaient un handicap sévère, mais il continua d'en acheter de plus petites. Dans les neuf mois qui suivirent la transaction, ITT absorba vingt compagnies américaines et douze étrangères dont le chiffre d'affaires total atteignait environ 300 millions de dollars ; il n'y avait aucune restriction touchant à la dimension des sociétés qu'ITT pouvait acheter à l'étranger.

Quant à Hartford, comme l'avaient prédit Geneen et Rohatyn, l'affaire s'avéra être une mine d'or pour ITT. Déjà en 1970 elle entrait pour un quart dans les bénéfices d'ITT, plus que ne rapportait l'ensemble du secteur des télécommunications, et dans les deux années qui suivirent, les gains de Hartford augmentèrent de façon spectaculaire ; le chiffre d'affaires s'accrut de 36 pour cent pour atteindre 1 milliard et demi de dollars, tandis que les profits augmentaient de 57 pour cent jusqu'au chiffre de 70 millions de dollars. Hartford passa du cinquième au troisième rang des compagnies d'assurances-accidents et dégâts matériels, cependant que la compagnie élaborait des plans en vue de son expansion en Europe ; en décembre 1972, Hartford prit pied en Grande-Bretagne en faisant une offre d'achat pour une compagnie d'assurances anglaise qui éprouvait des difficultés : l'Excess Holdings, de sorte qu'ITT possédait maintenant en Grande-Bretagne une compagnie d'assurances générales qui travaillait en collaboration avec l'Abbey Life Insurance.

Hartford devait l'amélioration de ses bénéfices, en partie à l'augmentation générale de la rentabilité dont avaient bénéficié la plupart des compagnies d'assurances, et en partie à la mise en œuvre de méthodes de marketing de masse et à l'élimination des contrats moins rentables. Mais on doit à la vérité de dire qu'une augmentation substantielle des profits provenait de la plus-value réalisée sur la vente des titres en portefeuille qui s'éleva à 33,8 millions de dollars en 1970 ; ce qui pouvait figurer au bilan consolidé d'ITT comme un profit hors exploitation, atteignant près de 10 pour cent de son bénéfice total. L'acquisition de Hartford avec son énorme portefeuille de valeurs conférait au bilan d'ITT, malgré son report au passif de lourds comptes débiteurs, un nouvel air de santé. ITT pouvait faire figurer un supplément d'actif d'environ 500 millions de dollars si bien que le pourcentage des dettes à long terme par rapports aux capitaux propres se trouvait abaissé de 34 à 30 %[31]. Les plus-values latentes des participations et autres éléments d'actif de Hartford étaient précisément ce dont Geneen avait besoin pour justifier la courbe régulièrement ascendante de ses bénéfices ; selon la formule du professeur Briloff : « ITT a fait main basse sur une masse non déclarée de plus-values du portefeuille titres de Hartford qu'on peut estimer, je pense, à 250 millions de dollars. Grâce à ses pratiques comptables, ITT pourra faire réapparaître les dollars chaque fois que le besoin s'en fera sentir[32]. »

Sur les lieux mêmes, à Hartford, il semblait que l'opinion publique se fût radoucie ; les administrateurs continuèrent de siéger pour ITT avec des appointements augmentés sans compter les primes. Selon les clauses de l'accord Cotter, ITT avait pris l'engagement que pendant les dix années à venir elle ne procéderait dans la ville même à aucune réduction du personnel, qu'elle ne changerait rien à l'orientation des affaires et qu'enfin elle ne prélèverait pas sur Hartford des dividendes supérieurs

31. Voir le rapport Ramsden, *Kleindienst Hearings*, vol. II, p. 103 et suivantes.
32. Interview publiée dans *Dun's Review*, octobre 1971.

à ses bénéfices annuels. Le projet originel de centre municipal n'avait pas abouti mais ITT entreprit la construction d'un hôtel Sheraton qui devait abriter un nouveau centre municipal.

La fusion géante avait transformé ITT et lui avait peut-être permis d'éviter une grave crise financière. Mais, ce faisant, Geneen s'était attiré toute une liste d'ennemis bien décidés à l'attendre au tournant. Ralph Nader et Reuben Robertson étaient leurs chefs de file. Ils commencèrent par demander au commissaire Cotter de reprendre l'enquête, ce qu'il refusa ; alors ils firent appel de cette décision devant la Cour d'Appel de Hartford qui eut à connaître de l'affaire Nader contre Cotter. Dans leurs conclusions, les plaignants s'élevaient contre les pressions qu'ITT avait exercées sur Cotter, et accusaient cette société d'avoir caché ses véritables intentions à l'égard de Hartford ou de les avoir présentées sous un jour trompeur comme elle l'avait fait trois ans plus tôt dans l'affaire ABC. Ils demandaient qu'il plaise au Tribunal de reconnaître que l'action du commissaire avait été « illégale, arbitraire et entachée d'abus de pouvoir ». La cause fut rejetée en appel, mais les dépositions et les témoignages résultant de l'instruction et des débats jetèrent une nouvelle lumière sur les opérations de Geneen. Quand, en avril 1971, à Hartford, il voulut bien répondre aux questions de l'avocat de Nader, Dwight Schweitzer, il lui fut demandé si, au cas où ITT se heurterait à des difficultés dans ses affaires européennes, il ne risquerait pas d'être « au moins tenté » de retirer des fonds des caisses de Hartford. Geneen répondit avec fermeté :

> « Eh bien, si j'y vois clair dans mes idées, je ne pense pas que, quoi qu'il arrive, nos opérations à l'étranger puissent avoir une incidence quelconque sur notre solvabilité en Amérique... Je pense que ces éventualités qui relèvent du

domaine de la pure théorie sont tellement hypothétiques qu'elles ne se sont jamais matérialisées depuis cinquante ans qu'existe notre société. »

Tout cela paraissait assez convaincant. Mais presqu'au même moment, comme on le sut plus tard, ITT avançait des arguments diamétralement opposés à Washington : à savoir que si on lui refusait de conserver Hartford, ITT risquerait une grave crise de liquidités qui affecterait ses filiales étrangères. Il était bien conforme aux vieilles traditions de la compagnie d'affirmer une chose à un endroit et une autre ailleurs, et de se présenter comme une entreprise si grande et si indispensable qu'en fin de compte elle était intouchable.

L'absorption de Hartford avait également éveillé les soupçons de la Commission des opérations de Bourse et de la Direction générale des impôts [33]. Bien que technique, la question ne manquait pas d'importance. Quand Geneen avait fait sa première offre d'achat pour Hartford, il avait dû pour prendre pied dans la société acquérir 6 pour cent de ses actions payables en numéraire ; mais selon la règle établie par la Direction générale des impôts, la seule façon pour les actionnaires de Hartford d'être exemptés de la taxe sur les plus-values était qu'ITT acquitte toutes ses actions Hartford non en espèces mais par échange de titres ; si bien qu'ITT se trouva dans la nécessité de vendre pour 1,7 millions d'actions Hartford dans les plus brefs délais et cette vente, d'après la réglementation de la Direction générale des impôts, devait se faire de façon « inconditionnelle », soit aux conditions normales du marché. L'opération eut lieu par l'entremise de Lazard qui trouva une banque italienne, la Mediobanca,

33. N.d.T. Nous avons repris cette terminologie française pour traduire « Internal Revenue Service » (I.R.S.).

liée à la société Fiat, elle-même liée à Lazard, qui acheta tout le paquet moyennant une commission de 1,3 million de dollars. Pour prouver que la vente était bien « inconditionnelle », Lazard offrit à Mediobanca le choix entre trois solutions concernant la fixation du prix des actions ; mais seule la première comportait des risques pour Mediobanca et elle fut rejetée avant la vente. Une fois la fusion opérée, Mediobanca s'empressa d'échanger ses actions Hartford contre les actions ITT qu'elle vendit dans sa clientèle. C'est ainsi que fut réalisée la fusion sans que les actionnaires de Hartford aient eu à payer d'impôts, ce qui représentait pour eux une économie d'ensemble d'environ 200 millions de dollars. Mais pouvait-on considérer la vente par ITT de ses actions Hartford comme « inconditionnelle » ? Etait-ce vraiment une vente régulière, puisqu'ITT garantissait virtuellement Mediobanca contre toutes pertes (de même qu'elle n'avait droit à aucune plus-value) ? La Direction générale des impôts qui avait apparemment considéré comme sincères les options proposées à Mediobanca accepta de ne pas prélever d'impôts sur la transaction ; mais la Commission des opérations de Bourse, qui avait aussi l'œil sur l'affaire, déposa par la suite une plainte aux termes de laquelle Lazard aurait « exercé un certain contrôle » sur les actions Hartford, ce qui revenait à dire que la vente avait bien été « conditionnelle[34] ». L'affaire se termina par un « consent decree[35] ». Et il semblait que la Direction générale des impôts s'en tiendrait là ; mais l'opération Mediobanca comme d'autres opérations d'ITT contenait les germes de complications futures : trois ans après la conclusion de l'affaire, en avril 1973, la Direction géné-

34. Affaire Securities and Exchange Commission contre ITT, Mediobanca, Lazard, etc. Plainte déposée le 16 juin 1972.
35. Consent decree : décision du Tribunal jugeant en équité aux termes de laquelle le défendeur consent, sous certaines conditions, à renoncer à l'avenir aux pratiques qui lui sont reprochées.

rale des impôts rouvrit le dossier de l'exemption d'impôt ; la nouvelle eut pour effet de provoquer une baisse des actions d'ITT de quatre points et demi en deux séances de Bourse ; ce qui n'empêcha pas, entre-temps, la Direction de poursuivre son enquête sur d'autres aspects de la fusion Hartford, aidée en cela par le contenu de trente-quatre caisses de correspondance d'ITT que cette dernière avait dû livrer sur son assignation. Les enquêteurs de la Direction avaient eu vent « d'opérations entre initiés » (échanges de titres sur informations confidentielles recueillies à l'intérieur de la société) et portant sur les actions Hartford et ITT ; elles n'étaient pas seulement le fait de petits boursicoteurs mais d'importants cadres d'ITT qui s'étaient débarrassés de leurs titres d'ITT juste avant que ne soient publiés les termes de la transaction. Il apparut bientôt que les trente-quatre caisses contenaient des matériaux explosifs de tous genres.

Toutefois, c'est la transaction anti-trust qui, par sa nature même, et par le moment où elle intervint, se révéla contenir la plus explosive des bombes à retardement. Il apparut bientôt en effet que toute l'affaire cachait beaucoup plus qu'elle n'en laissait paraître.

# CHAPITRE VIII

## LA CONVENTION

> Partout en Amérique les Conventions sont toujours achetées par les milieux d'affaires et vous tous ici présents le savez bien.
> Le sénateur Roman Hruska aux auditions Kleindienst.

San Diego est une de ces cités dont l'avenir paraît encore brillant. Elle est située presque en bordure de la frontière mexicaine, à l'extrême sud-ouest de l'Etat de Californie ; face au Pacifique elle bénéficie d'un soleil immuable et il semble que les bruits d'une Amérique fiévreuse soient à peine perceptibles : même Los Angeles, à quelque cent cinquante kilomètres plus au nord, avec son ciel pollué et ses contestataires paraît appartenir à une autre planète. San Diego occupe un des plus admirables sites du monde, entre une vaste baie naturelle et une chaîne de hautes collines au-delà desquelles s'étend le désert. En voulant défier la nature les San Diegans ont profané le paysage. Ils ont scalpé le sommet des collines pour y construire des ensembles résidentiels, dragué le fond des anses pour en faire surgir des îles artificielles et installer des petits ports de plaisance ; ils ont lancé d'une île à l'autre un pont dont les superstructures incurvées évoquent l'image des montagnes russes et écrasent de leur masse les courbes naturelles du paysage. La ville s'étale, informe, le long de la côte en direction du sud jusqu'au Mexique et du nord jusqu'à mi-chemin de Los Angeles. Les autoroutes ont creusé des saignées au travers des collines et le filigrane du réseau côtier est parsemé de ces mangeoires « drive-in[1] », de stations-service et de parkings. L'aéroport rugit au centre de la ville et les avions rasent les toits des immeubles vétustes des anciens quartiers et de la gare de Santa Fe.

Et la ville contine de s'étendre. A l'encontre de ce qui se passe au nord de la Californie, elle possède encore des réserves de main-d'œuvre, et toute la place voulue pour accueillir les nouvelles industries qu'elle aimerait voir s'y installer. Elle a pris pour devise : « La cité qui bouge » et c'est aujourd'hui la troisième ville de Californie par la taille. Sa première cliente, la marine, a été suivie par l'aérospatiale, l'électronique, l'océanographie et maintenant le tourisme qui progresse d'année en année. Les hôtels y ont poussé comme des champignons : palaces le long du front de mer, motels plutôt minables au bord des routes, hôtels gratte-ciel qui ont l'air de se regarder en chiens de faïence autour de Hotel Circle. Avec son climat semi-tropical, ses longues plages, ses ports de plaisance et sa main-d'œuvre mexicaine à bon marché, San Diego est encore pour les transfuges frileux de l'Est la terre du rêve et du fantastique. En dépit de son développement industriel, San Diego semble vouée à la « dolce vita » ; ses habitants marchent et parlent comme des somnambules, le regard brouillé par la brillance du soleil et de la mer. On y est profondément conservateur. Les banlieues sont pleines de retraités, surtout d'anciens officiers de l'armée de terre et de la marine qui ont économisé afin de pouvoir un jour se détendre au soleil. Les jeunes générations sont bien trop occupées par le sport, les plaisirs de la plongée sous-marine et de la voile, pour penser à brandir l'étendard de la contestation ; cependant il s'amorça une fois un faible mouvement de protestation contre les massacreurs

1. Sorte de restaurant - parking où l'on vous apporte un plateau-repas à votre voiture.

du front de mer. La cité même, en dépit de ses dimensions, est dominée par une poignée de « grosses légumes » locales, tout comme s'il s'agissait d'une petite ville de province. C'est un de ces lieux où l'argent et le pouvoir politique sont censés marcher la main dans la main, où le journalisme et les relations publiques sont cousins germains. Les deux quotidiens locaux du matin et du soir appartiennent l'un et l'autre à un riche Républicain, James Copley, admirateur inconditionnel de Nixon, et dont les idées s'inscrivent dans le droit fil des principes républicains. Le roi non couronné des Républicains de San Diego a été depuis ces vingt dernières années le légendaire C. Arnholt Smith, qui a régné sur la cité par sa banque, la U.S. National, et par son conglomérat, Westgate-California ; l'extravagant monument élevé à sa gloire est son hôtel de luxe : le Westgate Plaza, scintillant gratte-ciel meublé de haut en bas en style Louis XIV : tapisseries, secrétaires, lustres, etc., fournis à la diligence de son épouse, décoratrice de son état. Arnholt Smith, un des bienfaiteurs des Républicains les plus connus pour sa munificence, avec, à son crédit, le million de dollars collecté par ses soins en 1968 pour Nixon, est souvent reçu par le Président.

San Diego est chasse gardée pour Nixon ; aux élections de 1968, la ville lui fournit un solide électorat républicain et Nixon l'appela « ma ville porte-bonheur ». San Diego est située dans l'Etat d'origine du Président, à cent cinquante kilomètres de la ville qu'il habitait, Whittier, qui n'était elle-même qu'à vingt minutes d'hélicoptère de la « Maison-Blanche de l'Ouest », retraite que Nixon avait achetée à San Clemente et où il aimait séjourner. Et les collaborateurs de Nixon entretenaient des liens étroits avec San Diego : Bob Finch avait été autrefois lieutenant-gouverneur[2] de Californie et Herb Klein,

2. N.d.T. Personnage élu susceptible de remplacer le gouverneur en cas d'absence, d'incapacité ou de décès.

l'assistant du Président pour l'information et ancien rédacteur en chef du journal *San Diego Union,* s'était montré un de ses loyaux supporters lors de ses premières campagnes.

Pour ce qui est des réalités politiques de San Diego, l'homme clé chez les Républicains est Bob Wilson, qui depuis vingt ans est l'élu de la circonscription à la Chambre des Représentants. Wilson est une figure connue à San Diego ; il jouit d'une bonne popularité dans sa ville et incarne assez bien l'optimisme un peu simplet qui y règne, cet optimisme qui trouve son expression dans la devise : « Va ton chemin et fais ton chemin. » Avec sa bonne tête poupine, son sourire à la fois timide et inquiet, il offre l'image même de l'innocence égarée. La politique mise à part, sa carrière n'a rien eu de spectaculaire : il a quitté l'école de bonne heure, s'est inscrit aux Beaux-Arts qu'il a abandonnés à leur tour pour se lancer dans la vente des « beurres œufs et fromages » ; renonçant aux produits laitiers, il est entré dans une affaire de publicité chez Norman Tolle, devenue depuis une entreprise prospère : l'agence Tolle, dont Wilson possède maintenant 6 pour cent des actions, et qui se charge des campagnes républicaines locales. Incorporé dans l'armée, il détesta tellement la vie de caserne qu'il se débrouilla pour que Tolle l'en fasse sortir[3], ce qui ne l'empêche pas d'être dans les meilleurs termes avec les militaires de San Diego. Il travaille dur à Washington pour enlever des contrats de fournitures de guerre au profit de sa ville, et siège à la Commission des Forces armées à Washington. Il était du côté des « faucons » pendant la guerre du Vietnam et fut pendant dix ans président du Comité national des Républicains membres du Congrès où il a fait preuve d'une étonnante aptitude

3. Voir Joseph John Trento, « Voice of San Diego », *The Nation,* 7 août 1972.

à collecter de l'argent pour les Républicains. Aux yeux des San Diegans il est l'homme qui, de retour de Washington, rapportait toujours dans ses bagages argent et emplois pour sa ville. C'était un des familiers du Président ; il ne lui suffisait pas d'aller le voir à l'occasion des petits déjeuners bi-mensuels où sont conviés les leaders des deux Chambres, mais il avait avec lui des conversations privées qui portaient, de toute évidence, sur la meilleure façon de récolter des fonds.

Dès le début des années 1960, Bob Wilson avait entretenu avec Harold Geneen les rapports les plus amicaux. Ils s'étaient vus pour la première fois à l'occasion d'un séminaire des cadres supérieurs d'ITT où Wilson avait été invité à prendre la parole. Les deux hommes aimaient la pêche. Wilson emmenait Geneen pêcher le thon au large des côtes mexicaines et Geneen invitait Wilson à la pêche aux truites dans le Maine. Ce faisant, ils parlaient affaires. ITT avait plusieurs usines en Californie, mais rien à San Diego, à part quelques filiales californiennes de compagnies comme Avis ou Wonder Bread (Pain Miracle). Wilson passait son temps à vanter à qui voulait l'entendre les avantages de San Diego. En 1969, Geneen voulut monter une usine pour construire le câble sous-marin destiné au Pacifique, au même titre que l'usine ITT de Londres devait fournir le câble atlantique. Wilson lui trouva un terrain d'environ dix-huit hectares sur la baie sud de San Diego et intervint auprès de ses amis de l'Autorité portuaire qui loua l'emplacement à ITT à des conditions des plus avantageuses. (Par la suite ITT eut à se plaindre de certains défauts du terrain qui avait été gagné sur la mer, et obtint une diminution de loyer de 400 000 dollars).

La même année, Bob Wilson entreprit également Geneen pour lui parler d'un hôtel-jardin de San Diego à l'enseigne de : « L'auberge de la Demi-Lune » (Half Moon Inn) et composé d'une rangée de petits chalets de style polynéso-californien. Rien n'y manquait pour en faire un lieu de délices, ni l'autobus Volkswagen au toit de chaume, ni la piscine disposée le long du petit port de plaisance et où se miraient les chalets et les palmiers dont le feuillage s'ornait d'oiseaux de paradis. Les propriétaires étaient en difficulté, disait Wilson, et Sheraton pourrait enlever l'affaire pour 3 millions de dollars ; elle ferait le plein d'un bout de l'année à l'autre, « c'était donné » ! Geneen commença à s'exciter et, à la grande surprise de Wilson, se saisit sur-le-champ du téléphone et, parlant à Bud James, le président de Sheraton, lui dit tout de go d'acheter l'affaire ; ce qu'il fit. (Au temps pour l'autonomie des filiales !) En dépit de ses charmes, il s'avéra à l'usage que l'auberge de la Demi-Lune n'était pas tout à fait le pactole dont avait parlé Wilson ; il s'en fallait de beaucoup qu'elle fût toujours pleine et Sheraton accusa sévèrement le coup. La société acheta un restaurant français tout à côté dénommé « l'Escale » mais rebaptisé « Ye ol'Port Royal » avec un antre de pirates où l'on servait des grogs au rhum et des Special Capitaine Achab dans un décor Yo-ho-Ho [4] ; les serveurs boucaniers veillaient sur des tables vides et l'antre ne couvrit pas ses frais.

Mais l'auberge de la Demi-Lune constituait une importante tête de pont pour le débarquement d'ITT à San Diego. Peu après cette première aventure, Wilson signala qu'un autre hôtel était à vendre : l'auberge Ramada près de l'aéroport ; l'établissement était situé sur l'île Harbor

4. N.d.T. Tous ces termes intraduisibles en français sont empruntés à deux romans d'aventures maritimes écrits au siècle dernier, l'un par Herman Melville : *Moby Dick*, auquel il a déjà été fait allusion dans un chapitre précédent ; l'autre par Robert Louis Stevenson : *L'Ile au Trésor* dont nous citons ici la célèbre chanson à boire :

> Quinze hommes sur la poitrine du cadavre
> Yo-ho-Ho et une bouteille de rhum ! buvons et
> que le diable fasse le reste...
> Yo-ho-Ho et une bouteille de rhum.

qui dominait la baie. Geneen s'en rendit également acquéreur et s'empressa de le rebaptiser « auberge Sheraton-aéroport », avec un grand S planté au-dessus du toit ; comme l'Autorité portuaire mettait aux enchères un autre emplacement de tout premier ordre qui jouxtait l'auberge, Geneen voulut l'acheter aussi et l'affaire lui fut adjugée. Le nouvel hôtel de l'île Harbor fut vite désigné comme devant être la « perle de la couronne » de toute la chaîne Sheraton, et l'un des rares nouveaux hôtels qui soit à la fois possédé et géré par la compagnie : avec ses sept cents chambres le devis atteignait 20 millions de dollars. On vit très bientôt s'élever de l'île nue une énorme armature alvéolée évoquant la forme d'un paravent aux panneaux à demi déployés, et qui dominait la perspective de l'aéroport. Là encore, ITT souffrit des délais et eut des difficultés avec le terrain, mais grâce aux bons offices de Bob Wilson qui mena rondement l'affaire, la société obtint une réduction de loyer de cinquante mille dollars.

Il fallut à peine trois ans à ITT pour devenir un des principaux éléments d'activité de San Diego, avec une usine de câbles et trois hôtels d'une capacité totale d'un millier de chambres. On parlait même de transférer de Boston à San Diego le quartier général de Sheraton. Geneen maintenant, dans un climat de confortable alliance, était devenu l'intime de Bob Wilson. L'agence de publicité Tolle, dont Wilson était actionnaire, s'était vu confier le budget des filiales ITT, en même temps que celui de l'Autorité portuaire jusqu'au jour où l'un des commissaires de celle-ci protesta contre l'incompatibilité existant entre les intérêts de Sheraton et ceux de l'Autorité. Wilson était « l'arrangeur » idéal et l'homme des contacts ; d'ailleurs, pour la plupart des San Diegans, il n'y avait rien à redire à cela.

Mais pour le petit clan des Démocrates de San Diego l'amitié qui unissait Geneen à Wilson avait de quoi éveiller les pires soupçons ; dans le passé, Geneen avait apporté sa contribution financière aux deux partis, mais depuis 1968 il n'avait aidé que les seuls Républicains (jusqu'à 10 000 dollars par an[5]).

Cette alliance apparaissait particulièrement maléfique aux yeux du président de la section démocrate de la Californie du Sud : Larry Lawrence ; il faut dire qu'il cumulait les vocations de Démocrate et d'hôtelier. Lawrence est un financier d'allure mystérieuse qui fait penser à une vedette de cinéma ; il était devenu propriétaire du plus vieux et du plus important hôtel de San Diego, l'Hôtel del Coronado : un édifice fantastique coiffé de tourelles dans le style victorien-tropical, et qui empruntait sa splendeur à ses dimensions mêmes. (On peut y voir un bar « prince de Galles » qui revendique une place spéciale dans l'histoire britannique : n'est-ce-pas là en effet que le jeune prince de Galles (futur Edouard VIII) rencontra pour la première fois Wallis Simpson[6] ?) Lawrence considérait l'invasion de Sheraton et les visites de Geneen à San Diego comme une menace dirigée à la fois contre son hôtel et contre les Démocrates ; à ses yeux, ITT s'employait à resserrer les liens déjà étroits entre les Républicains et les grandes puissances d'argent. Par ailleurs, d'autres Démocrates comme lui soupçonnaient que Geneen avait une idée derrière la tête qui allait beaucoup plus loin que l'hôtellerie ; comme me l'expliqua l'un d'eux : « En matière de politique Geneen pouvait voir d'où venait le vent. » Bob Wilson était le commis voyageur officiel du parti ; avec plus d'un tour républicain dans son sac, c'était juste l'homme dont Geneen avait besoin pour connaître le secret du bonheur : « Avoir la bride sur le cou. »

5. *Kleindienst Hearings*, vol. II, p. 671.
6. Qui deviendra sa femme, sous le nom de duchesse de Windsor.

## LA CONVENTION

Tandis qu'au début de 1971 le dernier-né des hôtels d'ITT s'élevait étage par étage, le Comité national républicain hésitait sur le choix d'une ville où tenir, l'été 1972, la convention de leur parti qui devait précéder l'élection du Président. Comme ces affaires de conventions se traitent par adjudications, le Comité avait invité plusieurs villes à soumissionner. On s'était adressé à des centres habitués à pareilles entreprises, tels que Chicago et Miami, mais également, et c'est là qu'était la surprise, à San Diego. Toutefois la ville n'avait manifesté qu'un enthousiasme relatif devant cette éventualité et s'était abstenue de formuler une offre. De toute évidence, ce n'était pas l'endroit idéal pour y accueillir une convention. Les infrastructures de la ville avaient pris du retard sur son expansion et en dépit du grand boom hôtelier, sa capacité d'hébergement demeurait insuffisante. Il faut savoir que la convention d'un parti doit pourvoir au logement et à l'entretien de 2 692 délégués et suppléants, sans compter toute une armée de supporters ; le comité républicain mettait l'accent sur la nécessité de disposer de 18 000 chambres d'hôtel de premier ordre y compris 1 000 suites, soit l'équivalent de 36 hôtels de la capacité du Savoy à Londres. Il faut en outre à une convention assez de taxis, de restaurants, d'agents de police pour faire face à cette soudaine invasion, sans parler d'une très vaste salle de séance pour les débats.

Il n'y avait rien de commun entre San Diego et Miami ou Chicago. La ville même ne comportait que 13 000 chambres d'hôtels qui n'étaient pas groupés dans le même quartier comme à Miami, mais s'égrenaient tout au long de la côte. Pourvoir au logement de 18 000 délégués revenait à les envoyer jusqu'à Oceanside à cinquante kilomètres plus au nord ou au-delà de la frontière mexicaine au sud, dans la ville douteuse de Tijuana. Ajoutons qu'à San Diego (contrairement à Miami) c'est en août que la saison bat son plein et que les hôtels y sont occupés à quatre-vingt dix pour cent. La convention n'aurait donc pas pour effet de remplir des chambres qui autrement seraient restées vacantes mais de bouter hors les touristes. De plus le parc de taxis était insuffisant et il aurait fallu en faire venir d'ailleurs ; enfin le seul bâtiment assez vaste pour y abriter la convention elle-même était le parc des sports, sinistre bloc de béton (évocateur des bunkers de triste mémoire) situé à des kilomètres des principaux hôtels. Il était la propriété d'un Canadien millionnaire et excentrique, Peter Graham, qui faisait la navette entre Vancouver et San Diego et n'avait pas la réputation d'être commode en affaires.

Mais le pire était que les commerçants et hôteliers de San Diego ne semblaient pas chauds du tout pour accueillir une convention politique. Depuis qu'en 1968 les hippies et les yippies avaient opéré une descente en masse sur Chicago pour en faire un camp retranché, les autres villes étaient beaucoup moins empressées à recevoir des conventions. Le maire de San Diego, Frank Curran, un Démocrate, disait des délégués des conventions qu'ils n'étaient qu'un tas de « sacs en papier marron », allusion à ce qui s'était passé à San Francisco en 1964 : de nombreux délégués à la convention avaient apporté leurs pique-niques dans des sacs en papier de pareille couleur ; qu'avaient-ils à passer tout leur temps à s'assembler, à discuter, à regarder la télévision le soir, au lieu d'aller manger et boire dans les restaurants, ce qui aurait fait marcher le commerce ? D'ici que la ville ait fini de payer les frais supplémentaires qu'entraînerait le renforcement des effectifs de police et des services de toutes sortes, les contribuables pourraient bien en être de leur poche. Une opposition plus catégorique encore émanait d'un groupe appelé « pour un plus petit San Diego » qui craignait qu'une convention n'attire encore plus de résidents dont le nombre contribuerait à dégrader l'environnement et à faire augmenter les taxes. Sans compter qu'il faudrait encore payer pour accueillir la convention. Les deux partis antagonistes exigeaient une garantie en espèces de 800 000 dollars en échange des retombées bénéfiques, tant commerciales que publicitaires, qui résulteraient de leur présence dans la ville. Ce genre de transaction qui consiste à « acheter » les conventions a souvent été attaqué comme une forme détournée de corruption politique. La loi fédérale contre les pratiques de la corruption stipule expressément que : « Il est illégal pour toute banque fonctionnant sous le contrôle de l'Etat ou pour toute société créée en vertu des lois en vigueur de fournir une contribution ou de participer à une dépense quelconque qui se rapporterait de près ou de loin à toute élection à un poste officiel, toute élection primaire ou toute convention politique... » Ce qui n'empêche pas que l'un et l'autre parti estiment que les villes choisies pour y tenir leur convention constituent pour eux une source utile de fonds. Ils tournent la loi en demandant aux diverses sociétés ou entreprises de souscrire non en faveur de leur parti mais à un fonds spécial destiné à couvrir les frais de la convention ; et les sociétés qui exercent leurs activités dans la ville choisie justifient leur souscription en invoquant les avantages que constitue la présence d'une convention pour les affaires locales.

Mais il s'en fallait de beaucoup que les San Diegans soient convaincus que la présence de la convention stimulerait les affaires locales ou que le jeu vaudrait une chandelle de 800 000 dollars.

Alors, devant une telle apathie, pourquoi les Républicains tenaient-ils tant à San Diego ? La réponse ne pouvait tenir qu'en un mot : Nixon. C'était un endroit où il se sentait en sécurité : on y était entre amis. Il lui était facile d'y venir d'un coup d'aile depuis son havre de paix de San Clemente. Son patriotisme de clocher lui serait d'un grand secours pour enlever les quarante-cinq votes importants des grands électeurs californiens. Et si Nixon avait jeté son dévolu sur San Diego, il était difficile au parti de le lui refuser.

Dans les premiers jours de mai 1971 il semblait que la ville soit hors de la course. La date officielle de clôture des soumissions était déjà passée et le bruit courait que les Républicains hésitaient entre San Francisco, Miami, Chicago et Houston. Mais vers le milieu de mai certains signes apparurent, indiquant que de nouvelles pressions s'exerçaient sur la ville pour l'obliger à faire une offre de dernière minute. On avait aperçu dans les rues un certain nombre de personnalités de la Maison-Blanche, dont Bob Finch, Dwight Chapin et William Timmons ; en outre le vice-président du Comité d'Etat du parti républicain, Gordon Luce, proche collaborateur de Nixon, se mit soudainement à presser San Diego de faire valoir ses droits de toute urgence. Le 3 juin, le bruit courut que le Comité chargé de choisir le lieu de la convention, avec à sa tête le président du parti, Bob Dole, viendrait sur place pour se rendre compte si San Diego était un choix possible. Le lieutenant-gouverneur de Californie, Ed Reinecke, révéla qu'il avait eu des conversations avec la Maison-Blanche et avec Bob Dole au sujet de San Diego, et le secrétaire général de la mairie, Walter Hahn, expliqua que le conseil ferait une offre « pour la forme ». On disait que les Républicains étaient maintenant moins intransigeants dans leurs demandes et pourraient se contenter de 12 500 chambres d'hôtel.

Et au cours des quatre derniers mois l'attention du personnel de l'auberge de la Demi-Lune avait été éveillée par un nouveau et mystérieux client dont la présence s'accompagnait d'un tohu-bohu peu habituel dans ce cadre de « mers du sud » : il s'agissait en l'occurrence d'une femme solidement charpentée, aux allures des plus cordiales, et dont la voix de stentor était au service d'un truculent répertoire d'argot et de synonymes du mot français de cinq lettres immortalisé par Cambronne. Elle y fit plusieurs séjours, tantôt seule, tantôt accompagnée de sa fille ; elle organisait souvent des « parties » dans sa chambre auxquelles assistaient parfois Bob Wilson et autres hommes politiques du cru. On y buvait beaucoup et souvent jusqu'au petit jour ; une fois, chose incroyable, on l'aperçut tard dans la nuit barbotant dans la piscine. Le personnel de l'établissement ne fut pas long à se rendre compte que Dita Beard, car tel était son nom, n'était pas un membre de l'état-major ITT comme les autres mais plutôt une ambassadrice d'un genre assez particulier. En dépit de son comportement inhabituel, on devait reconnaître que la dame avait de hautes relations et que ses manières autoritaires étaient plutôt celles d'un homme. Le bruit courut bientôt qu'elle était le chef des groupes de pression de la compagnie géante. Tous n'étaient pas dans le secret et il y eut un moment d'embarras lorsqu'un soir, ayant été arrêtée sur la route avec un taux d'alcoolémie excessif, elle avait dépêché sa fille avec un chèque signé d'elle à la caisse de l'hôtel, ayant besoin d'espèces sonnantes pour payer sa caution ; mais la jeune préposée, derrière son bureau, ne sachant pas à qui elle avait affaire refusa de l'honorer.

Officiellement, le rôle de Mme Beard consistait à obtenir des commandes de fournitures de guerre pour la nouvelle usine de câbles, ce qui exigeait toute la diligence des groupes de pression : comme elle l'expliquait dans une note (dévoilée un an plus tard), « notre nouveau service exige non seulement des contacts permanents avec le Département de la Défense pour des fournitures de câbles selon un programme ultra-secret, mais également avec des membres du Congrès de la région sans oublier le gouverneur et ses collaborateurs ». Il n'est pas douteux qu'elle savait s'y prendre avec ces messieurs du Congrès. Outre qu'elle était très intime avec Bob Wilson, elle s'était liée d'amitié avec un autre Représentant de la circonscription de San Diego, le Démocrate Lionel Van Deerlin. Il advint que ce dernier conçut un jour le projet de prendre ses premières vacances en Europe avec ses six enfants et sa belle-fille ; il en fit part à Dita Beard qui aussitôt s'arrangea pour lui faire louer une fourgonnette camping Fiat en Europe, grâce à une carte de crédit d'Avis.

Quand Van Deerlin revint de vacances, Mme Beard refusa tout net de le laisser rembourser les six cents dollars de la location, et de guerre lasse Van Deerlin finit par ne plus insister. Selon la version qu'il donna plus tard de l'affaire au *San Diego Union* : « C'était un de ces cas où l'on se demande jusqu'où il faut exiger. Maintenant que j'y repense, je vois que j'ai commis une erreur. Ne vous attendez pas à ce que je prétende avoir fait preuve de beaucoup de jugeotte en n'insistant pas pour payer[7]. »

Ce fut seulement plus tard qu'apparut au grand jour la gamme complète des activités de Mme Beard. Mais déjà quelques citoyens de San Diego se doutaient que l'hospitalité que prodiguait Mme Beard avait des motifs autrement profonds que les câbles, et qu'elle n'était pas sans rapport avec les perspectives de la convention.

Bientôt l'intérêt que portait ITT à San Diego devint encore plus évident. En mai 1971, tandis que les avocats d'ITT à Washington discutaient des termes de la transaction anti-trust et que McLaren maintenait sa ferme opposition à la fusion Hartford, Geneen et ses administrateurs arrivèrent en force pour leur assemblée générale annuelle. La société avait coutume de tenir ses assemblées annuelles chaque fois dans un Etat différent, peut-

7. *San Diego Union,* 28 avril 1972.

être pour échapper aux perturbateurs, peut-être aussi pour se faire connaître des différentes communautés. Cette année-là, l'assemblée eut lieu à San Diego sous un lustre du Westgate Plaza, l'hôtel Louis XIV d'Arnholt Smith. Geneen prenant la parole rendit hommage à l'Etat d'Or[8], « un heureux foyer pour ITT », exposa toutes les réussites de sa société et critiqua la politique anti-trust du gouvernement dans le contexte actuel de compétition internationale : « Nous allons avoir à livrer un match assez dur sans que, par-dessus le marché, l'arbitre vienne nous pénaliser pour la soi-disant violation d'un règlement qui n'existe que pour nous. »

Le même soir, Dita Beard avait organisé un dîner en plein air sur les pelouses de l'auberge de la Demi-Lune entre les palmiers et les chalets polynésiens. Cette soirée réunissait près de soixante-dix convives parmi lesquels les administrateurs d'ITT, Bud James, le président de Sheraton, Bob Wilson et bien entendu Dita Beard. Bob Wilson, qui bavardait avec Geneen au sujet des hôtels, s'interrompit pour lui dire qu'il avait eu le matin même à San Diego une conversation avec l'assistant du Président, Bob Finch, qui lui avait laissé entendre que San Diego avait encore une chance d'enlever la convention si la ville pouvait réunir huit cent mille dollars. Geneen lui répondit : « Alors, allez-y, pourquoi pas ? » Et il en parla à Bud James. Puis, selon ce que rapporta Wilson, il dit : « Voyons, commencez par regarder autour de vous et si vous trouvez une aide sur place, je me porterai garant jusqu'à quatre cent mille dollars sur les huit cent mille auquel se monte l'engagement exigé[9]. » Il y eut par

8. N.d.T. Surnom traditionnel de la Californie.

9. *Kleindienst Hearings* (réponses à Robert Cox), vol. III, p. 876. Même ouvrage (vol. II, p. 756). Dita Beard se targua aussi d'avoir averti Geneen que la convention avait une chance de se tenir à San Diego. Selon son témoignage, Geneen aurait dit à Bud James : « Cela paraît tout naturel, Bud, avec ce nouvel hôtel. Certainement il devrait y avoir quelque chose à faire avec le Bureau de la convention. »

la suite toute une discussion à propos du montant exact de la somme promise et de la nature de la garantie ; Geneen affirma qu'il n'avait promis que 100 000 ou au besoin 200 000 dollars si les autres parvenaient à réunir une somme égale. Mais Bob Wilson ne cessa jamais de prétendre que les 400 000 dollars constituaient une garantie ferme. Il était convaincu qu'il n'en aurait pas besoin et que les autres hôtels lui fourniraient l'argent ; mais ce ne serait qu'un appeau pour les autres : « C'était comme l'histoire du type qui avait demandé à J.P. Morgan de lui avancer 100 000 dollars. J.P. Morgan lui dit : « Non, mais je vais vous passer le bras autour du cou pour traverser la corbeille de la Bourse [10]. »

Pourtant quatre cent mille dollars apparaissaient comme une assez piètre somme eu égard au chiffre d'affaires mondial d'ITT ou aux cinquante millions de dollars dépensés par les Républicains pour l'élection ; alors, pourquoi tant d'histoires ? C'est que, dans le contexte de la loi et des restrictions imposées à l'aide aux conventions, une telle somme n'était pas facile à réunir et la plupart des sociétés se méfiaient en l'occurrence des suites fâcheuses que pouvaient entraîner leurs cadeaux. Voilà qu'une fois de plus ITT pouvait tirer profit du caractère ambivalent des conglomérats. Loin de s'afficher maintenant comme une énorme chaîne de sociétés à direction centralisée, elle se présentait comme un petit Sheraton provincial qui, répétait-elle, avait très peu à voir avec ITT ; et, dans ces conditions, en vertu de quel principe interdirait-on aux hôtels de la ville d'avancer de l'argent pour avoir une convention chez eux ? Mais qu'il soit question de Sheraton ou d'ITT, qu'il s'agît d'un soutien, d'une caution ou d'une garantie, la signification essentielle de l'offre de Geneen ne changeait pas pour autant. Au moment même où ses avocats à Washington s'efforçaient

10. *Ibid.*, p. 890.

de négocier, « au corps à corps », un règlement avec la section anti-trust, il s'employait à fournir au parti républicain et à Nixon ce qui leur tenait le plus à cœur : la garantie matérielle que leur convention pourrait se tenir à San Diego. Mais saura-t-on jamais exactement ce qui passa par la tête de Geneen au cours de cette chaude soirée à l'auberge de la Demi-Lune ? Pensait-il qu'il s'agissait purement et simplement d'un investissement publicitaire destiné à faire connaître Sheraton sans aucun risque de rebondissement politique ? Ou s'imaginait-il que cette initiative faisait partie de « l'inexorable pression » qu'il maintenait pour conserver la compagnie Hartford, et qui viendrait renforcer ses campagnes menées au Connecticut et à Washington ? Ou était-il, comme ses propos du matin pouvaient le laisser croire, si préoccupé de la question anti-trust qu'il faisait flèche de tout bois ? Pensait-il que la meilleure solution était d'aller directement au sommet chez le Président pour mettre les choses au point, comme n'aurait pas manqué de le faire J.P. Morgan ? Y avait-il eu beaucoup plus que cette conversation à bâtons rompus avec Bob Wilson ? Les positions avaient-elles été nettement arrêtées avant même qu'intervienne l'offre ? Sans doute ne saura-t-on jamais le fin mot de l'histoire. Mais ce qui d'ores et déjà apparaît clairement, c'est que Geneen, avec sa naïveté politique habituelle, ne comprit pas sur le moment ni plus tard ce que son offre contenait d'explosif ; c'est qu'il ne se rendit pas compte ou ne voulut pas se rendre compte que, dans le contexte des événements et dans le moment où ils se produisaient, ce qu'il offrait à Nixon pouvait passer pour une tentative de corruption.

## UNE FOIS DE PLUS SHERATON CRÉE L'ÉVÉNEMENT

Après la garden-party de l'auberge de la Demi-Lune, le secret de la promesse faite par Geneen fut sévèrement gardé ; mais Bob Wilson n'eut rien de plus pressé que de se précipiter chez les autres hôteliers et commerçants, aidé en cela par le lieutenant-gouverneur Reinecke et le président de la section locale du parti républicain, Gordon Luce, pour essayer de récolter le solde des fonds nécessaires. Quinze jours plus tard, le 3 juin, Bob Wilson alla raconter au *San Diego Union* qu'il avait reçu une caution de 400 000 dollars et que les 400 000 autres dollars ne posaient pas de problème, de sorte que la ville pouvait soumissionner pour la convention ; mais il ne souffla mot sur l'origine de la caution. Le conseil municipal n'était toujours pas chaud pour accueillir la convention. Curran, le maire de la ville, se plaignait d'avoir été tenu à l'écart des discussions et le conseiller municipal Landt dit que c'était un secret de polichinelle pour tout le monde sauf pour le conseil. Mais, le 30 juin, les édiles finirent par se mettre d'accord pour participer à la soumission jusqu'à concurrence de 600 000 dollars (à prélever sur les taxes de séjour) et deux jours plus tard le comité républicain recevait une offre formelle de 1 500 000 dollars. La majeure partie de cette somme serait payée sous forme de services, mais sur les 600 000 dollars promis en numéraire, 400 000 provenaient de la source mystérieuse de Bob Wilson.

Dans les six semaines qui suivirent, le comité municipal chargé de la convention se débrouilla pour s'assurer en douceur la caution de commerçants et hommes d'affaires de la ville, de sorte que Bob Wilson put appeler Bud James au Sheraton pour l'informer que le Bureau de la convention se contenterait d'une garantie de 200 000 dollars. Bud James rédigea donc un télégramme en termes mûrement pesés à l'intention du Bureau de la convention de San Diego, aux soins de Bob Wilson à Washington, dans lequel il expliquait sans ambages les intérêts hôteliers de Sheraton à San Diego et prenait l'engagement ferme d'apporter 200 000 dollars : « En considération du fait que le Sheraton Harbor Island Hotel serait désigné nommément comme abritant le quartier général présidentiel. » En fait le marché apparaissait maintenant sans équivoque : on fournit l'argent, vous fournissez le président.

Le 23 juillet, deux jours après l'envoi du télégramme en question, le comité national républicain se réunit enfin à Denver pour décider de la ville où se tiendrait la convention ; parmi les personnalités présentes, on pouvait remarquer Dita Beard, passablement surexcitée et Bob Wilson qui brandissait le télégramme. Miami n'avait pas abandonné la lutte ; le président de la section républicaine de Floride, L.E. Thomas, lança un avertissement au comité pour le prévenir qu'il y avait en Californie plus de « cinglés à deux pattes » au centimètre carré que partout ailleurs dans le monde. Mais la Maison-Blanche faisait clairement savoir que ses préférences allaient à San Diego : Herb Klein n'hésitait pas à arborer à sa boutonnière l'insigne de cette ville et à la dernière minute le président Nixon appela Denver pour parler à Bob Dole, le président du parti. En fin de compte le comité se prononça par 119 voix contre 12 en faveur de San Diego. C'était une remarquable victoire pour la prérogative présidentielle.

Une apathie quasi générale continuait cependant de s'étendre sur San Diego ; et les Démocrates de commenter : « Cette convention semble exciter tout le monde sauf les habitants. » De jeunes contestataires menaçaient de venir en masse envahir la ville et un résident se plaignait en ces termes : « La ville en mouvement sera bientôt la ville du carnage. » Mais les préparatifs allaient bon train. On fit des plans pour construire à côté du parc des sports un building à air conditionné pour y accueillir les journalistes ; on parla même d'amarrer au quai qui longeait l'hôtel du quartier général un luxueux paquebot de 450 chambres. On projetait de constituer un corps de centaines de volontaires pour recevoir les délégués à leur descente d'avion en une espèce de « massif programme d'accueil » ; et Arnholt Smith aiderait à suppléer au manque de voitures en faisant venir une partie de ses taxis jaunes de Los Angeles et de San Francisco.

Cependant l'origine de la première garantie de 400 000 dollars demeurait mystérieuse ; mais des rumeurs circulaient à San Diego comme quoi ITT et le nouvel hôtel Sheraton qui commençait de s'élever devant le front de mer n'étaient peut-être pas étrangers à l'affaire. Enfin, le 5 août, Bob Wilson abattit ses cartes. Les 400 000 dollars d'origine, disait-il, avaient été entièrement garantis par ITT-Sheraton. Il n'avait pas voulu ébruiter la chose, expliqua-t-il, parce que la société Sheraton possédait également à Miami des hôtels qui auraient peut-être trouvé saumâtre que leur compagnie ait partie liée avec San Diego. En tout cas, ajoutait-il, les 400 000 dollars ne constituaient qu'une garantie provisoire, le temps pour les hommes d'affaires de la ville d'apporter leur contribution. Le même jour, le Harbor Island Hotel signa un chèque de 100 000 dollars à l'ordre du Bureau de la convention. Ce chèque fut endossé et déposé à la banque dès le lendemain [11].

Il était très possible de faire valoir, et Bob Wilson comme Geneen ne se privèrent pas de l'affirmer plus tard avec insistance, que l'opération avait constitué un habile placement en faveur d'une entreprise strictement locale et qui n'avait rien à voir avec la politique. On mettait l'ac-

11. ITT publia une photocopie de ce chèque, le 19 mars 1972.

cent sur le fait que la caution venait de Sheraton et non d'ITT ; Wilson persistait à déclarer qu'il avait arrêté les termes de la transaction avec Bud James, directeur de Sheraton, et non avec Geneen ; il alla même jusqu'à nier qu'il en ait jamais discuté avec ce dernier bien que (on en eut la révélation plus tard) il ait rencontré Geneen en mai, juin et juillet [12]. Sheraton avait toujours prévu d'importants budgets de lancement pour ses nouveaux hôtels : pour le Sheraton Waikiki, récemment inauguré à Honolulu, la compagnie avait dépensé 250 000 dollars, pour chcun des Sheraton de Copenhague et de Stockholm, 100 000 dollars. La présence du Président au nouvel hôtel, dont le mérite revenait aux négociations de Wilson, constituerait une irremplaçable publicité grâce aux chaînes de télévision qui, d'une côte à l'autre de l'Amérique, feraient apparaître sur tous les écrans le nom de Sheraton. (Geneen calcula plus tard que pareille publicité pouvait valoir 1 million de dollars [13].)

Le bruit qu'il existait une sorte d'accord entre la Maison-Blanche et ITT était parvenu aux oreilles de quelques San Diegans. Un représentant d'une agence de publicité locale, Jack Canaan, qui comptait parmi ses clients une entreprise chargée de la construction, bavardait avec l'un de ses directeurs sur le chantier de l'hôtel quand ce dernier lui dit : « A l'endroit même où vous êtes, il y aura la piaule du Président. »

« Quel Président ? »

« Le président Nixon. C'est ici qu'il va descendre. Ça a été tout combiné d'avance avec cette nana des relations publiques de Washington. »

Canaan fut stupéfait de l'audace de ce marché, ce qui lui inspira ce commentaire : « Ils n'auront pas besoin

12. *Kennedy Report*, p. 87.
13. *Kleindienst Hearings*, vol. I, p. 657.

de lampes à arc, de relations publiques ou de conférences de presse : ils ont loué le Président à la place ! »

De toute évidence, c'était une bonne opération pour Sheraton. Mais si l'on devait appliquer au pied de la lettre les dispositions de la loi fédérale sur la corruption, c'était friser de très près le danger. Huit ans plus tôt, les Démocrates avaient essuyé un feu nourri de critiques pour avoir organisé une campagne de propagande en faveur du programme de leur convention, en demandant à certaines sociétés de souscrire des contrats de publicité à 15 000 dollars la page, en leur laissant espérer que par ce biais elles pourraient s'insinuer dans les bonnes grâces du parti dirigeant. L'engagement d'ITT avait un caractère autrement spectaculaire : on disait que c'était la plus grosse caution jamais offerte par une société en faveur d'une convention ; elle dépassait de vingt fois tout autre engagement contracté par des particuliers ou des sociétés de San Diego. Bob Wilson et Leon Parma, le président du comité de la convention, protestèrent que le fait de garantir un risque était tout différent et qu'ITT (comme ils le révélèrent plus tard) avait consulté ses conseillers juridiques avant d'agir. Au cours d'une interview, Parma s'expliqua ainsi : « Il n'y a aucun moyen d'apporter ce genre de contribution en numéraire. La loi est formelle. » Mais au cours de cette même interview il ajouta : « Si on le leur demandait, ils nous signeraient un chèque d'un même montant n'importe quand. »

Toutefois, ce qu'il y avait de plus frappant, c'était la rencontre des événements dans le temps : en effet, le 30 juillet 1971, soit neuf jours après l'envoi du télégramme de Bud James à Bob Wilson, on annonçait la transaction qui mettait fin aux poursuites anti-trust contre ITT.

# CHAPITRE IX

## DU COTÉ DU LOBBY

« Je n'écris jamais rien. Si c'est vraiment important, il n'en est pas question et si ça ne l'est pas, alors à quoi bon ? »

Dita Beard, 1972.

Les journalistes ne furent pas longs à flairer quelque chose de louche dans la coïncidence entre le règlement mettant fin à l'action anti-trust contre ITT et la caution fournie par cette société en faveur de la convention de San Diego ; leurs précédents contacts avec ITT à l'occasion des affaires ABC et Hartford avaient déjà semé en leur esprit quelques germes de méfiance. Ce fut juste avant l'annonce de cette transaction qu'apparurent les premiers indices qui devaient les mettre sur la piste. Richard Dudman, correspondant particulier du *St-Louis Post-Dispatch* à Washington, était en rapport avec des fonctionnaires du Département de la Justice et de la Commission des Opérations de Bourse où le règlement en question avait éveillé des soupçons ; en outre le hasard lui avait permis de surprendre les paroles d'un représentant d'ITT qui dînait au restaurant « Jean-Pierre » de Washington, donnant à penser qu'il se mijotait quelque chose. C'est encore fortuitement qu'il avait rencontré un jour un de ses proches voisins, Henry Sailer, le conseil juridique d'ITT chez Covington & Burling : Dudman lui avait demandé en passant : « Est-il exact qu'ITT soit sur le point d'accepter une transaction ? » Un éclair dans les yeux, Sailer lui répondit : « Pas un mot de vrai là-dedans ». Comme l'expliqua Dudman après coup : « Je ne me rendais pas compte de tout ce que je savais. » Dudman écrivit un article où, rassemblant différents indices, il émettait l'idée que Bob Wilson et Felix Rohatyn avaient bien pu intervenir dans le règlement.

Ce fut Reuben Robertson qui formula les premières allégations précises deux mois plus tard ; il fouinait furieusement un peu partout pour découvrir ce que cachait la fusion Hartford. Le 21 septembre, il écrivit une lettre à Kleindienst, l'Attorney General adjoint [1], où il s'élevait avec force détails contre la transaction ; il se plaignait du secret dont on l'avait entourée et terminait en posant une question : quelles sortes de lien existait-il entre le règlement et le soutien offert par ITT à la Convention républicaine ? Par retour Robertson reçut une note brève qui n'était pas signée de Kleindienst mais de McLaren, et qui répondait à sa dernière question par ces mots : « Il n'existe pas le moindre rapport entre la transaction arbitrale ITT-Hartford et un appui financier quelconque qu'ITT aurait pu offrir à la ville de San Diego. »

Deux mois plus tard, le 28 novembre, un journaliste jeune et consciencieux, Bob Walters, correspondant du *Washington Evening Star* et qui avait été en rapport avec Robertson, se trouvait alors en vacances à San Diego. Il rencontra Larry Lawrence de l'hôtel del Coronado qui lui fit part de ses soupçons au sujet des rapports existant entre la transaction et la Convention ; et Walters se mit en devoir d'écrire un long article où il mentionnait les soupçons de Lawrence et racontait tout au long l'histoire de la caution de 400 000 dollars.

1. N.d.T. Vice-ministre de la Justice.

En décembre, Larry O'Brien, président national du parti démocrate, prit l'affaire en main. Il écrivit à l'Attorney General, John Mitchell, pour lui demander s'il pouvait dissiper toute équivoque concernant un rapport éventuel « entre les soudaines largesses d'ITT en faveur du parti républicain et la conclusion quasi simultanée du règlement extra-judiciaire mettant fin aux plus graves poursuites anti-trust de toute l'histoire des sociétés ». O'Brien reçut une réponse le jour même, non de Mitchell mais de son adjoint Kleindienst, où il lui était expliqué que Mitchell s'était toujours refusé à intervenir dans toutes les affaires touchant à ITT parce que son ancien cabinet juridique avait travaillé pour cette société. Kleindienst poursuivait en protestant qu'il n'avait pas connaissance d'une telle caution offerte par ITT et concluait : « Le règlement intervenu entre le Département de la Justice et ITT a été l'œuvre exclusive de l'Attorney General adjoint, Richard McLaren, qui a seul mené les négociations. »

Ce n'est qu'à dater de ce moment que l'affaire de la caution parvint aux oreilles d'un public plus vaste et de certains administrateurs d'ITT : et parmi ceux que la nouvelle surprit, il faut citer Felix Rohatyn qui avait participé à la négociation et que cette révélation embarrassait ; et la moindre cause de cet embarras n'était pas que le hasard ait voulu que le jour même il organisât une soirée en vue de récolter des fonds pour le sénateur Muskie et que Harold Geneen figurât parmi les invités. Quand Rohatyn lui demanda pourquoi la compagnie avait accordé cette caution, Geneen lui affirma qu'il n'existait pas le moindre rapport entre la caution et la transaction, que cela avait été une façon comme une autre de faire de la publicité pour l'hôtel Sheraton de San Diego[2].

2. *Kleindienst Hearings,* vol. II, p. 165.

On se perd encore en conjectures sur les motifs qui poussèrent Kleindienst à faire cette déclaration à la fois inutile et, comme on l'apprit plus tard, fausse. Mais entre-temps, les choses en restèrent là. A tous ceux qui critiquaient cette transaction il manquait une pièce au puzzle : une preuve irréfutable émanant d'ITT elle-même. Ce ne fut que deux mois plus tard qu'un document aussi curieux qu'inattendu transforma les soupçons en un scandale national.

En février 1972, la pièce en question, au même titre que d'autres documents accusateurs, arriva au bureau de Washington de l'éditorialiste Jack Anderson et devint du même coup une bombe de forte puissance explosive. Il faut dire qu'Anderson était le roi des « remueurs de boue [3] » ; il venait à peine de terminer la publication des *Anderson Papers* [4] où il révélait l'appui fourni par Nixon au Pakistan au cours de la guerre indo-pakistanaise. C'est une espèce de Jupiter grondant et tonnant, mi-démagogue, mi-prédicateur. Elevé à Salt Lake City, il fut pendant un temps missionnaire mormon ; dans sa maison du Maryland, où il vit entouré de sa femme et de ses neuf enfants, les seuls livres qui occupent les rayons de sa bibliothèque sont la Bible et *The Mormon Story* [5]. Mais son zèle évangélique est fortement teinté d'astuce politique. Il travailla pendant des années avec Drew Pearson, vieux routier de la chasse aux scandales. Ce sont les co-auteurs du livre intitulé : *The Case Against Congress : A Compelling Indictment of Corruption on*

3. N.d.T. Nous avons retenu ce terme pour « muckrakers ». Cette expression avait été utilisée par le président Theodore Roosevelt dans un discours de 1906 pour qualifier de façon péjorative des écrivains et journalistes comme S.S. McClure, Charles Edward Russell, Upton Sinclair qui avaient dénoncé dans leurs œuvres la corruption des milieux d'affaires et de la politique. Aujourd'hui, le « muckraking », qui s'appuie sur une longue tradition journalistique, consiste à révéler les scandales politiques ou financiers que les autorités aimeraient dissimuler.
4. N.d.T. Les Dossiers Anderson.
5. N.d.T. L'Histoire des Mormons.

*Capitol Hill*[6]. Il succéda à Pearson comme rédacteur de la chronique quotidienne : « The Washington Merry-Go-Round[7] » qui paraît dans une chaîne de journaux régionaux ; il s'y présente comme le porte-parole des petites gens (les articles passent dans la page des bandes dessinées du *Washington Post*, où selon lui ils ont plus de chance d'être lus). Il a autant la passion des révélations que les grandes bureaucraties ont celle du secret ; en outre, à tous ceux qui veulent les consulter ou en prendre copie, il donne libre accès à ses dossiers, riches de notes et de brochures confidentielles. Il lui arrive parfois d'aller un peu trop loin ; c'est ainsi qu'ayant accusé d'ivrognerie le sénateur Eagleton (que McGovern avait commencé par choisir comme candidat à la vice-présidence des Etats-Unis pour les élections de 1972) il dut se rétracter et lui présenter des excuses. Mais aujourd'hui, grâce aux révélations qu'elles contiennent et en dépit de leur caractère capricieux, les colonnes d'Anderson font officieusement partie des institutions américaines.

Ce fut Nader qui mit Anderson sur la piste d'ITT lorsqu'il lui demanda de chercher à en savoir plus long sur les négociations de Hartford. Il était naturel qu'Anderson s'intéresse au « conglomérat monstrueux et carnivore » comme il l'appelait ; et il possédait ses informateurs au sein même d'ITT. Il « sema quelques graines et jeta quelques miettes de pain sur les eaux », tandis que son assistant, Brit Hume, qui avait travaillé pour le *Hartford Times*, gardait le contact avec Reuben Robertson. Les graines finirent par germer et porter leurs fruits, et c'est sur ces entrefaites que lui tomba mystérieusement entre les mains cet extraordinaire document qu'on devait désigner dans la suite comme la note Beard. Le voici :

6. N.d.T. Plainte contre le Congrès : Accablante mise en accusation de Capitol Hill sous le chef de corruption.
7. N.d.T. Le Manège de chevaux de bois de Washington.

PERSONNEL ET CONFIDENTIEL.

ITT
Bureau de Washington
1707 L Street, N.W.
Washington, D.C. 20036
Tel. (202) 296-6000

Date : 25 Juin 1971

D.D. Beard
à W.R. Merriam
*Objet* : La convention de San Diego.

« Je viens d'avoir un long entretien avec EJG. Je regrette vivement que nous ayons reçu cet appel de la Maison-Blanche. Je croyais qu'il était formellement convenu entre nous que, quelles que soient les circonstances, personne dans ce bureau ne parlerait à qui que ce soit de notre participation à la Convention, moi comme les autres. A part John Mitchell, Ed Reinecke, Bob Haldeman et Nixon (et bien entendu Wilson), personne n'a su qui s'était porté caution pour 400 000 dollars. Vous n'imaginez pas toutes les questions qui m'ont été posées par les « amis » à ce sujet et chaque fois j'ai fait celle qui n'était au courant de rien. D'où que viennent les questions, de la Maison-Blanche ou d'ailleurs, il serait bon que chacun continue à observer la même attitude. John Mitchell a certainement maintenu l'affaire au niveau le plus élevé, nous devrions pouvoir en faire autant.

J'avais peur que l'histoire des 3 ou 400 000 dollars ne vienne vite sur le tapis. Souvenez-vous qu'à part le fait que je vous ai dit avoir entendu Hal surenchérir sur le montant initial, j'avais émis l'opinion que nous devrions tous rester en dehors de ça.

Maintenant, d'après ce que dit Ned, je crois comprendre que la décision de proposer 400 000 dollars payables en prestations de services vous chiffonne tous les deux. Mais vous pouvez me croire, ce n'est pas ce que Hal avait dit. Tout de suite après ma conversation avec Ned, Wilson m'a appelé au téléphone pour me parler de son entretien avec Hal. Jamais à aucun moment Hal n'a dit à Wilson que notre don se ferait *uniquement* sous forme de prestations de services. En fait c'était tout le contraire. On engagerait très peu d'argent mais une certaine somme quand même. Plusieurs conversations que j'ai eues avec Louie au sujet de Mitchell m'ont convaincue à propos de cette caution que notre noble geste avait fait beaucoup pour que nos négociations sur les fusions aboutissent à des résultats conformes aux désirs de Hal. Il est certain que le Président a dit à Mitchell de veiller à ce que les choses soient réglées dans un esprit de justice. C'est toujours McLaren qui nous embête avec ses tours à la Mickey-Mouse.

On connaît tous Hal avec sa grande gueule ! Mais pour une fois il ne pourra pas dire blanc à vous et à Ned, et noir à Wilson (et à moi !).

J'espère, mon cher Bill, que tout va pouvoir s'arranger entre Hal et Wilson, si tous autant que nous sommes dans ce bureau demeurons totalement ignorants qu'un engagement quelconque ait été pris par ITT envers qui que ce soit. Si les gens commencent à en parler un peu trop, vous pouvez parier que ça sera le commencement de la fin des négociations avec la Justice. Mitchell nous aide, c'est bien évident, mais il ne peut pas aller le crier sur les toits. Prière de déchirer ça, hein ? »

Ce document était si nettement accusateur qu'il semblait justifier les théories les plus osées relatives à la collusion entre les élites qui détenaient le pouvoir. Il mettait dans un même panier de quatre cents mots le Président, l'Attorney General, Harold Geneen, Bob Wilson et Ed Reinecke, et ses allusions à peine voilées ne faisaient que le rendre plus accusateur. Il était adressé par le seul représentant officiellement enregistré du groupe de pression à la solde d'ITT, Mme Dita Beard, au directeur de la compagnie à Washington, Bill Merriam. Il portait la date du 25 juin 1971 (soit huit mois avant qu'il ne tombe sous les yeux d'Anderson), et au moment crucial où l'on décidait des soumissions de San Diego et juste avant que n'intervienne la transaction qui devait mettre un point final au conflit entre la section anti-trust et ITT. Mme Beard venait d'avoir, disait-elle, une longue conversation avec Ned Gerrity (EJG), que la décision d'ITT d'engager ses quatre cent mille dollars uniquement sous la forme de prestations de services avait profondément contrarié, mais Mme Beard affirmait que Geneen (Hal) avait offert une somme en espèces aussi bien qu'en prestations de services ; et Bob Wilson venait de téléphoner pour le confirmer.

L'objet principal de cette note était de signaler que cet engagement de 400 000 dollars devait demeurer secret. Seuls Bob Wilson, John Mitchell, Ed Reinecke et Nixon ainsi que le conseiller de la Maison-Blanche Bob Haldeman, savaient que l'argent avait été fourni par ITT. De toute évidence, Merriam en avait trop dit à ce sujet à quelqu'un qui venait de téléphoner de la Maison-Blanche, et personne ne devait révéler le secret de la caution offerte par ITT, parce qu'on risquerait en l'ébruitant de faire échouer la transaction anti-trust. Mme Beard, après en avoir parlé au gouverneur du Kentucky, Louie Nunn, était convaincue que le « noble geste » qu'avait eu ITT à San Diego avait grandement aidé les négociations anti-trust à déboucher sur des résultats « conformes aux désirs de Hal ». Le président Nixon avait recommandé à l'Attorney General Mitchell de veiller à ce que les choses soient réglées dans un esprit de justice ; quant à Mitchell, « il nous aide, c'est bien évident, mais il ne peut pas aller le crier sur les toits ». Et la lettre se terminait sur des mots d'une amère ironie appelés à devenir la « scie » de Washington : « Prière de déchirer ça, hein ? »

Cette note, si elle était authentique, fournissait la pièce manquante du puzzle. Surgissant huit mois avant les élections, elle aurait difficilement pu être plus explosive.

## LES PROFESSIONNELS DE LA PRESSION

L'auteur apparent de cet incident, Dita Beard, un des spécimens les plus hauts en couleur de cette tribu qui hante les couloirs du Congrès à Washington, était (souvenons-nous de ses exploits de San Diego) l'incarnation même de la flibuste telle qu'elle se pratique au sein de l'organisation d'ITT. Figure bien connue à Capitol Hill où elle surgissait un peu partout comme un diable de sa boîte, plus grande que nature, on aurait dit une commère de revue en rupture de planches. C'était une espèce de machine de guerre en jupons, dure à cuire et éclusant sec. « Maman Beard » comme elle aimait à se faire appeler, à cinquante-trois ans, avait vu pas mal de choses de la vie. Fille d'un colonel et élevée dans l'armée, elle y avait acquis un riche vocabulaire de langue verte. Mariée deux fois, et mère de cinq enfants, elle vint à Washington avec eux pour y gagner sa vie quand son second mariage se rompit. Elle entra comme secrétaire à ITT dont les bureaux de Washington venaient juste d'ouvrir au tout début de l'ère Geneen. Geneen s'aperçut vite qu'elle avait d'utiles relations et lui donna de l'avancement : il la chargea de fréquenter les couloirs du Congrès et d'une façon générale de mettre de l'huile dans les rouages partout où ça grinçait. Comme elle le dit plus tard : « Je me suis vite rendu compte que personne n'y connaissait rien au jeu de Washington. Ils n'avaient aucun contact avec les milieux politiques. De vrais bébés au biberon. Ils ne comprenaient pas que pour mener une affaire, il faut savoir ce qui se passe à Washington[8]. » En 1966, elle eut les honneurs d'un article de *Fortune*. Tirée à quatre épingles, on la présentait comme la championne des lobbies de Washington avec « la solide réputation que lui valaient la truculence de son langage et la connaissance des ressorts qui font marcher les membres du Congrès ».

Elle comptait beaucoup pour Geneen et elle était très proche de lui — sur le plan professionnel s'entend. Elle avait la même énergie indomptable que son patron, dont elle savait traduire la passion des affaires en termes politiquement assimilables. Elle courait de-ci de-là à travers le pays, quittant une conférence de gouverneurs pour se ruer à une convention, ou à des réunions, adressant la parole à tout Représentant ou à tout Sénateur qui pénétraient dans son champ visuel. Elle buvait beaucoup, mais ITT est habitué aux gosiers secs et cette femme avait une remarquable faculté de récupération. Selon Bob Wilson : « Elle a des crises cardiaques à tout bout de champ, mais vous lui donnez un doigt de nitroglycérine et un bon coup de Scotch et hop ! la voilà repartie, vous voyez ? » Son travail, comme elle le décrivait elle-même, était de « se rendre compte de ce qui arrive, pourquoi et à qui — et de l'instant où ça nous arrivera à nous ». C'était une Républicaine de toujours et le cercle de ses amitiés avait quelque chose de spectaculaire ; elle avait connu Melvin Laird[9], « il me semble depuis sa plus tendre enfance », et Ed Reinecke « lorsqu'il préparait l'université » ; quand à Bob Wilson et sa femme, c'était une amitié qui remontait à « des années et des années » ; et elle connaissait « extrêmement bien » la plupart des

8. *Kleindienst Hearings*, vol. I, p. 745.
9. N.d.T. Secrétaire à la Défense.

gouverneurs [10]. Et ce n'était pas forcément de la vantardise : beaucoup d'hommes politiques lui retournaient le compliment ; Bob Wilson disait d'elle : « Elle a le cœur aussi vaste que généreux, et elle sort d'une très bonne famille » ; il confia une fois à Geneen : « Aucune société ne pourrait désigner pour son lobby quelqu'un d'aussi efficace que Dita Beard. »

De tous les cadres d'ITT, Dita Beard était la seule collaboratrice officiellement désignée à cette fonction qui consistait à fréquenter les couloirs du Congrès. Mais elle n'était qu'un des membres de ce groupe de pression qui s'était élargi considérablement depuis que Geneen avait pris la suite de Behn à la tête d'ITT et qui constituait une formidable ambassade industrielle, représentant la compagnie auprès des hommes politiques américains et des diplomates étrangers. Ces gens des lobbies avaient chacun leur spécialité, comme on peut le constater d'après cette remarquable série de notes rédigées par leurs services en juin 1971 (en même temps que la lettre de Mme Beard) et qui vinrent au jour un an plus tard avec tant d'autres documents du même genre [11]. Ils furent établis pour répondre à la demande d'un « profil de chaque emploi » émanant du directeur du bureau de Washington, Bill Merriam ; ce dernier en donnait une version revue et corrigée en langage ITT qu'il envoyait à New York, sans doute pour impressionner Geneen ; il usait pour ce faire de la forme passive et récrivait le texte en une prose guindée, non sans avoir biffé toutes les références indiscrètes qui étaient d'ailleurs les plus révélatrices. Ce besoin d'autojustification que manifestent les gens des lobbies ne témoigne pas seulement du degré de pression qu'exerce la machine ITT, mais montre éga-

10. *Kleindienst Hearings*, vol. II, p. 746.
11. *Kleindienst Hearings*, vol. II, p. 1312-29 ; voir aussi Robert Walter dans le *Washington Evening Star*, 1er mai 1972.

lement cette manie qui les tient de tout noter par écrit [12], ce qui va à l'encontre des règles d'une profession dont le caractère essentiel est la clandestinité.

ITT

Washington Office

1707 L Street, N.W.
Washington, D.C. 20036
Tel. (202) 296-6000

To W. R. Merriam Date June 23, 1971

From R. V. O'Brien

Subject:

I spend the early part of my day in the office planning the rest of the day and determining what is involved in the future affecting ITT. I carefully read the Congressional Record each morning to determine what developments occurred the previous day that would be of interest and importance to ITT. These include bills introduced, reports filed, speeches given and positions taken by Members of Congress. I can determine what activity took place in a committee and in the Chambers and what will be coming in the future.

The rest of my day is spent on the Hill monitoring committee hearings, visiting Congressional offices and developing new contacts and maintaining old ones. I present company positions on legislation to Members of Congress and their staffs and advise them of our business activities in their states and Congressional districts.

In addition to the Congress, I keep in touch with friends in various Executive departments and agencies including the FTC, HEW and GSA.

I also try to assist Government personnel when they have inquiries from constituents or ask for help in securing hotel accommodations, an Auto carry, etc.

An increasing part of my time is now devoted to problems at the State level -- checking on a tax bill in Pennsylvania or a parking contract in Rhode Island.

12. Lobby style ITT. Un membre du lobby de Washington, Raymond O'Brien, écrit au directeur du service à Washington, Bill Merriam, pour lui rendre compte des contacts qu'il a établis et des missions qu'il a remplies. C'est alors que Bill Merriam biffe les passages compromettants et récrit la lettre avant de l'envoyer à New York.

Raymond O'Brien, par exemple, raconte comment il a passé sa journée à écouter les propos échangés dans les Commisions du Congrès puis ajoute cette phrase (barrée par Merriam) : « J'essaye aussi de me rendre utile aux membres du Congrès pour répondre aux questions que leur posent leurs électeurs, ou quand ils demandent de les aider à réserver des chambres d'hôtel, à louer une voiture Avis, etc... » Thomas Joyce se vantait de connaître au jour le jour où en étaient les projets de loi discutés à Capitol Hill et pouvant affecter ITT ; de passer la soirée dehors deux fois par semaine avec des gens attachés au gouvernement et de (encore une phrase barrée) « déjeuner à peu près tous les jours avec un membre du Congrès ou un de ses assistants ». L. J. Stone décrivait l'activité qu'il déployait dans les couloirs pour se tenir au courant des projets intéressant la défense ou la politique internationale et il ajoutait (phrase barrée) : « J'établis des contacts d'amitié et d'affaires avec tout ce qui peut constituer des sources de renseignements, qu'elles émanent des ambassades, des gouvernements ou de l'industrie. » Bertram Willis expliquait la façon dont il « alimentait » les activités du Congrès, en aidait les membres, et mobilisait d'autres sociétés pour défendre des intérêts multinationaux. Jack Neal, l'expert des affaires d'Amérique latine (dont on parlera au chapitre XI), rapportait comment en l'espace de quinze jours il avait été invité à dix réceptions d'ambassade et comment la tendance au nationalisme économique exigeait qu'ITT développe ses relations avec les institutions gouvernementales et les banques des pays concernés. Bob Schmidt, qui s'occupait particulièrement des Démocrates au Congrès, s'empressait d'avertir ITT des projets d'enquêtes qui pourraient se révéler embarrassantes comme (mots rayés) celle concernant la fixation du prix du pain. Bernard Goodrich, chargé des rapports avec la presse, racontait comment il en vint à connaître les idiosyncrasies des journalistes de Washington, « à l'occasion de soirées organisées chez lui ou de réceptions officielles » (mots rayés). Ken Vigue, spécialiste des projets internationaux, relatait comment ses collaborateurs avaient en 1970 reçu trois cents « grosses légumes » étrangères et couvraient de six à neuf réceptions d'ambassade par semaine ; C.R. Bergwin, responsable du service des licences d'exportation et d'importation, disait que le besoin se faisait sentir « de véritables relations personnelles avec les fonctionnaires chargés d'octroyer les licences ». Jack Horner, directeur des services d'information, racontait comment il fréquentait chaque jour un club de presse différent ; il était également chargé du bulletin mensuel d'ITT qui outre les potins du jour donnait, en un style approprié, des nouvelles plus confidentielles à l'usage du siège de New York ; en voici un échantillon découpé dans le numéro d'octobre 1969 : « A force de gratter et de gratter, on est arrivé au trognon de leur politique style Washington. »

Une grande partie de l'activité du lobby d'ITT a trait aux fournitures de la défense nationale qui entrent pour 300 millions de dollars dans les vente annuelles de la compagnie. Bob Wilson, qui siège à la Commission des Forces Armées, était un contact utile, comme l'étaient sans aucun doute les anciens officiers qui en très grand nombre étaient entrés chez ITT : on pouvait y dénombrer en 1969 trois contre-amiraux (y compris Ellery Stone), deux généraux de brigade, vingt-deux colonels et huit capitaines [13]. Deux membres du lobby étaient désignés pour s'occuper spécialement de l'armement : T.J. Gallagher exerçait une « surveillance constante » sur le Département de la Défense et avait des rapports directs avec les Commissions des Forces Armées et du Budget ; T.H. Casey entretenait des relations personnelles « au

13. *Conglomerate Hearings*, Partie III, p. 1105.

plus haut niveau » avec le Département de la Défense. Mais tous les membres du lobby avaient de près ou de loin affaire avec la défense ; Bob Schmidt se montrait particulièrement actif, et en 1972 il aurait distribué 500 dollars à l'entourage d'un Représentant parmi les plus anciens pour aider ITT à obtenir (sans succès d'ailleurs) un contrat de matériel électronique destiné à l'équipement d'un terrain d'aviation au Vietnam [14].

Mais dans le lobby de Washington c'était Dita Beard qui se révélait la plus active ; elle était toujours à l'affût de ce qui pourrait aider les Représentants et les Sénateurs. Bien que s'occupant surtout des Républicains, elle ne répugnait pas à voler au secours d'un Démocrate comme nous l'a montré l'exemple du Représentant Van Deerlin à San Diego lorsqu'il eut des ennuis avec sa fourgonnette camping Avis. Dita Beard était bien connue pour sa générosité. « Ce qui m'avait choquée », déclara sa secrétaire Susan Lichtman au moment de la fameuse lettre, « était que des membres du Congrès fassent parfois appel à Mme Beard pour solliciter des faveurs sur une vaste échelle » : le sénateur Hartke, par exemple, se servait d'ITT « comme d'une sorte de compagnie personnelle de taxis ». Dita Beard s'empressait toujours de rendre des services gratuits, de fournir des discours tout préparés ou des places dans les avions d'ITT (« Au nom du ciel, comment espérer qu'un Représentant ou un Sénateur puissent rester à Capitol Hill pour y faire leur travail et en même temps courir de tous côtés pour prononcer des discours et mener leur campagne ? Il y a des moments où l'on ne peut, faute de temps, compter sur les lignes régulières [15] »). Son aide, expliquait-elle, était multiforme : elle pouvait aussi bien conseiller un sénateur

14. Chronique « Washington Merry-Go-Round » de Jack Anderson, 11 avril 1972.
15. Interview de Mike Wallace, *Kleindienst Hearings*, vol. II, p. 1642.

sur le choix du meilleur dentiste ou du meilleur plan de campagne électorale. Elle était toujours disponible : « Je suis tout juste la vieille maman, rien de plus. »

Elle occupait une position unique dans la hiérarchie d'ITT ; dans l'organigramme de la compagnie, comme elle le disait elle-même : « Beard se situe presque tout en haut, seule dans une petite case à part. » Elle était en quelque sorte l'émissaire personnel de Geneen ; beaucoup parmi les cadres supérieurs d'ITT avaient tout ignoré de son existence jusqu'à l'explosion du scandale. Elle opérait hors de l'enceinte du conglomérat-forteresse, loin de la surveillance de Herb Knortz : ajoutons à cela qu'elle était la seule femme à occuper un poste supérieur dans cette compagnie à forte concentration masculine. (On n'y compte que trois femmes pour trois mille cadres supérieurs). Les liens privilégiés qu'elle entretenait en haut lieu suscitaient la rancœur de ses deux patrons officiels, Ned Gerrity et Bill Merriam : Bob Wilson disait que l'un comme l'autre « éprouvaient une haine intense à l'égard de Dita pour la simple raison qu'elle avait ses entrées auprès de Hal Geneen ». Ses rapports étaient particulièrement tendus avec Bill Merriam, affable aristocrate sexagénaire (qui avait autrefois bénéficié de l'amitié de John Kennedy et de sa femme) mais beaucoup moins porté qu'elle aux jeux de la politique. Il n'y avait rien de surprenant à ce que Mme Beard ait eu conscience de la fragilité de sa position ; selon Gerrity : « Son moi lui posait un sérieux problème. » Un jour, alors qu'elle était convaincue qu'on allait la renvoyer, Wilson intervint auprès de Geneen et (à en croire Wilson) Geneen dit à Gerrity de la garder. Mais Dita Beard se plaisait à affirmer que ses rapports avec le bureau d'ITT à Washington étaient dans l'ensemble excellents ;

> « Je ne sais pas pourquoi mais ils s'arrangent tous pour me tolérer. Nous formions vraiment un groupe merveilleux... Mais quand les réunions commençaicnt à traîner en longueur... ma méthode habituelle était de mettre fin immédiatement à toute cette comédie en leur débitant l'histoire la plus salée qui me venait à l'esprit pour les renvoyer, rouges d'indignation, dans leurs bureaux respectifs et écourter la réunion. Ça marchait à tous les coups. »

Il y avait un tel contenu comique dans l'histoire mélodramatique de Dita Beard qu'on pouvait vite oublier ce qu'elle était, en fait : une exécutante douée d'une exceptionnelle énergie. Elle était bien payée, avec des appointements de 30 000 dollars par an, plus une gratification annuelle de 15 000 dollars et une allocation mensuelle de 3 000 dollars pour frais divers ; mais, plus important encore, elle pouvait disposer de toutes les ressources de l'énorme société. En dépit de son penchant pour la boisson et la plaisanterie, elle ne perdait jamais de vue sa mission qui était de défendre les intérêts d'ITT chaque fois qu'elle en avait l'occasion. Elle était toujours d'un loyalisme inconditionnel envers Geneen dont elle disait : « C'est l'homme au monde pour qui j'ai le plus d'estime. »

Il est de bon ton pour les businessmen « dans le vent » de prétendre que les membres d'un lobby ne sont plus aujourd'hui que des éléments parasitaires et même nuisibles, dans les subtils rapports d'interdépendance qui existent entre les milieux d'affaires et le gouvernement. S'il en est ainsi, que d'argent jeté par la fenêtre, quand on songe qu'il y en a environ cinq mille à Washington dont la moitié seulement sont officiellement déclarés, ce qui donne une moyenne de dix par Représentant ou Sénateur. Il faut dire que la nature même de leurs fonctions ne leur permet pas d'apporter la preuve tangible des résultats obtenus. Ils sont tous frappés de cette maladie professionnelle qui consiste à vouloir inscrire à leur crédit tels événements qui se seraient produits sans eux, et de surévaluer l'importance de leurs interventions pour impressionner la haute direction. Au sein d'ITT, avec ses rouages compliqués et la sujétion des notes de service, cette tendance avait toutes les raisons de s'accentuer. Mais un membre d'un lobby, s'il est patient, peut être plus efficace qu'il ne s'en rend compte lui-même. Il émane toujours de lui l'impression réconfortante qu'il cherche à satisfaire la communauté d'intérêts existant entre la compagnie qu'il sert et les hommes politiques, de sorte que presque imperceptiblement les uns et les autres marchent dans la même direction.

Il vous affirmera que son arme de prédilection n'a rien de plus maléfique que la simple amitié, et il ne court guère de danger à en remettre, sachant que les hommes politiques, bien qu'il leur arrive de s'en plaindre, seraient vraiment navrés qu'on ne les sollicite pas Ce n'est pas tant d'invitations à déjeuner ou de billets d'avion gratuits qu'il s'agit, mais du sentiment confortant qu'ils éprouvent d'être des gens qui comptent. Selon la formule d'un des bénéficiaires du système : « On me sollicite, donc je suis. » Un représentant d'un groupe de pression qui connaît son métier peut créer cette ambiance particulière où aucune situation conflictuelle entre le gouvernement et le « business » ne paraît justifiée et où ceux qui sont chargés d'appliquer la loi au pied de la lettre font tout simplement figure de cuistres chicaniers.

Geneen, dont la ferveur missionnaire se rebellait si souvent contre le gouvernement, comprenait mieux que quiconque l'importance du lobby. Combien de fois n'a-t-il pas proclamé que le droit d'en user était un des droits imprescriptibles de la démocratie ? Responsable du gagne-pain de 400 000 salariés, il maintient que son devoir est de tout mettre en œuvre pour faire valoir les droits de sa compagnie ; il peut, à ce propos, citer le premier amendement de la Constitution qui garantit au public « le droit de pétition auprès du Gouvernement pour la réparation des injustices ».

Mais la suite de cette histoire montre avec quelle facilité les portes des gouvernants s'ouvrent devant les lobbies des grandes puissances d'argent et se ferment devant tous ceux qui n'en sont pas. Par ailleurs ITT, à l'image des autres conglomérats, bénéficie, en matière de lobby, d'un avantage particulier : contrairement aux géants industriels ancienne manière, comme ceux de l'automobile ou de la sidérurgie, dont la main-d'œuvre se concentre sur un ou deux Etats des Etats-Unis, ITT a des usines disséminées dans quarante Etats différents et peut, en cas de besoin, mobiliser des Représentants et des Sénateurs sur tout le territoire des Etats-Unis.

## SENSATION A LA UNE

En février 1972, dès que Jack Anderson eut reçu la lettre de Dita Beard, il la passa à un de ses reporters, Brit Hume, sans toutefois lui en indiquer la provenance. Hume est un jeune reporter entièrement voué à son métier d'enquêteur méticuleux. Son accent traînant et son air rêveur n'altèrent en rien sa ténacité lorsqu'il est à l'affût d'un scandale. Il avait débuté dans le journalisme six ans plus tôt au *Hartford Times* (ce qui avait éveillé chez lui un intérêt tout particulier pour les affaires d'ITT) et était entré depuis deux ans dans l'équipe d'Anderson. Il se rendit vite compte que cette lettre constituait à elle toute seule « le bout de papier le plus accusateur qui lui soit jamais tombé sous les yeux ».

Il s'empressa de l'apporter à son ami Reuben Robertson qui en fut tout aussi excité et pouvait en dire plus long sur le fond de l'affaire. On décida que Hume devrait en discuter avec Dita Beard aussi vite que possible ; le lendemain donc, il l'appela au téléphone et lui expliqua qu'une pièce de ses dossiers lui était tombée entre les mains et qu'il aimerait lui en parler. Elle l'invita aussitôt à venir la voir ; il se rendit au bureau d'ITT à deux pas de là, muni du document original non sans en avoir pris au préalable une photocopie qu'il cacha dans son tiroir. Il fut d'abord accueilli par Bernie Goodrich, chargé des rapports avec la presse puis par un autre spécialiste des relations publiques, Jack Horner. Enfin Dita Beard entra en coup de vent ; voici le portrait qu'en traça la plume alerte de Brit Hume :

> Elle était étonnante à voir. Imaginez une femme solidement charpentée, entre cinquante et soixante ans, avec des cheveux gris dont certaines mèches témoignaient qu'ils avaient été un jour roux ou blonds ou teints d'une de ces deux couleurs. Elle n'était pas fardée ; la peau boursouflée de son visage avait l'aspect du cuir. Ses lunettes d'écaille dont une branche était cassée à la charnière tenaient avec un bout de scotch. Elle portait une chemisette vert pâle à manches courtes et une paire de jeans en toile de coton jaune pleine de taches. Ses babouches à semelles plates étaient sales et tout abîmées. Sa voix avait quelque chose de rauque que pouvaient expliquer les Chesterfield extra-longues qu'elle fumait à la chaîne. Elle donnait l'impression non d'une femme usée mais d'un garçon manqué entre deux âges. Elle avait les gestes et le verbe d'une personne sûre d'elle-même et lorsqu'elle me serra la main je ne pus m'empêcher de penser que pour qu'on lui permette d'apparaître ainsi accoutrée un

> jour ouvrable, elle devait jouir d'une influence considérable dans ce bureau. Elle évoquait pour moi Annie du Far West. Cette femme me plaisait[16].

Hume, le cœur battant, essaya de garder son sang-froid en tirant la lettre de sa poche pour la placer devant les yeux de Mme Beard. Elle la lut en silence ; puis faisant non de la tête elle dit (selon la version de Hume) : « Nous n'avions rien à voir là-dedans. On n'est pas du tout dans le coup... Je ne me suis jamais mêlée du règlement... Nous n'avons jamais fait qu'offrir nos services pour aider à réunir cet argent. » Mais elle ne nia pas avoir écrit la lettre. Ils se mirent à la relire ensemble et elle donna la version officielle fournie par ITT de l'affaire de la Convention de San Diego pendant que Goodrich (elle en fit plus tard la confidence à Hume) lui donnait de temps en temps des coups de pied sous la table. Enfin Hume prit congé en leur laissant un double de la lettre et leur disant qu'ils auraient tout le temps voulu pour en discuter ensemble et consulter leurs dossiers. Il voulait éviter aux gens d'ITT d'avoir à publier leur propre communiqué en catastrophe.

Le lendemain, Dita Beard appela Hume au téléphone pour lui demander de venir tout de suite la voir à sa résidence de Virginie. Quand Hume arriva, le jeune fils de Dita, Bull Beard, lui ouvrit et le fit entrer ; chez elle ce fut une Mme Beard toute différente qui lui apparut : les yeux rouges et gonflés comme si elle avait pleuré, elle avait abandonné son air effronté. Ils prirent place tous les deux dans la cuisine sur des tabourets et là, dans un monologue où les jurons de corps de garde le

16. Brit Hume : « Checking out Dita Beard's Memo », *Harper's*, août 1972.
N.d.T. « En vérifiant la note de Dita Beard ».

disputaient aux sanglots, elle s'expliqua sur la lettre : « Je sais », dit-elle, « que c'est Jack Gleason qui vous l'a donnée. » Mais Brit Hume n'avait encore jamais entendu parler de Gleason[17]. Puis peu après elle ajouta : « Je l'ai écrite, bien sûr que je l'ai écrite », et elle se mit à lui raconter que Bill Merriam, son patron de Washington, était un enfant de chœur en politique, qu'elle avait écrit la note pour « mettre un peu de plomb dans la tête de ce pauvre con de Merriam ». C'était elle qui avait suggéré à ITT, après en avoir parlé au lieutenant-gouverneur Ed Reinecke, d'accueillir la convention à San Diego. Geneen avait accepté d'enthousiasme et Reinecke l'avait dit à John Mitchell lors d'une visite à Washington.

Et, chose sensationnelle, elle finit par admettre que le règlement était le résultat d'un accord qu'elle avait négocié elle-même. Elle raconta dans quelles circonstances elle en avait discuté avec l'Attorney General John Mitchell en mai 1971, lors d'un déjeuner-buffet offert par le gouverneur du Kentucky, Louie Nunn, à l'occasion du célèbre Derby, et auquel ils avaient été l'un et l'autre invités. Mitchell l'avait grondée une heure durant pour ses incessantes intrigues de couloir et avait fini par lui dire que même le Président lui avait préconisé un règlement raisonnable. Et pour terminer Mitchell avait demandé à Dita Beard : « Que voulez-vous au juste ? », autrement dit, quelles compagnies ITT veut-elle conserver dans ce règlement anti-trust ? Elle avait répondu que la compagnie devait conserver Hartford « pour des raisons économiques », et également une partie de Grinnell. Ils finirent par aboutir à une transaction pendant qu'ils faisaient queue pour accéder au buffet. Puis ils s'assirent pour manger. Le règlement qu'ils venaient de conclure était exactement celui dont ITT devait béné-

17. *Kleindienst Hearings*, vol. II, p. 454.

ficier par la suite. Mais, et Dita Beard insistait sur ce point, Geneen n'était absolument pas au courant de ces transactions ; elle ne cessait de répéter, en dépit de ce que disait la lettre, qu'il n'existait aucun lien de cause à effet entre la caution offerte à la Convention et le règlement incriminé. Quand elle eut ainsi vidé son cœur pendant deux heures d'affilée, Brit Hume se leva pour partir et Dita Beard, à sa grande surprise, le prit par les épaules comme si elle attendait qu'il l'embrasse pour lui dire au revoir comme un fils. Il rentra chez lui et rédigea aussitôt ses notes de mémoire [18].

Le lendemain, Hume appela au téléphone le cabinet de l'Attorney General pour essayer de connaître la version que donnait Mitchell de cette étrange rencontre au Derby du Kentucky. Son chargé de presse, Jack Hushen, admit que Mitchell y avait bien rencontré Dita Beard mais seulement pour un bref « bonjour-bonsoir ». Il certifia que Mitchell était en mesure de prouver que la lettre était un faux.

Le vendredi suivant, Hume rédigea son article à sensation pour la chronique de Jack Anderson : le « Merry-Go-Round ». Il donnait des extraits de la lettre, relatait ses conversations avec Dita Beard et terminait par le démenti de Mitchell. Il se garda bien d'affirmer qu'il y avait eu un chantage au sujet de la Convention. Anderson approuva le papier après y avoir apporté quelques rectifications. Il débutait par ces mots fracassants :

> Nous possédons maintenant la preuve que le règlement qui a mis fin au plus grave conflit anti-trust de l'administration Nixon avait au préalable fait l'objet d'un arrangement per-

18. Ces notes furent remises plus tard à la sous—commission de la Justice comme pièces à conviction (*Kleindienst Hearings*, vol. II, p. 491).

> sonnel entre l'Attorney General John Mitchell et le principal membre du lobby de la société concernée. Nous la tenons de la bouche même de l'intéressée, Dita Beard, femme aussi capable que bourrue au service de la compagnie International Telephone and Telegraph.

La lettre cependant laissait encore de nombreuses questions sans réponse. De sorte que Hume essaya de compléter son article avant sa publication le mardi suivant. Il s'arrangea pour joindre un ancien administrateur d'ITT (nous ne le nommerons pas), qui avait joué un rôle dans la fusion Hartford ; ce dernier lui glissa à l'oreille que la pression d'ITT s'était exercée sur un très large front : « La théorie générale de la direction » expliqua-t-il avec précision est que « si une seule intervention peut le faire, sept interventions peuvent le faire sept fois mieux. » Il émit l'opinion que la cheville ouvrière des négociations anti-trust avait été le banquier Felix Rohatyn : « Je ne peux me défendre de cette impression qu'il aura fallu une ou deux conversations supplémentaires entre Rohatyn et Kleindienst pour que les choses commencent à bouger. »

Hume se dépêcha d'appeler Rohatyn au téléphone et parvint à le toucher à l'aéroport Kennedy. Il lui parla de la lettre et se mit à la lui lire. Rohatyn lui coupant la parole lui dit : « Tout ça c'est de la merde. » Il était bien placé pour le savoir, ajouta-t-il, puisque Geneen l'avait chargé de présenter un rapport au gouvernement sur l'aspect économique de la question ; il avait eu à peu près six entretiens avec Kleindienst dans le moment même où les avocats d'ITT rencontraient McLaren. Ce ne fut que plus tard, en dînant avec Reuben Robertson le même soir, que Hume prit conscience de la pleine signification des propos de Rohatyn. Robertson en effet lui rappela la lettre que Kleindienst avait envoyée deux mois plus tôt au président national du parti démocrate, Larry O'Brien, où il insistait sur le fait que le règlement était « exclusivement préparé et négocié » par McLaren et ses collaborateurs. Cette version des événements se trouvait donc catégoriquement démentie par le compte rendu qu'avait donné Rohatyn de ses conversations avec Kleindienst. Hume put aussi retrouver la trace de Jack Gleason, celui que Dita Beard soupçonnait d'être responsable de la fuite de sa lettre : il s'avéra que c'était un conseiller en relations publiques autrefois au service de la Maison-Blanche et qui travaillait maintenant pour ITT. Gleason déclara qu'à l'époque de la lettre, Bill Merriam lui avait demandé de sonder la Maison-Blanche pour savoir ce qu'elle attendait d'ITT à San Diego ; il avait effectivement téléphoné à son ami William Timmons à la Maison-Blanche [19], ce qui semblait confirmer la première partie du mémo.

Il manquait encore beaucoup de maillons dans ce récit : mais on en savait assez pour penser que des négociations secrètes avaient eu lieu entre ITT et le gouvernement. Le deuxième article de Hume commençait par ces mots :

> « Nous avons maintenant la preuve que le nouvel Attorney General désigné, Richard Kleindienst, a outrageusement menti au sujet du soudain règlement extra-judiciaire décidé au Département de la Justice et concernant la plus grave affaire anti-trust de l'administration Nixon. »

Ce qui donnait à cette attaque contre Kleindienst un sens particulièrement dramatique, c'est qu'elle se déclenchait à la veille même du jour où il devait prendre le

19. *Kleindienst Hearings*, vol. II, p. 455.

portefeuille de la Justice en remplacement de Mitchell chargé maintenant d'organiser la campagne électorale de Nixon. Il y avait à peine une semaine que la Commission de la Justice du Sénat avait, non sans quelque appréhension chez certains de ses membres, confirmé la nomination de Kleindienst aux fonctions d'Attorney General sur proposition de Nixon.

Anderson et Hume visaient donc au cœur même de l'administration Nixon, jetant à la fois le doute sur l'intégrité de deux ministres de la Justice. Mitchell et Kleindienst étaient l'un et l'autre de coriaces animaux politiques. Mitchell, qui avait fait partie de l'ancien cabinet juridique de Nixon, avait depuis dirigé ses campagnes électorales. Quant à Kleindienst, qui s'était pour la première fois fait remarquer en Arizona en 1964 comme leader de la « mafia Goldwater[20] », il avait joué un rôle clé dans l'élection de Nixon de 1968, ce qui lui valut comme récompense le poste d'Attorney General adjoint. Il était devenu la coqueluche de la droite et l'ennemi juré de la gauche ; trapu, large d'épaules, « Monsieur dur à cuire » se faisait gloire de son franc parler : quand la police avait arrêté et conduit 10 000 protestataires en troupeau dans des centres de détention, sous prétexte qu'ils avaient manifesté contre la guerre du Vietnam, Kleindienst fit allusion à la « foule haineuse » et à la « menace internationale » qu'elle faisait peser sur le monde. L'accusation la plus grave contre Kleindienst était qu'il ne savait pas résister aux pressions de l'argent ou de la politique ; et deux scandales éclatèrent en 1970, l'affaire Harry Steward et l'affaire Carson, qui laissèrent planer un doute sérieux sur son intégrité. Dans le premier cas, il avait, à la surprise de tous, mis hors de cause un procureur fédéral, Harry Steward, accusé de s'être

20. Candidat malheureux à l'élection présidentielle de 1964, sous l'étiquette républicaine.

opposé à une enquête dans une affaire de corruption à San Diego ; dans le second, il avait été pressenti, avec promesse d'argent à l'appui, par un membre du personnel du Sénat, R. Carson (condamné plus tard pour faux témoignage et corruption), et ne l'avait dénoncé qu'une semaine plus tard en apprenant que ce dernier était surveillé par le F.B.I. Quand, en février 1972, Kleindienst se présenta devant les sénateurs pour entendre confirmer sa nomination à la tête du Département de la Justice, trois membres de la commission sénatoriale (les sénateurs Hart, Kennedy et Tunney [21]) à la lumière des précédents scandales exprimèrent leur doute sur la qualité de son jugement et c'est à contrecœur qu'ils acceptèrent d'entériner sa nomination.

Quand, un beau matin, sept cents quotidiens d'Amérique publièrent dans leurs colonnes le papier d'Anderson, ce fut un coup de tonnerre général, aux répercussions immédiates. Dès que les gens d'ITT eurent jeté les yeux sur le premier article de la série, ils publièrent de toute urgence un démenti d'une extrême maladresse, compte tenu des précédentes déclarations de Rohatyn ; ils déclarèrent que « ni Mme Beard ni personne hormis les avocats chargés de l'affaire n'avaient été autorisés à participer à de telles négociations ». Mitchell de son côté nia avoir jamais été mêlé de près ou de loin à des pourparlers en vue de désigner San Diego comme siège de la Convention ; il ajouta qu'il « n'avait jamais eu connaissance que personne du comité de la convention ou d'ailleurs ait eu des contacts avec ITT à ce propos ». Mais Brit Hume réussit à rassembler des faits qui venaient contredire cette déclaration au cours d'un entretien avec Edgar Gillenwaters, directeur du Commerce de l'Etat de Californie, qui avait œuvré pour amener la convention à San Diego. Gillen-

21. Edward Kennedy, frère de John et Robert, et John Tunney, dont on parlera longuement au chapitre suivant, sont tous deux des sénateurs démocrates de tendance libérale.

waters dit à Hume que Ed Reinecke, le lieutenant-gouverneur, et lui-même avaient informé Mitchell de l'offre d'ITT dès le milieu de mai, soit près de trois mois avant que la nouvelle ne soit rendue publique ; Mitchell lui avait dit : « Si vous y parvenez, votre position n'en sera que renforcée. »

C'est alors que le mardi suivant, dans la soirée, Kleindienst prit une brusque décision. Il ne voulait pas, disait-il, que sa confirmation comme Attorney General soit entachée de soupçons ; il demanda donc au Sénat de reprendre les auditions pour décider s'il était bien apte à remplir de telles fonctions ; initiative d'autant plus surprenante que personne, à l'époque, n'avait fait pression sur le Sénat en ce sens, et qu'en raison d'un certain nombre de faits que Kleindienst lui-même ne devait pas ignorer, le Sénat avait toutes les chances de soulever des lièvres gênants. De toute évidence, Kleindienst s'imaginait que les auditions seraient brèves, que tout se passerait en douceur et qu'il s'en tirerait à son avantage. Mais Anderson était sans inquiétude ; il dit à Hume : « C'est la plus grosse bêtise qu'il pouvait faire. »

## CHAPITRE X

## LES SÉNATEURS

> Nous ne faisons qu'ajouter un chapitre supplémentaire à l'histoire déjà lourdement chargée de la perte de foi de nos concitoyens en notre système.
>
> Le sénateur Philip Hart [1]

C'est le jeudi 2 mars 1972, deux jours seulement après la parution des premières révélations de Jack Anderson, que les membres de la sous-commission de la Justice du Sénat se réunirent sur l'estrade semi-circulaire de la salle 2228 située dans le nouvel immeuble administratif de cette assemblée, afin de procéder à un nouvel examen de la nomination de Kleindienst. La petite salle, haute de plafond, était pleine à craquer et tous les correspondants de presse se tenaient alignés contre le mur. C'était une année électorale ; l'atmosphère politique éait chargée d'électricité et, en une nuit, l'affaire Dita Beard était devenue le symbole de la corruption qui régnait au sein du gouvernement. Le maire de New York, Lindsay, en parlait comme « d'un mariage entre un conglomérat géant et le Département de la Justice ».

A première vue la procédure paraissait des plus régulières : la commission de la Justice, en tant qu'organe de contrôle du Département de la Justice, avait pour mission de s'assurer de l'intégrité de l'Attorney General

1. *Kleindienst Hearings*, vol. II, p. 121.

afin de tenir la bride à l'Exécutif ; comme cette commission comportait une majorité de Démocrates, on pouvait espérer que ce contrôle s'effectuerait avec d'autant plus de rigueur. Mais rien au Sénat n'est tout à fait ce que l'on pense et le président « Big Jim » Eastland, du Mississippi, apparaissait, selon le portrait qu'en dessinait un de ses collègues, comme une figure kafkaïenne. Agé de soixante huit ans, ce vieux batailleur du barreau, qui roulait toujours un énorme cigare entre les dents, semblait éprouver (mais quel président ne l'éprouve pas ?) un plaisir extrême à diriger les débats, à la manière d'un metteur en scène faisant surgir comme d'une trappe des témoins surprise, levant la séance pour la reprendre aussitôt, appliquant ou non, selon la fantaisie du moment, la règle des dix minutes de parole généralement accordées à chaque sénateur. Bien qu'appartenant au parti démocrate, il en était un des membres les plus conservateurs et dans la campagne électorale qui devait suivre ces événements, il eut effectivement l'appui du président Nixon ; il entretenait les relations les plus amicales avec Kleindienst qui, plus tard, resta à ses côtés au Mississippi pendant la campagne. Eastland était persuadé que les auditions ne dureraient pas plus de deux ou trois jours et que le nom de Kleindienst en sortirait blanchi ; et ce dernier avait pris la précaution d'entreprendre individuellement chacun des membres de la sous-commission avant le début des auditions.

La plupart des sénateurs qui la composaient étaient d'esprit conservateur et leur verdict paraissait facilement prévisible ; on comptait parmi eux des ultra-réactionnaires tels que Hiram Fong d'Hawaï, Roman Hruska du Nébraska, Strom Thurmond de la Caroline du Sud, et Marlow Cook qui était le plus lié à Nixon. Mais il fallait également compter avec Philip Hart, le très respecté sénateur du Michigan dont l'attitude au sein de la sous-commission anti-trust du Sénat avait été tellement critique à l'égard des fusions industrielles ; et puis il y avait ce groupe de trois jeunes Démocrates libéraux bien décidés à tirer le meilleur parti de ces auditions ; c'étaient John Tunney, le fils de l'ancien champion du monde de boxe, Gene Tunney, Birch Bayh, le pétulant sénateur d'Indiana (qui n'attendit pas la fin des audiences pour partir en Afrique) ; enfin leur leader, le sénateur du Massachusetts, Edward Kennedy. Ces trois parlementaires voyaient là une chance non seulement de frapper les Républicains dans leurs œuvres vives, mais de préparer le terrain pour des élections de style populiste où ils se feraient les champions des petits contre les gros du « big business » symbolisé par ITT.

Jack Anderson, de son côté, était bien décidé à battre le président Eastland sur son propre terrain et à mobiliser à cet effet toute la puissance de la presse. Comme il le dit : « Eastland a oublié de tenir compte de mon pouvoir ; mes articles révèlent les combines de tous ces messieurs. » D'habitude, m'expliqua Anderson, son rôle se bornait à celui d'un simple journaliste : jeter la lumière sur un certain sujet et laisser aux autres le soin d'agir ; mais cette fois il se sentait personnellement défié. Anderson téléphona aux sénateurs et leur fit clairement comprendre qu'il souhaitait pouvoir témoigner et qu'il jetterait tout le poids de sa réputation dans la balance. Quand Eastland décida d'interdire l'entrée des caméras de télévision dans la salle où avaient lieu les auditions, on les retrouva dans les couloirs, et Anderson, profitant de l'occasion, donna aux reporters et aux interviewers sa propre version de l'histoire, de sorte que c'est la télévision qui se trouva en vedette et non les sénateurs.

Jack Anderson, Brit Hume, Reuben Robertson, et autres guetteurs à l'affût des faits et gestes d'ITT alimentaient constamment la presse en informations diverses, entretenant ainsi le suspense. Ils travaillaient en collaboration étroite avec Kennedy et ses alliés et ce dernier mobilisa tous ses collaborateurs — cinq avocats et trois assistants — pour compiler la masse des documents. L'équipe Kennedy suivit toutes les pistes et vérifia toutes les informations dans sa chasse aux pièces à conviction à travers les dédales du pouvoir si bien que la nomination devint (selon la formule de Tunney) « une occasion exemplaire pour jeter un regard neuf sur ce qui cloche dans tout le système ». Ces auditions devaient être les plus longues de toute l'histoire des nominations au Sénat ; vingt quatre journées d'interrogatoires étalées sur deux mois et dont le procès-verbal couvre 1 700 pages de texte réparti en deux épais volumes reliés en vert.

Les audiences, avec leurs digressions bizarres, leur défilé de témoins comiques, leurs discussions hors sujet, donnèrent de plus en plus dans l'incohérence et le surréalisme. On savait de moins en moins qui était accusé de quoi ; et bien que chacun des quatorze sénateurs fût lui-même membre du barreau, on aurait dit une volée d'avocats en vacances loin des juges, et qui profitaient de leur liberté pour accueillir un nombre incalculable de ragots et de cancans ou pour organiser des « parties de pêche » à qui rapporterait dans son filet le plus de « tuyaux » hétéroclites. Comme pour n'importe quel scandale, l'enquête laissa derrière elle de vastes zones d'ombre ; par contre, elle éclaira comme dans un faisceau de projecteurs fouillant le terrain toutes sortes de recoins nauséabonds découverts par hasard. La première question qui était de savoir si Kleindienst était bien apte à devenir Attorney General disparut bientôt sous l'amoncellement d'autres questions en tous genres concernant la Maison-Blanche, Dita Beard, John Mitchell et surtout ITT et Geneen. Vers le milieu des auditions, les sociétés géantes commencèrent à apparaître comme les grandes vedettes de l'affaire : « Bienvenue à nos auditions ITT-Dita Beard » dit le sénateur Gurney à Ed Reinecke. Et l'intense intérêt soulevé par ce débat ne résidait-il pas avant tout dans le procès des pressions exercées par le « big business » sur le gouvernement ?

## L'ENNEMI C'EST NOUS-MEMES

En théorie cependant, la première question à laquelle la sous-commission devait répondre était de savoir si Kleindienst avait menti en déclarant que le règlement anti-trust « avait été mené et négocié exclusivement » par McLaren, et le jour de la première audition on pouvait voir assis à la même table des témoins Richard Kleindienst, Richard McLaren, l'ex-patron de la section anti-trust et Felix Rohatyn, administrateur d'ITT et associé de Lazard.

Kleindienst commença par remercier les sénateurs de lui donner l'occasion de se laver de toutes les accusations, puis il lut une déclaration préparée d'avance. Il admit avoir rencontré plusieurs fois Rohatyn ; ce dernier lui avait téléphoné un matin sans crier gare, le 16 avril 1971, trois mois avant qu'intervienne le règlement définitif, pour l'entretenir des conséquences qu'entraînerait le fait de déposséder ITT de la compagnie Hartford. Rohatyn exposa ses arguments et Kleindienst s'empressa alors d'organiser pour le 29 avril un rendez-vous qui permettrait à Rohatyn de rencontrer McLaren et d'autres membres de la section anti-trust. Par la suite Rohatyn l'entretint à plusieurs reprises du caractère « punitif » des conditions envisagées. Mais rien de tout cela ne ressemblait à « une négociation » ; et Kleindienst insista sur le fait qu'il ignorait tout de la contribution offerte par ITT à San Diego.

Ce fut ensuite le tour de McLaren et de Rohatyn qui corroborèrent les déclarations de Kleindienst, affirmant que les arguments avancés pour aboutir au règlement avaient été d'ordre purement financier. Mais bientôt le mystère de l'intrigue s'épaissit. Et d'abord pourquoi Kleindienst avait-il montré tant d'empressement à recevoir Rohatyn ? Il avait commencé par déclarer avec insistance à Kennedy que Rohatyn l'avait appelé à l'improviste. Mais peu après, on avait vu Kleindienst l'air inquiet s'entretenir avec Rohatyn, et Kleindienst s'en expliqua : « Je me suis fait rafraîchir la mémoire sur les raisons qui l'avaient poussé à m'appeler en premier lieu. » Et il entreprit d'expliquer qu'un de ses voisins de Washington, Monsieur Ryan, qui travaillait dans les bureaux d'ITT de cette ville, lui avait, au cours d'une réception entre voisins, touché un mot des difficultés d'ITT, et lui avait demandé s'il consentirait à recevoir quelqu'un de chez eux pour lui en parler. Kleindienst avait accepté.

C'est alors que Kennedy pria Kleindienst d'expliquer pourquoi le 19 avril, à la dernière minute (le lendemain du jour où Rohatyn lui avait téléphoné pour la première fois), le Département de la Justice avait demandé de renvoyer à plus tard l'appel devant la Cour Suprême au sujet de l'affaire Grinnell, une des filiales d'ITT impliquée dans une action anti-trust. Ni Kleindienst ni McLaren n'en avaient gardé le souvenir. Mais quatre jours plus tard, Kleindienst s'était une fois de plus rafraîchi la mémoire ; il déclara alors qu'il avait reçu une lettre de Lawrence Walsh, ancien Attorney General adjoint, qui agissait maintenant comme conseiller d'ITT et réclamait un délai pour l'affaire Grinnell ; Kleindienst en discuta avec McLaren et accepta.

Rohatyn à son tour nia avoir participé aux négociations. « Et qu'imaginiez-vous faire ? » lui répliqua le sénateur Hart : « donner un cours d'économie politique ? » « J'essayais de plaider un dossier économique, celui de nos difficultés ». Kleindienst protesta auprès du sénateur Bayh que son rôle s'était borné à écouter. Son devoir, dit-il, était d'écouter les gens qui avaient des doléances à formuler : « Nous sommes aussi bien au service d'ITT que de n'importe qui dans ce pays. » Il ne pouvait pas s'isoler des influences politiques et selon la formule caractéristique qu'il employa plus tard : « Je ne vis pas calfeutré dans un sac stérile à l'abri des miasmes de la Maison-Blanche. » Mais il finit par admettre que c'était bien lui qui avait « déclenché une série d'événements » débouchant sur un règlement. Or cette position pouvait-elle cadrer avec sa déclaration précédente que « les négociations avaient été menées exclusivement par McLaren ? », et d'abord, pourquoi avait-il cru bon de faire cette première déclaration ? Après tout, en sa qualité d'Attorney General adjoint, rien ne s'opposait à ce qu'il soit appelé à examiner l'affaire. Ses dérobades et ses trous de mémoire donnaient à penser que d'autres faits restaient encore dans l'ombre.

Par ailleurs John Mitchell avait-il participé avec les gens d'ITT aux discussions sur le règlement, comme le laissaient entendre les articles de Jack Anderson ? Mitchell, appelé à déposer, se borna à nier une fois de plus qu'il ait été en rien mêlé à cette affaire. Il raconta comment Dita Beard l'avait abordé à la réception du Derby du Kentucky mais démentit le soi-disant accord qu'il aurait conclu avec elle ; un témoin surprise, Louie Nunn, gouverneur du Kentucky, vint corroborer sa version. Mitchell admit avoir rencontré Felix Rohatyn à quatre reprises en 1971 mais il ne s'était agi en l'occurrence, et il insistait sur ce point, que de questions de Bourse. Geneen de même était venu le voir en juillet 1970 pour parler avec lui de la politique anti-trust, mais n'avait fait aucune allusion à des affaires concernant spécifiquement ITT ; à qui pouvait-on faire croire cependant qu'il n'y ait jamais été question d'ITT ? Mitchell déclara avoir soutenu les principes d'un règlementt avec ITT et dit qu'il s'était souvent entretenu avec Peter Flanigan de la Maison-Blanche sur les actions anti-trust, lui demandant s'il n'y aurait pas lieu de créer un groupe interministériel pour étudier une révision éventuelle des lois en vigueur. De toute évidence Mitchell portait *quelque* intérêt à la question d'ITT ; et il avait parcouru un bon bout de chemin depuis le discours militant qu'il avait prononcé à Savannah en 1969.

Quant aux témoignages portant sur le degré d'engagement de Mitchell dans l'affaire de San Diego, il devenait de plus en plus difficile d'y ajouter foi. Les deux Californiens, Reinecke et Gillenwaters, finirent par déposer à leur tour, mais leurs déclarations étaient si tortueuses que Birch Bayh apostrophant Gillenwaters éclata soudain : « La foi qu'on peut ajouter à vos propos est tombée de 100 à pas loin d'un foutu zéro. » A qui aurait-on pu faire croire qu'en mai 1971 Mitchell ait ignoré à la fois l'imminence d'un règlement avec ITT et la caution que cette société offrait à San Diego ?

McLaren, promu maintenant juge fédéral, se trouvait dans une situation encore plus inconfortable qu'aucun autre personnage visé dans l'aventure ; hier héros des briseurs de trusts, voilà qu'on l'accusait aujourd'hui de s'être « dégonflé ». Ulcéré et furieux de pareilles insinuations, il dit à Birch Bayh : « Je dois parfois me pincer pour y croire, Monsieur le sénateur ; comment ! nous avons ordonné un dessaisissement portant sur un milliard de dollars, le record de toute l'histoire ; nous avons stoppé l'avance de ce char d'assaut dont les acquisitions nous semblaient contraires au principe de la libre concurrence ; nous avons mis un terme à tout cela et me voici maintenant devant vous pour présenter ma défense ! » Plus tard il pesta contre Tunney : « Si vous voulez mon avis, la façon dont cette commission conduit l'enquête est proprement scandaleuse. » Et pourtant, au fur et à mesure que survenaient de nouveaux témoignages, il paraissait de plus en plus évident que McLaren avait subi d'intenses pressions politiques pour l'obliger à changer d'avis à propos de Hartford ; et que tout en se croyant totalement immunisé contre les pressions extérieures, il en advint pour McLaren comme pour bien d'autres chefs anti-trust avant lui : on avait fini par l'avoir à l'usure.

Mais la question essentielle que tous ces palabres laissaient deviner était de savoir si le « big business » avait atteint un poids si écrasant qu'aucun chef anti-trust ne pût lui résister. Philip Hart, le membre de la commission dont les interventions étaient toujours le plus écoutées, posa carrément la question au procureur général, Erwin Griswold, dont le rôle, tout marginal en la circonstance, avait consisté à accepter le renvoi de l'affaire Grinnell : « Notre société en est-elle arrivée à ce point », demanda Hart, « qu'on a laissé se développer une concentration d'intérêts privés d'une telle puissance que, du fait de l'énormité de son champ d'action et de ses moyens, il soit devenu impossible de lui appliquer les lois qui régissent notre vie publique ? On ferait bien de trouver une réponse à cette question », poursuivit-il, « sinon le jour viendra où nous aurons un pouvoir privé qui échappera à toute autorité gouvernementale (et ceux qui le mettront en place n'auront pas nécessairement une allure d'épouvantail). »

Griswold répondit que c'était une question à la fois très intéressante et troublante, mais il s'en tira par une pirouette, se contentant de formuler le vœu que le Congrès renforce la loi relative aux conglomérats. Marlow Cook enchaîna sur le sujet et dit : « Je ne saurais dire à quel point je souscris à l'approche philosophique du sénateur Hart. Mais c'est un peu comme si en découvrant l'ennemi on s'écriait : « Mais l'ennemi c'est nous ! » C'est le Congrès qui a voté l'article 7 de la loi Clayton et s'il veut y changer quelque chose, c'est encore au Congrès qu'il appartient d'intervenir. »

Entre-temps Jack Anderson assis au premier rang à côté de Brit Hume attendait impatiemment d'être appelé. Enfin, après six jours d'auditions, Eastland qui présidait la séance lui ayant donné la parole, il lança aussitôt sa première salve : « La version officielle des événements est bourrée de contre-vérités. Une odeur de scandale flotte au-dessus de toute l'affaire. » Il accusa Kleindienst de « danser un tango sémantique » autour du mot *négocier*. Il avertit la commission que Ned Gerrity d'ITT était le maître d'œuvre d'un projet destiné à discréditer Dita Beard en la faisant passer pour une timbrée imbibée d'alcool. Et il conclut par cette envolée finale : « Monsieur Kleindienst est un homme qui a du mal à reconnaître une infraction à la loi quand il a le nez dessus. Or, ne nous trompons pas : le fait pour une société de fournir une contribution de 400 000 dollars à une convention politique constitue bien une infraction à la loi... »

Le sénateur Gurney demanda à Anderson comment il était entré en possession de la fameuse lettre mais ce dernier refusa de lui répondre et lui dit : « Monsieur le sénateur, si chaque fois qu'un journaliste raconte une histoire on cherche à identifier ses sources d'information pour les traîner devant les autorités, alors le premier amendement est nul et non avenu. » Brit Hume commença par refuser de livrer le secret des notes cruciales rédigées à la suite de son entretien avec Dita Beard ; mais quand il eut cédé en fin de compte, elles ne firent que corroborer les articles publiés à ce sujet et constituèrent le témoignage essentiel jusqu'à la fin des auditions. Les sénateurs républicains essayèrent de discréditer Anderson et Hume en citant des histoires parues précédemment sous leur signature et qui s'avérèrent fausses par la suite. Anderson fit amende honorable pour l'une d'elles, mais défendit son palmarès de journaliste méticuleux et précis. Il en revint à la question de l'aide financière apportée aux partis politiques : « Question autrement importante que de savoir si oui ou non Kleindienst verra sa nomination confirmée » — question qui chatouillait plus spécialement l'épiderme des sénateurs. Une fois de plus Philip Hart se livra à un examen de conscience : « Je me plais à croire que, quelles qu'aient été mes initiatives politiques, je ne me suis jamais laissé influencer par une contribution quelconque à l'une de mes campagnes. En fait nous ne comprenons pas nous-mêmes toutes nos motivations. Nous ne pouvons que formuler le vœu d'échapper aux influences. Mais on ne peut empêcher le public de se poser des questions et dans le cas qui nous occupe, elles sont dramatiques. »

Le sénateur Hruska était du même avis : « Je crois que vous êtes dans le vrai : nous nous sentons, tous autant que nous sommes, libres et dégagés de toute obligation à l'égard de ceux qui fournissent des fonds de soutien pour nos campagnes. Mais que le phénomène relève du conscient ou du subconscient, je ne sache pas que ce soit toujours vrai. » A ce moment le sénateur Scott l'interrompit pour dire : « Que chacun de nous ici dans cette commission déclare ce qu'il a reçu, de qui, et qu'on en finisse avec toute cette hypocrisie. »

## A LA RECHERCHE DE DITA BEARD

Entre-temps, le témoin clé, Dita Beard, s'était dissous dans l'atmosphère. On était en plein surréalisme d'autant que l'enquête en cours tombait au moment de l'affaire Howard Hughes [2]. Eastland, le président, la cita à comparaître mais sans succès : on avait perdu sa trace. Le F.B.I. fut chargé d'entreprendre des recherches et on finit par apprendre qu'une femme répondant à son signalement était tombée malade le 2 mars à bord d'un avion à destination de Denver ; on lui avait

2. N.d.T. Multimilliardaire qui avait mystérieusement disparu de son domicile à Las Vegas. En fait, il s'était réfugié dans une île des Caraïbes.

fait respirer de l'oxygène mais elle avait refusé de fournir son identité, se bornant à déclarer : « Je n'ai rien à faire de votre foutu docteur. » Enfin J. Edgar Hoover[3] signala qu'on l'avait découverte à l'hôpital ostéopathique des Montagnes Rocheuses de Denver au Colorado. Les agents du F.B.I se virent refuser l'autorisation de pénétrer dans sa chambre avant que son médecin personnel, le docteur Liszka, ait examiné son cœur ; puis ces agents produisirent la citation à comparaître dont ils étaient porteurs, mais les médecins déclarèrent que la malade n'était pas en état de supporter un interrogatoire et qu'elle vivait sous la menace d'une thrombose coronarienne.

Dans des circonstances mystérieuses, le docteur Liszka apparut en personne devant la commission pour donner son témoignage ; il s'était présenté au Département de la Justice le vendredi précédent pour fournir sa version des événements. Dans un anglais fortement mâtiné de hongrois, il attesta que Mme Beard souffrait d'une ischémie coronarienne[4] et qu'elle donnait par moments des signes « d'égarement et de confusion mentale ». Il ajouta que Mme Beard lui avait donné l'impression d'avoir bien écrit cette fameuse lettre, mais lui avait confié : « J'étais folle et mentalement dérangée quand je l'ai rédigée. » Cependant on en vint rapidement à douter de la confiance qu'on pouvait lui accorder : la nouvelle avait en effet transpiré que le docteur et sa femme avaient fait l'objet d'une instruction judiciaire pour escroquerie à la sécurité sociale. On sut, par ailleurs, que ce médecin avait travaillé précédemment pour une filiale d'ITT : la compagnie d'assurances-vie Hamilton.

Décidément les conseillers médicaux de Mme Beard apparaissaient de jour en jour comme des personnages

3. N.d.T. Ancien directeur du F.B.I.
4. Mauvaise irrigation du cœur.

de plus en plus bizarres. On devait apprendre en effet que le docteur Radetsky, son cardiologue ostéopathe qui devait décider du moment où elle pourrait témoigner, avait été lui aussi soupçonné d'escroquerie à la sécurité sociale. On finit par douter qu'il y eût quoi que ce soit de vrai dans la maladie de Dita Beard et deux médecins de Denver, les docteurs Ray Pryor et Joseph Snyder, qui avaient tout d'abord confirmé le diagnostic d'angine de poitrine, déclarèrent par la suite que, sur le plan objectif, ils n'avaient rien remarqué d'anormal à l'examen, et que le diagnostic avait été entièrement fondé sur son histoire de douleurs dans le thorax qui constituait une « information subjective ».

Il fallut attendre jusqu'au 10 mars, juste après les dépositions de Jack Anderson et de Brit Hume, pour que Dita Beard fasse une déclaration publique sur la lettre incriminée. Elle fut communiquée par un avocat du nom de David Fleming requis par ITT pour la représenter à l'audience (il envoya une note de 15 000 dollars d'honoraires pour prix de son intervention). Mme Beard niait d'une façon catégorique « qu'un arrangement quelconque soit jamais intervenu entre ITT et l'administration en vue d'un règlement favorable de l'action anti-trust » ; mais elle ne cherchait pas à prétendre ne pas être l'auteur de ladite note. Dix jours après, pourtant, elle dicta de son lit une autre déclaration selon laquelle la note publiée par Anderson était une mystification et qu'on avait imité son paraphe. Jack Anderson répliqua sans ambages qu'elle n'avait jamais nié jusqu'ici l'authenticité de la note, et qu'il était absolument impossible d'accorder le moindre crédit à sa déclaration. « La seule explication que je puisse donner est qu'elle a cinquante-trois ans, qu'elle est divorcée avec cinq enfants à sa charge et des notes d'hôpital à payer. Elle est économiquement à la merci d'ITT ».

Enfin, trois semaines après le début des auditions, quelques sénateurs furent autorisés à interroger Dita Beard. On désigna pour la circonstance une sous-commission avec Hart comme président et qui comprenait notamment Kennedy et Tunney ; ils s'envolèrent pour Denver afin de recueillir son témoignage à l'hôpital ; un reporter et un photographe étaient du voyage. Ils assistèrent tous à une scène étonnante : Dita Beard calée par des oreillers était assise droite dans son lit, les membres raccordés par des fils à un électrocardiographe ; ses deux médecins, Radetsky et Garland, debout devant les appareils à oxygène, surveillaient le cœur malade. Ils avaient déclaré d'entrée de jeu que tout changement de son rythme cardiaque signifierait la fin de l'interrogatoire. David Fleming et Harold White, ses avocats, étaient présents. Les sept sénateurs, mal à l'aise dans ce décor mélodramatique, s'installèrent sur des chaises disposées autour du lit ; Tunney souffla à l'oreille de son voisin : « J'ai l'impression d'être une espèce de vampire. »

David Fleming donna lecture de la déclaration de Dita Beard. Une fois de plus elle y affirmait ne pas avoir écrit la lettre et donnait sa version de ses rencontres avec Brit Hume, protestant qu'il était décidé, quoi qu'elle eût pu dire, à prouver qu'il existait un lien entre San Diego et le règlement. Mais interrogée par Kennedy elle admit que maints courts passages de la lettre, en effet, lui rappelaient quelque chose, allant jusqu'à expliquer pourquoi elle les avait écrits. Elle reconnut pour siens les deux premiers paragraphes à l'exception des quelques mots concernant Mitchell. La matière de presque tout le troisième paragraphe ne lui parassait pas étrangère non plus ; après quoi, elle dit qu'elle n'y était plus du tout — surtout quand on faisait allusion aux entretiens avec le gouverneur Nunn et à « notre noble engagement ». Elle ne voyait pas comment elle aurait pu écrire que « le Président a dit à Mitchell de veiller à ce que les choses se règlent ». Mais elle convint cependant que « ce dernier paragraphe sonne très familièrement à mes oreilles ».

L'interrogatoire avait déjà duré deux heures et le sénateur Gurney venait de poser une question à Mme Beard concernant le moment où elle avait rencontré Kleindienst à Tulsa dans l'Oklahoma. Mais soudain, le souffle coupé, elle ouvrit la bouche et poussa un cri de douleur. Le docteur Radetsky se précipita vers elle et dit : « Messieurs, je vous en prie, laissez-la respirer cinq minutes ! » Les sénateurs attendirent tandis que les médecins examinaient la malade. Elle se plaignait de douleurs dans le thorax et ne serait pas en état de subir un nouvel interrogatoire.

Pour Kennedy qui comptait sur une audience de neuf heures à l'hôpital, tout cela semblait bien louche, d'autant qu'on venait d'apprendre les soupçons qui pesaient sur le docteur Radetsky ; cette méfiance ne fit que croître quand, à peine une semaine après la mystérieuse rechute, la malade fut assez vaillante pour quitter l'hôpital, apparaître à la télévision et subir le supplice d'une interview menée par ce tortionnaire de Mike Wallace, à qui elle fit sensiblement plus de révélations qu'elle n'en avait jamais faites aux sénateurs ; ce qui n'empêcha pas ses médecins de déclarer catégoriquement qu'elle ne serait plus en état de subir d'autres interrogatoires avant six mois, ni son avocat David Fleming de protester contre « le peu de cas que faisaient ces impitoyables obsédés » qu'étaient Anderson et le sénateur Kennedy à l'égard de sa cliente et de déclarer que « le fait qu'une femme malade et à moitié folle d'inquiétude à l'idée de ses cinq enfants à charge en soit venue à risquer sa vie pour faire éclater la vérité aux yeux de tous, était la lamentable et révoltante illustration du pouvoir quasiment illimité de ce journaliste insolent au cœur de pierre, Jack Anderson, flanqué de son sinistre flaireur d'ordures et râcleur de boue : j'ai nommé Brit Hume ».

## LA LETTRE

Peu à peu les nuages s'épaississaient autour de l'authenticité même de la lettre. Déjà les experts en caractères de machines à écrire, sans qui aucun grand scandale américain ne serait vraiment complet, étaient entrés en lice. Eastland, le président de la Commission, avait communiqué la pièce à J. Edgar Hoover du FBI qui renvoya un rapport aux termes duquel on se serait servi pour dactylographier le texte incriminé d'une machine à écrire IBM modèle C à caractères du type « documentaire » d'un trente-deuxième de pouce d'espacement, sur un support de papier filigrané Gilbert Bond 25 pour cent coton ; le rapport précisait que ces particularités ainsi que le ruban encreur et les espaces de blanc entre la marge normale et les entrées de paragraphe étaient identiques à celles des autres documents d'ITT dactylographiés à la même époque. « Rien dans cet examen ne permettait de supposer que ce texte ait été dactylographié autrement qu'aux environs du 25 juin 1971 ».

Mais ITT, qui s'était également débrouillée pour mettre la main sur l'original de la lettre, l'avait envoyé de son côté à ses propres experts, Monsieur et Madame Tytell de Fulton Street à New York. Ils l'examinèrent pendant des jours et des jours et finirent par découvrir que, soumise aux rayons ultra-violets, la fluorescence du document en question n'était pas la même que celle d'autres documents écrits en juin 1971 et que la « frappe » était très semblable à celle d'une lettre écrite en janvier 1972. Armé du rapport établi par le couple Tytell, un avocat d'ITT, De Forest Billyou[5], le bien nommé,

5. N.d.T. *De Forest Billyou.* Ce nom évoque l'idée d'un avocat qui forcerait légèrement ses notes d'honoraires ; nous proposons cette périphrase approximative : « Attendez que je vous fusille au coin d'un bois. »

apporta la lettre à un nouveau tandem mari et femme, Walter et Lucy McCrone de Chicago, experts en chromophotographie et en microanalyse du papier. Ils décelèrent une trace de sulfate de baryum dans l'encollage du papier, ce qui les inclina à croire que le texte avait été écrit en 1972. ITT présenta les rapports de ces experts aux sénateurs qui ne les prirent pas trop au sérieux compte tenu de l'existence du rapport du FBI. On apprit par la suite que le ménage Tytell avait reçu 8 000 dollars pour huit jours de travail et les McCrone 7 000 dollars.

ITT pour son compte communiqua une note à la presse le 20 mars, selon laquelle la société avait découvert récemment ce qu'elle appelait maintenant « l'authentique note Beard » qui avait été écrite à la même date que la soi-disant « note Anderson - Beard » et qui prouvait que Mme Beard n'avait pu participer à aucune transaction. Mais il apparut que « l'authentique note Beard » n'était rien d'autre qu'une des notes décrivant les « profils d'emplois » rédigés par les membres du lobby de Washington et adressés à Bill Merriam ; cette note décrivait le travail effectué par Dita Beard à San Diego mais ne prouvait rien. Par ailleurs ITT produisit une déclaration faite sous la foi du serment par Susan Lichtman qui avait été la secrétaire de Dita Beard à l'époque de la lettre et qui affirmait se rappeler en avoir tapé une partie mais non les passages incriminés. Cinq jours plus tard cependant, Mme Lichtman présenta une autre déclaration certifiée, cette fois à la requête d'un des avocats de Mme Beard, attestant qu'elle ne se souvenait pas non plus d'avoir tapé « l'authentique note Beard » d'ITT.

Il existait donc dès lors trois prétendues notes, toutes datées du 25 juin, parmi lesquelles notamment cette note Anderson - Beard modifiée et purgée de ses passages accusateurs, telle que Dita Beard et sa secrétaire se la rappelaient maintenant. Mais cette dernière ne parut jamais très convaincante ; car bien que Dita Beard prétendît l'avoir envoyée à Merriam, ni lui, ni Gerrity, quand ils vinrent déposer, n'en avaient conservé le moindre souvenir. On peut se demander, si la note Anderson - Beard avait été fabriquée de toutes pièces, pourquoi Dita Beard aurait attendu trois semaines pour la dénoncer comme un faux ? Bob Wilson avec qui Dita Beard s'entretint peu après que Brit Hume lui ait montré la note ne l'a jamais entendue dire que le document était apocryphe ; il expliqua au cours d'une interview comment Merriam était venu le voir le 28 février et lui dit avoir eu la pièce entre les mains puis l'avoir rendue à Dita Beard : « ITT fait courir le bruit que personne ne l'a jamais vue. Ça, ce sont des histoires à la Gerrity. Du diable s'ils ne l'ont pas vue ! Merriam m'a confié personnellement lundi dernier qu'il avait eu la note entre les mains, il m'a dit aussi que Dita avait insisté pour la rédiger[6]... »

Quoi qu'il en soit, presque toute la substance de la note fut peu à peu confirmée au cours des dépositions. Des témoins successifs aidèrent à décoder le langage hermétique de sa signataire et Merriam n'hésita pas à dire que Dita Beard avait coutume d'utiliser des phrases comme « Hal avec sa grande gueule » et « Prière de déchirer ça, hein ? ». Dita Beard elle-même expliqua ses allusions au coup de téléphone de la Maison-Blanche, et pourquoi il fallait absolument garder secrète la caution de 400 000 dollars ; en outre Gerrity et Merriam corroborèrent l'embarras où l'on s'était trouvé pour décider si la somme en question serait offerte en prestations de services ou en espèces.

Par contre, on ne parvint jamais à établir la preuve que Nixon et Mitchell s'étaient entendus pour soutenir ITT ni qu'il y ait eu échange de bons procédés (« Notre noble geste a fait beaucoup pour que nos négociations aboutis-

6. Interview de Robert Cox, *Kleindienst Hearings*, vol. III, p. 880.

sent à des résultats conformes aux désirs de Hal »). Mais Anderson et Hume, quant à eux, s'étaient bien gardés de proférer pareille accusation ; et si cet échange de bons procédés avait réellement eu lieu, il était fort improbable que quelqu'un l'avoue. Comme Kleindienst lui-même le formula dans sa déposition : « Si Monsieur Flanigan m'avait graissé la patte ou proposé de le faire, je douterais fort qu'il vienne se présenter ici devant vous pour affirmer sous la foi du serment : « Mais, bien sûr, je me suis mis d'accord avec Kleindienst pour exiger un gros pot-de-vin ; ils vont nous acheter pour 100 000 dollars afin d'en finir avec leur procès anti-trust de 1 milliard de dollars. »

Pourquoi, si la lettre était authentique, Mme Beard l'avait-elle écrite ? Ce fut Bob Wilson qui, semble-t-il, fournit l'explication la plus plausible : que le bureau d'ITT à Washington était le théâtre de multiples rivalités politiques intestines ; que Gerrity et Merriam ne pardonnaient pas à Mme Beard les rapports privilégiés qu'elle entretenait avec Geneen et avec les gros bonnets du parti républicain ; qu'elle en avait par-dessus la tête de ces malentendus avec Merriam et qu'elle voulait consigner noir sur blanc la liste de ses remarquables performances. Il se peut aussi que sa vanité de professionnelle de l'intervention l'ait portée à croire que la caution de San Diego avait aidé au règlement de l'action anti-trust ; mais peut-être aussi cette croyance contenait-elle au moins une parcelle de vérité.

Pourquoi et comment la lettre avait-elle échoué dans les bureaux de Jack Anderson ? On n'en sait toujours rien. Il y a maintenant des gens d'ITT qui émettent l'hypothèse que Dita Beard a elle-même organisé cette fuite comme une manœuvre (bien mal inspirée) destinée à sauvegarder sa position. Mais l'hypothèse ne cadre pas avec sa réaction devant Brit Hume. N'avait-elle pas déclaré elle-même que Jack Gleason devait être l'auteur de cette fuite ? Il paraît vraisemblable que quelqu'un qui gravitait dans l'orbite d'ITT ait divulgué la lettre, peut-être histoire de rire un peu, et inconscient du tremblement de terre que son geste allait déclencher.

## LE BROYEUR A PAPIER

Le crédit que d'aucuns auraient pu accorder aux arguments d'ITT s'appauvrit encore à la nouvelle que le lendemain même du jour où Anderson avait divulgué la lettre, la société avait décidé la destruction massive des documents qui se trouvaient dans ses bureaux de Washington. Le Broyeur à Papier, machine qui engloutit des piles de dossiers pour les transformer en fines lanières de papier, fut accueilli comme un nouvel accessoire comique de la panoplie d'ITT. Les sénateurs exigèrent de la compagnie un rapport spécial sur cette entreprise d'effilochage ; il fut dûment rédigé et présenté par le principal avocat-conseil d'ITT, Howard Aibel. Il y était expliqué comment, après la première visite de Brit Hume, Merriam avait donné l'ordre à son personnel de débarrasser les classeurs de tous les documents dont Jack Anderson pourrait faire un usage abusif en les présentant d'une façon tendancieuse. Dans l'après-midi, un inspecteur des services de sécurité d'ITT, Russell Tagliareni, arriva de New York pour superviser l'effilochage, « conformément à la pratique habituelle d'ITT ». Bien entendu, la société soutenait qu'aucun des documents détruits ne faisait mention d'un rapport quelconque entre le règlement de l'action anti-trust et la convention. Mais, comme Kennedy en fit la remarque dans la suite : « Même les partisans de la confirmation de Kleindienst ont cessé de déclarer qu'il n'y avait pas une bribe de preuve... parce qu'ils se rendaient bien compte qu'en ce qui concernait du moins les dossiers du bureau de Washington il ne restait plus, en effet, après l'opération de l'effilochage, que des « bribes » de preuves[7]. »

Quand Bill Merriam, le malchanceux, vint déposer devant la commission, il ne fit qu'aggraver les choses. Il expliqua que son bureau disparaissait sous les centaines de notes qui lui arrivaient chaque semaine et, au sénateur Tunney qui lui disait : « Espérons que leur contenu était d'une autre veine que celui de la note Anderson-Beard », Merriam répondit : « Eh bien, vous seriez surpris ! » (rires). Plus tard ce fut au tour du sénateur Ervin de l'interroger :

ERVIN : Qui a donné l'ordre au bureau d'ITT de Washington de détruire toutes les pièces qui auraient pu embarrasser la compagnie ou toute autre personne en relation avec la compagnie ?
MERRIAM : C'est moi, Monsieur.
ERVIN : Est-ce là un principe général d'ITT ?
MERRIAM : C'en est un quand une note comme celle qui nous occupe a disparu de nos dossiers pour être communiquée à la presse.
ERVIN : Enfin, vous ne pouviez pas détruire cette note puisque vous ne l'aviez pas !
MERRIAM : Non. C'est vrai, mais il aurait pu y en avoir un tas d'autres comme ça (rires).

(Merriam expliqua plus tard au sénateur Gurney qui était venu à sa rescousse : « J'ai voulu parler d'un tas d'autres notes qui auraient pu embarrasser la compagnie si elles avaient disparu. »)

Le mot « broyeur » venait de faire son entrée comme mot-scie dans le vocabulaire et le rapport ITT lais-

7. *Kennedy Report*, p. 24.

sait entrevoir tout un réseau de services de renseignements de la société. Les fabricants de broyeurs à papier, baptisés dès lors « machines Dita Beard », enregistrèrent des commandes records dans les mois qui suivirent, tandis qu'un vent de panique soufflait sur d'autres sociétés. Geneen confessa après coup que « le broyeur » avait été, selon lui, la plus grande erreur d'ITT[8]. Mais n'y avait-il pas un certain romantisme poétique dans cette justice immanente qui punissait la société de cette manie de tout noter par où elle avait péché. La prolifération des notes était l'inévitable conséquence du système de contrôle institué par ITT ; mais pour une compagnie si profondément ancrée dans sa politique de clandestinité, les dangers du système auraient dû sauter aux yeux.

Comme le dit une fois le sénateur Ervin parlant du broyeur et en écho aux paroles prononcées par Celler (au cours des auditions anti-trust) : « J'ai toujours entendu cet adage : fais le bien et tu ne craindras aucun homme ; n'écris rien et tu ne craindras aucune femme ! alors je comprends pourquoi vous avez fait ça. » Bien que le broyeur ait beaucoup fonctionné, il restait assez de documents dans la nature pour causer de nouveaux ennuis à ITT.

## LE SIÈGE DE LA FORTERESSE ITT

Harcelés de partout, Geneen et son Etat-major détalèrent comme des rats pour se retrancher derrière les murs de leur forteresse et là, protégés par une armée d'avocats, il leur arrivait parfois d'entrebâiller timidement la poterne ou de baisser le pont-levis pour passer un démenti ou publier une déclaration sous serment. On serra les rangs, et la société apparut plus que jamais comme un orchestre homogène incapable de faire

8. Allocution aux actionnaires faite à Memphis en mai 1972.

un geste, d'émettre un son sans la baguette de son chef unique, Geneen. Seuls les dirigeants de Lazard ne cachaient pas leur embarras devant la tactique employée par la compagnie ; de toute évidence, ils désapprouvaient les fredaines de Dita Beard et des membres du lobby de Washington. Felix Rohatyn manifestait son inquiétude de voir ITT se mêler de « tout ce qui pouvait ressembler à la politique » ; il s'alarmait aussi des effets que pourraient avoir sur l'image de la compagnie les faits et gestes de son bureau de Washington.

Lorsque Geneen vint en personne pour déposer devant la Commission, il parut aussi sûr de lui que de coutume, aussi évangélique ; il y avait dans ses paroles une force de conviction bien supérieure à celle de ses sous-verges. Il nia qu'il y ait eu le moindre lien entre le règlement et l'aide offerte à la Convention de San Diego qui, selon lui, était parfaitement légale : il avait consulté au préalable ses conseils juridiques. C'est sans repentir qu'il fit le récit de sa croisade contre la politique de McLaren et qu'il expliqua comment il avait cherché à faire partager ses vues à qui voulait bien l'entendre. Brossant en quelques traits l'héroïque histoire d'ITT, il fit valoir que sa croissance n'était pas l'effet de la simple mégalomanie, mais un moyen d'accéder à un juste équilibre entre les risques américains et étrangers ; il s'élevait contre la façon cynique dont on en usait à l'égard d'ITT, accusée de viser au gigantisme « en soi ». Il ajouta que les lois anti-trust étaient complètement dépassées dans le contexte actuel de l'économie américaine et de sa position hasardeuse devant la concurrence du Marché commun et du Japon.

Il s'exprimait sur le ton d'un homme moralement blessé et stupéfait : « Je suis surpris de voir une grande compagnie comme la nôtre classée dans la catégorie des forces redoutablement parasitaires qui œuvrent à l'encontre du progrès de notre communauté. » Bien que donnant l'impression d'un homme sûr de lui, il cachait, aux dires de ses collègues, une amertume et une désillusion qui n'étaient pas tant le fait des attaques des Démocrates et de la presse que du manque de solidarité du monde des affaires. Il était certes dans une position peu enviable : on voulait faire jouer à ITT le rôle de victime expiatoire dont le sang versé en sacrifice rituel sur l'autel du « big business » servirait à laver les péchés de toute la tribu. D'autres gros potentats des compagnies appartenant à l'Establishment déclaraient sans ambages que Geneen avait toujours fait figure d'outsider et d'aventurier.

La presse entre-temps s'offrait un grand festival anti-ITT. Jack Anderson choisit le moment où le scandale battait son plein pour livrer en pâture au public une nouvelle liasse de notes ITT concernant cette fois le Chili (voir le chapitre suivant), par bien des points plus lourdes encore de conséquences fâcheuses que la note Beard. Les journaux, en outre, s'emparèrent de l'accusation portée contre la société pour « utilisation d'informations privilégiées », affirmant que plusieurs parmi les principaux dirigeants d'ITT s'étaient débarrassés de leurs actions la veille du jour où le règlement allait être porté à la connaissance du public. (Plus tard, en juin, la Commission des Opérations de Bourse (SEC) déposa une plainte officielle contre ITT et Lazard pour le même motif et l'affaire fut promptement réglée par un « consent decree » (voir note p. 254) ou décision arbitrale aux termes de laquelle les accusés, tout en niant formellement les faits, promirent de ne plus recommencer.) Le sénateur Kennedy accusa ITT de n'avoir payé aucun impôt fédéral sur les bénéfices commerciaux en 1971 et le sénateur McGovern reprit la même accusation au cours de sa campagne électorale [9]. Les anecdotes allaient se multipliant sur les

9. Il était le candidat démocrate aux élections présidentielles de 1972.

méthodes employées par les membres du lobby d'ITT et les pressions qu'ils exerçaient à Washington.

Face à un tel bombardement, l'appareil des relations publiques de Ned Gerrity et le lobby de Bill Merriam étaient impuissants à rendre son lustre à l'image de marque de la compagnie : ils durent se rabattre sur des journaux du Middle West aux noms obscurs pour en extraire des appréciations élogieuses. Ils publièrent toute une série de déclarations ainsi qu'un énorme dépliant bleu intitulé *Allégations contre Faits,* mais leurs explications étaient contradictoires et embrouillées. Le seul homme paraissant vraiment au fait de la question était Harold Geneen ; malheureusement il n'était là pour personne. Ses avocats le suppliaient de ne plus ouvrir la bouche, ce qui n'avait rien de rassurant pour son personnel. En effet, quand Mike Wallace interviewa Dita Beard à la télévision, elle se plaignit que personne d'ITT n'ait essayé de la joindre :

> WALLACE : Mais en venant ici, vous m'aviez dit que vous aimiez toujours ITT.
> BEARD : Oui, c'est exact. En tant que société c'est une organisation fantastique. Harold Geneen est sans doute l'homme le plus brillant, le plus loyal...
> WALLACE : Comment loyal ? Il ne vous a même pas donné signe de vie !
> BEARD : Eh bien, je le présume entouré de quarante deux mille avocats pour lui conseiller de garder ses distances à mon égard jusqu'à ce que l'audition des témoins ait pris fin.

Avec son capitaine ainsi réduit au silence, le navire semblait totalement désemparé : toute cette grande pyramide dont les matériaux s'appelaient logique, contrôle,

« management » à la verticale, règne de la raison, s'effondra pour ne laisser qu'une masse informe de témoins inquiets aux dépositions contradictoires. On aurait été en peine de dire qui, de l'Administration ou de la compagnie, s'en était tirée, les auditions terminées, avec le plus de plomb dans l'aile ; à en croire le commentaire d'un des administrateurs d'ITT : « Ça me fait penser à ce couple dont on disait : « L'un comme l'autre se sont mariés au-dessous de leurs conditions respectives. » Mais la ruine de l'image d'ITT fut le résultat le plus spectaculaire de toute l'affaire. Selon le tableau qu'en peignait le sénateur Ervin :

> Les représentants officiels d'ITT s'abattirent comme une nuée de sauterelles, et de toute évidence cherchèrent à parler de la politique anti-trust à qui voulait bien leur prêter l'oreille. Puis quand ils en vinrent à témoigner devant la commission et tant que dura la procédure, s'ils avaient pu constituer une équipe des plus grands savants de l'univers pour leur demander de mettre au point quelque machine à fabriquer des nigauds en série, ces savants ne s'en seraient jamais aussi bien sortis qu'ils ne le firent eux-mêmes par la simple vertu de leur propre cerveau et de leur imagination [10].

## LA MAISON-BLANCHE

> C'est ici qu'aboutit la chaîne des responsabilités. C'est aussi une limite que les dollars n'auraient jamais dû franchir.
>
> Le sénateur Kennedy [11]

10. *Kleindienst Hearings*, vol. III, p. 1637.
11. *Kennedy Report*, p. 21.

Les Démocrates libéraux, avec Kennedy à leur tête, s'acharnèrent à faire subir interrogatoires et contre-interrogatoires à une succession de témoins sans parvenir pour autant à connaître le fin mot de l'histoire. Pour Kennedy, trois ans après l'affaire de Chappaquidick[12], c'était un renversement des rôles dont l'ironie ne passa pas inaperçue. Comme s'en plaignit à moi un représentant d'ITT cité comme témoin : « Quand Kennedy m'apostropha : « Comment, vous ne vous rappelez pas ? vous ne vous rappelez pas ? », je fus à deux doigts de lui répondre : « Est-ce qu'il ne vous est jamais arrivé à vous aussi d'avoir des trous de mémoire ? » Mais heureusement mon avocat qui était assis à côté de moi m'arrêta à temps. » En poursuivant leur piste dans ce labyrinthe, les sénateurs avaient l'impression qu'elle les conduisait de plus en plus près de la Maison-Blanche et que c'était là sans doute qu'était la source vraisemblable des rapports entre la Convention et le règlement. Il y a fort à parier que la mine outragée qu'arborait Kennedy n'était qu'un masque : il était bien placé pour savoir par quels mécanismes les présidents deviennent les obligés des grandes sociétés. Mais dans une année électorale cette enquête dans les bas-fonds de l'administration Nixon conférait au jeu un attrait tout spécial.

Quant à Nixon, furieux de ce scandale qui ternissait la gloire de son retour triomphal de Chine (comme le déplorait son assistant Bob Finch), il faisait le mort. On reconnaissait à certains signes que la Maison-Blanche intervenait pour étouffer l'enquête. Ken Clawson, le directeur adjoint de l'information, se plaignait aux rédacteurs de journaux de la teneur de leurs articles et Marlow

12. N.d.T. On se souvient qu'au retour d'une réception chez des amis, Edward Kennedy avait eu un accident d'automobile au cours duquel sa jeune passagère trouva la mort, noyée dans des conditions obscures, que les propres déclarations du sénateur rendirent encore plus mystérieuses.

Cook, l'allié le plus proche de Nixon à la Commission de la Justice, faisait l'impossible pour discréditer les commentateurs hostiles. Jack Anderson alla jusqu'à affirmer, le 23 mars, que « le gouvernement a lancé à nos trousses des douzaines de mouchards, de sbires de la présidence, de valets de la politique pour enquêter sur notre compte, préparer des attaques contre nous et inonder la presse de pamphlets diffamatoires ». ITT, disait-il, avait partie liée avec la Maison-Blanche et Intertel, l'organisation internationale de police privée, pour démontrer qu'Anderson avait conspiré avec Dita Beard pour mijoter la lettre. (Il finit par s'en expliquer avec Intertel, me dit-il, et leur conseilla de ne pas se mêler de cette affaire.)

Les événements du début de 1971 indiquaient clairement que la Maison-Blanche, plus que n'importe qui, souhaitait que la Convention ait lieu à San Diego ; et ce fut Bob Wilson, un proche allié de Nixon, qui fixa le montant de l'engagement d'ITT. Y avait-il eu des accords plus secrets ? La Maison-Blanche s'était-elle engagée à faire aboutir le règlement, comme le mentionnait la note Beard (« Certainement le Président a dit à Mitchell de veiller à ce que les choses soient réglées dans un esprit de justice ») ?

Au début des auditions, McLaren avait expliqué que le document qui l'avait fait changer d'avis était le rapport Ramsden qui analysait les conséquences qu'entraînerait pour ITT l'abandon de la compagnie Hartford. Il avait pour auteur un jeune analyste financier, Richard Ramsden, qui n'était lié à personne, et ses arguments étaient très plausibles. Son rapport constituait une analyse consciencieuse, d'où il ressortait que le dessaisissement serait préjudiciable à ITT surtout du fait de la prime importante déboursée par la société pour acquérir les actions Hartford. Mais des doutes surgirent quant à l'usage qu'on avait fait dudit rapport. Pour commencer,

McLaren l'avait réclamé en grande hâte, après bien des mois passés à préparer l'action contre ITT ; Ramsden l'avait rédigé en deux jours moyennant des honoraires de 242 dollars. En second lieu, il ne confirmait pas la théorie que l'abandon de Hartford produirait des réactions en chaîne à la Bourse — théorie que Rohatyn avait avancée à Kleindienst et à McLaren, et que ce dernier avait admise. Enfin, comme en avait convenu tardivement McLaren, la requête adressée à Ramsden n'émanait pas directement de lui mais de Peter Flanigan, le conseiller financier du Président.

A peine McLaren eut-il prononcé le nom de Flanigan qu'un murmure de rires discrets s'éleva dans la salle ; car en trois ans de présence à la Maison-Blanche Peter Flanigan avait mérité l'étiquette de « Monsieur Fixit [13] » du Président. Ralph Nader, dont Flanigan avait contrecarré la campagne en faveur des coussins d'air comme équipement de sécurité des automobiles, l'avait baptisé dans ses attaques du nom de « mini-président » et Flanigan, riche aristocrate mi-banquier mi-politicien, paraissait très heureux de ce titre. Bien des histoires circulaient sur l'aide qu'apportait Flanigan aux industriels : campagne en faveur d'Anaconda Copper contre l'Agence pour la Protection de l'Environnement ; en faveur de la compagnie de transports aériens American and Western Airlines contre la section anti-trust ; enfin en faveur de Ford contre l'obligation d'équiper ses voitures de coussins de sécurité. Il était fort probable que Flanigan en savait long sur l'action anti-trust menée contre ITT (il avait rencontré Geneen en février 1971) et il aurait été bien surprenant qu'il n'ait rien su de la garantie offerte par ITT à San Diego, affaire qui intéressait un si grand nombre de ses collègues de la Maison-Blanche.

13. N.d.T. En argot *to fix* signifie soudoyer, corrompre, faire classer une affaire (moyennant finances).

Les sénateurs étaient bien décidés à interroger Flanigan, mais il ne tarda pas à leur faire clairement comprendre qu'il invoquerait le principe du « privilège de l'exécutif », qui interdit aux collaborateurs personnels du Président de divulguer des renseignements confidentiels. Ce principe, qui découle de la doctrine de la séparation des pouvoirs, n'est applicable en théorie que dans la limite des communications échangées entre le Président et ses conseillers directs, ou entre les membres de l'Exécutif, assistant spécifiquement le Président en sa qualité de chef de l'Exécutif. Et, peu après son installation, Nixon avait expressément déclaré que la Maison-Blanche serait une maison de verre ; il avait expliqué dans une note « qu'il ne serait pas fait usage du privilège de l'Exécutif sans l'approbation spécifique du Président. » Flanigan, fort sans doute de l'appui de Nixon, n'en refusa pas moins de déposer devant la commission.

Dès lors Flanigan apparut plus que jamais comme « la bête noire » des Démocrates et Thomas Eagleton au Sénat s'en prit violemment au « facteur Flanigan ». Mme Beard, remarqua-t-il, n'était pas le seul témoin défaillant :

> « Il en existe un autre, un homme qui œuvre dans l'ombre, mais au plus haut niveau et seulement avec les plus « grosses légumes ». Cet homme s'appelle Peter Flanigan... Et il y a tout lieu de croire qu'il est le maître à penser, celui qu'on entend sourdement détaler au loin, après avoir reçu de la Maison-Blanche l'ordre de céder devant quelque compagnie géante. »

Flanigan demeurait imperturbable. « Comme le dit ma femme », confiait-il un jour au *Washington Post*, « j'ai l'épiderme endurci ; nous sommes en année électorale et je compte les coups ».

Les soupçons que nourrissaient les jeunes sénateurs à l'égard des filières aboutissant à la Maison-Blanche se matérialisaient au fur et à mesure qu'en serrant les faits de plus près, ils rencontraient plus d'obstruction. Jack Gleason, le conseiller d'ITT qui avait travaillé précédemment pour la Maison-Blanche, se présenta devant la commission accompagné de son avocat, Edward Taptich, pour faire sa déposition et Reuben Robertson qui se tenait non loin d'eux remarqua qu'on venait d'apporter à Taptich un message lui enjoignant d'appeler la Maison-Blanche. Le sénateur Tunney demanda à Taptich s'il avait parlé à quelqu'un de la Maison-Blanche et ce dernier convint comme à regret qu'il venait de bavarder avec le conseiller du Président, John Dean [14].

Il devenait clair que, dans les coulisses, les avocats d'ITT et ceux de la Maison-Blanche, avec le concours de leurs alliés de la Commission de la Justice travaillaient la main dans la main à la défense de leurs clients. Un des assistants de Kennedy s'étant égaré par hasard dans une pièce située derrière la salle ou avaient lieu les auditions, et qui était normalement réservée à la Commission de la Justice, s'entendit déclarer que cette salle était désormais réservée à la Commission *ainsi* qu'à ITT.

Le 6 avril, les sénateurs invitèrent officiellement Flanigan à venir déposer, mais quatre jours plus tard, John Dean se référant au principe de la séparation des pouvoirs, leur répondit sèchement par une note qui concluait : « En raison de cette règle fondamentale et depuis longtemps respectée de notre système fédéral, M. Flanigan se voit dans l'obligation de refuser l'invitation qui lui a été faite de comparaître devant la Commission. »

C'est alors que Sam Ervin, le vieux sénateur de la

14. N.d.T. Conseiller du Président, gravement impliqué dans l'affaire du Watergate. Nixon le révoqua, en même temps qu'il « accepta la démission » de deux autres de ses conseillers, Ehrlichmann et Haldeman.

Caroline du Nord, âge de 75 ans et principal expert en matière de droit constitutionnel, lança cet ultimatum :

« J'en suis arrivé à la ferme et inébranlable résolution que jamais je n'appuierai aucune nomination présentée par la Maison-Blanche et concernant une administration quelconque, tant que la Maison-Blanche dira au Sénat : « Nous vous refusons l'autorisation d'entendre des témoignages relevant de notre pouvoir et portant sur des questions dont vous êtes appelés à connaître. »

C'était la guerre ouverte entre l'éxécutif et le législatif. Sam Ervin voulait lancer contre Flanigan une citation à comparaître afin de mettre à l'épreuve la validité du privilège de l'exécutif dont il se réclamait. Pendant ce temps, d'autres sénateurs pressaient ce Flanigan en privé d'obtempérer. Flanigan finit par céder et écrivit à Eastland, le président de la Commission, déclarant qu'il serait très heureux de comparaître devant lui, sous réserve toutefois que son interrogatoire se limite à des questions bien précises. Les sénateurs, au cours d'une discussion orageuse, essayèrent de se mettre d'accord sur les limites qu'ils seraient disposés à accepter ; quant à Kennedy, il rejeta purement et simplement tout principe de limitation mais fut mis en minorité par 12 voix contre 1.

Le 20 avril au matin, Flanigan, doucereux et calme, apparut enfin devant la Commission : c'était un face à face historique entre le Sénat et la Maison-Blanche. On aurait pourtant eu tort de crier victoire pour les sénateurs car en dépit des apparences l'affaire tourna au vinaigre. Flanigan commença par insister sur le fait qu'il n'avait jamais été qu'un « canal » pour obtenir le rapport Ramsden ; mais dès que le sénateur Hart lui eût demandé si Rohatyn était venu se plaindre à lui de l'abandon de Hartford, il répliqua que c'était une question « hors limites ». Il y eut bagarre et récriminations parmi les sénateurs. « En sortant d'ici nous allons avoir l'air de la plus belle collection de dégonflards de toute l'histoire d'Amérique » protesta le sénateur Bayh (enfin revenu d'Afrique). Quand Bayh posa à Flanigan la question qui s'imposait, à savoir s'il avait jamais parlé à Kleindienst d'ITT, il lui fut répondu une fois de plus que « la question ne serait pas posée ». C'est alors que Bayh éclata : « Alors si on ne peut même pas lui demander s'il a parlé à l'homme dont nous sommes censés valider la nomination, si on ne peut même pas lui parler de la transaction qui nous occupe, je me demande à quoi rime toute cette comédie. »

Les sénateurs, conscients de l'absurdité de leur position, décidèrent de poser deux questions écrites supplémentaires à Flanigan concernant ses contacts avec ITT, ainsi que tous les autres contacts qu'il aurait pu avoir après la sortie du rapport Ramsden. Quatre jours plus tard, le 24 avril, Flanigan répondit en fournissant d'importantes indications nouvelles ; un mois avant qu'intervienne le règlement final avec ITT, il était exact que Rohatyn était venu le voir à son bureau mais surtout, paraît-il, pour lui parler de la Bourse et de la tenue du marché ; juste avant de partir, Rohatyn s'était plaint effectivement des propositions formulées par la section anti-trust, qu'il estimait beaucoup trop dures et inacceptables pour la compagnie. Deux jours plus tard, Flanigan avait bien rapporté à Kleindienst les propos de Rohatyn. Il révéla également que lorsqu'il remit le rapport Ramsden à McLaren, Kleindienst était avec lui mais qu'ils n'avaient échangé que des « propos superficiels ». Il avait fallu 7 semaines aux sénateurs pour lui extirper ces indications.

Entre-temps, après bientôt 2 mois de sessions discontinues, les sénateurs avaient enfin décidé d'en terminer avec ces auditions, non sans soulever les véhémentes protestations du groupe Kennedy. Ils convoquèrent à nouveau Kleindienst, maintenant plus confiant et plus persuasif, mais dont les absences de mémoire ne pouvaient qu'éveiller les soupçons : cette mémoire en effet était, selon les cas, des plus défaillantes ou des plus précises dans l'évocation des rencontres qui revêtaient le plus d'importance. Il avait déclaré tout d'abord n'avoir pas eu de conversation avec Flanigan ; et pourtant ce dernier était certain du contraire. Et après 8 semaines d'auditions, il ressortait que le document critique, le rapport Ramsden, avait été remis à McLaren par Flanigan en présence de Kleindienst qui ne parvenait pas à se souvenir de la raison de sa présence à ce moment ; il était, disait-il, un ami très intime de Flanigan et le rencontrait souvent par hasard. Mais, venant après tant de dénégations antérieures, ce mystérieux concours de trois personnalités de haut rang faisait qu'il était encore plus difficile de croire que les « négociations avaient été exclusivement menées par le seul McLaren ». Comme le faisait remarquer Kennedy dans son propre rapport :

« On peut s'émerveiller que trois personnalités officielles qui occupent des postes de commande dans l'Administration puissent se rencontrer et se passer un document clef concernant trois affaires de première importance, et que leurs propos se résument à des « Merci, Pete » ; « Il n'y a vraiment pas de quoi, Dick ».

Les auditions avaient pris fin depuis longtemps, que l'écho des soupçons qui pesaient encore sur l'étroite collusion entre ITT et la Maison-Blanche continuait à provoquer des remous, et l'on devinait à certains signes que les parties concernées mettaient une hâte fébrile à enterrer l'affaire. Il y avait notamment les 34 caisses de documents dont la Commission des opérations de Bourse (SEC) avait ordonné la mise sous scellés à l'occasion du projet de fusion Hartford ; toutes les pièces qu'elles contenaient avaient échappé à la machine à broyer, y compris une enveloppe en papier bulle que l'on supposait contenir une preuve de la connivence de la Maison-Blanche. Le Représentant Staggers, président de la Commission du Commerce qui avait la haute main sur la SEC, était bien décidé à examiner ces papiers et, en septembre 1972, il écrivit au président de la SEC, William Casey, partisan inconditionnel de Nixon qui l'avait nommé à ce poste (il est aujourd'hui sous-secrétaire aux Affaires Economiques). Il s'ensuivit un échange de correspondance acrimonieuse : Casey demanda l'avis du conseiller juridique de la Maison-Blanche, John Dean, qui lui dit de remettre les documents à Staggers [15] ; peu après Casey livra les 34 caisses au Département de la Justice qui, ostensiblement, continuait d'enquêter sur les faux témoignages dont les représentants d'ITT auraient pu se rendre coupables lors des auditions sénatoriales. Une fois enterrées au Département de la Justice, il y avait peu de chance qu'elles refassent jamais surface, mais il s'avéra qu'avant qu'elles soient escamotées, des membres de la SEC s'étaient dépêchés de prendre des notes ; et quand, un an plus tard, les membres de la sous-commission du Sénat, chargés d'enquêter sur les sociétés multinationales, instruisirent le cas d'ITT, ils exigèrent de la compagnie qu'on leur présente quelques-unes des lettres en question. Elles révélèrent que les contacts entre ITT et le gouvernement, et particulièrement avec la Maison-Blanche, avaient été beaucoup plus nombreux et variés qu'on ne l'avait tout d'abord présumé. Ned Gerrity, par exemple, était allé voir son vieil ami, le vice-président des Etats-Unis, Spiro Agnew, pour le persuader que « McLaren semblait vouloir en faire une affaire personnelle » ; et Agnew, de toute évidence, avait tenté de faire pression sur Kleindienst et McLaren. Ryan, l'homme des lobbies, écrivit à Merriam pour lui expliquer que la question était de savoir jusqu'à quel point McLaren était un bon Républicain. Geneen avait vu John Ehrlichmann et Charles

15. Voir la déposition de Casey devant la sous-commission d'enquête de la Commission du Commerce de la Chambre des Représentants : 13 décembre 1972.

Colson à la Maison-Blanche qui, l'un et l'autre, l'avaient assuré que le Président avait donné instruction au Département de la Justice de ne pas appliquer en matière d'affaires le principe que « la grandeur est un mal ».

John Mitchell de son côté avait déclaré à Geneen que le Président n'était pas hostile aux fusions et Mitchell avait dit qu'il en parlerait à McLaren. Geneen avait remercié John Connally[16] pour l'aide qu'il lui avait apportée en obtenant le renvoi de l'affaire Grinnell avec l'approbation si mystérieuse de McLaren. Tous ces témoignages que la Commission de la Justice s'était vainement efforcée de recueillir, montraient à quel point ITT avait su circonvenir McLaren, et signifiaient que la Maison-Blanche était résolue à aller très loin pour venir en aide à la compagnie. Et tandis que ces lettres étaient publiées, Patrick Gray, le directeur en exercice du FBI et dont la nomination à ce poste était en cours de validation (il a depuis donné sa démission), révéla que Charles Colson à la Maison-Blanche avait délégué Howard Hunt (ce même Howard Hunt qui est inculpé dans l'affaire des « plombiers[17] » du Watergate) pour interviewer Dita Beard pendant les auditions Kleindienst ; et également que John Dean, conseiller juridique de la Maison-Blanche, avait repassé l'original de la lettre Beard à ITT, pour la faire examiner par leurs experts en dactylographie. Etait-il donc possible d'imaginer une preuve plus évidente et plus sinistre de la collusion entre ITT et la Maison-Blanche ? Mais tout cela n'apparut au grand jour qu'après la clôture des auditions Kleindienst.

16. Gouverneur démocrate du Texas au moment de l'assassinat du président Kennedy en novembre 1963, au cours duquel il fut lui-même sérieusement blessé. Se rallia plus tard au président Nixon qui en fit son secrétaire au Trésor.

17. N.d.T. En 1967, Howard Hunt avait fait partie du groupe des enquêteurs chargés par la Maison-Blanche de lutter contre les *fuites* de certains documents secrets du Pentagone. D'où le sobriquet de « Plombiers ».

## QUE S'ÉTAIT-IL DONC PASSÉ ?

Les faits les plus révélateurs ne concernaient pas la Maison-Blanche, Kleindienst ou McLaren, mais les impitoyables mécanismes de pression qu'une compagnie géante peut mettre en branle pour infléchir les décisions du gouvernement ; de sorte qu'on pourrait poser la question autrement et se demander qui serait en mesure de résister à de tels assauts ? En dépit des méthodes de secret d'ITT et de la destruction de ses archives, en dépit de la non-comparution des témoins clefs, les auditions Kleindienst constituent une étude de cas historique sur les patientes tactiques appliquées par les groupes de pression, aux frontières du business et de la politique. Comme l'expliquait Kennedy :

> « Les efforts soutenus et élaborés, déployés par les groupes de pression d'ITT de 1969 à 1971 pour parer aux menaces de la section antitrust, constituent un vibrant témoignage des progrès spectaculaires de l'art du lobby. Tout membre du Cabinet ou tout collaborateur de la Maison-Blanche qui n'a pas été sollicité par les membres du lobby d'ITT doit éprouver le sentiment pénible qu'il n'est qu'un citoyen de seconde zone. Dans les cercles officiels, c'est sans doute un brevet de prestige que d'avoir été personnellement sollicité par Geneen, et un opprobre que d'avoir seulement reçu la visite d'un Ned Gerrity ou d'un Bill Merriam [18]. »

Au centre de la toile tissée par ITT veillait aux aguets l'araignée Harold Geneen ; tous les fils convergeaient vers lui et vers lui seul. Sans Geneen l'histoire secrète inscrite

18. *Kennedy Report*, p. 12.

en filigrane derrière les auditions sénatoriales n'a ni queue ni tête ; mais quand le lecteur peut en embrasser la perspective du haut de ce poste d'observation où veille Geneen toutes les intrigues de coulisse infiniment compliquées, les rôles secondaires, les rencontres fortuites, commencent à s'ordonner selon une vaste stratégie globale. Ce n'étaient ni Kleindienst, ni Mitchell, ni même Nixon qui avaient tramé le grand complot mais bien Geneen. Sans doute n'avait-il pas prévu la pleine étendue des dégâts que ferait la machine qu'il avait mise en marche, mais il en savait beaucoup plus que quiconque. Pour qui s'efforce de comprendre ce qui se passait dans son esprit quand, du haut de son bureau de Park Avenue, il tirait les fils de ses marionnettes, l'histoire commence à s'éclairer.

De tous les membres du lobby d'ITT, c'est Geneen qui était de loin le plus efficace ; personne ne possédait le même dynamisme, le même pouvoir de persuasion, la même maîtrise des chiffres. En matière de politique, il faisait encore figure d'outsider, ce qui constituait souvent un avantage : « Je me sentais comme Paul Revere », expliqua-t-il un jour, « essayant de secouer les gens dans leur sommeil pour qu'ils prennent conscience de ce qui venait d'arriver [19]. »

Il plaidait éloquemment la cause d'ITT auprès de tous ceux qui, d'une façon quelconque, pouvaient être mêlés à l'affaire. Il eut deux entretiens avec Maurice Stans, alors secrétaire au Commerce. Il parla à David Kennedy, le secrétaire au Trésor, ainsi qu'à son successeur John

19. N.d.T. Paul Revere, 1735-1818 — Orfèvre-graveur américain et patriote révolutionnaire ; héros d'une chevauchée célèbre pour prévenir les colons du Massachusetts de l'avance de l'armée britannique. Il est le sujet d'un poème épique de l'Américain Longfellow :

« Ecoutez, mes enfants, si vous voulez entendre
Le récit de la chevauchée nocturne de Paul Revere,
Le 18 avril de l'année 1775. »

Connally. Il discuta également avec quatre membres de l'état-major de la Maison-Blanche : Arthur Burns, Charles Colson, John Ehrlichmann et Peter Flanigan. Il exposa ses vues à Paul McCracken, président du Comité des conseillers économiques ainsi qu'à Peter Peterson, conseiller économique de la Maison-Blanche. Il exerça ses talents sur un nombre incalculable de Sénateurs et de Représentants, dont Philip Hart et Vance Hartke, Emmanuel Celler et Bob Wilson[20].

Bob Wilson ne se contentait pas de déployer son activité à San Diego mais également au Congrès où il prenait souvent la parole. Le 2 février 1971, il s'en prit à la politique anti-trust de McLaren et à « son empressement à démanteler le big business » ; et une semaine plus tard, il cita un discours prononcé par Lee Lœvinger, prédécesseur de McLaren à la tête de la section anti-trust (il devait entrer plus tard chez ITT comme conseiller juridique) et qui attaquait la politique en vigueur contre les fusions, y compris l'action contre ITT. Au même moment, d'autres membres du Congrès furent soulevés par une mystérieuse vague d'intérêt pour ITT et l'un d'eux, Michael Harrington, du Massachusetts, admit plus tard qu'il avait été l'objet de pressions de la part de Merriam et qu'il avait eu le sentiment que peut-être « tout n'était pas comme on voulait le faire croire[21] ». Les projets de lois en question avaient peu de chances de passer, mais sans doute avait-on demandé aux membres du Congrès de les déposer dans le dessein de calmer l'ardeur des fonctionnaires ; vers avril 1971, quand ITT choisit d'exercer ses pressions de préférence sur le Département de la Justice, ce fut la fin de la campagne menée à la Chambre des Représentants.

20. Lettre de Geneen au président Eastland *Kleindienst Hearings*, vol. II, pp. 779-780.
21. Robert Walters dans le *Washington Evening Star*, 24 avril 1972.

De toutes les rencontres de Geneen avec les différents membres du gouvernement, on ne saurait dire celle qui porta ses fruits ; mais, à coup sûr, son entrevue avec John Mitchell, le 4 août 1970, lorsque McLaren demanda pour la première fois un arrêt suspendant la fusion Hartford, semble avoir été importante. Mitchell s'était déclaré incompétent dans le contentieux ITT, et même Geneen et lui-même protestèrent à l'unisson qu'ils s'étaient contentés de discuter de la politique anti-trust sur un plan très général ; mais du fait que 3 sur 5 des actions anti-trust concernaient ITT, il aurait été difficile de n'y pas faire allusion et l'image de ces deux hommes cyniques et réalistes devisant de théorie philosophique paraît difficilement crédible. Geneen avait toujours été enclin à confondre les intérêts d'ITT avec ceux du pays et à soutenir qu'une compagnie multinationale comme la sienne contribuait à l'équilibre de la balance des paiements, et que la forte concurrence de l'étranger exigeait des industries nationales qu'elles possèdent une infrastructure solide ; en somme, ce qui était mauvais pour ITT l'était aussi pour le pays. La tactique à la Paul Revere qu'appliquait Geneen commençait à produire son effet, et la menace japonaise incitait déjà nombre de Républicains à réviser leur jugement.

Tandis que Geneen en personne menait sa campagne, il lançait simultanément les troupes de Gerrity dans la bataille. Ce dernier était lui-même allé voir McLaren pour lui expliquer qu'ITT était une compagnie digne d'estime et qu'elle ne méritait pas qu'on l'accable, mais en l'occurrence la réaction de McLaren n'avait guère été encourageante. Par ailleurs le rôle principal de Gerrity était d'influencer l'opinion publique. Comme il devait l'expliquer à Birch Bayh : « Il s'agissait, M. le Sénateur, de dire à qui voulait l'entendre que, selon nous, la politique anti-trust telle que l'Administration tenait à l'appliquer était contraire aux intérêts de la nation... » L'armée que constituaient à New York et à Washington les services de relations publiques faisait le siège des membres du Congrès, des journalistes et des rédacteurs en chef, avec tous les moyens dont elle disposait. Et pour couronner le tout, comme Gerrity le confia à Bayh :

> « Nous avons lancé notre agence extérieure de relations publiques de ville en ville à travers tout le pays. Nous avons sélectionné les centres les plus importants des Etats-Unis et envoyé nos délégués dans toutes ces villes sans en excepter aucune ; là nous leur avons demandé d'aller voir tout spécialement les directeurs de journaux, les éditorialistes et les responsables des stations de radio et de télévision. Nous n'avons fait que les envoyer prêcher notre évangile et tenter de toucher un public aussi nombreux que possible pour lui faire connaître ce qu'était notre position[22]. »

Mais ce qui comptait le plus, c'était l'artillerie à longue portée qui pouvait atteindre les objectifs clefs de Washington. La pièce du plus formidable calibre était le juge Lawrence Walsh, associé de la firme Davis Polk, et vieux routier du barreau, expert dans l'art de lancer des ponts entre le gouvernement et le « business » ; il avait été douze ans auparavant Attorney General adjoint, ce même poste qu'occupait Kleindienst, et était au moment qui nous intéresse président du comité judiciaire de l'Association du barreau américain chargé d'approuver la nomination des juges fédéraux ; c'était en outre un ami très proche de Kleindienst.

Geneen prit donc contact avec Walsh, bien que ce der-

22. *Kleindienst Hearings,* vol. III, p. 1174.

nier ne fût pas spécialiste de la loi anti-trust et au printemps 1971 il eut un entretien de trois heures avec lui en présence de ses deux associés, Frederick Schwartz et Guy Struve, ainsi que du directeur des services juridiques d'ITT, Howard Aibel. Geneen y alla de son refrain habituel et parvint à persuader Walsh — qui au début n'était pas particulièrement encourageant — d'essayer d'obtenir que l'Administration, au plus haut niveau, reconsidère les dispositions de la loi anti-trust.

Geneen aurait voulu s'adresser au président Nixon mais Walsh l'en dissuada, et ils se mirent d'accord pour intervenir d'urgence par l'intermédiaire du Département de la Justice, afin que l'on procède à un réexamen de la question au plan interministériel. Walsh rédigea ses conclusions qu'il adressa accompagnées d'une lettre à son ami Kleindienst (Mon cher Dick...). Par cette lettre il sollicitait un délai dans l'affaire Grinnell, qui était en cours, pour permettre au défendeur de présenter un exposé plus complet des faits ; les conclusions de Walsh citaient les arguments habituels de Geneen qui sollicitait « une révision exhaustive, au niveau de tous les Départements concernés, des implications pour l'intérêt national de la diversification des risques d'une compagnie par le processus des fusions ».

L'intervention de Walsh fut des plus efficaces. Kleindienst lui demanda de venir en discuter directement avec lui-même, avec McLaren et le procureur général Erwin Griswold. Aucun d'eux, à les entendre, ne semblait favorable au renvoi de l'affaire Grinnell, mais il fut cependant accordé en dépit du fait qu'aucun des conseillers juridiques du gouvernement n'était disposé à consentir de nouveaux délais.

Entre-temps les groupes de Gerrity prenaient position en première ligne. Le 18 mars, il y eut une réunion dans les bureaux d'ITT à New York où se retrouva toute une armée d'avocats : Sailer et Schaeffer de chez Covington et Burling ; William Gentes de chez Kirkland Ellis ; Howard Aibel, Scott Bohon et d'autres du service juridique d'ITT. Bill Merriam était aussi de la partie avec son adjoint John Ryan, le « poste d'écoute » de la société.

C'est à peu près à ce moment que John Ryan eut son coup de chance. Son métier consistait, comme il l'expliqua, à parler à « quiconque voulait bien prêter une oreille attentive à tous les problèmes auxquels la compagnie doit faire face, et c'est ce que je suis payé pour faire ». Le hasard avait voulu qu'il habite en Virginie à quelques pas de chez Kleindienst ; il avait convié une vingtaine de voisins (dont Kleindienst) à venir passer la soirée chez lui (étaient également présents un couple : les Fitz, un certain Don Carpenter, un physicien, le docteur Micky Davis qui venait de changer de situation et une famille du nom de Dupuis). Ryan aborda Kleindienst et aux dires de ce dernier se montra « très, très cassant quand il se mit à protester que McLaren et moi-même adoptions une attitude parfaitement déraisonnable dans l'affaire anti-trust contre ITT... ». Apparemment, Kleindienst n'accorda guère d'importance aux propos « cassants » d'un membre d'un lobby ; Ryan lui demanda s'il consentirait à parler à quelqu'un d'ITT ; Kleindienst répondit par l'affirmative.

Ryan s'empressa d'informer Geneen qui choisit Felix Rohatyn comme la prochaine arme de son arsenal. C'était l'émissaire idéal à envoyer sur le front économique au même titre que Walsh l'avait été sur le front juridique. Bien qu'il eût soutenu un candidat démocrate, le sénateur Muskie, Rohatyn entretenait de bons rapports avec un certain nombre de Républicains (en mai 1971, il fut désigné comme administrateur de la succession de Peter Peterson). Il était en même temps président de la Commission de surveillance de la Bourse de New York, dont la collaboration avait été si précieuse pour prévenir l'effondrement des charges d'agents de change de Wall

Street au cours de la crise boursière de 1970 ; il représentait donc l'esprit même du consensus existant entre le « big business » et le gouvernement. Dès le début d'avril, Geneen demanda à Rohatyn d'aller trouver Kleindienst avec un rapport sur les conséquences qu'entraînerait pour ITT l'abandon de Hartford. Dans ce rapport, Rohatyn développait la thèse qu'ITT, en tant que véritable société multinationale, se plaçait au troisième rang pour sa contribution à l'équilibre de la balance des paiements des Etats-Unis, et que Hartford lui était indispensable pour aider ceux de ses clients étrangers qui éprouvaient des difficultés de trésorerie ; lui enlever Hartford serait « une très dure épreuve financière » pour les actionnaires d'ITT. Rohatyn prit rendez-vous avec Kleindienst (John Ryan lui avait préparé la voie) le jour même où le juge Walsh avait fait connaître ses conclusions. Les deux missiles (qui selon toute probabilité s'ignoraient l'un l'autre) convergeaient vers le même objectif.

Rohatyn exposa la situation dans ses grandes lignes à Kleindienst et demanda s'il lui serait permis de présenter le dossier d'ITT aux responsables de la Section anti-trust ; Kleindienst lui donna son accord. Cette première rencontre se passa si bien que Geneen dit au juge Walsh que son intervention ne serait plus nécessaire. Neuf jours plus tard, le 29 avril, Rohatyn se rendit à une réunion plénière de tous les responsables de la Section antitrust qui se tenait sous la double présidence de Kleindienst et de McLaren. Ce fut un jour faste pour Rohatyn qui, avant et après cette réunion anti-trust, put discuter de la crise boursière dans le même building avec John Mitchell, Peter Flanigan et Ross Perot, le financier texan qui s'efforçait de négocier le sauvetage de la charge d'agent de change de du Pont, à la veille de déposer son bilan. Enfoncé jusqu'au cou dans cette crise, Rohatyn fit attendre pendant près d'une heure les membres de la réunion anti-trust, et finit par apparaître auréolé du prestige que lui conférait le contact qu'il venait d'avoir avec le grand patron.

C'est alors que Rohatyn, assisté de Howard Aibel d'ITT, de Henry Sailer de Covington et Burling, de Raymond Saulnier, professeur à l'université de Columbia et de Willis Winn, le doyen de Wharton School, commença son exposé. Kleindienst prit des notes de son écriture méticuleuse non sans griffonner quelques fioritures dans un coin de la feuille, au hasard de son imagination, orthographiant de travers le nom de son visiteur qu'il épelait Rayaton. Rohatyn ne se contenta pas d'exposer en détail le problème général du manque de liquidités dont souffrirait ITT si la compagnie devait se déssaisir de Hartford, mais il expliqua en outre les causes spécifiques et immédiates d'une situation que les auditions sénatoriales n'avaient pas révélées : à savoir que le gouvernement espagnol avait récemment insisté auprès de leur filiale espagnole Sesa, qui détenait le monopole de la fabrication des téléphones de la péninsule, pour qu'elle lui accorde trois ans de crédit sur le nouvel équipement électronique au lieu des trois mois habituels, et il ajoutait que ce crédit creuserait un trou de 100 millions de dollars dans les caisses d'ITT ; il y avait toutes chances également que le gouvernement français en fasse autant. Kleindienst écrivit une note à ce sujet :

> « Filiale espagnole ITT compagnie Sesa vend équipement au gouvernement espagnol — demande 3 ans délai paiement au lieu de 3 mois — bien obligé — bon crédit — même chose France. »

Foreign Corp.

✓ ITT's Spanish Co. Sesa Sells
equipment to the Spanish gov't.
– they now want 3 yrs. – payment
vs. 3 mos. – Leave to · good credit
✓ Same thing in France –

✓ 270m + B of P. ITT ·
extent of borrowing

1970 – 103m · div · royalties.

Les notes de Richard Kleindienst sur lès difficultés d'ITT avec le gouvernement espagnol (*Kleindienst Hearings*, vol. III, p. 1274).

Voilà donc ce qu'il voulait dire par « clients étrangers en difficulté de trésorerie » et cette formule était lourde de signification. Cela revenait à admettre qu'ITT devait s'assurer des liquidités ou de la capacité d'emprunt de Hartford, pour financer ses filiales françaises et espagnoles ; les différents États de l'empire ITT étaient si dépendants les uns des autres que, sans le Connecticut, l'Espagne et la France seraient en danger. C'était précisément l'argument contraire à celui que Geneen avait avancé dans le Connecticut. Aux dires de Rohatyn, ITT éprouvait de sérieuses difficultés de trésorerie du fait des Espagnols et des Francais, qui semblaient bien décidés à l'étrangler. C'est pourquoi, insistait Rohatyn, il y aurait lieu de renoncer à l'action anti-trust autant pour le bien d'ITT que pour celui du pays. En effet les vicissitudes d'ITT pourraient provoquer une réaction en chaîne sur l'ensemble du marché des valeurs, et du fait même que Rohatyn venait de discuter de la crise boursière avec

Mitchell, ces avertissements n'en étaient que plus lourds de sombres présages.

Rohatyn poursuivit son exposé à l'occasion de trois nouvelles visites qu'il fit à Kleindienst au cours de l'été 1971, se plaignant chaque fois de l'attitude intransigeante de la Section anti-trust. Il faut croire que ses arguments portèrent, puisqu'au cours des auditions sénatoriales Kleindienst et McLaren témoignèrent des funestes conséquences qu'entraînerait pour ITT (ils en avaient maintenant conscience) l'abandon de Hartford. Ils allèrent jusqu'à employer des expressions comme « total désastre financier » ou « il s'en faudrait de peu pour briser ITT » ou encore « impact financier catastrophique », etc... Pourtant McLaren voulut bien admettre au cours des auditions que lorsqu'il engagea sa première action contre la fusion Hartford : « Mes collègues et moi pouvions prévoir qu'en cas de réussite les conséquences financières seraient énormes » ; son attitude aurait alors pu s'exprimer par cette formule : « Quand le vin est tiré, il faut le boire. »

Quoi qu'il en soit, le 12 mai, quand Rohatyn eut à nouveau rencontré Kleindienst, McLaren se laissa fléchir jusqu'à demander à la Maison-Blanche, par l'intermédiaire de Peter Flanigan, un rapport indépendant établi par Richard Ramsden. (Il avait également reçu un rapport du Trésor mais qui, selon ses auteurs eux-mêmes, n'allait pas bien loin.) On montra à Ramsden l'analyse de Rohatyn avec laquelle il ne fut pas d'accord ; il l'estimait « douteuse » et ne croyait pas au danger de réaction en chaîne. Il admit cependant que l'abandon de Hartford provoquerait une baisse des actions ITT d'environ 16 %, soit pour l'ensemble des titres de la compagnie 1,2 milliards de dollars et que, dans la mesure où ITT contribuait à faire rentrer des devises, la balance des paiements pourrait en subir le contrecoup. Mais il ne pensait pas qu'une fluctuation d'un milliard de dollars fût de nature à peser sérieusement sur un marché boursier de 1 000 milliards de dollars, et son rapport était moins alarmiste que celui de Rohatyn.

Et pourtant, si l'on s'en tient aux témoignages, c'est à la suite de ce rapport que McLaren révisa son jugement : « J'ai lu le rapport et l'ai trouvé concluant. » Etaient-ce les raisons invoquées par Rohatyn et Ramsden qui, alors qu'il s'était lui-même employé pendant 2 ans à briser la fusion ITT - Hartford, pouvaient expliquer son changement d'opinion ? Ou n'était-ce pas plutôt l'effet des fortes pressions politiques s'exerçant en coulisse de sorte que, selon les termes du sénateur Tunney, le rapport Ramsden n'était qu'un frêle roseau, une béquille sur laquelle on s'appuyait pour justifier la transaction ?

Tandis que cette artillerie était pointée sur Kleindienst, les membres du lobby d'ITT multipliaient leurs contacts et leurs « conversations ordinaires » (« pratiquement tous les contacts importants dont nous avons entendu parler ici » se plaignait Kennedy « ont eu lieu au cours de réunions mondaines ou de simples réceptions privées. Nous en avons énormément appris sur la façon dont ITT manœuvre et opère »). Une de ces conversations ordinaires se situait vers la fin d'avril lorsque Dita Beard avait confié à Gerrity qu'elle projetait d'aller au Derby du Kentucky et que John Mitchell y serait. La scène qui se déroula à Louisville, dans le Kentucky, telle qu'elle ressortit assez confusément des auditions, mit comiquement en relief l'infatigable action de cette professionnelle de l'intervention. La réception avait lieu dans la somptueuse résidence du gouverneur, avec ses vastes salles et ses galeries voûtées, où quarante personnes avaient été conviées à un dîner-buffet après la course. On comptait parmi les invités John Mitchell et bien entendu Dita Beard, qui était une vieille amie du gouverneur Louie Nunn (bien que, par la suite, il ait cherché à minimiser l'importance de leurs rapports). Elle avait passé sa journée à boire des Bloody Marys et des Mint Juleps[23]. Mitchell bavardait avec le gouverneur à propos de sa femme Martha et du téléphone. Dita Beard, qui voyait Mitchell pour la première fois, profita de ce qu'il était question de téléphone pour se mêler à la conversation sans y avoir été invitée. D'entrée de jeu elle se plaignit à Mitchell de la « façon bougrement dégueulasse » dont on en usait avec ITT. Mitchell essaya de changer de sujet et le gouverneur les invita tous les deux à passer au buffet. Mais tandis qu'ils se frayaient lentement un passage au travers des salons de réception pour atteindre la salle de bal, Mme Beard ne démordait pas de son sujet. Elle s'installa avec Mitchell à une petite table de la salle de bal, et continua de lui parler d'ITT sur un fond sonore d'orgue jusqu'à ce que Mitchell éclate et lui dise qu'il en avait plein le dos de ses histoires et ne voulait plus en entendre parler. Sur ces entrefaites, à en croire Nunn, Mme Beard eut un malaise (dû à la fatigue ou à l'alcool) et il fallut la transporter ailleurs ; elle revint le lendemain pour présenter ses excuses.

Que Mme Beard se soit vraiment aussi mal conduite, ou qu'elle ait réussi à influencer Mitchell à force de le harceler, on ne saura jamais l'exacte vérité. Mitchell et Nunn affirmèrent l'un et l'autre qu'ils n'avaient jamais touché mot du règlement et mirent l'accent sur le fait que Mme Beard était complètement saoule ; mais cette dernière de son côté avait formellement déclaré à Hume que Mitchell avait donné son accord pour le règlement,

23. N.d.T. Bloody Mary : nom d'un cocktail coupé de vodka, de jus de tomates et de tabasco. Il évoque par sa couleur la reine d'Angleterre Marie 1ère, fille d'Henri VIII et de Catherine d'Aragon. Étant montée sur le trône d'Angleterre, Marie dite la Sanglante se fit haïr de son peuple pour la cruauté de ses persécutions contre les protestants au 16e siècle.

Mint Julep : cocktail à servir glacé, composé de bourbon, de gin et de menthe.

et bien qu'elle l'ait nié au cours des auditions, elle déclara à Mike Wallace, lorsqu'il l'interviewa à la télévision, qu'en fin de compte Mitchell avait été absolument délicieux et lui avait dit avec un clin d'œil complice : « Je crois que l'affaire sera menée dans un esprit de justice, mais comment exactement, je ne sais pas. »

ITT de son côté mobilisait son émissaire personnel chargé des relations avec la Maison-Blanche, Jack Gleason. Ce dernier y avait travaillé un an et c'est là que, vers la fin de 1969, il avait reçu la visite de Gerrity et de Merriam pour étudier l'affaire ITT ; Geneen en avait glissé un mot (apparemment sans résultat) à un de ses amis du Département de la Justice, Kevin Phillips. Quand Gleason quitta la Maison-Blanche en janvier 1971, Gerrity et Merriam lui demandèrent d'entrer comme conseiller juridique à ITT afin de les tenir au courant de ce qui se passait au gouvernement. Quand Merriam désirait savoir les intentions de la Maison-Blanche à l'égard de la Convention de San Diego, il alertait Gleason qui à son tour entrait en contact avec son ami de la Maison-Blanche chargé de la coordination de la Convention, William Timmons ; et ce fut la réponse embrouillée de Timmons à Gleason, qui, transmise par Merriam à Beard, déclencha la lettre Beard et le scandale qui s'ensuivit. Mais rien n'est jamais venu révéler dans quelle mesure des liens étroits se seraient tissés entre ITT et la Maison-Blanche car Timmons demeura muet sur ce chapitre.

Toutes ces salves de grosse artillerie, toutes ces razzias, tous ces commandos créèrent, à mesure que s'approchait l'échéance du règlement du litige d'ITT, un climat de tension fièvreuse qui atteignit son paroxysme quand les négociations en furent à leur stade final. Au même moment, forts de la caution de 400 000 dollars que leur garantissait ITT, les Républicains s'apprêtaient à choisir San Diego comme siège de leur Convention. On était toujours dans l'ignorance du nombre de personnes qui, dans les sphères gouvernementales, étaient véritablement au fait des deux négociations en cours, mais il était bien certain que d'aucuns à la Maison-Blanche n'en ignoraient rien. Ce procédé qui consiste pour un gouvernement à devenir l'obligé d'un conglomérat au moment précis où il s'apprête à le démanteler, n'est pas de nature à rassurer les citoyens sur l'impartialité de la justice.

On peut se demander s'il y eut jamais un véritable marchandage aux termes duquel ITT conserverait Hartford en échange de la garantie financière qu'elle offrait à la Convention. Pour ma part j'ai personnellement du mal à le croire. Il paraît plus vraisemblable que les 400 000 dollars ne représentaient qu'une partie des munitions en vue d'une offensive générale en direction de tous les secteurs concernés du gouvernement, et visant à encercler l'ennemi, à saper ses défenses et qui, consciemment ou non, finit par miner les forces de la Section anti-trust. Geneen, conformément à son dessein, avait réussi à créer un climat où toute velléité d'opposition devenait inutile, tant était implacable la pression qu'il pouvait exercer.

## LE JUGEMENT

Après deux mois d'auditions, les 15 sénateurs furent contents d'en voir la fin, et beaucoup auraient souhaité qu'elles n'aient jamais commencé. Elles étaient si souvent suspendues puis reprises qu'on en perdait facilement le fil ; la vérité devenait de jour en jour plus difficile à dégager de l'audition de tous ces témoins qui défilaient et dont le nombre augmentait sans cesse au point qu'on en arrivait à se demander qui était accusé et de quoi. A l'avant-veille de la clôture, Sam Ervin intervint pour citer ces vers de Longfellow :

> L'art est une longue patience et le temps fuit
> Et nos cœurs tout vaillants et courageux qu'ils sont
> Battent, comme autant de tambours assourdis,
> La marche funèbre qui nous mène au tombeau.

Les sénateurs républicains et quelques démocrates n'avaient nul désir de susciter des ennuis à Kleindienst lors d'une année électorale ; et personne ne pensait sérieusement que le Sénat refuserait de valider sa nomination ; ce ne fut une surprise pour personne quand la sous-commission décida par 11 voix contre 4 de recommander au reste du Sénat de confirmer sa nomination.

Neuf des sénateurs conclurent dans leur rapport majoritaire que Kleindienst n'avait jamais prêté la main à aucun marchandage et que le « règlement était intervenu à la suite de discussions serrées sur le fond ». Le fait pour Kleindienst d'avoir eu la responsabilité des affaires ITT était une chose distincte de la négociation de la transaction proprement dite, affirmaient-ils ; ainsi donc il n'avait pas menti. « Dans son ensemble », s'accordaient-ils à dire, « le témoignage de M. Kleindienst nous laisse la nette impression qu'il n'a jamais eu de véritable discussion avec qui que ce soit de la Maison-Blanche à propos des actions intentées contre ITT ». Pour ma part, après avoir analysé ce témoignage, il m'est difficile de partager cette impression.

Deux sénateurs, tout en avalisant la nomination, exprimèrent leurs réserves. Charles Mathias du Maryland, tout ami de Kleindienst qu'il fût, exprima ses inquiétudes dans un rapport haut en couleurs où il dénonçait la pression exercée par ITT sur les briseurs de trusts. Il reprochait au Congrès de laisser suffisamment de vague dans une loi pour permettre à ITT de « tirer à hue et à dia d'une manière aussi indécente », mais il blâmait aussi ITT pour l'assaut massif lancé par le conglomérat et pour sa politique qui consistait à « s'abaisser pour conquérir[24] » avec ses « clins d'œil sournois et ses exigences indignes ». « Dita Beard n'a pas à me faire un dessin pour m'expliquer le rapport qui existe entre les 400 000 dollars d'engagement en faveur d'un parti politique dont le président sortant a toutes les chances d'être réélu, et un conglomérat géant appelé à traiter quotidiennement avec les instances gouvernementales à un niveau ou un autre. C'était comme s'il prenait une assurance contre la tempête et la grêle... »

Philip Hart, tout en approuvant la nomination, ne voulut pas cautionner le rapport majoritaire. Il essaya d'analyser en toute honnêteté la position difficile de McLaren : « La section anti-trust n'opère pas dans le vide. Les liens qui ont existé de toute éternité entre Washington et le « big business » n'ont jamais permis une stricte application des lois anti-trust. Nous devons tendre nos efforts pour isoler ces pressions, pour démentir leur caractère inéluctable et pour amortir leur impact — conscient ou non — sur les mécanismes de prise de décision. Mais bien qu'à n'en pas douter, dans ce litige de première grandeur qui nous occupe, si les pressions n'ont pas manqué au même titre que dans tous les autres, on ne saurait, sans risque de commettre une injustice, lancer des accusations à la légère... Le juge McLaren se serait-il servi de la même balance pour peser ces facteurs complexes, et serait-il arrivé au même résultat s'il lui avait été donné d'analyser les termes de son choix loin de Washington, au milieu des vergers d'Akadémos[25]. Il est probable qu'aucun de nous ni lui-même n'en savons

24. N.d.T. *She Stoops to conquer.* Allusion à la comédie de l'écrivain britannique Goldsmith, jouée pour la première fois en 1773.
25. N.d.T. Où enseignait Platon.

rien. J'en suis cependant arrivé à la conclusion qu'il a fait preuve du meilleur jugement possible en la circonstance... »

Entre-temps Kennedy et ses alliés (Tunney, Birch, Burdick), qui avaient tous voté contre Kleindienst, préparèrent un rapport d'une longueur sans précédent qui parut un mois plus tard avec ses 384 pages de texte, d'appendices, et un dépliant chronologique d'un mètre cinquante de long, le tout constituant un véritable chef-d'œuvre de recherche sénatoriale. On y trouvait l'analyse des contradictions, des tergiversations, des questions demeurées sans réponses, et on y insistait pour que la Commission entende d'autres témoins dont Timmons de la Maison-Blanche et Bud James de Sheraton. Mais, disaient ses auteurs, il était déjà clair que Kleindienst « avait joué un rôle déterminant dans les événements qui avaient abouti au règlement de l'affaire ITT et que dès décembre dernier, pour des raisons demeurées obscures, il avait essayé de cacher au public et à la Commission l'intégralité des faits relatifs à son importante intervention ».

La question fit l'objet d'un débat au Sénat au cours duquel les quelques sénateurs présents, dès lors plus manifestement intéressés par l'aspect politique du problème, débitèrent leur ronronnement monotone devant des fauteuils quasiment vides. Roman Hruska se plaignit que le retard apporté à la confirmation de la nomination de Kleindienst fût une manœuvre politique. Le sénateur Fannin donna ensuite lecture d'une lettre du sénateur Goldwater, dans laquelle celui-ci exaltait les mérites de Kleindienst, son honnêteté et son courage dans la lutte contre le crime. Marlow Cook déplora que du début à la fin des auditions on ait battu tous les records d'incohérence.

Les jeunes Démocrates retournèrent à la charge. John Tunney attaqua ITT, ce conglomérat qui se croyait tout permis. Birch Bayh déplora l'absence de crédibilité du rapport majoritaire. Ce fut Kennedy qui, comme à l'accoutumée, parla le plus longtemps ; de sa voix nasillarde et monotone, tandis que ses collaborateurs allaient et venaient avec précipitation, porteurs de notes et de dossiers bourrés de faits, Kennedy se fit le champion du gagne-petit contre les imposants bataillons du « big business » : « Je ne reproche pas à ITT de chercher à faire valoir ses vues, disait-il, mais je blâme ceux qui lui ont accordé l'attention excessive dont elle a apparemment bénéficié. »

La presse tira ses dernières salves : depuis les premières allégations de Jack Anderson, les journaux libéraux avaient mis en vedette chacune des révélations orchestrées par les sénateurs. Dans son dernier éditorial, le *New York Times*, parlant de Kleindienst, lui asséna le coup final : « Ce qu'on peut sérieusement mettre en doute, c'est l'intégrité de son jugement. » Le *Washington Post* publia une série de quatre éditoriaux qui terminaient en guise de conclusion : « Ce qui est au cœur de la nomination de Kleindienst, c'est le maintien de la confiance du public dans notre système de gouvernement... » Mais la grande masse des sénateurs ne parvint pas à s'émouvoir ; et quand en juin arriva le moment de voter, il n'y eut que dix neuf sénateurs pour s'opposer à la nomination de Kleindienst. Après quatre mois et demie d'attente il était enfin Attorney General.

Il y avait bien sûr une bonne part de comédie dans l'attitude outragée des Démocrates libéraux. Ils étaient payés pour savoir à quel point les politiciens sont des débiteurs du « big business ». Comme l'admettait Tunney : « On peut le constater avec tristesse, mais il est patent qu'aucune Administration n'échappe à la pression des puissantes sociétés, selon l'exemple que nous avons ici. » Les 100 millions de dollars de la campagne électorale qui suivit, devaient donner lieu à l'ouverture de quantité d'autres comptes débiteurs. Bien des révélations sur les liens étroits existant entre le monde des affaires et le gouvernement n'avaient pas de quoi surprendre ; elles apportaient une preuve de plus, comme le disait Lyndon Johnson, que « le business est la carotte qui fait avancer l'âne ». Ce qu'il y a de plus remarquable dans ce contexte, n'est pas tant que McLaren ait fini par être frustré dans sa croisade anti-trust, mais qu'il l'ait jamais entreprise.

Cependant la levée de boucliers à laquelle on assista représentait quelque chose de plus qu'une simple manifestation d'opportunisme politique, et l'affaire ITT avait une tout autre portée que les scandales anti-trust qui l'avaient précédée. C'était en partie la conséquence d'un mouvement militant qui visait à faire obstacle à la puissance grandissante des sociétés géantes ; ceux qui les attaquaient, qu'ils aient nom Anderson, Nader, Robertson ou Kennedy, savaient qu'ils parlaient au nom d'une énorme fraction de l'électorat. Mais ce qui importait davantage, c'est que cette nouvelle espèce de puissance industrielle, à la fois conglomérat et société multinationale dont ITT était en même temps le héraut et le prototype, constituait un ennemi plus insidieux encore que les premiers trusts ou les premiers cartels. La dimension mondiale du commerce et de la technologie avait poussé au développement des sociétés géantes qui, sur bien des points, pouvaient tenir la dragée haute à leur gouvernement par mille procédés d'autant plus efficaces qu'ils étaient plus souples et plus subtils. Et c'est le sénateur Hart qui posa la question fondamentale en ces termes : « En est-on arrivé à ce point où notre société a laissé se développer de telles concentrations d'intérêts privés, qu'elles échappent totalement, par le pouvoir que leur confère l'étendue de leur rayon d'action et l'énormité de leurs moyens, aux lois normalement applicables à tous les citoyens ? »

Ce rayon d'action débordait de loin les limites des Etats-Unis ; et tandis que les auditions allaient leur train, se dévoilaient les péripéties d'une tout autre histoire, celles des pressions exercées par ITT sur un Etat situé à quelque cinq mille kilomètres de là, et qui devaient avoir des répercussions encore plus générales et prolongées, et en fin de compte plus tragiques, que celles du scandale auquel nous venons d'assister.

# CHAPITRE XI

## LES MAITRES DE L'ESPIONNAGE

Tandis que les auditions Kleindienst battaient leur plein, que les sénateurs se disposaient à rendre visite à Dita Beard à Denver, et qu'on avait déjà catalogué ITT comme bouc émissaire électoral, Jack Anderson publiait les 21 et 22 mars deux articles appelés en fin de compte à faire encore plus de bruit que la lettre Beard. Il y annonçait que des documents secrets épargnés par la machine à broyer prouvaient qu'ITT avait conspiré en 1970 pour empêcher l'élection d'un président marxiste au Chili, Salvador Allende ; en constante connivence avec la C.I.A., la compagnie avait tenté de provoquer le chaos économique au Chili et de fomenter un coup d'état militaire ; au surplus qu'Harold Geneen avait offert une contribution « qui pourrait atteindre 7 chiffres » afin d'aider la Maison-Blanche à barrer la route à Allende. Aux dires d'Anderson, ces documents conféraient au « conglomérat d'ITT tous les traits d'une nation virtuellement autonome ».

Ces accusations paraissaient bien fondées. Les 80 pages de documents qu'il ne tarda pas à publier (les fuites provenaient d'une autre source que celle de la lettre Beard) révélaient qu'il y avait eu à propos de l'élection d'Allende des discussions de fort mauvais aloi entre les représentants d'ITT, la C.I.A. et la Maison-Blanche. Ces documents avaient pour auteurs soit des représentants d'ITT au Chili, soit de hautes autorités de la compagnie à New York et à Washington ; ils étaient significatifs tant par les révélations qu'ils contenaient concernant les complots ourdis par ITT, que par l'attitude méprisante adoptée par les directeurs de la compagnie, impliqués dans l'affaire, à l'égard aussi bien des hommes politiques du Chili que des hauts fonctionnaires du Département d'Etat. Leur vocabulaire avait quelque chose de brutal qui dénotait chez ceux qui l'avaient employé un manque absolu de sensibilité ; à lire ces textes on se serait cru en présence d'une caricature de roman marxiste s'évertuant à dénoncer les fauteurs de guerre capitalistes. La correspondance qu'ils contenaient était d'autant plus convaincante et alarmante qu'elle mettait en cause une personnalité telle que John McCone, l'ancien chef de la C.I.A., devenu administrateur d'ITT. Ces notes offraient le même genre de preuves de l'ingérence d'ITT dans les affaires des pays étrangers que celles, présentées par les notes relatives à l'action anti-trust, de l'ingérence de la compagnie dans les affaires proprement américaines. A les lire de bout en bout, il ressortait que le gouvernement américain pouvait et devait céder aux instances de la compagnie pour se conformer à ses orientations politiques à l'égard de l'étranger, et qu'ITT assumait un rôle bien plus important en Amérique latine et était autrement bien informée de ce qui s'y passait que les gaffeurs du Département d'Etat. Comme l'écrivait Bill Merriam au Docteur Henry Kissinger[1] : « Ceux d'entre nous qui se sont activés dans cette partie du monde pendant près d'un siècle sont parfaitement conscients de toutes les erreurs qui y ont été commises. »

Pour comprendre les événements du Chili qui sont à l'arrière-plan de ces révélations, il importe de jeter un coup d'œil rétrospectif sur les entreprises d'ITT en Amérique latine qui, pendant les quarante années précédentes, pour largement rentables qu'elles aient été, s'étaient révé-

1. A l'époque, conseiller spécial du président Nixon pour les affaires étrangères ; nommé à la tête du Département d'Etat (équivalent français du ministère des Affaires Etrangères) à partir du 3 septembre 1973.

lées vulnérables et de ce fait avaient profondément déterminé le caractère « caméléon » de la compagnie. Au cours des années vingt, les affaires de Behn avaient d'abord débordé de Porto Rico à Cuba puis s'étaient développées sur l'ensemble du continent sud-américain ; il avait acheté ou installé des compagnies de téléphone dans des régions très diverses, n'hésitant pas, avec son astuce coutumière, à traiter tantôt avec des régimes de dictature, tantôt avec des gouvernements révolutionnaires. Mais avec la montée des nationalismes, il n'est pas surprenant qu'il ait déplu aux différentes républiques de voir leur téléphone exploité par des compagnies étrangères ; et comme nous l'avons vu au chapitre II, Behn et ses collaborateurs avaient dû se livrer à une gymnastique de plus en plus acrobatique, d'abord pour maintenir leurs activités, ensuite pour obtenir des indemnisations adéquates en cas de nationalisation, comme par exemple celle que leur versa en 1946 le président Perôn en Argentine.

De tous côtés les hommes politiques d'Amérique latine se plaignaient des méthodes de corruption d'ITT et de l'incompétence des responsables des systèmes téléphoniques ; en outre de nombreux Etats voulaient maintenir à un bas niveau les taxes téléphoniques, ce qui n'encourageait pas ITT à améliorer l'équipement. Cuba représentait un exemple notoire, tant sur le plan de la corruption que sur celui de l'incompétence. En 1950, un rapport établi par la Banque Mondiale sur Cuba, du temps du régime de Battista, critiquait sévèrement le système archaïque du réseau d'ITT où les conversations étaient constamment coupées et où les usagers devaient hurler dans le récepteur pour se faire entendre. Quand Castro arriva au pouvoir, il s'empressa d'exproprier ITT sans indemnisation. Cela se passait peu après l'installation de Geneen à la présidence de la compagnie, et le coup que lui porta cet échec ne fut pas étranger à l'opinion pessimiste qu'il professa à l'égard du reste du monde [2].

De toute évidence, les bénéfices résultant de l'exploitation d'un réseau téléphonique, si on les compare à ceux produits par la fabrication du seul matériel, étaient en régression, mais tout en opérant sa retraite ITT n'en continuait pas moins à conclure de remarquables transactions. Le Brésil par exemple lui versa 7,3 millions de dollars en 1963 pour sa société d'exploitation, plus un supplément de 12,2 millions de dollars en 1967. Au Pérou, après que la junte militaire se fût emparée du pouvoir, la compagnie réussit à éviter le sort de l'International Petroleum Corporation, expropriée sans indemnisation, et à conclure un accord aux termes duquel ITT recevrait 17,9 millions de dollars pour sa compagnie de téléphones, sous réserve d'en réinvestir 8 au Pérou, ce qu'elle fit en partie notamment sous forme d'un immense nouveau Sheraton construit à Lima. Cette façon de passer des téléphones aux hôtels était symbolique du nouveau rôle que jouait ITT, et qui consistait à limiter ses investissements aux entreprises offrant le plus de sécurité et le moins de risques d'ordre politique.

ITT avait de moins en moins d'illusions sur l'avenir qui s'offrait pour elle en Amérique latine et n'y investissait plus que de faibles capitaux, exception faite cependant pour le Brésil qui inspirait grande confiance à Geneen ; autrement la compagnie préférait l'Europe, l'Australie ou l'Afrique du Sud ; elle n'en demeurait pas moins l'un des plus gros investisseurs avec tout un réseau d'usines, de systèmes de télécommunications et d'hôtels ; elle puisait une force supplémentaire dans son service de renseignements, dont l'un des administrateurs disait avec fierté qu'il surpassait en qualité celui de la C.I.A. ; ce service facilitait grandement les négociations. Il lui était habituel d'acheter les services de journalistes

2. Voir chapitre III.

ayant accès aux hommes politiques de premier plan, auprès desquels ils jouaient le rôle d'agents de relations publiques ; en outre ils étaient tenus d'envoyer des rapports détaillés d'ordre politique au bureau de Washington. Ned Gerrity lui-même avait pris du galon en travaillant d'abord en Amérique latine et pour diriger les services secrets d'ITT dans les pays de ce continent, il s'était assuré la collaboration d'un journaliste de droite, Hal Hendrix, un dur à cuire qui avait remporté le prix Pulitzer[3] pour son reportage envoyé de Miami sur la crise des missiles de Cuba, grâce à la C.I.A. qui lui avait donné des renseignements de première main. Hendrix avait pour l'assister un aimable reporter mexicain, Bob Berrellez ; et, à eux deux, travaillant la main dans la main avec l'état-major régulier d'ITT et leurs politiciens préférés, ils parvenaient à canaliser sur Gerrity et Geneen un flot d'informations et de commérages. Ils avaient accès à Washington à bien d'autres sources de renseignements que coordonnait dans leur propre bureau Jack Neal qui avait passé trente ans de sa vie au Département d'Etat et que Gerrity décrivait comme un « vétéran chevronné de l'anti-communisme ».

ITT, dans le dessein de s'assurer des indemnisations adéquates en cas d'expropriation, s'était toujours efforcé de faire adopter par le gouvernement américain une ligne de conduite dure à l'égard des pays d'Amérique latine. Geneen faisait lui-même de nombreuses démarches, et il était fier du rôle qu'il avait joué en pressant le gouvernement de promulguer l'Amendement Hickenlooper, selon lequel les Etats-Unis pouvaient supprimer leur aide à tout pays qui pratiquerait des expropriations sans compensation correspondante. Geneen avait un important allié en la personne du Docteur Noobar Danielian, très distingué économiste arménien, qui avait été

3. Prix littéraire qui récompense, aux Etat-Unis, le meilleur reportage de l'année.

le promoteur du canal du Saint-Laurent et plus tard le fondateur de l'Association de politique économique internationale qui pressa les gouvernements successifs d'abandonner leur programme d'aide aux pays en voie de développement. Le Docteur Danielian, fervent admirateur de Geneen, était comme lui très inquiet de la situation qui régnait en Amérique latine ; il avait également d'excellents contacts au Congrès.

Après la nationalisation de ses installations au Pérou, ITT n'exploitait plus de réseaux de télécommunications que dans trois pays de cette région du monde : à Porto Rico où elle avait fait ses premières armes, aux Iles Vierges et au Chili. La filiale du Chili était de loin la plus importante tant au point de vue économique que politique ; elle employait 6 000 personnes et la valeur de ses actifs, selon les estimations d'ITT, était de 150 millions de dollars. Le colonel Behn avait acheté la compagnie aux Britanniques en 1930 et depuis la signature de la concession originale de 50 ans, elle avait encaissé de très gros bénéfices ; les accords stipulaient en outre que les redevances dues à la compagnie seraient acquittées en or. Pendant longtemps le Chili avait été considéré comme un bastion solide à l'abri des nationalismes révolutionnaires qui le cernaient de toutes parts, et l'élection en 1964 du président démocrate-chrétien Eduardo Frei avait suscité de nouveaux espoirs ; il promettait en effet de procéder à des réformes sans pour autant se poser en adversaire des grandes sociétés ; il représentait la réponse modérée à Fidel Castro, ce qui était à donner en exemple aux autres pays d'Amérique latine. Geneen fondait de grandes espérances sur Frei et, avant son élection, s'était entendu avec d'autres industriels américains pour contribuer financièrement au succès de sa campagne par le truchement de Jonh McCone[4], alors chef de la C.I.A.

4. Fait confirmé par le témoignage de McCone et de Geneen, 21 mars et 2 avril 1973.

(et qui devait devenir administrateur d'ITT un an plus tard). McCone avait décliné l'offre sous prétexte que la C.I.A. n'acceptait pas d'argent des particuliers mais au même moment des bruits coururent au Chili que d'importantes sommes d'argent de provenance mystérieuse étaient entrées dans le pays. Après son élection, ITT entretint de bonnes relations avec Frei. Quand en 1966 les Chiliens voulurent développer leur réseau téléphonique, la compagnie suédoise Ericsson sollicitée fit une offre pour obtenir le contrat et soumit un rapport mettant en lumière les défauts du système ITT alors en vigueur. Ce fut pourtant ITT qui enleva l'affaire avec une offre bien plus élevée qui prévoyait l'installation de 144 000 lignes pour un montant de 186 millions de dollars [5].

Frei et ITT se mirent également d'accord pour établir un calendrier des nationalisations par paliers dont chacun serait assorti d'une indemnisation versée par l'Etat.

Frei cependant ne tarda pas à se heurter à des obstacles d'ordre politique ; ses réformes limitées ne suffisaient pas à satisfaire les éléments d'extrême gauche et on assistait à une polarisation plus poussée des différentes tendances politiques. La droite se divisa et une fraction se regroupa derrière l'ancien président Jorge Alessandri, tandis que les partis marxistes avec leur leader Salvador Allende demeuraient puissants ; quant aux Démocrates-Chrétiens, sous la bannière de Radomiro Tomic, ils opéraient un glissement vers la gauche. Aux élections présidentielles de septembre 1970, Allende ne récolta que 36 % des voix, soit moins que le chiffre qu'il avait obtenu aux élections de 1964, mais toutefois plus que chacun de ses deux rivaux, Alessandri et Tomic, qui avaient affronté l'électorat séparément. En vertu de la Constitution chilienne, la désignation du président incombait donc aux

5. *Nouvel observateur*, Paris, 8 mai 1972.

membres du Congrès, lors d'une élection qui devait avoir lieu sept semaines plus tard ; il s'ensuivit une période fiévreuse d'intrigues, de spéculations et de panique où les éléments conservateurs s'employèrent à prévenir une victoire marxiste. C'est au cours de ces sept semaines que devaient être rédigées la plupart des notes mises au jour par Jack Anderson.

Au Chili les révélations d'Anderson furent publiées à un moment particulièrement dramatique, celui où les négociations entre ITT et ce pays entraient dans une phase critique. Entre-temps Allende, dont l'élection à la présidence avait été entérinée par le Congrès, avait pris le contrôle de la compagnie des téléphones et placé à sa tête un fonctionnaire de l'Etat ; de longues discussions intervinrent pour essayer de parvenir à un accord sur le montant de l'indemnisation. ITT estima la valeur des actifs à 153 millions de dollars et les Chiliens, à en croire ITT, à 24 millions seulement. Le Chili proposa de soumettre l'affaire à un groupe d'arbitres internationaux, ce qu'ITT refusa. La société fit une contre-proposition qui consistait à demander l'avis d'un cabinet comptable international et cette fois ce fut au tour du Chili de refuser. ITT soupçonna ses adversaires de manœuvrer pour mener la société à la faillite, afin de s'approprier l'actif sans bourse délier. Les Chiliens en revanche accusèrent ITT de refuser un règlement et de préférer toucher l'argent de l'assurance. En mars 1972, l'ambassadeur du Chili à Washington, à la tête de sa délégation, venait proposer une nouvelle formule pour déterminer la juste valeur de l'affaire. C'est alors qu'éclata le pétard Anderson ; la parution de son article devait changer la situation du tout au tout car les révélations qu'il contenait sur les menées clandestines d'ITT semblaient confirmer les pires soupçons du Chili.

Il va sans dire qu'Allende exploita au maximum la situation. Une semaine après la divulgation des fameuses notes, le Congrès chilien décida d'enquêter sur les activités passées d'ITT et de la C.I.A. Un mois plus tard, à l'occasion d'un gigantesque meeting pro-gouvernemental auquel assistaient 200 000 personnes, Allende annonça qu'il allait demander au Congrès de nationaliser la compagnie des téléphones d'ITT qui s'était rendue coupable de « pénétration impérialiste ». Le Congrès approuva la nationalisation. Allende, aux prises avec des difficultés économiques grandissantes, poursuivit ses attaques tant contre ITT que contre les autres compagnies multinationales. En décembre 1972, il vint prendre la parole devant l'Assemblée générale des Nations Unies à New York [6]. ITT, disait-il, « a poussé profondément ses tentacules dans mon pays, se proposant de régenter notre vie politique. J'accuse ITT d'avoir voulu fomenter chez nous la guerre civile ». Il étendit son attaque aux grandes sociétés qui, dit-il, « avec une ruse et une efficacité diaboliques ont fait obstacle au libre exercice de nos droits de nation souveraine ». Le dernier mot du discours à peine prononcé, Allende s'envola directement vers Moscou pour y rencontrer les dirigeants soviétiques ; mais on se tromperait en imaginant que son discours avait été inspiré par l'URSS ; les Russes en effet n'avaient pas l'intention de s'engager dans un vaste programme d'aide au Chili, à un moment où eux-mêmes s'employaient à traiter avec les sociétés multinationales. Le *Financial Times* faisait remarquer que « si le Pepsi-Cola disparaît des supermarchés de Santiago, ce sont autant de bouteilles que les clients de Moscou pourront boire ».

## LES AUDITIONS DE LA SOUS-COMMISSION SUR LES SOCIÉTÉS MULTINATIONALES

Aux Etats-Unis les révélations d'Anderson furent loin d'avoir le retentissement escompté : c'est qu'elles tombaient à un moment où la question de savoir où

6. Voir annexe 1.

avait bien pu passer Dita Beard passionnait autrement l'opinion publique. Aussi, au début, firent-elles beaucoup plus de bruit en Amérique latine et en Europe. ITT, comme d'habitude, s'empressa de démentir qu'elle ait rien fait de mal et publia une déclaration selon laquelle « ITT a toujours été et continue d'être, en sa qualité de société opérant à l'étranger, une bonne et loyale citoyenne des pays d'accueil, aussi bien au Chili que partout ailleurs ». La C.I.A. resta muette, bien que John McCone ait confirmé que des directeurs d'ITT avaient bien discuté d'initiatives à prendre contre Allende en coopération avec le gouvernement des Etats-Unis. Geneen et lui-même, disait-il, regrettaient amèrement la façon dont ces notes avaient été rédigées et l'interprétation qu'en avait donnée la presse « au point de défigurer l'image de notre véritable politique ». Mais Geneen quant à lui garda le silence.

On put croire un moment que tout ce scandale du Chili ferait long feu. Peu d'Américains se donnèrent la peine de lire jusqu'au bout le texte des notes qui furent publiées au Chili, en Grande-Bretagne mais non aux Etats-Unis, exception faite pour le Journal des débats du Congrès ; et bien qu'à première vue ces documents soient nettement accusateurs, l'histoire qu'ils racontaient présentait de telles lacunes, laissait tant de questions en suspens, qu'il était difficile d'y comprendre grand-chose. Même les administrateurs d'ITT ne prirent pas la peine de les lire, en dépit de l'accusation qui semblait peser sur Geneen de s'être mêlé très activement, et à leur insu, de politique étrangère. Ils chargèrent deux cabinets juridiques d'étudier les documents pour s'assurer qu'ils ne contenaient rien qui soit de nature à compromettre le recours auprès de l'assurance. Geneen affirma au conseil d'administration qu'il n'avait commis aucun acte illégal [7].

7. Témoignage de Rohatyn, 29 mars 1973.

Mais il s'avéra que le scandale chilien était une bombe à très long retardement. Deux jours après la parution du premier article d'Anderson, la Commission des Affaires étrangères du Sénat, présidée par le sénateur Fulbright, se réunit à huis clos pour analyser les allégations formulées contre ITT. Le secrétaire d'Etat William Rogers leur affirma que l'Administration n'avait pas agi « d'une manière irrégulière » ; mais les sénateurs ne se contentèrent pas de cette réponse et décidèrent de former une sous-commission spéciale pour enquêter sur les activités des sociétés américaines à l'étranger. La sous-commission des sociétés multinationales, comme on la nomma, fut dûment constituée et placée sous la présidence du sénateur Frank Church, sympathique avocat de l'Idaho, à l'éloquence précise, et qui observe les grandes sociétés avec une méfiance circonstanciée ; il s'entend parfois qualifier assez injustement d'ailleurs d'isolationniste, mais il n'a rien du critique brutal et systématique ; il se contente seulement de demander avec insistance au gouvernement américain de dévoiler les faits véritables concernant les sociétés multinationales. Il prit ses nouvelles fonctions avec un plaisir non dissimulé et s'assura la collaboration d'un conseiller compétent et passionné, Jerome Levinson, qui avait travaillé pour l'Alliance pour le Progrès[8] en Amérique latine, et était l'auteur d'un livre traitant de ce sujet où il n'avait pas ménagé les critiques. Cette sous-commission décida de consacrer trois ans à l'étude des sociétés multinationales, en donnant priorité à une enquête sur l'attitude d'ITT au Chili et sur les relations qu'elle avait entretenues avec la C.I.A. Par un vote, la sous-commission fut investie des pouvoirs qui l'habilitaient à citer à comparaître les responsables d'ITT et du gouvernement ; ses membres se mirent en devoir de

8. Organisation officielle américaine, créée par John F. Kennedy, pour s'opposer à l'extension du castrisme en Amérique latine grâce à l'essor économique et social de cette région.

recueillir des documents supplémentaires extraits des dossiers d'ITT.

Il existait également un autre complot d'ITT dont la révélation venait à son heure ; il concernait les assurances : en effet, ITT, au même titre que d'autres sociétés opérant dans les pays en voie de développement, bénéficiait de la couverture d'un organisme gouvernemental d'assurance : l'Office pour la protection des investissements privés à l'étranger (OPIC[9]) ; ITT réclamait maintenant à cet organisme 92 millions de dollars en dédommagement des biens dont le Chili l'avait dépossédée. Mais le recours auprès de l'OPIC serait frappé de nullité si l'on pouvait établir la preuve que l'expropriation était la conséquence de l'attitude provocante de l'investisseur, *à moins* toutefois que ladite attitude ait été spécifiquement commandée par le gouvernement des Etats-Unis. Les documents d'Anderson semblaient apporter la preuve de cette provocation. Mais si la C.I.A. en avait été l'artisan, ITT conservait une chance de se voir rembourser l'argent ; ce ne pourrait être que l'argent des contribuables du fait que les primes encaissées par l'OPIC ne lui auraient pas permis de débourser de pareilles sommes (bien qu'une partie des risques fût réassurée par la LLOYD'S). Sur le plan politique, la question de l'OPIC avait des répercussions particulièrement délicates ; nombreux en effet étaient ceux qui, comme le sénateur Church, soupçonnaient l'OPIC de pousser purement et simplement les sociétés à impliquer le gouvernement dans des batailles d'ordre commercial, exacerbant ainsi les tensions entre les nations. En vérité, ce qui préoccupait ITT au premier chef dans son différend avec l'OPIC n'était pas tant le besoin immédiat d'argent que celui (comme l'avait bien senti Church) de pouvoir proclamer urbi et orbi qu'elle n'entamait jamais aucune négociation avec

9. Overseas Private Investment Corporation.

l'étranger sans le soutien direct du gouvernement américain. C'est seulement le 20 mars 1973, soit un an jour pour jour après les révélations d'Anderson, que commencèrent les auditions de la sous-commission ; c'étaient les secondes auditions sénatoriales provoquées par les initiatives d'Anderson. Les remous des scandales ITT semblaient s'être calmés ; mais le week-end précédent, le hasard avait voulu que d'anciens soupçons reprissent quand la Commission du Commerce de la Chambre des Représentants, présidée par Harley Staggers, révéla une partie du contenu des trente quatre mystérieuses caisses de documents ITT, qui dormaient jusqu'alors dans les coffres du Département de la Justice. Et voilà qu'une fois de plus ITT essuyait le feu nourri de ses adversaires, mais cette fois sur deux fronts simultanément ; c'étaient toutefois les auditions menées par Church qui devaient constituer l'épreuve la plus rigoureuse. Tout en étant plus brèves, elles furent autrement enlevées et redoutables que celles présidées par Eastland l'année précédente. (Cette commission était en train de remettre en question la nomination de Patrick Gray à la tête du FBI, et ses séances qui se tenaient deux étages au-dessous constituaient une attraction rivale.) Cette fois il ne pouvait exister ni doute ni confusion sur l'objet des auditions Church, ou sur l'identité des parties mises en cause. Il s'agissait bien d'ITT, avec la C.I.A. comme second suspect, et le chef d'accusation était qu'elles avaient conspiré de connivence pour fausser le résultat des élections dans un autre pays, ou pour mener des actions subversives contre un gouvernement étranger.

Ce groupe de sénateurs ne perdit pas son temps à tourner autour du pot ou à tenter de se justifier, sauf à l'occasion Stuart Symington du Missouri. Aucun d'eux n'était disposé à prendre ce que disait ITT pour argent comptant. Celui qui lui témoignait le plus de sympathie était Charles Percy de l'Illinois : en sa qualité d'éventuel candidat républicain à la présidence des Etats-Unis, son attitude vis-à-vis du « big business » était prudente ; n'avait-il pas été président de Bell et Howell à l'époque où Geneen en était le chef des services comptables ? Mais souvent les questions qu'il posait étaient à double tranchant. Clifford Case, le sénateur républicain du New Jersey, mordillait ses lunettes, se frottait les joues, et paraissait de plus en plus perplexe et décontenancé devant les constants faux-fuyants des défendeurs, tandis que le diapason de ses questions passait du murmure à peine audible à des interrogations brutales et irritées. Dans le clan des Démocrates, Edmund Muskie paraissait après son échec électoral [10] avoir recouvré ses esprits en même temps que sa colère ; William Fulbright intervenait à l'occasion pour poser une question gênante ou émettre une réflexion sur la situation où se trouvait le monde. Mais c'est encore Church qui dominait le spectacle de sa personnalité, laissant fuser les questions clefs et prodiguant point par point ses commentaires personnels, cependant qu'il fixait sévèrement les témoins, tandis que de temps à autre un sourire aussi large que déconcertant illuminait son visage. Il était beaucoup plus vif et tranchant que ne l'avait été Kennedy au cours des audiences précédentes.

Le mystère se dévoilait peu à peu comme dans un roman policier légèrement tiré par les cheveux avec ses fausses pistes et ses intermèdes comiques, mais on en revenait toujours à cette question cruciale : « Quelle était l'utilisation prévue de ce million de dollars ? » Car il n'y avait aucune ambiguïté en ce qui concernait la note à laquelle se référait Jack Anderson : Geneen avait bien offert à la C.I.A. une somme pouvant aller jusqu'à 7 chiffres. Le premier jour, le malheureux Bill Merriam

10. A des « Primaires », qui sélectionnent le candidat d'un parti pour les prochaines élections présidentielles.

fit une nouvelle apparition ; avec sa mine de veau marin abasourdi, il expliqua à une audience médusée comment il avait déjeuné à plusieurs reprises au Metropolitan Club avec William Broe, le chef des services secrets de la C.I.A. pour l'Amérique latine, bien que lui, Merriam, ne se soit pas rendu compte, et il insistait sur ce point, que Broe était un personnage clandestin (« nous déjeunions dans des restaurants où il y avait bien de 300 à 400 personnes ») ; l'un et l'autre avaient élaboré des plans pour saboter l'économie du Chili, disait-il, mais rien n'en était sorti d'utile. Le deuxième jour, ce fut au tour de John McCone de comparaître ; c'était un homme de 71 ans, de petite taille, aux cheveux blancs, aux yeux perçants et dont les plis qui barraient son front montraient qu'il prenait les choses au sérieux. Il décrivit d'une voix froide et monocorde les circonstances qui l'amenèrent en 1965 à occuper un poste d'administrateur d'ITT tout en continuant secrètement à remplir les fonctions de conseiller de la C.I.A. (ce que Geneen lui-même, dit-il, ignorait). Il expliqua, tandis que ronronnaient les caméras, comment il avait discuté des élections du Chili avec Richard Helms qui lui avait succédé comme directeur de la C.I.A., comment encore il avait rencontré dans la suite Helms et Kissinger pour les aider à empêcher l'arrivée au pouvoir d'Allende ; mais il tenait à déclarer que le plan d'un million de dollars élaboré par Geneen n'était pas destiné à saboter l'économie chilienne, mais à mettre en œuvre des projets constructifs intéressant par exemple le logement ou l'agriculture. Les sénateurs se montrèrent à la fois respectueux et incrédules : comment Geneen aurait-il pu croire, demanda Clifford Case, qu'un million de dollars aurait pu avoir un effet quelconque sur les élections, venant après le milliard de dollars que les Etats-Unis avaient déjà dépensé au titre de l'aide au Chili ?

D'autres témoins appartenant à ITT embrouillèrent davantage l'histoire. Jack Neal, du bureau de Washington, auteur de la note fatidique qui faisait allusion à l'offre d'un million de dollars, expliqua qu'il ignorait la destination de l'argent et qu'ITT n'avait commis aucun acte illégal. On cita à comparaître les deux « journalistes » qui travaillaient sur le terrain. Ils se présentèrent, avec en tête Hal Hendrix, ce journaliste de droite à la voix éraillée et au visage basané dont nous avons déjà parlé. Ils affirmèrent n'avoir eu aucun contact avec la C.I.A. et ne rien savoir de M. Broe ; ils n'étaient que de simples reporters chargés de glaner les nouvelles. (Gerrity les surnommait des « aspirateurs »). Le troisième jour, Ned Gerrity apparut en personne, courtois comme à l'accoutumée et maître de lui en apparence, pour donner une autre version de la promesse du million de dollars : Geneen avait dans l'idée, selon lui, qu'ITT devrait faire quelque chose pour témoigner sa confiance dans le Chili ; ce million de dollars ne devait être qu'une amorce qui inciterait d'autres compagnies à établir des projets portant sur plusieurs millions de dollars et qui intéresseraient le logement et l'agriculture. Mais comment expliquer, interrogea Church, qu'il n'y ait pas un seul document écrit sur ces projets constructifs et qu'il y en ait sur le chaos économique ? Même la patience de Charles Percy était maintenant mise à rude épreuve : « Ça ne tient pas debout. C'est proprement incroyable ! »

Au bout d'une semaine les affaires d'ITT semblèrent bien mal engagées. En cohorte, les membres du lobby et du personnel des relations publiques d'ITT se serraient les coudes dans la salle pendant toute la durée des séances ; la mine de tous ces gens s'allongeait chaque jour davantage ; les actions d'ITT venaient de tomber de cinq points à la Bourse, tandis qu'avec la preuve maintenant établie que le Chili avait été l'objet d'une « provocation » de la part d'ITT, l'espoir pour la compagnie de toucher les 92 millions d'assurance apparaissait bien mince. Il était évident que la tactique de la sous-commission, quelles que soient les opinions de ses membres, était de montrer du doigt ITT comme une brebis galeuse, et de l'isoler des autres sociétés multinationales ; il faut ajouter à cela que les responsables des banques vinrent défiler à tour de rôle, depuis la First National City Bank, en passant par la Chase Manhattan et la Bank of America, pour témoigner avec componction qu'elles avaient *quant à elles* pour principe de ne jamais s'immiscer dans la politique d'aucun des pays où elles exerçaient leurs activités ; si d'aventure quelqu'un avait tenté de les circonvenir pour les inciter à déchaîner le chaos, *elles* lui auraient fermement opposé une fin de non-recevoir. Le Département d'Etat et le Département du Trésor s'empressèrent de rejoindre l'innombrable troupeau des brebis saines qui se désolidarisaient de cette pelée, de cette galeuse d'où venait tout le mal. Pendant un temps, il sembla que tout le complot était sorti de l'imagination des rédacteurs de notes à la solde d'ITT, quand intervint un événement sensationnel. Le sénateur Church annonça sans crier gare que, pour la première fois dans l'histoire, un membre de la C.I.A., William Broe, viendrait déposer devant la commission et que son témoignage serait rendu public.

Ce témoignage fut sans équivoque : Broe certifia qu'en juillet 1970 Geneen *avait bien* offert une somme substantielle à titre de contribution aux fonds électoraux du candidat conservateur Jorge Alessandri ; qu'il désirait que cette somme passât par le canal de la C.I.A., que lui Broe avait rejeté cette offre, bien qu'il fût revenu plus tard à ITT porteur de propositions personnelles en vue de semer la perturbation dans l'économie du Chili. Son témoignage rendait encore moins crédibles les projets soit-disant destinés au logement et à l'agriculture ; et le lendemain Charles Meyer, l'ancien sous-secrétaire d'Etat, nia que Jack Neal, pas plus que personne à ITT, eût jamais offert d'argent pour des projets constructifs. Le sénateur Church prit son ton le plus grave pour déclarer : « Il est évident que quelqu'un nous ment : et ce n'est pas à la légère qu'on peut tolérer un faux témoignage prononcé sous serment. »

La semaine suivante, Ned Gerrity et Jack Neal furent à nouveau convoqués pour s'expliquer sur ces contradictions ; cette fois ils firent machine arrière au sujet des projets constructifs. Neal prétendit que Merriam ne lui en avait jamais rien dit et Gerrity déclara qu'il ne pouvait maintenant affirmer que Geneen ait été tout à fait aussi précis : la vision du grand projet d'ITT en faveur du logement et de l'agriculture s'évanouissait dans l'air aussi vite qu'elle était apparue.

Entre-temps chacun attendait que se présente le dernier témoin, Geneen, qui était le seul à connaître l'histoire de A à Z ; comment pourrait-il tirer son épingle de ces témoignages contradictoires ? Il fit enfin son entrée dans la salle des auditions, les traits tendus, le visage basané, flanqué de deux avocats et d'un garde du corps ; ce qui ne l'empêchait pas de temps à autre d'adresser à ses collègues un sourire grimaçant. Il évoquait plus que jamais un esprit follet qui aurait animé de son souffle et tenu sous son charme tous les autres, pour les persuader de coucher sur le papier les détails les plus précis tandis que lui, principe impalpable, continuait de planer au-dessus de tout cela, insaisissable, hors du coup. Calme et sûr de lui-même, il s'expliqua : oui, il avait eu des conversations avec Broe au Sheraton Carlton, mais ne gardait qu'un vague souvenir des propos échangés ; si, aux dires de Broe, il avait fait une offre substantielle, il le croyait sur parole, mais ça n'avait été qu'une suggestion aussitôt faite, aussitôt repoussée, et les choses en étaient restées là ; son véritable propos en parlant à Broe avait été simplement de recueillir des renseignements sur le Chili et de lui faire part de ses inquiétudes. Il n'existait aucun lien d'aucune sorte, dit-il, entre cette offre et cette autre en septembre d'un million de dollars ;

la seconde ne visait qu'en partie seulement à barrer la route du pouvoir à Allende ; elle devait aussi servir à l'inciter, s'il devenait président, à modérer son programme de nationalisations. Quant à toutes suggestions tendant à plonger le Chili dans un chaos économique ou à y provoquer un coup d'état militaire, elles avaient été repoussées avec la dernière énergie.

Selon son habitude, Geneen eut réponse à tout et ne parut jamais en peine d'arguments. Il s'étendit une fois de plus sur les résultats financiers d'ITT, sur la part de la société dans l'équilibre de la balance des paiements et sur ses profits annuels de 450 millions de dollars ; mais quand on lui demanda combien il avait payé d'impôts fédéraux sur les bénéfices, la mémoire lui fit soudain défaut. (Church rappela qu'ITT avait acquitté environ 2 millions de dollars au fisc.) Geneen protesta que c'était la publication des notes sur le Chili, et non le fait de les avoir écrites, qui avait desservi la cause des sociétés multinationales ; il alla même jusqu'à prétendre que c'étaient les auditions sénatoriales elles-mêmes qui apportaient de l'eau au moulin des ennemis de l'Amérique. Il se déclarait chaud partisan d'une politique de fermeté et en l'écoutant je me souvenais de la façon dont, lors de notre première rencontre neuf mois plus tôt, il avait critiqué la politique du gouvernement britannique à l'égard de la Rhodésie. On put croire un moment que Geneen échapperait une fois de plus à l'assaut de ses détracteurs, que la baleine blanche, cernée par les harponneurs, pourrait à nouveau plonger dans un bouillonnement d'écume. Mais Church et Case finirent par le clouer sur place. Le sénateur Case fit ressortir que s'il était à la place d'Allende, il considérerait l'offre de Geneen comme une provocation. Et si tout ce qu'attendait Geneen de la CIA était qu'on l'informe sur ce qui se passait au Chili, demanda Church, pourquoi être allé directement trouver le chef des services *secrets* ? Et qu'était-il advenu de ce projet en faveur des logements et de l'agriculture ? Geneen répliqua qu'il avait été beaucoup question de construire des maisons mais qu'en vérité ce n'avaient été que quelques idées en l'air.

La séance touchait à sa fin quand Geneen admit sans détours qu'en deux occasions distinctes il avait offert une somme d'argent en vue d'empêcher Allende d'accéder au pouvoir ; il confessa avoir été mal avisé en faisant cette offre à Broe, mais il avait été choqué par le revirement des Etats-Unis en matière de politique étrangère. Ayant réussi à lui extirper ces quelques aveux, les sénateurs s'abstinrent de retourner le couteau dans la plaie. Après quinze jours d'auditions, Church fit un bref résumé de l'affaire et adressa cet avertissement aux sociétés multinationales qu'elles devaient faire en sorte d'être les bienvenues dans les pays d'accueil. Plus elles garderaient leurs distances à l'égard de la CIA et mieux tout le monde s'en porterait ; et pour sa part, il souhaitait proposer des textes législatifs pour éviter ce genre de collusion. Une semaine plus tard, le 9 avril, se répandit la nouvelle que les auditions auraient déjà une conséquence coûteuse : le président de l'OPIC, Bradford Mills, annonça que la demande d'indemnité réclamée par ITT lui serait refusée pour le motif que la société avait négligé de dévoiler des informations d'ordre matériel et avait « de ce fait aggravé les risques encourus par OPIC en lui ôtant la possibilité de recourir à des mesures administratives conservatoires ».

## LE COMPLOT MANQUÉ

Trois ans après la fin de l'aventure, il ressortait de tous les témoignages que ce n'était là qu'un chapitre de la « geste » latino-américaine dans la tradition de l'United Fruit ou du « big business » essayant d'assurer leur mainmise sur les petites républiques [11]. Mais ce qui était troublant en la circonstance n'était pas tant que ces méthodes soient l'expression de principes périmés et contraires à la politique américaine du moment, surtout après le Vietnam, mais que le complot ait été ourdi au cœur même d'une société qui se posait comme l'une des plus évoluées et des plus progressistes du globe et qui, en sa qualité de compagnie multinationale, ne cessait de proclamer « l'excellent esprit civique » dont elle faisait preuve dans tous les pays du monde — attitude essentielle, aurait-on cru, à sa survie. Ces événements cadrent mal, à ce qu'il semble, avec l'histoire des premiers temps d'ITT et les principes énoncés par le colonel Behn qui s'était tellement efforcé de ne causer nulle peine au régime des pays où il faisait ses affaires. A la fin des auditions, personne ne pouvait plus douter qu'ITT avait bien pris l'initiative de solliciter la CIA d'intervenir dans la politique intérieure du Chili, et cela dans le temps même où la compagnie lançait ses groupes de pression contre la Section anti-trust avec l'acharnement que l'on sait. Telle était donc la trame du complot mise en évidence par l'ensemble des témoignages recueillis sous serment au cours des auditions.

Au tout début de l'année 1970, Geneen et son collègue du conseil d'administration, McCone, commençaient à

11. Dans son numéro du 11 août 1973, la revue américaine *Business Week* fait état d'une autre ingérence très grave d'ITT dans les affaires d'un pays d'Amérique du Sud : l'Equateur. A la suite d'un différend avec le gouverenement équatorien sur le montant d'une indemnisation, différend portant sur seulement 25 000 dollars, ITT réussit à faire suspendre pendant deux ans des crédits américains d'aide à la petite république. Ces crédits étaient de 15,8 millions de dollars ! L'affaire sera étudiée en 1974 par la sous-commission des Affaires étrangères du Sénat dans le cadre de son enquête sur l'influence des sociétés multinationales dans la politique extérieure des Etats-Unis.

s'inquiéter de l'avenir du Chili et en discutaient aux réunions du conseil ; tous deux étaient des anti-communistes convaincus [12] et pensaient qu'il était possible de stopper l'ascension d'Allende. McCone eut plusieurs entretiens avec son ami intime Richard Helms, de la CIA, soit à Washington soit dans sa résidence de Californie, et il lui demanda s'il était dans les intentions du gouvernement des Etats-Unis de faire quelque chose pour soutenir la candidature d'un Chilien connu pour ses sympathies à l'égard de l'Amérique. Helms lui répondit que « le Comité des Quarante », le comité interministériel secret présidé par Kissinger, et devant lequel la CIA est responsable, avait déjà décidé de se garder de toute intervention. On donnait des pronostics différents sur les résultats des prochaines élections et la CIA, procédant à son propre sondage d'opinion, prévoyait qu'Alessandri, son candidat favori, recueillerait la majorité relative avec 40 % des voix [13] ; il n'empêche que Helms confia à McCone que pour sa part il ne croyait pas à la victoire d'Alessandri. Il laissa entendre toutefois qu'un « minimum d'efforts » pour s'opposer à l'élection d'Allende serait entrepris dans les limites de la souplesse du budget de la CIA. McCone proposa alors qu'un homme de la CIA se mette en rapport avec Geneen (« ce serait de ma part une démarche bien naturelle »). McCone alla rapporter à Geneen que la CIA ne pouvait guère l'aider et ce dernier ne cacha pas sa déception.

Mais Helms envoya des instructions dûment motivées à l'un des plus anciens de ses collaborateurs, William Broe, un homme de 60 ans et vétéran chevronné de l'es-

12. Déposition de McCone : « Le communisme international n'a cessé de répéter que son objectif était de détruire le monde libre économiquement, politiquement et militairement... C'est à cela que pensait Geneen. » (Mais comment concilier cette attitude avec les négociations entreprises par ITT à Moscou ? Voir le prochain chapitre).

13 Témoignage de Korry.

pionnage. Bill Merriam d'ITT prit contact avec Broe et lui demanda s'il pourrait rencontrer Geneen lors de sa prochaine visite à Washington. Ainsi donc, dans la soirée du 16 juin 1970, à 22 h 15, Broe pénétra dans le hall à la décoration chargée et un peu passée de l'hôtel Sheraton Carlton à Washington ; peu après Bill Merriam y entra à son tour et se présenta au personnage solitaire qui l'attendait dans le hall. Un quart d'heure plus tard ce fut au tour de Geneen d'apparaître (il fait même attendre la CIA) et Merriam le présenta à Broe ; sur quoi Geneen fit monter ce dernier à l'appartement privé de l'hôtel réservé aux hauts dignitaires de la compagnie. On avait laissé Merriam en bas. Une fois là-haut, Geneen se mit à cuisiner Broe au sujet de la campagne électorale du Chili et des chances respectives des trois candidats à la présidence : Allende, Alessandri et Tomic. Puis il sortit sa proposition : il était prêt (comme il l'avait déjà été aux élections de 1964) à rassembler une somme substantielle pour alimenter les fonds électoraux d'Alessandri et demandait à la CIA d'en assurer le contrôle et la distribution. Broe lui répliqua que la CIA ne pouvait jouer un pareil rôle et qu'au surplus il n'était pas dans l'intention du gouvernement américain de soutenir un candidat particulier aux élections chiliennes. Mais Geneen n'en demanda pas moins à Broe de reprendre contact avec lui à son retour d'un voyage qu'il devait faire en Europe. Ce dernier se fit un devoir de lui téléphoner le 27 juillet pour le tenir au courant du déroulement de la campagne au Chili ; mais la conversation ne dura guère plus de deux ou trois minutes car Geneen était débordé. Peu après, McCone eut un nouvel entretien avec Helms avant de prendre ses vacances au mois d'août en Alaska[14].

14. Déposition de McCone, 21 mars 1973.
Déposition de Broe, 28 mars 1973.

Enfin, le 4 septembre 1970, eurent lieu les élections du Chili ; Allende l'emportait de justesse sur ses deux rivaux avec 36 % des voix [15]. Trois jours plus tard, Bob Berrellez, l'homme d'ITT à Santiago, câbla son interprétation des résultats à Hal Hendrix, Ned Gerrity et autres : la victoire d'Allende lors du scrutin de confirmation par le Congrès, disait-il, serait virtuellement assurée grâce au soutien des Démocrates-Chrétiens. Alessandri soutenu par les espérances de son beau-frère, Matte (avec qui ITT était en étroit contact), pensait toujours qu'il l'emporterait avec l'aide de l'argent et « de pressions influentes » ; mais Berrellez signalait les risques inhérents à une telle intervention. « De fortes pressions politiques et économiques venant de l'extérieur », câblait-il, « qui auraient pour effet à l'intérieur d'aggraver le chômage et le malaise social, ne pourraient que renforcer la position des extrémistes de gauche ».

Le lendemain était jour de réunion mensuelle du conseil d'administration d'ITT. Geneen ne toucha mot des contacts qu'il avait établis avec la C.I.A. ; mais il eut un entretien privé avec McCone et lui confirma qu'il était prêt à verser un million de dollars pour soutenir toute politique officielle visant à organiser une coalition des partis chiliens qui voulaient barrer la route à Allende, ces partis qui « défendaient ces mêmes principes qui constituent le fondement de notre système de gouvernement ». Ce plan ne devait pas avoir pour origine ITT ou Geneen (McCone insistait beaucoup là-dessus). Geneen demanda à McCone s'il pouvait compter sur lui ; McCone répondit que oui. Quelques jours plus tard, McCone se rendit à Washington pour rencontrer Helms et Kissinger qui jouaient un rôle clef au sein du Comité des Quarante. McCone fit part de l'offre d'ITT. Kissinger leur dit qu'il

15. Les résultats sont : Allende : 36,3.
Alessandri : 34,9.
Tomic : 27,8.

prendrait contact avec lui si un plan voyait le jour, mais selon McCone, les choses en restèrent là.

Pendant ce temps, le lobby d'ITT de Washington se mettait pesamment en action. Jack Neal, « l'anti-communiste de combat », téléphona à Pete Vaky, conseiller de Kissinger pour les affaires d'Amérique latine. Il lui expliqua que Geneen était gravement préoccupé par la situation au Chili, et qu'il était prêt à fournir une somme se chiffrant en millions de dollars, avec prière d'en informer Kissinger : Vaky lors de son témoignage affirme ne pas avoir pris l'offre au sérieux et ne pas en avoir fait part à son patron. Neal toucha également deux mots de l'affaire à Charles Meyer du Département d'Etat, bien que Meyer ait démenti qu'il ait été fait mention d'argent. Il rencontra aussi « par hasard » John Mitchell, l'Attorney General, lors d'une réception de mariage à l'ambassade de Corée et lui parla également du Chili.

Dans l'intervalle, le Comité des Quarante s'était réuni pour discuter du Chili. On ne sait pas ce qu'il y fut décidé, mais divers indices laissaient prévoir un durcissement de la position américaine. Il semblait par ailleurs qu'on envisageât une intervention sous une forme ou une autre. Le 16 septembre, parlant « off-the-record[16] » devant des directeurs de journaux à Chicago, Kissinger les avertit des problèmes que poserait une accession d'Allende au pouvoir : « Nous examinons la situation de très près. » Toutefois, ajouta-t-il, la conjoncture du moment ne permettait pas aux Etats-Unis d'exercer une grande influence au Chili. L'ambassadeur américain à Santiago, Edward Korry, paraissait être aussi en faveur d'une ligne plus dure ; c'était un ancien journaliste de droite, coriace et ne mâchant pas ses mots. De toute évidence, il bénéficiait d'appuis à Washington, beaucoup plus à la Maison-Blanche d'ailleurs qu'au Département d'Etat. Il était

16. N.d.T. C'est-à-dire sans que ces propos puissent être cités.

aussi, semblait-il, très lié aux « journalistes » d'ITT opérant sur le terrain, Hendrix et Berrellez. Qui fixait réellement la politique des Etats-Unis vis-à-vis du Chili ? On ne peut donner de réponse à cette question cruciale.

Deux semaines après les élections, Berrellez rédigea du Chili une autre note qui, revue et corrigée par Hendrix à New York, fut envoyée à Ned Gerrity. Cette note, la plus violente et la plus imprudente de tous les documents d'ITT, laissait espérer qu'on pourrait empêcher Allende de devenir président. Alessandri croyait pouvoir obtenir la majorité au Congrès, après quoi, selon la « formule Alessandri », il démissionnerait pour faire place à Frei qui provoquerait de nouvelles élections. Mais il y avait une difficulté : Frei ne franchirait le pas que s'il existait une sérieuse menace contre la Constitution : aussi, « cette menace doit être suscitée d'une façon ou d'une autre par une provocation ». Berrellez fit savoir à Alessandri, par l'intermédiaire de Matte, qu'ITT était prête à fournir ce qui était nécessaire « comme d'habitude [17] » et fit quelques recommandations précises à New York. Il suggéra en particulier de ne pas ménager la publicité du quotidien conservateur, *El Mercurio*, de s'assurer les services de publicistes travaillant à la radio et à la télévision chiliennes, et de faire connaître les éditoriaux du *Mercurio* à travers l'Amérique latine et l'Europe.

Ce rapport draconien fut pris très au sérieux par ITT à New York et à Washington. Jack Neal se rendit au Département d'Etat pour réaffirmer le désir d'ITT de faire tout son possible ; à Washington, Bernie Goodrich alla demander aux services d'information du gouvernement de diffuser les éditoriaux du *Mercurio* (ils le faisaient déjà) et de leur dire qu'ITT aidait le *Mercurio*. Il demanda s'il y avait des choses que le gouvernement ne

17. Note Hendrix-Berrellez à Gerrity, 17 septembre 1970. Matte confirma avoir reçu une offre d'ITT mais il déclara l'avoir rejetée (Associated Press de Santiago, 23 mars 1973).

pouvait pas faire mais qu'ITT *pourrait* faire. Les fonctionnaires insistèrent sur le fait que rien ne saurait être tenté qui puisse être interprété comme une intervention américaine ; Goodrich ne manqua pas de les rassurer : « Nos gens ont une grande expérience dans ce domaine [18]. »

William Broe fut, lui aussi, de toute évidence impressionné par cette note ; il était resté en étroit contact avec ITT et Bill Merriam la lui avait communiquée. Ils déjeunèrent ensemble au Metropolitan Club le 22 septembre, et Merriam lui dit qu'ITT à New York le pressait de faire quelque chose au Chili mais Broe se rendit compte que son interlocuteur ignorait presque tout de ce pays. Ils parlèrent surtout « de leurs filles, de l'éducation et de choses de ce genre ».

Une semaine plus tard, se produisit un fait nouveau des plus intéressants. Broe en plein accord avec les patrons de la C.I.A., « les gens de l'étage au-dessus » comme il les appelait, alla rendre visite à Ned Gerrity à New York, tandis que Geneen était en Europe. C'était le 29 septembre, soit moins d'un mois avant le vote décisif du Congrès chilien. Broe donna à Gerrity les grandes lignes d'un plan, qui ne prévoyait rien moins que la création systématique de l'instabilité économique au Chili : on demanderait aux banques de différer les crédits, aux sociétés de se faire tirer l'oreille pour dépenser de l'argent, envoyer des livraisons ou fournir des pièces détachées. Les institutions de prêts et les caisses d'épargne seraient invitées à fermer leurs portes, l'assistance technique serait supprimée. Tout cela faisait partie de la « thèse » de la C.I.A., selon laquelle une détérioration de la situation économique pourrait inciter les Démocrates-Chrétiens du Congrès à ne pas voter pour Allende. Dans quelle mesure était-ce simplement une thèse ou

18. Goodrich à Merriam, 23 septembre 1970.

bien un plan précis ? Les choses ne sont pas très claires. Toutefois, Broe prenait suffisamment cela au sérieux puisqu'il avait apporté avec lui une liste de sociétés travaillant avec le Chili qui, expliqua-t-il, pourraient participer au plan visant à provoquer le chaos économique [19].

On ne sait pas très bien non plus dans quelle mesure le plan de Broe avait été inspiré par les notes et les contacts d'ITT, ou stimulé par la politique secrète du Comité des Quarante et l'attitude militante de l'ambassadeur Korry. Il ne faisait cependant aucun doute que ce plan était en parfaite harmonie avec les propositions des agents d'ITT qui étaient sur place ; il semblait que la première démarche auprès de la C.I.A. avait enfin porté ses fruits. Entre-temps, malgré tout, Gerrity avait reçu au moins deux rapports du Chili incitant à la prudence. L'un provenait d'un membre du Conseil pour l'Amérique latine, Enno Hobbing, qui avait autrefois travaillé pour la C.I.A. ; il avait reçu la visite d'un collaborateur d'Alessandri qui avait conseillé : « Gardez votre calme, ne secouez pas la barque, nous faisons des progrès. » L'autre était une note complémentaire de Berrellez en provenance du Chili, qui était plutôt pessimiste quant aux chances d'empêcher l'élection d'Allende. Il disait que des efforts discrets étaient entrepris pour mettre en faillite les caisses d'épargne, ce qui pourrait susciter du chômage générateur de violence ; toutefois le président Frei était faible et « quelques hommes d'affaires, qui avaient été tout feu tout flamme pour empêcher l'élection d'Allende, parlaient maintenant de s'arranger avec lui ». Berrellez recommandait : « Il faut veiller à s'assurer que l'on ne nous identifie pas ouvertement avec aucune des manœuvres anti-Allende. » Après que Broe eût révélé le contenu de ses propositions, Jack Guilfoyle d'ITT New York affirma avoir pris contact avec deux des sociétés

19 Témoignage de Broe, 27 mars 1973.

figurant sur la liste, mais elles lui avaient opposé un avis négatif[20].

En conséquence, Gerrity télégraphia à Bruxelles à Geneen, donna les grandes lignes du plan mais ajouta qu'il n'y adhérait pas nécessairement : « De façon réaliste, je ne vois pas comment nous pouvons amener les autres sociétés impliquées à suivre le plan proposé. » Geneen parla à McCone de ce plan, et ils parvinrent à la conclusion qu' « il ne marcherait pas[21] », non qu'il ne soit pas désirable, mais impraticable. Geneen en fit part à Gerrity, lui demandant d'être « très prudent » dans ses rapports avec Broe. Geneen, cependant, réfléchissait toujours à la manière d'empêcher l'élection d'Allende ; il avait eu une idée assez curieuse qui éclaire un peu sa manière de penser. A Bruxelles, il avait remarqué un exemplaire du *Daily Telegraph*[22] avec une manchette sur toute la première page décrivant comment des centaines de personnes avaient été mises en prison au Caire par le régime pro-communiste[23]. Il pensait que ce genre de récit en forme d'épouvantail pourrait monter l'opinion contre Allende en Amérique latine. Aussi il envoya un exemplaire du journal, par poste aérienne et en exprès, à New York, d'où Hal Hendrix le fit suivre au Chili afin que des copies en soient distribuées aux membres du Congrès et que les journalistes s'en inspirent dans leurs éditoriaux.

Broe continua de garder le contact avec ITT. Le 6 octobre, il rendit visite à Ryan au bureau de Washington. Il fit un rapport expliquant que la situation était loin

20. Selon la note de Gerrity à Geneen ; toutefois, les deux sociétés citées dans le témoignage de Guilfoyle, IBM et Anaconda, nièrent avoir été sollicitées.
21. Témoignage de McCone, 21 mars 1973.
22. N.d.T. Quotidien conservateur de Londres.
23. N.d.T. Le traducteur s'est efforcé de rendre fidèlement l'expression utilisée dans le texte du *Daily Telegraph*, bien qu'il lui paraisse difficile de qualifier de pro-communistes les gouvernements des présidents Nasser et Sadate.

d'être rose au Chili, car les Démocrates-Chrétiens allaient vraisemblablement soutenir Allende. Il recommanda, malgré tout, de maintenir la pression, par exemple, en faisant fuir les capitaux des banques pour limiter les appuis à Allende ; et « on pouvait toujours espérer que quelque chose pourrait se passer plus tard » et que « les militaires pourraient encore faire quelque chose ». Deux jours plus tard, Merriam déjeuna à nouveau avec Broe qui était maintenant très pessimiste. Des tentatives avaient été faites auprès des forces armées chiliennes pour susciter un soulèvement mais sans succès. Quant aux sociétés américaines, elles refusaient de coopérer à la création d'un chaos économique. Cependant Broe dit à Merriam qu'il pensait que l'Administration Nixon adopterait une ligne très dure avec Allende une fois qu'il serait élu.

Merriam communiqua tout cela à McCone (mais pas aux autres administrateurs) en même temps qu'un nouveau message de Hendrix et Berrellez. Les deux reporters estimaient également qu'une défaite d'Allende était maintenant improbable, mais ils pensaient que le chaos économique et le chômage pourraient encore (ainsi que l'avait suggéré Broe) persuader les Démocrates-Chrétiens de ne pas voter pour Allende.

Vers le milieu du mois d'octobre, les perspectives d'empêcher l'accession d'Allende au pouvoir s'estompaient rapidement. Hendrix écrivit à Gerrity pour lui dire que la tentative de coup d'état du général Viaux[24] avait été ajournée — sur avis, semble-t-il, de Washington — et les chances d'un changement de dernière minute étaient maintenant des plus minces. Finalement, le 20

24. N.d.T. En fin de compte le général Viaux dirigea un enlèvement du général Schneider, chef d'état-major des forces armées chiliennes. L'enlèvement tourna mal : le général Schneider, militaire loyaliste, fut abattu. Arrêté et condamné à une longue peine de prison, Viaux fut autorisé par Allende à émigrer au Paraguay après avoir seulement purgé trois ans de sa peine.

octobre, Alessandri se retira de la course à la présidence, laissant la voie libre à Allende. Quatre jours plus tard, le candidat de l'Unité Populaire était élu à la présidence.

Malgré tout, le lobby d'ITT n'avait pas renoncé ; en fait, il se déploya désormais sur un front plus large, s'efforçant de modifier l'ensemble de la politique latino-américaine du Département d'Etat. Gerrity concocta un vibrant document politique intitulé « les Etats-Unis à la croisée des chemins », préconisant une ligne intransigeante vis-à-vis d'Allende, la cessation de l'aide financière au Chili et même la réduction du nombre des diplomates américains « dans certaines capitales latino-américaines ». Gerrity l'adressa à McCone et à Geneen le 21 octobre et rédigea une nouvelle note pour Geneen ayant pour titre « Chili : les lendemains » ; il y expliquait comment le Département d'Etat s'était constamment trompé à propos du Chili et proposait qu'une nouvelle politique de fermeté soit soumise aux plus hautes autorités du gouvernement, le docteur Kissinger et le Président compris.

Les deux notes sentaient à plein nez l'idéologie de Geneen, avec leurs références à la « liberté qui se meurt partout » et à la nécessité de retourner aux « principes essentiels qui sont le fondement même de notre nation » (ces principes sans doute qu'on avait inculqués au petit écolier de Suffield : voir le chapitre IV). Le 21 octobre, il y eut une importante rencontre avec le secrétaire d'Etat William Rogers pour discuter de la situation au Chili ; y assistaient plusieurs industriels dont Jack Guilfoyle et J.R. McNitt d'ITT. L'attitude de Rogers fut encourageante. Il déclara deux ou trois fois que « l'Administration Nixon était une administration du business, favorable au business et dont la mission était de protéger le business ».

Bill Merriam, de son côté, s'employait activement à exercer une forte pression sur le Département d'Etat : le 22 octobre, il eut une entrevue avec Jack Neal et l'irremplaçable docteur Danelian de l'Association de politique économique internationale qui projetait de convoquer son comité pour l'Amérique latine en vue de mobiliser le plus d'éléments possible et de faire pression sur le Département d'Etat afin qu'il durcisse sa position ; en même temps, les membres du comité interviendraient auprès des sénateurs Scott et Mansfield pour essayer de leur faire « oublier » d'inclure au budget des crédits nouveaux pour l'aide à l'Amérique latine. Plus audacieusement encore, Merriam écrivit directement à Kissinger, lui disant : « Notre compagnie a pleinement conscience que les peuples des Amériques méritent une qualité de vie meilleure » ; dans la lettre était incluse une nouvelle proposition de remise en question de la politique suivie vis-à-vis de l'Amérique latine. Kissinger lui renvoya une note polie l'informant que sa lettre avait « retenu toute son attention » ; Merriam fit la réflexion que cette réponse était « plus que désinvolte ».

En même temps, ITT entreprit de salir systématiquement le nom des diplomates qui ne partageaient pas ses principes politiques. Hendrix rédigea une longue note sur Charles Meyer, le très distingué libéral du Département d'Etat, l'accusant d'être le plus mou des secrétaires d'Etat adjoints depuis 22 ans : « Si seulement il pouvait retourner chez Sears Roebuck [25] on ne s'en porterait que mieux. » Gerrity transmit la note à Geneen, ajoutant : « Meyer n'a pas fait du bon travail. » Ils s'en prirent également à Edward Korry, l'ambassadeur des Etats-Unis au Chili, qui avait semblé au début partager la ligne de conduite dure d'ITT ; Hendrix et Berrellez dirent à Geneen que maintenant Korry ne tenait plus en place : « une espèce de Martha Mitchell [26] en pantalon »

25. N.d.T. Sears Rœbuck : grand magasin de nouveautés américain spécialisé dans la vente par correspondance.

26. Femme de John Mitchell, Attorney General, déjà rencontrée au chapitre X. Elle est célèbre pour son franc-parler et ses frasques.

et que c'était le chant du cygne de sa carrière diplomatique. Le bruit courait qu'il essayait de dénicher un emploi à ITT mais Geneen fit clairement savoir qu'il n'avait aucune envie de lui venir en aide.

Ces attaques soigneusement orchestrées contre la politique étrangère américaine se poursuivirent sans qu'aucune note ne mentionne un désaveu quelconque, émanant de qui que ce soit, à ITT — à l'exception d'un seul homme qui mérite une mention spéciale pour son indépendance d'esprit, R.R. Dillenbeck, conseiller principal d'ITT pour l'Amérique latine, que choquaient à la fois les principes politiques énoncés par la compagnie et la stupidité dont elle faisait preuve en attaquant ouvertement la politique du gouvernement et ce au moment précis où elle était engagée dans des négociations épineuses avec le Département d'Etat et où au surplus elle réclamait à l'OPIC le remboursement des dommages résultant de l'expropriation de sa filiale chilienne. Il se plaignit à Howard Aibel, le principal conseiller juridique, qu'on ait négligé de lui montrer la lettre insolente adressée à Kissinger ; il était en outre inquiet à ce point des jugements portés à Gerrity dans son rapport « Chili : les lendemains » qu'il en envoya un exemplaire à Robert Crassweller, son collaborateur et expert libéral des affaires latino-américaines, qui ne manqua pas de démolir les théories qu'il contenait, notamment la « théorie des dominos » selon laquelle l'épidémie chilienne gagnerait le reste de l'Amérique latine. Dillenbeck concluait par ces mots : « De telles attaques lancées par le service des relations publiques ont un effet démoralisateur et risquent en fin de compte d'aller à l'encontre des buts poursuivis par ITT [27]. »

Après l'installation d'Allende à la présidence, ITT s'inquiéta de savoir comment la compagnie serait indemni-

27. Dillenbeck à Aibel, 28 octobre 1970.

sée (elle avait derrière elle quarante ans d'expérience de la question) ; et la tactique qu'elle employa en la circonstance révèle dans quelle mesure elle était habile à jouer le double jeu aussi bien vis-à-vis d'Allende que vis-à-vis d'autres compagnies confrontées aux mêmes problèmes. Pour commencer, ITT fut pressentie par Anaconda, la compagnie propriétaire de mines de cuivre dont les intérêts au Chili étaient considérables, cela aux fins d'organiser des réunions « ad hoc » avec d'autres compagnies intéressées, dont Kennecott, l'autre grosse compagnie de cuivre rivale d'Anaconda, afin de faire pression sur le Chili. ITT fut d'accord. Et Bill Merriam dès le début de 1971 présida plusieurs réunions à son bureau de Washington (les réunions ad hoc constituent « une des caractéristiques de la vie à Washington » expliqua Merriam par la suite [28]). Comme de juste, ITT devint le chef de file du groupe de pression. Lors d'une réunion tenue le 9 février, Merriam informa les autres que la C.I.A. et le cabinet de Henry Kissinger avaient pris en mains les affaires du Chili et que le Département d'Etat s'en occupait à peine. ITT avait déjà fait pression sur Arnold Nachmanoff, le remplaçant de Pete Vaky dans l'équipe Kissinger. Il lui avait donné l'assurance que les Etats-Unis exhorteraient les autres pays à ne procéder à aucun investissement au Chili. Les participants à la réunion ad hoc proposèrent de susciter des discours « durs » au Congrès et d'exercer des pressions sur les organismes internationaux pour qu'ils cessent de prêter de l'argent aux pays qui menaçaient d'exproprier les entreprises étrangères [29].

Mais, dans le temps même qu'ITT se tenait au coude à coude avec les compagnies de cuivre, elle tirait sans vergogne des plans pour les trahir. Le 11 février, deux

28. Témoignage de Merriam, 20 mars 1973.
29. Note de Ronald Raddatz envoyée à Robert James de la Bank of America, 9 février 1971.

jours après la réunion ad hoc, Gerrity rédigea une note confidentielle à l'intention de Geneen où il esquissait les grandes lignes d'une stratégie pleine d'astuce. L'idée toute simple était de rééditer la tactique appliquée au Pérou lorsqu'ils s'étaient habilement démarqués des autres compagnies. Les responsables de la société calculaient qu'Allende en expropriant les mines de cuivre (ce qu'il fit) sans indemnisation, attirerait sur le Chili les critiques du monde entier. Si donc ITT allait directement trouver Allende en lui faisant comprendre que, s'il leur proposait des conditions honorables, il pourrait « nous montrer du doigt » et dire : « Voyez ITT, n'est-ce pas un exemple de l'équitable arrangement auquel on peut parvenir entre gens de bonne volonté ? »... En d'autres termes ITT pourrait profiter du désastre qui frappait les compagnies de cuivre en les laissant dans le pétrin [30].

En fait, cette tactique autorisait les plus grands espoirs. En mars 1971, une délégation des émissaires d'ITT, comprenant Dunleavy et Guilfoyle, se rendit chez Allende et le trouva cordial et détendu ; il leur parla de faire de la compagnie des téléphones une société mixte entre l'Etat et ITT ; il fit même allusion à un gadget de son invention qui permettait d'indiquer lors d'une conversation téléphonique qu'un autre abonné essayait de faire votre numéro (au fait qu'en est-il advenu [31] ?). En mai, Allende annonça qu'il allait nationaliser la compagnie mais au cours des mois suivants, ITT poursuivit des négociations avec les Chiliens afin d'obtenir des indemnisations. Bien que le fossé fût large entre la demande et l'offre, on avait bon espoir de parvenir à une transaction. Le 9 juillet, Jack Guilfoyle écrivit une note à Geneen où il lui expliquait la tactique qui consistait à désolidariser ITT des compagnies de cuivre et il ajoutait : « Je crois que la porte est légèrement entrebâillée. »

30. Note de Gerrity à Geneen, 11 février 1971.
31. Hendrix à Perkins, 12 mars 1971.

Mais entre-temps Allende subissait une forte pression de sa gauche pour arrêter des décisions énergiques à l'encontre des impérialistes américains. En admettant même que le gouvernement des Etats-Unis et les compagnies américaines concernées aient témoigné de dispositions plus sincèrement conciliantes, il reste à savoir jusqu'où Allende aurait pu maintenir son attitude de modération. Il n'est pas douteux cependant que les mesures draconiennes préconisées par ITT — et qui reçurent un commencement d'exécution — ne facilitèrent pas à Allende la tâche d'amadouer les partisans des mesures extrêmes. Quoi qu'il en soit, son intransigeance ne faisait qu'augmenter. Il commença par exproprier les mines de cuivre puis, quand les conversations se trouvèrent dans l'impasse en septembre 1971, il plaça ITT sous la direction d'un administrateur chilien, ce qui était une façon discrète de la nationaliser.

C'est alors qu'ITT découvrit subitement ses batteries et ouvrit le feu de toutes ses pièces. Geneen avait vu venir les choses et quinze jours avant la mise sous tutelle de sa compagnie il avait déjeuné à la Maison-Blanche avec « Pete » Peterson, l'assistant du Président pour les affaires économiques internationales ainsi qu'avec le général Haig, l'adjoint de Kissinger. Il les avertit que la filiale d'ITT serait prochainement expropriée. C'est alors qu'il demanda à Merriam d'écrire à Peterson et de joindre à sa letre un plan en 18 points qui allait bien plus loin que toutes les mesures d'intervention proposées par ITT jusque-là ; ce plan en effet préconisait sans autre forme de procès de déposer Allende : « *Il faut tout mettre en œuvre, sans éclat, mais par les moyens les plus efficaces, pour veiller à ce qu'Allende n'aille pas au-delà des six prochains mois qui seront cruciaux.* » La Maison-Blanche devrait mettre en place une commission spéciale pour faire pression sur le Chili ; faire en sorte qu'aucune banque américaine ou étrangère ne lui accorde de nouveaux prêts et fomenter le mécontentement au sein de l'armée chilienne. Il importerait également de saboter les projets diplomatiques d'Allende. Il y aurait lieu de subventionner le journal *El Mercurio* [32] et de coopérer avec la C.I.A. pour envisager les meilleurs moyens de « serrer l'étau pendant six mois ». C'était un plan autrement implacable que celui proposé par Broe un an auparavant.

Dans quelle mesure ces pressions exercées par ITT, soit par l'entremise de Peterson ou de quiconque, furent-elles suivies d'effet ? On n'en sait toujours rien car à ce point des événements la source des notes se tarit. (Au cours de sa déposition, Peterson affirma qu'il n'avait jamais eu sous les yeux le plan envoyé par Merriam.) Quoi qu'il en soit, pression ou pas, le processus d'isolement du Chili était engagé, tandis que bailleurs de fonds et dispensateurs d'aide se récusaient. ITT cependant, tout en œuvrant en sous-main pour provoquer le chaos dans l'économie chilienne, continuait, avec l'apparence de la meilleure foi du monde, à négocier avec le Chili les conditions d'une indemnisation et en février 1972, soit 4 mois après avoir proposé le plan en 18 points, Geneen envoyait Jack Guilfoyle au Chili pour s'entretenir avec Allende et rechercher avec lui une formule de compromis. C'est seulement le mois suivant, quand parurent les articles d'Anderson, qu'Allende rompit les négociations et que fort de cette preuve des interventions intempestives et de la duplicité d'ITT il demanda au Congrès chilien de voter la nationalisation de la compagnie des téléphones sans indemnisation.

L'histoire des procédés employés par ITT envers le

32. N.d.T. Porte-parole traditionnel de la droite conservatrice chilienne, *El Mercurio* fut le seul journal immédiatement autorisé à paraître au lendemain du putsch militaire du 11 septembre 1973. Il approuva nettement l'action de la Junte, publiant même des listes de suspects, marxistes ou supposés tels.

Chili montre, comme à travers un verre grossissant, les traits familiers qui marquent la compagnie — son arrogance, son implacable puissance de pression, son visage à double face, son truquage de l'information. Dans la masse de notes qui sont apparues au grand jour, on ne trouvera pas un seul indice montrant qu'aucun employé ait jamais eu d'autre souci que les bénéfices de la compagnie. Et malheur à quiconque tenterait de lui barrer le chemin — que ce soit Charles Meyer, Edward Korry, Pete Vaky ou même l'ex-président Frei —, il risquerait de devenir la cible de traits insidieux et de calomnies infamantes. Plus que jamais la compagnie apparaissait comme l'œuvre d'un homme seul entraînant tous les autres dans son sillage. On eût cherché en vain, parmi toutes les notes, une seule qui vînt d'Harold Geneen : et pourtant chacune d'elles, où revenaient souvent des formules bien à lui comme « les fondements de notre société » ou bien « la liberté se meurt partout », laissait apparaître en filigrane le style et les desseins de leur véritable inspirateur.

Les documents et témoignages relatifs au Chili obligent à s'interroger sur la nature des relations entre la compagnie et les gouvernements à un niveau plus profond que celui des contacts avec la section anti-trust, car dans le cas présent les liens qui la rattachaient aux services de renseignements étaient beaucoup plus étroits. Et pour commencer, la double fonction de John McCone, qui agissait simultanément comme administrateur d'ITT et conseiller secret de la C.I.A., était de nature à jeter des doutes sérieux sur un point : pour qui pensait-il donc travailler en faisant pression sur Richard Helms avec le résultat que l'on connaît ? C'est d'ITT qu'il recevait ses instructions, mais il devait ses entrées à la C.I.A. du fait qu'il travaillait pour elle : il lui était facile de confondre — comme tant d'autres membres de la société l'avaient fait avant lui — l'intérêt national avec celui d'ITT. Il se peut que cette confusion ait été tacitement acceptée dans le passé ; mais elle est difficile à admettre pour un conglomérat moderne et multinational qui se proclame « bon citoyen » de tous les pays où il exerce ses activités. Certes, tous les services secrets, qu'ils soient américains, anglais ou français, sont tentés d'utiliser les compagnies multinationales comme « couverture » pour leurs espions et il y a gros à parier qu'ils ne s'en privent pas. Au cours de sa déposition, McCone déclara que la C.I.A. ne devrait jamais utiliser les sociétés multinationales comme couverture pour la raison que : « Je ne vois pas comment aucune société pourrait survivre si la supercherie de cette couverture venait à être éventée. » Mais le fait qu'il en ait usé lui-même ne nous permet pas de prendre son avertissement trop au sérieux. Revenant en arrière, en 1966, Richard Bissell, directeur adjoint des projets à la C.I.A., était d'avis que les agents secrets se trouvaient mieux camouflés au sein des grandes sociétés que dans les ambassades [33] et recommandait cette pratique. Par ailleurs nombreux étaient ceux qui, lors des auditions, ne voyaient rien de répréhensible à cette collaboration entre les sociétés et les services secrets. Mais ce qui est significatif dans le cas d'ITT est que cette collaboration se situait au plus haut niveau. Le président de la compagnie et l'ex-directeur de la C.I.A. reconnaissaient qu'il existait en l'occurence une communauté d'intérêts naturelle : l'on peut se demander pourquoi Geneen se serait assuré les services de McCone sinon pour lui faire jouer ce double rôle.

Jusqu'où faut-il creuser pour découvrir les racines profondes de ces rapports qui fleurissent en surface. Jetant un coup d'œil sur l'histoire d'ITT, sur les liens compliqués et solides qu'elle a tissés depuis longtemps avec les pays étrangers, sur ses manœuvres occultes du temps de

33. Voir *The Guardian*, 23 mars 1973.

guerre, sur tous les différends suivis de réconciliations qui ont marqué ses démêlés avec son propre gouvernement, sur la compétence technique dont elle a fait la démonstration dans le domaine des télécommunications, je pense qu'il est difficile de ne pas aboutir à la conclusion que la compagnie a collaboré intimement et depuis longtemps avec les services secrets, que ces pratiques étaient inscrites à l'actif de la succession du colonel Behn dont Geneen était l'héritier, et dont la nomination de John McCone ne constituait qu'un des éléments. Cette façon d'opérer était-elle maléfique ou simplement nécessaire et dans quelle mesure ? Il est difficile d'en juger ; mais, pour ma part, deux conclusions s'imposent. La première est que cette collaboration avec les services secrets n'a pas été étrangère à l'audace insolente manifestée par la société et à son libre accès aux sphères les plus élevées. La deuxième est que l'influence de son propre service de renseignements (comme en témoignent aujourd'hui les documents relatifs au Chili) sur le gouvernement américain s'est révélée brutale, dangereuse et pernicieuse.

Les soupçons les plus graves quant à la nature de la politique étrangère des Etats-Unis vis-à-vis du Chili ont reçu une nouvelle actualité lors du putsch militaire du 11 septembre 1973 qui a coûté la vie au président Allende et a mis fin à trois ans d'expérience de l'Unité Populaire. Aucun élément à l'heure actuelle ne prouve la participation de la C.I.A. ou d'ITT au coup d'état. Les problèmes intérieurs auxquels le président Allende avait à faire face étaient si sérieux qu'il risquait de toute manière d'être renversé même si les Etats-Unis et d'autres nations lui avaient prêté leur concours. Il n en reste pas moins que les témoignages recueillis par la commission Church révèlent très clairement que la C.I.A. et la Maison-Blanche avaient projeté trois ans plus tôt d'utiliser des sanctions économiques pour empêcher

Allende de rester au pouvoir, avec comme arrière-pensée de susciter un coup d'état militaire. Les chiffres des montants des prêts et d'autres formes d'aide montrent que ces sanctions avaient été appliquées (sauf, et ce n'est sans doute pas par hasard, en ce qui concerne les prêts aux forces armées chiliennes, qui eux avaient été accrus). Le chaos économique qui précéda le coup d'état était en parfaite harmonie avec les espoirs et les plans d'ITT et de ses amis de la C.I.A.

# CHAPITRE XII

## *L'ÉTAT SOUVERAIN*

> C'en est à peu près fini de l'Etat-nation en tant qu'entité économique.
>
> Charles Kindleberger, 1969[1].
>
> La société multinationale sera un élément de désordre s'il ne se développe pas un pouvoir politique pour mettre l'économie au service de l'homme et non l'homme au service de l'économie.
>
> Jean-Jacques Servan-Schreiber, 1972[2].

Au moment même où ITT se consacrait avec une telle passion à empêcher l'ascension au pouvoir d'un président marxiste au Chili ou pour le faire renverser une fois élu, elle témoignait d'une même passion, profitant du dégel qui succédait à la guerre froide, pour négocier avec les Soviétiques son accès aux vastes potentialités de l'énorme marché de leur pays. Cette histoire est révélatrice, non seulement des contradictions d'ITT, mais de la nouvelle échelle de la diplomatie industrielle dont elle nous offre un exemple : en effet, les Soviétiques ont traité avec des compagnies géantes comme ils l'auraient fait avec des Etats indépendants. Ainsi que l'a

1. *American Business Abroad,* Yale University Press, 1969, p. 206.
2. *Business Week,* 14 novembre 1972.

écrit Jean-Jacques Servan-Schreiber : « La société multinationale sera l'outil qui permettra d'ouvrir les pays communistes de l'Est ; le monde communiste veut faire des affaires avec de grandes sociétés pour ne pas avoir à traiter avec une pléiade de petites[3]. » Il apparaît que les deux blocs subissent une attraction mutuelle : les Russes éprouvent le besoin de traiter avec un système discipliné et centralisé, tandis que les sociétés multinationales entrevoient les perspectives tant attendues de marchés solidement structurés que leur offre la Russie, avec sa main-d'œuvre à l'abri des grèves et ses plans quinquennaux prévisibles. L'URSS pourrait matérialiser le rêve de Geneen d'une croissance régulière qui ne craindrait ni les récessions, ni la concurrence ; ce pourrait être enfin la terre promise du « sans surprise ».

## ITT MOSCOU

Au cours de la dernière décennie, ITT s'est peu à peu rapprochée de Moscou, ce qui représente un complet renversement de la vapeur depuis leur affrontement de Budapest en 1950 ; bien que les Communistes aient exécuté un des agents d'ITT et en aient emprisonné deux autres, ils demeuraient fascinés par cette compagnie qui représentait pour eux un des bras de la puissance et de la technologie américaines. ITT avait un bureau à Vienne pour prospecter les possibilités de l'Europe de l'Est et elle ne manqua pas de tisser des liens personnels avec les leaders communistes de Roumanie et de Pologne ; dans les années 60, la filiale autrichienne, à la grande inquiétude d'autres secteurs d'ITT, entreprit de vendre de l'appareillage électronique très avancé aux pays communistes. Vers la fin de la même décennie, les sociétés anglaises et françaises multiplièrent leurs efforts pour

3. *Ibid.*

établir des rapports étroits avec les Russes. Les filiales françaises d'ITT, dans l'euphorie de la réconciliation du général De Gaulle avec Moscou, étaient particulièrement soucieuses de céder à la compagnie aérienne russe Aéroflot un système de télécommunications connu sous le nom de DS4. Les négociations traînèrent deux ans jusqu'en octobre 1972, date à laquelle le système fut inauguré à Moscou par Marc Lauvergeon, président de la CGCT. Mais, comme le notèrent les Français avec amertume, ITT New York s'était servi de ses filiales françaises pour débroussailler le terrain, et les avait maintenant rattrapés tandis qu'on assistait à une détente des relations russo-américaines. Dans le moment même où la délégation française présentait le projet au cours d'une séance inaugurale tenue à l'Hôtel Métropole de Moscou, une importante délégation américaine faisait une démonstration de l'ensemble du système ITT aux dirigeants soviétiques. L'hebdomadaire parisien L'Express commentait l'événement en ces termes : « Les filiales françaises d'ITT viennent de faire l'expérience des limites imposées à leur action par la « multinationalité [4] ».

Au vrai, tant à New York qu'à Vienne, ITT avait depuis des années fait ses préparatifs d'invasion ; les directeurs de la compagnie s'étaient rendus plusieurs fois à Moscou et y avaient organisé à la fin de 1969 d'importants colloques où toutes les activités de la société étaient exposées avec force détails. Le directeur du bureau pour l'Europe de l'Est, Jan Garvin, avait cultivé ses relations avec les leaders russes concernés et en décembre 1971, quand se manifestèrent des signes de véritable dégel, il y eut à Moscou une importante réunion qui suivit de près la visite de Maurice Stans, alors secrétaire au Commerce de l'Administration Nixon. Etaient présents cinq mem-

4. *L'Express,* 20 novembre 1972.

bres d'ITT sous la direction de Jan Garvin et de Frank Barnes de New York ; en face d'eux, un certain nombre de délégués du Comité d'Etat soviétique pour la science et la technologie (CEST), principale organisation chargée des négociations avec les firmes étrangères. Le CEST n'est pas tout à fait ce dont il a l'air. Il est truffé de membres du KGB[5] et autres services de renseignements et se sert d'eux comme couverture pour surveiller les organisations de l'Ouest[6]. Son principal rôle est ce que l'on appelle le « strip-tease technique » qui consiste à s'approprier le maximum de technologie des pays de l'Ouest sans débourser un kopeck. Seul, en effet, le ministre du Commerce extérieur est habilité à signer les contrats en bonne et due forme. Pour ce qui est de « mœurs sauvages » ITT a enfin ici rencontré ses pairs.

Le véritable patron du CEST, qui présida aux conversations avec ITT, est son vice-président, le docteur Djerman Gvishiani, le gendre de Kossyguine[7], négociateur souple et subtil. Jan Garvin, l'homme d'ITT, a tracé de lui ce portrait dans une note confidentielle : « Son aspect, son comportement, son vocabulaire et ses attitudes sont ceux d'un négociateur courtois mais dominateur, imaginatif et précis. Il est très au courant de la théorie et de la pratique des affaires du monde occidental ; les Soviétiques lui ont confié le rôle clé qui consiste à jeter des ponts entre les économies socialiste et capitaliste... »

La délégation d'ITT décrivit les merveilles que pourrait opérer le conglomérat, exprima le désir de signer un accord de coopération et promit aux Soviétiques de leur faire bientôt une présentation audio-visuelle de leurs multiples activités. Gvishiani pour sa part ne

5. Héritier successivement de la Tchéka, du Guépéou et du N.K.V.D., le K.G.B. est le service d'espionnage soviétique.

6. Voir, par exemple, *The Penkovsky Papers* (Collins, 1965, p. 112) ; Penkovsky, lui-même agent double, fut « tout bonnement confondu par le nombre d'agents secrets que couvrait le CEST ».

7. Chef du gouvernement soviétique.

cacha pas sa curiosité pour toutes les branches d'activités d'ITT, sans guère d'exception ; il s'intéressait aux différents modules des maisons individuelles Levitt, à la télévision en couleur, aux bandes magnétiques, aux cassettes, à la haute fidélité, aux aliments surgelés, aux plats pré-cuisinés, aux hôtels et à leurs systèmes de réservation, à l'édition scientifique et bien sûr aux télécommunications auxquelles ITT pensait en priorité pour établir une « liaison privée » avec le gouvernement soviétique. A titre personnel, Gvishiani s'intéressa au financement du système de location de voitures sans chauffeur. En fait, c'était une préoccupation de longue date des Russes depuis l'époque de Krouchtchev, car ils estimaient que ce système serait une « poire pour la soif » automobile des citoyens soviétiques en attendant que démarre la fabrication des voitures en série.

Il semblait qu'ITT fût juste ce qu'il fallait aux Russes pour se doter d'un assortiment complet de technologies diverses, mais en retour le CEST mettait l'accent sur la nécessité de parvenir à un équilibre des échanges avec ITT, grâce à un accord de réciprocité en matière de licences technologiques, d'accords de co-production et d'achat par ITT de produits manufacturés d'origine soviétique. Garvin dut admettre que, faute pour ITT d'acheter la contre-valeur de ce qu'elle vendrait aux Soviétiques, les chances de commercer avec eux étaient plutôt minces. Et là comme ailleurs, le gouvernement des Etats-Unis était virtuellement exclu des discussions : il s'agissait essentiellement de transactions entre deux Etats. La stratégie d'ITT, comme l'expliqua plus tard Garvin, consistait à créer un climat et des mécanismes favorables « en vue de promouvoir un courant d'échanges ITT - URSS, à caractère bilatéral ».

ITT se félicitait de ses rapports avec Gvishiani. Elle considérait qu'il lui fallait se placer sur le terrain des contacts d'homme à homme, et faire en sorte que Gvishiani soit personnellement engagé dans tous les projets importants envisagés. Garvin écrivit un long rapport à Geneen sans jamais faire allusion à une quelconque préoccupation de défense nationale, de sécurité ou d'idéologie. Pourtant, seulement quelques mois plus tôt, ITT, dans sa ferveur idéologique, avait dénoncé en termes passionnés la tyrannie marxiste du gouvernement chilien : « La liberté se meurt partout. » L'alliance entre ITT et l'URSS continuait de s'affirmer et de prospérer. Aujourd'hui ITT possède un bureau à Moscou où ses ingénieurs se sont rendus plusieurs fois pour leur présentation audio-visuelle. Il semble que la compagnie soit bien placée pour signer avec l'Union soviétique des contrats à long terme et les épousailles entre le ministre d'Etat et le conglomérat se présentent sous les meilleurs auspices.

Il faut bien entendu se féliciter en la circonstance du dégel des relations avec l'Union soviétique et de l'ouverture de ses frontières aux échanges internationaux. Le développement des industries de consommation peut en effet contribuer à adoucir l'intransigeance des Soviétiques et détourner leurs tendances agressives vers les sentiers pacifiques du confort matériel ; en outre l'imbrication des activités industrielles des deux blocs peut diminuer les dangers d'éventuels affrontement. Il est inévitable que les compagnies géantes, qui seules possèdent les moyens nécessaires, soient les maîtres d'œuvre de cette pénétration.

Sans doute est-il à craindre que la cause des libertés individuelles ne pèse guère lourd dans ces mariages entre géants monolithiques. A regarder la conjonction entre un super-Etat et une technologie centralisée — et avant tout avec celle des télécommunications —, on ne peut guère manquer d'être saisi d'effroi devant les perspectives de systèmes de planification unifiés et de contrôle de marchés se jouant de la concurrence ou des lois anti-trust. Selon le rapport de 1973 de la Commission des tarifs : « Dans les sociétés multinationales les plus importantes et dont la technologie est le plus avancée, la planification et l'exécution des opérations qui en découlent sont d'un tel ordre de grandeur et atteignent une telle complexité de détail, qu'elles ressemblent singulièrement, oh ironie ! aux procédés de planification à l'échelle nationale des pays communistes. » D'un côté comme de l'autre, on se préoccupe au même titre des techniques de contrôle et de surveillance si savamment mises au point au cours de la dernière décennie ; ces techniques déjà assez alarmantes dans le monde occidental ont dans les pays de l'Est une résonance plus inquiétante encore. Des deux côtés on trouve une bureaucratie fonctionnant en circuit fermé, intolérante vis-à-vis des rebelles et de ceux qui refusent de rentrer dans le rang. Au fur et à mesure que diminuent les conflits idéologiques, les sociétés multinationales peuvent enfin espérer que le monde entier sera soumis à un seul et même système. Elles préféreront tout naturellement investir dans les pays dont les gouvernements pourront leur garantir à la fois la sécurité de leurs capitaux et une main-d'œuvre disciplinée. La sévérité de ces impératifs sera à l'échelle de leurs entreprises, de sorte qu'elles finiront par étendre leur empire industriel sur des territoires entiers, des villes et des cordons littoraux. Elles se méfieront des pays comme le Chili qui cherchent à mener leurs affaires en dehors des normes admises de la discipline.

Dans ce scénario tel qu'il se déroulera, il n'y aurait rien d'étonnant que, des deux côtés du monde, les jeunes de la nouvelle génération, que ce soit à titre de travailleurs ou de producteurs, ou encore en raison d'influences politiques, se révoltent contre la démesure de ces organisations. Quels que soient en effet les oripaux de liberté et les moyens d'en jouir qu'elles leur offrent, elles exigent d'eux un loyalisme inconditionnel envers un système qui ne peut, en lui-même, préserver la part d'humanité à laquelle chaque individu a droit et qui lui confère sa liberté d'expression.

## COUT DES SCANDALES

Le scandale anti-trust d'ITT à Washington, comme tant d'autres scandales américains, parut se calmer aussi vite qu'il avait explosé, étouffé qu'il était sous un amas de témoignages et de racontars ; le déclenchement de nouveaux scandales, notamment celui du Watergate, le fit passer au second plan de l'actualité et il y eut aussi l'élection présidentielle. Il ne semble pas apparemment que la Maison-Blanche ait souffert d'avoir été mêlée à l'affaire. Nixon fut réélu triomphalement et Kleindienst garda son portefeuille d'Attorney General jusqu'au moment où le scandale du Watergate finit par lui faire perdre son poste. Quant à ITT, elle continua son chemin comme si de rien n'était. Ned Gerrity demeura à la tête des relations publiques. Dita Beard, après un long congé, reçut une autre affectation comme « chargée de la prospection commerciale » du Colorado ; mais son état de santé demeurait toujours aussi mystérieux, et en février 1973, après la visite des représentants du Département de la Justice, on prétend qu'elle souffrit d'une nouvelle crise cardiaque. Bill Merriam fut muté discrètement à Rome pour s'occuper des relations commerciales internationales. Quant à Geneen, il demeura le principal responsable d'ITT et fut promu président du conseil d'administration tandis que Tim Dunleavy devenait président-directeur général de la société avec le titre nouveau et mystérieux de « chef des opérations » ; mais les rapports de première importance étaient directement adressés à Geneen, comme par le passé.

Gerrity et ses collaborateurs prétendaient que le scandale anti-trust, en les mettant en vedette, avait favorisé leur campagne visant à affirmer leur identité en tant que société. Comme m'en assurait un membre des relations publiques, les gens oublieraient bien vite tout ces incidents qui avaient fait tant de bruit pour ne se rappeler que le sigle ITT. Mais quand je demandai à un des directeurs les plus haut placés ce que les scandales avaient bien pu coûter à la compagnie, il me répondit : « entre un milliard et un milliard et demi de dollars », ce qui représentait en gros la perte subie par les actionnaires du fait de la chute de leurs titres en Bourse au-dessous du cours qu'ils auraient dû maintenir. C'était là en somme « l'escompte des conséquences du scandale ». Les auditions qui se sont déroulées en mars 1973 et qui portaient sur l'action des sociétés multinationales au Chili, ainsi que les nouveaux faits mis en lumière à l'occasion des poursuites pour infraction aux dispositions de la loi anti-trust, provoquèrent une nouvelle chute des cours. Les dépositions des témoins dans l'affaire du Chili, du fait même de la place que leur accorda dans ses colonnes la presse du monde entier, eurent un effet encore plus grave à l'étranger sur le crédit de confiance que l'on pouvait accorder à ITT. Geneen par ses contacts secrets avec la C.I.A. causait à son conseil d'administration un embarras grandissant ; il ne manquait pas de placer ses membres devant un cruel dilemme : quelle que fût en effet la gêne où il les mettait sur le plan politique, ils savaient que personne ne lui arrivait à la cheville pour son habileté à diriger la compagnie. C'est lui qui en avait fait ce qu'elle était, et lui seul savait comment la faire marcher. Et sans son œil d'aigle rien ne serait tout à fait comme avant dans ce système compliqué de réunions et de rapports qui était son œuvre.

La transaction anti-trust avait amputé quelque peu l'empire américain de Geneen. ITT s'employait à liquider progressivement les intérêts qu'elle possédait dans Avis ;

Canteen fut mis en vente avec beaucoup moins de succès (ces deux dessaisissements furent négociés par Lazard qui avait été l'instrument de leur acquisition) ; on s'apprêtait également à vendre Levitt, bien que la branche la plus prospère de l'affaire, la promotion immobilière de Floride, demeurât au sein d'ITT ; il est maintenant question pour la compagnie d'investir 750 millions de dollars dans les 40 000 hectares de terrains situés sur Palm Coast et d'y implanter une résidence de retraités qui constituera un fief d'ITT totalement autonome. Mais les quelque 400 autres compagnies restèrent au sein d'ITT, y compris Hartford dont les bénéfices continuaient de progresser et constituaient l'abondante source de liquidités dont le besoin se faisait si cruellement sentir pour le conglomérat. Geneen était toujours autorisé à acquérir des sociétés dont l'actif n'atteignait pas 100 millions de dollars et il ne cessa d'en ajouter de nouvelles à sa collection ; en janvier 1973, il fit une offre d'achat de 16 millions de dollars pour la très ancienne maison d'édition G.P. Putman's Sons fondée 135 ans auparavant (et qui comprenait Coward, McCann et Berkley) pour compléter sa liste des affaires d'édition. Mais la chute des cours des actions ITT mit fin à ces négociations en mai 1973.

En Europe, il n'existait aucune restriction officielle à la libre acquisition de sociétés, si bien que Geneen continua d'acheter tout ce qui lui tombait sous la main, depuis les parfums jusqu'aux aliments pour chiens. En Grande-Bretagne, l'intervention d'ITT causa quelque remous dans le monde des affaires quand la compagnie fit une offre d'achat d'un groupe d'assurances à la raison sociale bien trouvée de « Excess Holdings [8] » qui avait pris une extension qu'il contrôlait difficilement. Il y eut une cer-

8. N.d.T. Cette raison sociale « Excess Holdings » peut signifier : organisme pour le placement des réserves excédentaires ou organisme de placements abusifs. Le goût des Anglais pour les formules lapidaires donne parfois lieu à de telles équivoques.

taine opposition de la part des assureurs londoniens et le président de la Fédération des courtiers d'assurance, Gordon Hayman, parla de l'affaire comme d'une « créance sur le diable ». ITT promit toutefois d'injecter 22 millions de dollars de liquidités dans les caisses de la compagnie d'assurances ; celle-ci en avait un urgent besoin et ses actionnaires furent bien contents de vendre l'affaire à ITT pour 6 millions de dollars.

L'Europe devenait pour l'instant un refuge contre les lois anti-trust et Geneen, qui s'était donné tant de mal pour transférer l'excédent de ses investissements d'Europe en Amérique, se voyait forcé de faire l'opération inverse et de revenir en Europe, berceau du succès de sa compagnie. En dépit des appréhensions que lui causaient le Marché commun et les mouvements gauchistes, il considérait maintenant l'Europe comme un « meilleur environnement pour les affaires » que l'Amérique. Mais il fallait aller vite, il le savait, car la résistance à l'invasion des investisseurs américains s'accentuait de jour en jour, non seulement en France mais en Allemagne et en Grande-Bretagne. Les briseurs de trusts du Marché commun se mettaient à bander leurs muscles sous l'impulsion d'un chef résolu, Willy Schlieder. Ses services, m'a-t-il confié, sont plus complètement à l'abri des pressions politiques que ceux de ses homologues américains pour la simple raison que la Commission de la CEE n'a pas à quémander les voix des électeurs où à accumuler des dettes politiques. L'équipe anti-trust de Bruxelles est cependant infiniment petite par rapport à celle de Washington ; elle se trouve en outre affrontée aux mêmes difficultés lorsqu'il s'agit de définir juridiquement les cas où les conglomérats sortent du cadre normal qui leur est assigné par la loi et échappent aux contraintes commerciales qu'elle est censée leur imposer. Il est dans la nature des conglomérats de soulever des problèmes d'ordre social, politique et juridique, et de faire que toute tentative en vue de limiter leurs activités contienne une part d'arbitraire. Au surplus, la réaction des Européens devant les géants américains n'est pas tant d'essayer de restreindre leur développement que d'engendrer leurs propres géants pour les concurrencer, aussi bien en Europe qu'à l'étranger. D'ailleurs leur succès, qui s'affirme sans cesse, fait que les compagnies géantes sont en passe de devenir moins un phénomène américain que mondial.

## POURQUOI LE GIGANTISME ?

Par l'étendue et la complexité de ses contrôles ainsi que par les autres traits qui la caractérisent, ITT, loin d'offrir l'exemple type du conglomérat multinational, n'en est que la caricature. Toute son histoire, telle qu'elle ressort de cette étude, lui a imprimé ce caractère singulier de loup solitaire qui a trouvé sa première expression dans les activités hors métropole de « l'indomptable Behn », et son second souffle dans les défis ambitieux de son successeur, Geneen. Ces deux entrepreneurs avaient pour eux la force mais rencontraient en même temps les limites des outsiders classiques ; ils étaient servis par leur élan mais ne savaient pas jusqu'où ne pas aller trop loin. On chercherait en vain d'autres sociétés multinationales à ce point dépourvues du besoin d'appartenance à une communauté ou à un groupe, et caractérisées par un tel nomadisme sauvage de sans-foyers. Dans leur grande majorité, les autres sociétés multinationales plongent leurs racines dans un passé historique bien plus solide et plus visible, fondé sur la fabrication de produits non disparates et sur la recherche plutôt que sur l'art comptable. Je pense cependant que le cas d'ITT comporte quelques leçons pour d'autres compagnies géantes en ce que certains de ses traits, qu'ils soient ceux d'un conglomérat ou ceux d'une compagnie multinationale, sont tels que d'autres seraient enclins à les imiter. Bien des problèmes soulevés par les scandales d'ITT et les témoignages recueillis au cours des auditions qui suivirent comportent de plus vastes implications.

Comme l'exprimait le sénateur Hart, le pouvoir privé va-t-il maintenant si loin qu'aucun gouvernement n'est plus en mesure de le contrôler ? Le commerce mondial a-t-il atteint une telle échelle qu'il justifie l'existence de conglomérats géants que le gouvernement de leur propre pays ne peut se permettre de défier ? Ont-ils le droit, le pouvoir d'élaborer leur politique étrangère personnelle ? Les autres sociétés multinationales peuvent bien essayer de se serrer les coudes et feindre d'ignorer les embarras que suscitent les scandales d'ITT. Mais comment éluder ces questions ?

Et d'abord, des conglomérats de pareille envergure répondent-ils à un besoin quelconque ? La nécessité d'énormes unités de production peut s'expliquer pour de nombreuses sociétés spécialisées dans une seule fabrication et qui doivent travailler selon un plan d'ensemble, comme les industries du pétrole, de l'acier, de l'automobile ou des ordinateurs, bien que cette théorie soit de plus en plus contestée. Mais Geneen a poussé à l'extrême cette nouvelle conception du conglomérat qui consiste à acquérir des centaines d'entreprises éparpillées dans le monde et qui n'ont pour tout dénominateur commun que de contribuer à produire des bénéfices pour la compagnie mère. Sa réussite technique tient du miracle. La mécanique de Geneen ne s'est jamais grippée ; elle a survécu sans dommages à la crise économique qui a fait mordre la poussière à tant de conglomérats ; et même si Geneen était largement redevable à sa comptabilité secrète et à ses actifs camouflés, il dépendait pour sa survie du parfait fonctionnement de son système de contrôle. Il est inévitable que bon nombre de ses méthodes comme celles qui consistent à aller dénicher le fait réel, à organiser de fréquentes réunions des directeurs pour suivre de près la marche des affaires, à exclure catégoriquement la notion même de « surprise », soient adoptées par d'autres ; car en un sens, il était dans le vrai quand il me disait : « C'est la seule façon. » Ce n'est que par la plus rigoureuse des contre-vérifications, par une profonde méfiance à l'égard de l'élément humain, qu'un empire d'une telle complexité peut éviter de retourner au chaos. Mais d'abord, peut-on se demander, à quoi rime, tant sur le plan économique que social, l'assemblage d'éléments aussi hétéroclites ? En d'autres termes et pour citer Celler : « Je me demande si le Bon Dieu a doué quiconque du pouvoir, de la compétence et de l'ingéniosité qu'il faut pour contrôler toutes ces opérations... »

La justification la plus convaincante de Geneen est que la diversification des activités du conglomérat diminue d'autant les risques encourus du fait des tempêtes économiques. Il n'y a pas sur son champ de foire que des balançoires et des manèges de chevaux de bois, mais un complet assortiment d'attractions les plus diverses pour équilibrer les affaires, pour assurer la progression constante de ses bénéfices. Cependant sa conception du conglomérat-forteresse revient à rejeter presque totalement la notion du risque qui constitue le fondement du système de la libre entreprise. Elle exclut la possibilité pour les actionnaires de suivre la marche de telle ou telle filiale prise isolément, du fait que, de l'extérieur, personne n'est en mesure de savoir si elle est bénéficiaire ou non. Le « seul système » que préconise Geneen est celui qui tente de neutraliser autant que possible tout facteur humain de choix ou de hasard ; il vise à élaborer des plans quinquennaux assortis de projections dans l'avenir dont il est interdit de s'écarter et à presser à la fois les directeurs et le public d'atteindre les objectifs qu'il a lui-même fixés. C'est dans cette mesure que le système Geneen évoque moins l'image traditionnelle de la libre entreprise que celle du Japon où les industries font corps avec l'Etat ou encore celle des pays communistes à économie planifiée.

Il va de soi que la diversification de ses activités augmente le pouvoir politique du conglomérat et lui permet d'exercer une pression plus forte sur les gouvernements et sur les autres compagnies. Un conglomérat qui embrasse une infinie variété d'activités ne peut manquer d'avoir des contacts avec toutes les industries et tous les pays. Personne n'échappe à ITT et son lobby, ses avocats, ses chargés de relations publiques en usent et en abusent ; car il est dans la nature du dynamisme de Geneen de pousser ses avantages à la limite du possible. De nos jours, les hommes d'affaires, de part et d'autre de l'Atlantique, distinguent deux aspects dans la réputation de Geneen : ils l'admirent et cherchent peut-être à l'imiter comme champion du « management » mais déplorent ses excès sur le plan politique. Cependant ce réflexe qui lui fait réduire tous les problèmes à une question de chiffres, et qui est inhérent à son système de gestion, le conduit à négliger les facteurs personnels et politiques et à considérer les gouvernements, au même titre que tout ce qui s'oppose à sa conception du « management », comme autant d'obstacles qu'il faut contourner ou réduire.

Il serait absurde de prétendre qu'une gestion hautement organisée soit éminemment indésirable. Une compagnie acquise par ITT (ou par tout autre conglomérat) peut y gagner tant sur le plan du moral du personnel que sur celui des bénéfices. Parmi les compagnies qui sont entrées dans le giron d'ITT, de Sheraton en Amérique à Excess Holdings en Grande-Bretagne, nombre d'entre elles étaient désespérément en mal d'une nouvelle gestion que seul un changement de propriétaire pouvait réaliser. Les entreprises britanniques, pour ne citer qu'elles, ont besoin d'un véritable traitement de choc pour les tirer de leur léthargie. Mais on ne peut jamais savoir à l'avance ce que durera cette amélioration. Si ITT s'employait à acheter des sociétés, à les remettre sur pied et à les revendre (comme elle y fut contrainte dans le cas d'Avis, Levitt ou Canteen), ce serait peut-être pour elles un bon purgatoire qui mettrait fin au gaspillage et à l'incompétence. Mais avec son inattaquable logique, Geneen affirme que son système, comme celui de la General Motors, est fait pour durer ; et je soupçonne que ce n'est qu'à très long terme que sa faiblesse se révélera. Car, par sa nature même, il ne laisse de place qu'à un seul entrepreneur à la fois et ne peut tolérer l'intrusion d'éléments extérieurs apportant des idées originales, ou l'introduction de chercheurs têtus si essentiels à la véritable innovation. Geneen et ses contrôleurs lancent l'anathème sur l'imagination et ses foucades, car c'est d'elles que naissent les « surprises ». Et pourtant, bonnes ou mauvaises, les surprises sont la matière essentielle de l'invention et reflètent le véritable esprit d'entreprise.

J'ai le sentiment que lorsque Geneen prendra sa retraite, il sera impossible de maintenir la cohésion de l'empire ITT sans le dynamisme et le contrôle rigoureux du patron. Comme après le départ de Behn, la succession s'avérera difficile ; chacune des unités individuelles qui constituent le tout, réaffirmera sa personnalité tandis que les défauts du système — la carence de l'esprit d'innovation, le manque d'entrepreneurs, l'insuffisance des liens logiques entre les différents éléments — commenceront à se faire sentir. Sans doute les principaux composants de l'enpreprise finiront par éclater, mais l'opération ne se fera pas sans douleur ni sans laisser derrière elle une certaine confusion. On ne saura peut-être jamais si les différents éléments d'ITT auraient bénéficié d'une meilleure gestion dans l'indépendance ou sous la houlette de la compagnie ; car les documents comptables défient l'analyse des experts. Mais la somme d'efforts, les dépenses d'infrastructure, le coût de la matière grise impliqués dans le contrôle de cette macédoine d'industries n'ont été que trop apparents.

## LES MULTINATIONALES

Ce sont les activités multinationales d'ITT qui, venant s'ajouter à toutes les acrobaties auxquelles elle s'est livrée en tant que conglomérat, soulèvent les questions les plus troublantes sur le plan politique. Il faut convenir que sa conduite, telle qu'elle ressort des notes et des procès-verbaux d'auditions, est loin de cadrer avec ce qu'on dit généralement du rôle et des responsabilités des sociétés multinationales. Quantité d'articles sont parus, quantité de livres ont été publiés ces dernières années où se trouvent analysés le comportement des géants de stature mondiale ainsi que les problèmes de l'asymétrie qui existe entre eux et les petites nations. Il ressort surtout de cette littérature que les géants sont des êtres sensibles : mais elle brille par son absence d'études de cas sur des sociétés individuelles. « Les sociétés multinationales s'efforcent de se montrer de bonnes citoyennes de tous les pays où s'exercent leurs activités » déclare le professeur Charles Kindleberger[9]. « A l'inverse de l'impression courante », écrit le professeur Raymond Vernon, « il est remarquable de noter à quel point les grandes entreprises répugnent à invoquer l'appui du gouvernement américain pour surmonter les obstacles

9. *American Business Abroad*, p. 180.

dressés contre elles par les autres gouvernements [10] ». Progressant dans l'Eden rassurant de la théorie, ITT en a piétiné les plates-bandes avec la légèreté d'un éléphant furieux, semant dans son sillage une masse de notes qui ne laissent aucun doute sur ses motifs et ses intentions.

Le développement des sociétés multinationales constitue un phénomène aussi irréversible et inévitable que l'a été au XIX[eme] siècle l'internationalisation des chemins de fer et des télégraphes. Quand je tape à la machine avec une Olivetti, écoute un électrophone Grundig, décroche le récepteur d'un téléphone ITT, loue une voiture Avis, comment pourrais-je penser autrement ? Mais comme toute conquête soudaine, celle des sociétés multinationales peut donner lieu à des abus. Et l'histoire d'ITT nous offre un catalogue presque complet de tous les dangers et excès auxquels peut entraîner pareil développement.

Dès le départ, ITT avait une occasion unique de jouer les flibustiers grâce à son nouveau réseau de communications. Elle avait le don de surgir et de disparaître en différents points du monde, adoptant selon l'époque et le lieu différents diapasons de rhétorique avec un aplomb à vous couper le souffle ; volontiers pro-nazie pour commencer, puis anti-nazie avec ferveur, puis férocement antisoviétique, puis s'activant fébrilement à traiter avec les Russes, il lui arrivait parfois d'adopter simultanément des attitudes contraires dans différentes parties du monde. D'aucuns interprètent cette faculté d'adaptation comme un signe de neutralité ; mais ITT n'hésite pas à prendre vigoureusement parti.

Quand cela l'arrange, ITT adopte l'attitude de défenseur de l'intérêt national (comme elle l'a fait dans les pressions exercées en faveur du câble Deep Freeze), tan-

10. *Foreign Affairs*, juillet 1971.

dis qu'elle poursuit sans vergogne ses propres intérêts. Ses rapports avec le gouvernement américain ont été particulièrement impénétrables du fait que la compagnie avait partie liée avec les services de renseignements. Il n'est pas douteux qu'en la circonstance la C.I.A. et ses prédécesseurs en ont usé à leur avantage ; mais il ne l'est pas moins qu'ITT s'est payée encore plus largement de retour. Dans ses contacts avec l'extérieur, et particulièrement avec l'Amérique du Sud, ITT a dirigé la politique au moins autant qu'elle l'a suivie.

Avec les gouvernements étrangers, les représentants d'ITT ont profité pleinement des avantages que leur offrait leur appartenance à un conglomérat, disant blanc en un lieu et noir en un autre. Au cours de l'affaire anti-trust, au moment même où à Washington les gens d'ITT affirmaient que l'argent de Hartford leur était indispensable, ils faisaient valoir dans le Connecticut que Hartford avait besoin de l'argent d'ITT ; tout comme en faisant une offre d'achat à ABC pour acquérir son réseau de radio-télévision, ITT affirmait à la FCC qu'elle mettrait de l'argent à la pelle dans les caisses d'ABC, alors qu'au même moment elle confiait à ses propres collaborateurs qu'elle lui soutirerait des liquidités. Ses filiales brandissaient tantôt la bannière de l'indépendance, tantôt l'étendard d'un conglomérat à direction centrale ; ce petit tour de passe-passe a bien servi à San Diego quand Geneen, en sa qualité d'hôtelier de la ville, pouvait offrir de l'argent à la Convention républicaine. Selon les besoins, ITT peut faire figure d'entreprise minuscule pour, le moment venu, concentrer toutes ses ressources en un seul point comme elle l'a fait pour Cotter au Connecticut ou pour Kleindienst et McLaren à Washington.

La logique et la véracité n'ont jamais été les vertus innées d'ITT. Elle est experte dans l'art de la dissimulation, dans la pratique de ce genre particulier de « relations non publiques » qu'elle a appliqué à Porto Rico et dans cette technique de pression clandestine dont le personnel du bureau de Washington a fait état dans ses notes. Les documents révélant les mensonges et le double jeu d'ITT, qui sont apparus avec une telle évidence lors des audiences de l'affaire ABC, témoignent d'une incroyable légèreté de la part de la compagnie. Et la perspective de la voir s'engager plus avant dans les domaines de l'édition, de la télévision ou des réseaux téléphoniques a de quoi faire frémir.

La souveraineté d'une société multinationale est apparue dans ce livre sous de nombreux aspects : celui de son indépendance à l'égard des gouvernements, de son fonctionnement en circuit fermé sur le plan organisationnel et commercial, de son système privé de diplomatie et d'information, de sa pratique de l'évasion fiscale et du secret dont elle entoure ses dossiers. Peut-être exagère-t-on la portée de cette souveraineté : après tout, les pays d'accueil conservent le droit de les nationaliser ou d'imposer des limites à leurs investissements, ce qui leur laisse une marge de marchandage. Les sociétés qui opèrent dans leur propre pays comme la G.E.C. en Grande-Bretagne et Michelin en France peuvent se montrer parfois plus difficiles à contrôler que les sociétés multinationales. Les gouvernements ont encore entre les mains des armes redoutables, et celui des Etats-Unis a été capable en fin de compte de démanteler une partie de l'empire ITT. A certains points de vue, il est évident que cette compagnie est bien moins puissante que ne l'étaient les trusts d'autrefois comme ceux de Morgan ou de Rockefeller Mais sa diversification planétaire, dans le contexte de la concurrence mondiale, lui a conféré une nouvelle sorte d'invulnérabilité, car elle apparaît aujourd'hui comme un moteur indispensable aux échanges commerciaux, dont une nation ne peut limiter la puissance qu'à ses risques et périls. L'argument en effet que Geneen ne cesse de répéter est que ce qui est bon pour ITT l'est également pour l'Amérique et pour le reste du monde. La compétition qui se développe à l'échelle mondiale justifie chaque jour davantage l'existence de colossales organisations implantées sur le territoire national, de telle sorte qu'on est appelé à se demander avec le sénateur Bayh : « Sommes-nous arrivés au point qu'une fusion de sociétés, si elle atteint une dimension suffisante, puisse se faire au mépris des lois ? »

Est-ce si important après tout ? Doit-on vraiment regretter la diminution de souveraineté nationale à un moment où le nationalisme apparaît aux yeux de nombreuses personnes comme un concept périmé, chargé de dangers, générateur de préjugés et de cette agressivité qui conduit à la guerre ? Les plus ardents supporters des compagnies multinationales les décrivent comme des puissances bienveillantes qui, tant sur le plan économique que politique, cherchent à promouvoir la paix. Elles sont ainsi censées nous conduire dans les voies d'une société nouvelle, à caractère international, qui brisera une fois pour toutes l'étau du fanatisme et de l'esprit de clocher, à la manière dont les premiers trafiquants brisèrent le pouvoir de ces chefs de tribus plongés dans l'ignorance ou de ces souverains régnant sur des principautés de poche. Il y a du vrai dans ce portrait. Les compagnies multinationales ont progressé plus que quiconque vers l'objectif d'une organisation mondiale. Leurs propres directeurs, unis dans la poursuite d'un but commun, sont les citoyens d'un monde où les différences de nationalité paraissent à peine perceptibles. Pour l'Europe, dont les nations avaient pris l'habitude de s'entretuer à chaque nouvelle génération, ce résultat n'est pas à dédaigner et les sociétés multinationales ont joué un rôle non négligeable dans le processus d'imbrication des

Etats européens que s'étaient proposé comme idéal Jean Monnet et les promoteurs du Marché commun.

Mais l'internationalisation des affaires ne sera pas capable en elle-même d'engendrer une nouvelle société sans frontières. Au XIX^eme^ siècle, les banquiers avaient acclamé le chemin de fer en qui ils voyaient l'outil de l'unité de l'Europe. Mais au lieu de cela, en 1870 et en 1914, ils se révélèrent comme les instruments d'une destruction dont on n'avait jamais vu la pareille auparavant. L'expansion commerciale ne rapproche qu'un petit nombre de nations et, à moins que ce nombre n'augmente, elle peut provoquer une amère réaction nationaliste ou régionaliste parmi les pays qui se sentent menacés comme ce fut le cas au XIX^eme^ siècle. Les sociétés multinationales ne peuvent pas, du fait de leur essence même, se poser en gardiennes du bien-être social, de la sécurité des citoyens ou de la qualité de l'environnement ; car la raison d'être de leur existence, c'est la notion de profit et de changement, ce qui implique le rejet des secteurs ou des types d'entreprises qui ne peuvent produire des résultats rentables. Laissées sans contrôle, elles peuvent en pratiquant l'évasion fiscale, en poussant à l'inflation, en spéculant sur la monnaie, saper les efforts d'un pays pour améliorer la qualité de vie de ses citoyens et assurer leur sécurité.

Il n'est pas dit que les sociétés multinationales aient tellement envie que les nations s'unissent trop étroitement. Geneen lui-même, avec le tact qu'on lui connaît, n'a-t-il pas déclaré sans équivoque qu'il regardait le progrès du Marché commun davantage comme une menace que comme une promesse ; et les télécommunications d'ITT, qui constituent son plus gros morceau en Europe, s'accommodent mieux de l'absence de coopération entre les Etats qu'elles ne le feraient de l'instauration d'une politique européenne commune débouchant sur des règles plus strictes et provoquant une concurrence plus serrée.

Les compagnies multinationales seront toujours tentées de jouer le jeu de « diviser pour régner ». Une fois qu'elles ont implanté leurs usines dans chacun des pays sur lesquels elles ont jeté leur dévolu, elles peuvent militer en faveur de l'augmentation des tarifs douaniers. Cela les inquiète d'autant moins que ces tarifs constituent une meilleure protection de leur marché et offrent des perspectives plus sûres pour une planification à long terme. Le rôle des compagnies à vocation planétaire en tant que briseuses de barrières douanières est bien moins évident qu'il y a dix ans [11].

Que les compagnies multinationales appellent un contrôle plus serré est une vérité reconnue par nombre de ceux qui les servent. Mais qui s'en chargera ? Le remède classique consiste pour les nations à s'organiser en unités de plus amples dimensions, et éventuellement à se grouper au sein d'un Etat supra-national afin de limiter les abus ; c'est ainsi que les entreprises multinationales pourraient, par la menace latente de conflits, hâter l'avènement d'une société mondiale. A vrai dire, ce processus est en train de démarrer doucement en raison notamment du Marché commun européen ; selon Pierre Malvé, qui fut en 1972 le conseiller économique de la C.E.E. à Washington : « Le besoin de coopération entre les gouvernements se fait plus que jamais sentir pour échapper aux excès des sociétés multinationales. » La section anti-trust de Bruxelles, sous l'impulsion de Willy Schlieder, surveille maintenant de plus près les restrictions imposées à la liberté des échanges. Les syndicats, de leur côté, commencent à se rapprocher peu à peu au sein des fédérations internationales afin de limiter la puissance des entreprises qui recrutent des travailleurs dans le monde entier. (ITT est devenue une

11. Voir Hugh Stephenson, *The Coming Clash* (L'affrontement imminent), Weidenfeld & Nicolson, 1972, p. 90.

cible de choix pour les syndicalistes : quand sa filiale espagnole, la SESA, au cours de la grève de Madrid de 1971, fit arrêter les meneurs par mesure de représailles, les travailleurs de France, d'Allemagne et des Etats-Unis tinrent des meetings et firent des quêtes à leur profit ; et la Fédération internationale des organisations de travailleurs de la métallurgie à Genève organisa un groupe d'études spécialement chargé de surveiller les activités d'ITT.)

Il n'est pas douteux que ces forces d'opposition sont appelées à se développer. Mais quiconque a observé l'évolution du Marché commun ne peut espérer les voir progresser rapidement. Une catastrophe majeure comme la faillite d'une société multinationale de premier plan pourrait obliger les forces en question à intervenir plus rapidement ; mais même l'effondrement de l'Investors Overseas Service de Bernard Cornfeld n'a pas suscité la création d'un organisme de contrôle efficace (comme l'homologue européen de la SEC). Quant au front planétaire, il est difficile d'envisager de contrebalancer utilement ses excès quand on connaît la désunion des pays du tiers monde telle que l'a révélée la dernière assemblée de la CNUCED [12]. Le professeur Kindleberger pense qu'il serait possible de nommer un « ombudsman » (médiateur) pour garantir des pratiques correctes entre les sociétés multinationales et éviter qu'elles ne dressent les nations les unes contre les autres [13] ; la question toutefois est de savoir de qui ce médiateur tiendrait l'autorité nécessaire. Pour moi, l'instauration d'un contrôle à l'échelle planétaire se situe dans un avenir aussi lointain que l'avènement du gouvernement mondial ; c'est un objectif à ne pas perdre de vue, mais il serait vain d'espérer

12. Conférence des Nations Unies pour le commerce et le développement.
13. *American Business Abroad*, p. 207.

qu'il soit jamais atteint au cours de la présente génération.

Il est tentant d'imaginer un contrôle idéal qui embrasserait le monde entier, mais un tel rêve risquerait de servir d'excuse pour différer l'application de mesures plus réalistes. En admettant même que ce but soit accessible, le remède ne serait pas suffisant ; en effet, il appartiendra toujours à la nation de veiller à la qualité de vie de ses ressortissants, car c'est autour de la nation que gravite depuis longtemps tout le système d'impôts et de sécurité sociale. C'est en quoi le concept de nation est loin d'être périmé ; et de nos jours les Etats avancés sont moins attachés aux notions de puissance militaire et de défense nationale qu'à celles de sécurité sociale, de protection du citoyen, d'éducation, d'hôpitaux, de retraite des travailleurs, et d'aide aux familles nombreuses. En fait la nation a perdu beaucoup de son caractère agressif et se consacre plus volontiers à la protection des citoyens ; il est douteux que ces derniers confient volontiers ce rôle à aucune entité de plus ample envergure.

On évitera difficilement la menace que font peser sur cette sécurité le dynamisme et l'énergie destructrice des compagnies mondiales et les nations seront obligées de contre-attaquer. Il me semble que le conflit qui naîtra de cet affrontement est à la fois inéluctable et souhaitable ; car les deux camps ont besoin l'un de l'autre pour atteindre leur équilibre. Ceux à qui incombe le gouvernement des nations savent pertinemment, bien qu'ils refusent parfois de l'admettre, que les ressources et les techniques des sociétés multinationales leur sont nécessaires ; le déplorable fonctionnement des systèmes téléphoniques constitue un exemple des carences de l'Etat. Dans leur grande majorité, les directeurs de sociétés multinationales admettent qu'elles ne peuvent par elles-mêmes assurer la sauvegarde de tout ce dont un individu a besoin pour vivre ; ils savent parfaitement que la nation est garante de presque tous les éléments qui constituent à nos yeux une civilisation moderne. Et l'attitude personnelle des directeurs de sociétés multinationales en témoigne ; quel que soit en effet le degré de dénaturalisation qu'ils ont atteint, quand s'approche pour eux l'âge de la retraite, ils recherchent comme tout un chacun un coin tranquille où se reposer et jouir de la sécurité qu'offrent la stabilité de la nation et un environnement paisible. Et même au sein d'ITT, où les directeurs semblent souvent désespérer de l'ouvrier britannique et de la livre sterling, il est significatif que nombre d'entre eux parmi lesquels Geneen, Lester et Bergerac, voient dans la Grande-Bretagne un havre de sécurité et de calme où abriter un jour leur existence.

La nation est la seule institution assez forte dans un avenir prévisible pour faire pièce aux sociétés multinationales et pour susciter les sentiments de loyalisme que l'on sait, et seule la nation a le pouvoir de rétablir l'équilibre qui fait à présent défaut. Le concept de souveraineté peut apparaître démodé et fallacieux mais il exprime assez bien le conflit fondamental qui tient en une question de caractère politique : qui va décider du cadre et de la qualité de la vie des hommes ? Geneen a déclaré une fois (voir le début du chapitre VI) que c'est aux grandes compagnies qu'il incombe de faire fonctionner tout le système : peut-être en effet le font-elles fonctionner mais l'histoire récente d'ITT prouve qu'on ne saurait leur confier cette tâche sans contrôle.

Toute discussion honnête sur les effets des sociétés multinationales doit s'achever, je pense, sur une note de perplexité. Il est aussi difficile pour un contemporain de comprendre leur influence sur le monde, que ce l'était pour un Anglais ou un Allemand du milieu du siècle dernier de comprendre les conséquences de la révolution industrielle sur son pays ou sa communauté. Il est tout aussi facile d'exagérer que de minimiser leur impact.

D'une part, les compagnies géantes embrassent le monde, inventent de nouveaux systèmes d'information et d'organisation qui exigent de nouvelles disciplines, une centralisation plus poussée, imposent des restrictions personnelles dont la signification sociale peut ne pas apparaître clairement avant plusieurs décennies. Cependant ces nouvelles organisations ont leurs propres limites : trop préoccupées par les moyens pour ne pas négliger les fins, elles sont aussi trop soucieuses dans l'immédiat de ne pas se laisser démanteler pour regarder bien loin devant elles.

Il est tentant pour tout détracteur des sociétés multinationales de les peindre sous les traits de conspirateurs organisés, complotant de rebâtir le monde à leur image ; certains épisodes de l'histoire d'ITT peuvent justifier cette manière de voir : on se rappelle les tractations secrètes de Sosthenes Behn avec des dictateurs, les notes de Dita Beard et de Hal Hendrix, enfin la campagne menée par Geneen pour tourner les lois anti-trust. Même dans le cas d'ITT je ne pense pas qu'on puisse retenir le chef de conspiration ; tout au long de son histoire, cette société s'est maintenue en équilibre précaire sur la corde raide, soucieuse de protéger ses actifs et de couvrir ses risques ; et les intrigues qu'elle a ourdies, les campagnes qu'elle a lancées, sont bien plutôt le fait d'un sentiment permanent d'insécurité que d'un vaste maître plan, insécurité qui aide à comprendre quelques-unes de ses plus grossières erreurs. Les directeurs d'ITT et ceux des autres sociétés multinationales sont logés à la même enseigne. Ils n'y voient pas plus clair que les autres et peut-être encore moins dans les implications de leurs actions.

Toutefois, sans avoir à comploter exagérément, les sociétés multinationales, au cours de ces vingt dernières années, et grâce au développement à l'échelle mondiale des nouveaux moyens de télécommunications, ont soudainement accédé à une position dominante : elles se sont trouvées devant un vide qu'elles se sont empressées de combler. Leur savoir-faire et leur technologie leur ont valu de réaliser de nouveaux bénéfices et leur ont permis de déblayer la voie que d'autres n'ont eu que la peine de suivre ; mais, ce faisant, elles ont provoqué un sérieux déséquilibre entre leur dynamisme dirigé par un cerveau central et les velléités confuses et dispersés des pays ou des communautés avec lesquels elles travaillent. Ce déséquilibre devrait progressivement disparaître au fur et à mesure que les nations se mettent au diapason du nouvel état organisationnel et technique du monde et qu'elles commencent à s'associer pour mettre en place et contrôler leur propre réseau de télécommunications. Mais entre-temps les sociétés multinationales devraient ouvrir plus largement leurs fenêtres et accepter qu'on les inspecte, qu'on interroge, si elles ne veulent pas aller audevant d'une situation dangereusement conflictuelle dans les pays d'accueil. Le comportement d'ITT tel qu'il fut dévoilé accidentellement au public n'est pas, du moins je l'espère, caractéristique des sociétés multinationales ; mais c'est un exemple qui montre à quel point on peut empoisonner tout un système de communications et d'information comme on le ferait d'un puits ; il montre également avec quelle facilité les sociétés multinationales peuvent abuser de leur puissance faute d'avoir devant elles une puissance égale pour la contrer. Le sentiment d'inquiétude qui en résulte ne s'apaisera que lorsque les sociétés (y compris bien sûr ITT) prendront l'initiative de s'exposer plus franchement aux regards du public avant d'y être contraintes.

*ANNEXE 1.*

*J'accuse ITT devant la conscience du monde d'avoir voulu provoquer dans ma patrie une guerre civile...*

(Extraits du discours prononcé par Salvador Allende, Président de la République du Chili, devant l'assemblée générale des Nations Unies le 4 décembre 1972.)

## LES MARCHANDS N'ONT PAS DE PATRIE *

A la troisième session de la CNUCED, j'ai eu l'occasion de parler du phénomène des sociétés transnationales et j'ai souligné la vertigineuse croissance de leur pouvoir économique, de leur influence politique et de leur action corruptrice. C'est pour cela qu'il est urgent que l'opinion mondiale réagisse vigoureusement devant une telle réalité. La puissance de ces sociétés est si grande qu'elle dépasse toutes les frontières...

Nous nous trouvons face à un véritable conflit entre les grandes sociétés transnationales et les Etats. Ces derniers voient intervenir dans leurs décisions fondamentales, politiques, économiques et militaires, des organisations universelles qui ne dépendent d'aucun Etat et qui, pour l'ensemble de leurs activités, ne sont responsables devant aucun Parlement, ni aucune institution représentative de l'intérêt collectif. En un mot, c'est toute la structure politique du monde qui est sapée. « Les marchands n'ont pas de patrie. Peu leur importe où ils sont. Tout ce qui les intéresse, ce sont les bénéfices qu'ils obtiennent ». Ces paroles ne sont pas de moi ; elles ont été prononcées par Jefferson [1].

Ces entreprises géantes transnationales non seulement s'attaquent aux intérêts légitimes des pays en voie de développement, mais leur action asservissante et incontrôlée se fait également sentir dans les pays industrialisés où elles ont leur siège. En Europe et aux Etats-Unis, cette situation a été dénoncée der-

1. Président des Etats-Unis au début du XIXe siècle.

nièrement et a donné lieu à une enquête de la part du Sénat américain lui-même. Face à ce danger, les peuples des pays développés ne sont pas plus en sécurité que ceux des pays en voie de développement. C'est un phénomène qui a déjà provoqué une mobilisation de plus en plus grande des travailleurs organisés, y compris les grandes centrales syndicales qui existent de par le monde. Une fois de plus l'action solidaire internationale des travailleurs devra se mesurer à un adversaire commun : l'impérialisme.

## LES 18 POINTS DU PLAN DE SABOTAGE D'ITT

L'ITT est une entreprise énorme dont le capital dépasse le budget national de plusieurs pays d'Amérique latine, et même de quelques pays industrialisés. Depuis le triomphe populaire des élections de septembre 1970[2], elle a entrepris une sinistre machination pour m'empêcher d'assumer le pouvoir suprême.

Entre septembre et novembre de cette année ont eu lieu au Chili des actes de terrorisme, préparés hors de nos frontières en collusion avec des groupes fascistes nationaux ; je citerai notamment l'assassinat du Commandant en chef de l'armée, René Schneider Chereau, homme juste, grand soldat, symbole du constitutionnalisme des forces armées du Chili.

En mars de cette année, des documents ont été mis à jour qui démontraient la participation de l'ITT à ces sinistres projets. L'ITT a même reconnu avoir fait en 1970 des suggestions au Gouvernement des Etats-Unis afin qu'il intervienne dans le cours des événements politiques chiliens. Il s'agit de documents authentiques, nul ne le conteste.

Plus tard, en juin dernier, le monde s'est rendu compte avec stupeur, à divers indices, que l'ITT avait soumis au Gouvernement des Etats-Unis un nouveau plan d'action visant à renverser mon gouvernement dans un délai de six mois. J'ai ici un document en date d'octobre 1971 qui contient les 18 points du plan. On proposait l'étranglement économique, le sabotage diplomatique, la création d'un climat de panique parmi la population, le désordre social, dans le but, une fois le gouvernement renversé, d'inciter les forces armées à supprimer le régime démocratique pour établir une dictature.

Tandis que l'ITT proposait ce plan, ses représentants faisaient semblant de négocier avec mon gouvernement une formule qui régirait l'acquisition par l'Etat chilien de la participation de l'ITT à la Compagnie de téléphones du Chili.

2. Où Allende avait battu de peu ses deux adversaires, Alessandri et Tomic.

Dès les premiers jours de mon administration, des entretiens avaient eu lieu dans le but d'acquérir, pour des raisons de sécurité nationale, la compagnie de téléphones contrôlée par l'ITT. Personnellement, j'ai reçu à deux reprises de hauts responsables de cette compagnie. Au cours de ces discussions, mon gouvernement agissait en toute bonne foi. L'ITT, par contre, se refusait à accepter le versement du prix fixé conformément à une évaluation établie par des experts internationaux. Elle faisait ainsi obstacle à une solution rapide et juste de la question tout en s'efforçant, par des manœuvres souterraines, de mener le pays au chaos.

Le refus de l'ITT d'accepter un accord direct et le fait que nous étions au courant de ses manœuvres nous ont obligés à présenter au Congrès un projet de loi de nationalisation. La décision du peuple chilien de défendre le régime démocratique et les progrès de la révolution, la loyauté des forces armées envers la patrie et le respect des lois ont fait échouer ces sinistres manœuvres.

J'accuse l'ITT, devant la conscience du monde, d'avoir voulu provoquer dans ma patrie une guerre civile, qui pour un pays représente la désintégration totale. Voilà ce que nous appelons l'ingérence impérialiste.

(*) Les sous-titres sont de l'Editeur.

## *ANNEXE 2.*

### Les réactions d'ITT à l'édition en langue anglaise. La réponse d'Anthony Sampson.

*Note de l'éditeur :*

La publication de *ITT l'Etat souverain* en Grande-Bretagne et aux États-Unis en juillet 1973, ainsi que les différentes informations parues dans la presse mondiale sur le contenu de cet ouvrage, ont provoqué plusieurs réponses et mises au point de l'Etat-major du conglomérat. Ces réponses et mises au point sont d'une longueur et d'une teneur différentes selon les pays auxquels elles s'adressent. Nous publions ici en traduction des extraits du document le plus complet établi à ce jour par ITT et, dit-on, préparé par une centaine de ses cadres. Il est daté du 20 juillet 1973. Long de vingt trois pages et rédigé en anglais, il semble à la date à laquelle nous mettons sous presse (septembre 1973) ne pas avoir fait l'objet d'une diffusion extérieure au conglomérat. Pour des raisons de place, nous citerons seulement ici les passages de ce document concernant les relations privilégiées d'ITT avec les Nazis. Divers indices semblent démontrer que c'est le chapitre où elles sont analysées (chapitre II, « Le flibustier ») qui plus que tous les autres a touché un point particulièrement sensible.

Les réponses concernant la transaction de la section anti-trust (à propos de la compagnie d'assurances Hartford) et ses liaisons avec les 400 000 dollars de caution offerts à la Convention républicaine de San Diego sont contredites par les faits rapportés dans l'ouvrage, et par les dépositions des responsables d'ITT devant diverses commissions d'enquête. Le développement du scandale du Watergate pourrait même apporter de nouveaux éléments dans ce sens. Enfin, en ce qui concerne le Chili, le putsch militaire de septembre 1973 semble la conclusion logique du plan de sabotage en 18 points, cité par A. Sampson et dénoncé à la tribune des Nations Unies par le président Allende en décembre 1972 (dont on a lu de larges extraits dans l'annexe 1). C'est ce qui amène l'auteur à conclure : « Le chaos économique qui a précédé le putsch était en parfaite harmonie avec les espoirs et les plans d'ITT et de ses amis de la C.I.A. »

*Extraits du document d'ITT daté du 20 juillet 1973 :*

Le chapitre II est consacré à des problèmes censés toucher à la Deuxième Guerre mondiale, à la période qui l'a précédée et à celle qui l'a suivie. On y affirme en particulier que le colonel Behn, fondateur et à cette époque principal responsable d'ITT, « aida les Nazis à bâtir leur machine de guerre en étendant ses activités habituelles aux fabrications d'armements... ».

Cette accusation ne repose sur rien. Contrairement à l'affirmation selon laquelle de nouveaux matériaux auraient récemment été mis au jour, cette fable avait déjà été colportée dans la presse dans les années 1945 et 1946 par des journalistes comme Walter Winchell et Drew Pearson. Elle était inventée de toutes pièces et mourut de sa belle mort.

Quelques commentaires semblent nécessaires pour rétablir la vérité sur l'action du colonel Behn et sur sa réputation personnelle.

Seuls les quelques membres de son entourage connaissaient bien Hitler lorsqu'il devint Chancelier en 1933. Le gouvernement qu'il forma avec von Papen ne contenait que trois ministres nazis sur un total de 11. Il constituait une énigme pour les diplomates et les hommes politiques, en Allemagne et hors d'Allemagne. Le colonel Behn et le banquier américain Henry Mann rencontrèrent Hitler à Obersalzberg en août 1933. Mann, qui servit d'interprète, représentait la National City Bank de New York, la plus importante banque du monde à l'époque. Pour nombre de ses clients, c'était en effet une question vitale que de connaître l'attitude d'Hitler vis-à-vis des investissements américains, particulièrement à un moment où les Etats-Unis et l'Allemagne s'efforçaient non sans peine de se relever de la crise de 1929. L'ambassade des Etats-Unis à Berlin avait été informée à l'avance de la rencontre avec Hitler et l'avait facilitée. L'entretien fut organisé par Mann qui était à l'époque directeur de la Chambre de commerce américaine à Berlin et conseiller de plusieurs grosses sociétés ayant des intérêts en Allemagne.

Lorsqu'on évoque les années 30, il est important de replacer les activités d'ITT dans le contexte de l'évolution des événements politiques de cette période. ITT n'était pas, en ce temps-là, l'énorme société ayant réussi financièrement que l'auteur décrit. En 1933, son chiffre d'affaires en Allemagne ne s'élevait qu'à 8 millions de dollars. Sa situation financière était si précaire pendant les années 30 que le colonel Behn eut du mal à lui éviter la faillite.

Toutes les sociétés opérant en Allemagne et appartenant à des étrangers passeront progressivement sous le contrôle du gouvernement nazi. Ce contrôle fut total à la fin des années 30. Ceci fut mis en évidence dans un discours historique prononcé à l'université Harvard le 5 juin 1947 par le Secrétaire d'Etat George C. Marshall lorsqu'il proposa ce qui allait devenir le plan Marshall. Il dit notamment :

« Sous la férule arbitraire et destructrice des Nazis, toutes les entreprises possibles et imaginables furent intégrées à la machine de guerre allemande. Des liens commerciaux établis de longue date, des institutions privées, des banques, des compagnies d'assurances, des compagnies de navigation disparurent à la suite de la perte de leurs capitaux, ou furent absorbées par le jeu des nationalisations, ou bien tout simplement détruites. »

Bien avant le 3 septembre 1939, date de la déclaration de guerre de la France et de la Grande-Bretagne à l'Allemagne, toutes les usines situées en Allemagne, indépendamment de la nationalité de leurs propriétaires, étaient intégrées à l'effort de guerre nazi. Dès ce moment ITT avait déjà perdu le contrôle effectif de ses activités limitées en Allemagne.

Les sociétés à capital étranger établies en Allemagne se trouvaient devant un problème particulier. Contrairement à ce que prétend l'auteur, divers règlements empêchaient ITT et les autres sociétés étrangères de rapatrier des commissions ou des dividendes provenant de leurs activités en Allemagne. Le contrôle des changes était si strict qu'il n'y avait aucun moyen de faire sortir des fonds d'Allemagne. De toute évidence, l'accusation selon laquelle le colonel Behn aurait délibérément évité de rapatrier des fonds d'Allemagne, afin d'aider Hitler, est complètement dénuée de vérité. ITT fit néanmoins tout son possible pour sortir de l'argent d'Allemagne, allant jusqu'à essayer de vendre une filiale d'une société allemande d'ITT située à Curitiba au Brésil, pour obtenir le paiement hors d'Allemagne des sommes qui pourraient être rapatriées aux Etats-Unis.

Le fait qu'aucun dividende n'ait été payé par ITT, après 1938, provoqua une bataille de procurations (p. 66) en 1948. Si le colonel Behn avait pu retirer des fonds d'Allemagne pour soutenir la position financière d'ITT aux Etats-Unis, il avait toutes les raisons du monde de le faire.

Il arriva même un temps, à la fin des années trente, où le colonel Behn n'eut plus l'autorisation de visiter les usines allemandes d'ITT. En fait, lorsqu'il évoqua cette période, le directeur financier d'ITT en Allemagne dit qu'il lui était interdit d'adresser des rapports sur les résultats détaillés des activités, et qu'il n'avait même pas le droit d'indiquer le nombre de salariés.

ITT est accusée (p. 36 sqq.) d'avoir fourni une aide technique des Etats-Unis aux Nazis pendant les années 30. Cela ne peut être vrai car en fait, avant 1940, ITT ne disposait d'aucune technologie de pointe aux Etats-Unis. La seule société implantée aux

Etats-Unis, et dépendant d'elle, était une compagnie télégraphique internationale de New York, qui ne fabriquait donc rien.

L'auteur tente d'exploiter l'achat en 1937 par une filiale allemande d'ITT d'un paquet d'actions minoritaire dans la compagnie Focke-Wulf. Cette acquisition fut faite à un moment où tous les contacts entre les responsables d'ITT non allemands et la compagnie qui fit cette opération avaient été coupés par les Nazis. Lorsque le colonel Behn apprit l'achat des actions Focke-Wulf, il entra dans une grande colère selon le témoignage d'un ancien dirigeant d'ITT, présent à ses côtés à ce moment-là. ITT n'exerça pas le moindre contrôle sur la compagnie Focke-Wulf, de toute manière, elle aurait été dans l'incapacité de le faire.

Pour résumer, le colonel Behn fit des efforts raisonnables pour sauvegarder les intérêts des actionnaires d'ITT en Allemagne, mais il n'accorda jamais son soutien à Hitler ou aux mesures prises par les Nazis. En fait, au printemps 1941, avant l'entrée en guerre des Etats-Unis, le colonel Behn s'efforça de vendre la principale filiale allemande d'ITT à une compagnie allemande. Il n'y réussit pas parce que le gouvernement nazi refusa d'approuver le transfert du montant de cette transaction hors d'Allemagne.

Pendant la Deuxième Guerre mondiale, ITT apporta une contribution spectaculaire à l'effort de guerre des Alliés ; ce fut notamment le cas des travaux d'un groupe de chercheurs d'ITT ramenés de France par le colonel Behn peu de temps après la défaite de 1940. Leurs recherches permirent aux Alliés de faire de grands progrès dans le domaine du radar et de la détection par radio haute fréquence (HF/DF ou Huff Duff) qui permirent de mettre un terme à la menace des sous-marins allemands dans l'Atlantique.

A la fin des hostilités, Truman décerna au colonel Behn la Médaille du Mérite, distinction créée pendant la Deuxième Guerre mondiale pour être attribuée par le Président aux civils ayant rendu des services exceptionnels. C'était la plus haute distinction qu'un civil puisse recevoir.

Il est évident qu'un gouvernement en possession de tous les documents et de toutes les informations ayant trait à l'effort de guerre, ne saurait conférer sa plus haute distinction civile, qu'à un homme l'ayant servi sans défaillance. Après sa mort en 1957, le colonel Behn fut inhumé au Cimetière national d'Arlington. Le colonel Behn fut nommé Grand Officier de la Légion d'Honneur par le gouvernement français en 1954 et Commandeur de l'Ordre de Léopold en Belgique.

## *Anthony Sampson répond à ITT :*

La moitié de la réponse en 23 pages d'ITT concerne les accusations que je formule dans le chapitre II (Le flibustier) de mon livre, à savoir qu'avant et pendant la Deuxième Guerre mondiale, ITT apporta sa collaboration à l'édification de la machine de guerre nazie. Il apparaît qu'ITT falsifie mes accusations tout en évitant de répondre sur le fond.

Je tiens mes informations non pas de journalistes spécialisés dans les commérages (comme ITT l'affirme) mais des dossiers copieux constitués par la Commission fédérale des communications du temps de guerre et déposés aux Archives nationales des Etats-Unis. Je n'avais jamais écrit (comme le prétend ITT) qu'ITT avait « fourni une aide technique des Etats-Unis aux Nazis pendant les années 30 ». Ce qu'elle leur fournit bel et bien à l'époque, c'étaient les brevets de ses compagnies européennes. Ce sont ces brevets dont Hitler avait le plus grand besoin.

Par ailleurs, ce n'est pas tout à fait par hasard qu'ITT Allemagne se nazifia à partir de 1933. Le colonel Behn fut le premier homme d'affaires américain reçu par Hitler en tant que Chancelier (voir le *New York Times* du 4 août 1933). Behn recruta sans tarder, pour son Conseil d'administration, un homme clé de l'appareil nazi, Kurt von Schroeder, qui allait plus tard devenir général des S.S. Déposant sous serment en 1945 devant les Américains qui l'interrogeaient, von Schroeder expliqua comment Behn avait demandé au conseiller économique de Hitler, Wilhelm Keppler, de lui communiquer les noms de pro-Nazis de toute confiance, afin de les faire entrer à ITT.

Le fait (sur lequel ITT insiste dans sa réponse) que les activités allemandes d'ITT étaient très faibles en 1933, et qu'ailleurs la société était au bord de la faillite ne fait que confirmer ce que j'affirme dans mon livre : ITT est largement redevable à Hitler de son expansion ultérieure. Dès 1941, la filiale allemande (y compris les 28 % d'actions de Focke-Wulf, l'énorme société qui construisait des bombardiers) était le joyau le plus important de l'empire d'ITT. Au cours de son interrogatoire, von Schroeder affirma avec la plus grande vigueur qu'ITT aurait pu rapatrier ses bénéfices d'Allemagne : « Il aurait bien sûr fallu que ses sociétés prennent un peu moins que le montant intégral des dividendes en raison des difficultés de change, mais la majeure partie des bénéfices aurait pu être transférée aux sociétés américaines du colonel Behn » (19 novembre 1945, NI 237). En réalité, le fond de l'affaire était que Behn, comme beaucoup d'autres industriels, croyait à la victoire finale d'Hitler. On en aura une preuve de plus dans les encouragements à la visite de Westrick aux Etats-Unis en 1940, visite ayant pour objet de provoquer la chute de la Grande-Bretagne par la cessation des fournitures militaires américaines.

Vers la fin, la réponse d'ITT insinue sans le dire que j'aurais dissimulé le fait que le colonel Behn s'était vu décerner la Médaille du Mérite après la guerre et qu'il avait rendu d'importants services aux forces américaines. En réalité, j'en ai fait mention avec précision. C'est même l'essentiel de l'accusation que je porte et que je répète : ITT jouait sur les deux tableaux en rendant des services aux deux camps en présence, de sorte que Behn, au sortir de la guerre, put faire figure de héros des Alliés. Mais ITT se garde bien d'évoquer les dessous de cette métamorphose et les rapports entre Behn d'une part, Allen Dulles et les services secrets américains d'autre part. Sans doute y a-t-il d'excellentes raisons à ce silence...

*ANNEXE 3.*

## ITT, ONZIÈME PROVINCE

*par Jacques Keable*

Regardez attentivement la carte du Québec. Toute la carte. Du nord au sud, de l'est à l'ouest. Il y a des villes, des villages, des forêts, des lacs, le désert nordique... Placez votre index sur Port-Cartier, à 45 milles au sud de Sept-Îles, en bordure du Saint-Laurent. Puis, en pleine forêt, montez franc nord jusqu'à la frontière du Labrador. Virez à droite et filez, vers l'est, en suivant toujours la frontière du Labrador, jusqu'à Blanc-Sablon. Puis revenez vers votre point de départ, Port-Cartier, en suivant le bord de l'eau...

Le territoire que vous avez ainsi délimité du doigt, c'est le dixième de tout le Québec, deux fois le Nouveau-Brunswick, vingt-cinq fois l'Île-du-Prince-Édouard. Plus grand que Terre-Neuve, quasiment Cuba. En fait, c'est exactement 51 000 milles carrés de toundra, de rivières impétueuses, de collines rocheuses mais aussi, sur 27 000 milles carrés répartis en plusieurs zones, la forêt. Une forêt qui pousse lentement, durement, parce qu'il fait froid et que le vent, ici, souffle souvent avec rage. Aussi, quand les analystes, dans leurs laboratoires, scrutent la grande épinette noire au microscope, ils déclarent: remarquable. C'est de la super qualité: les fibres sont longues et résistantes.

Tout ça, c'est la cour à bois d'ITT-Rayonier. De quoi donner le vertige aux concurrents, d'autant plus qu'elle est située en plein au bord de la mer, ouverte en direct sur l'Europe, les États-Unis, l'Amérique du Sud... Cette cour à bois, ITT-Rayonier en bénéficie depuis juin 1971 et, par contrat ferme, en jouira jusqu'en juin de l'année 2011. Si elle le désire alors, elle pourra renouveler le contrat jusqu'en l'an 2051. Le contrat a officiellement été signé le 29 juin 1971. C'est monsieur Kevin Drummond, député libéral de Westmount et ministre des Terres et Forêts, qui a signé pour le Québec.

«Y'est pas passé une hache là-dedans depuis 2 000 ans!» C'est une façon de parler: en fait, aucune hache, jamais, n'est passée là-dedans, sauf en bordure, pour alimenter quelques moulins de sciage le long de la Côte. Ces quelques moulins, d'ailleurs, ITT en réclamait la fermeture, de façon à imposer plus absolument son impériale présence dans la forêt du nord. Compromis: les petits resteront là mais n'augmenteront pas leur consommation d'arbres à moins d'obtenir d'abord la permission d'ITT-Rayonier.

Pourtant, du bois, il y en a beaucoup dans ce territoire: vous pouvez en couper deux millions de cordes par année pendant plus de 75 ans sans arrêt; une fois toute la forêt coupée, vous pouvez recommencer à neuf tout votre travail: les premiers arbres coupés sont repoussés. C'est d'ailleurs ce qu'ITT-Rayonier compte faire. C'est grand, démesurément. Loin. Froid. Hostile. Nordique.

« Qui, ici, dites-le moi, pouvait développer ça? Personne au Québec ne pouvait le faire. Ni au Canada. Qui aurait les reins assez solides pour se lancer dans une pareille exploitation? Qui a les capitaux? Le marché? Et le know-how? Certainement pas une petite organisation paroissiale! » me dit, légèrement impatienté en roulant son petit cigare, le ministre Kevin Drummond.

Au fond, la question est mal posée. La question véritable est de savoir pourquoi il est utile et nécessaire maintenant de « développer » la forêt de la Côte nord. Pourquoi dit-on, par exemple, sur le ton de la panique, que la forêt de la Côte nord est rendue « à maturité », alors même que jamais depuis Adam elle n'a été coupée? Comment s'explique la subite et urgente nécessité de « sauver » la forêt du pourrissement qui la menace! Pourquoi ne pas attendre l'an 2000? Bref, pourquoi « développer », et tout de suite, la forêt de la Côte nord?

« C'est une maudite bonne question... » laisse tomber l'un des artisans de cette longue négociation entre Québec et ITT-Rayonier, cette négociation qui, en fait, aura duré plus de deux ans pour aboutir enfin officieusement fin septembre 1970 et officiellement le 29 juin 1971.

« Nous ne négocierions pas la même chose aujourd'hui... » disent, y compris le ministre Drummond, les responsables de l'entente. L'ennui, c'est que pour pallier les difficultés économiques temporaires de 1970, (dans 10 ans y aura plus de chômeurs et on va être obligé de faire venir des Italiens et des Portugais!) on signe un contrat de 40 ans, renouvelable pour deux fois 20 ans. Donc un contrat de 80 ans. « On peut toujours nationaliser », lance Drummond. « Je ne dis pas que je le souhaite, poursuit-il, je dis simplement que c'est techniquement possible. » Oui, mais qui, au Québec, pense sérieusement que le genre de gouvernement qu'on a va nationaliser ITT-Rayonier?

L'entente ITT-Rayonier-Québec est survenue au moment où le Québec ne pouvait être en plus mauvaise posture pour négocier. Toutes les conditions étaient objectivement réunies pour que le Québec parte et arrive perdant; tout allait mal et la « crise d'octobre » mûrissait tranquillement; taux de chômage, 8 p. cent; l'économie semblait en chute libre, les usines, notamment celles de pâtes et papier, fonctionnaient au ralenti, fermaient temporairement et, dans quelques cas, définitivement.

Bourassa venait de promettre 100 000 emplois. La classe dirigeante, notre establishment, était aux abois: il fallait faire quelque chose, débloquer des dossiers. «Ça ne se retrouve pas dans les données officielles, ce feeling-là, me dira un fonctionnaire. Ça se sent. Et à ce moment-là, fallait faire quelque chose. Agir, et vite! Poser un geste. Aujourd'hui en 1974, ce serait différent. On dirait à ITT: écoutez, on vous aime bien, venez si vous voulez, mais des histoires de 40 millions de dollars en subventions et des séries de privilèges, pensez pas à ça. On vous fera pas un pont d'or, même si on se réjouit de votre venue... En 1970, c'était pas comme ça. Le feeling était le contraire d'aujourd'hui.»

Du côté ITT-Rayonier, les choses allaient différemment. D'abord, on savait l'état de l'économie québécoise. On savait aussi que le marché européen, entre autres, serait particulièrement bon autour des années 1975. ITT comprenait également que pour viser l'Europe ou même les USA, avoir une forêt en bordure de l'Atlantique, comme c'est le cas à Port-Cartier, c'est un énorme avantage. ITT prévoyait encore que, nécessairement, l'Union nationale, en débandade depuis la mort de Johnson, ferait vers 1970 des élections générales.

Autre chose: ITT n'ignorait pas, loin de là, que tout n'allait pas pour le mieux entre les ministres libéraux fédéraux et les ministres unionistes québécois. ITT n'ignorait pas davantage que les maîtres d'Ottawa souhaitaient que le Québec revienne aux mains des libéraux. Alors, peut-être qu'avec des libéraux partout, le fédéralisme serait, pour ITT aussi, «rentable».

En jouant la prudence et la patience, ITT jouait juste: au lendemain du 29 avril 1970, avec l'engagement de Jean Lesage comme négociateur spécial pour le gouvernement du Québec, avec la collaboration désormais véritablement active des fonctionnaires d'Ottawa, les «conditions» s'améliorèrent. Les subventions, par exemple, atteignirent 40 millions de dollars. «Une montée presque de l'ordre d'un à quatre...» dit un observateur près de la table des négociations. Mieux encore: maître Marcel Piché, principal négociateur pour ITT, avoue spontanément qu'au début des négociations, la compagnie réclamait 12 millions de subventions. Petit à petit, dit-il, les études de coût et de rentabilité se précisant, on en est arrivé à 40 millions. Plus d'incroyables avantages.

Nos gouvernements, systématiquement et de plus en plus d'ailleurs, ont toujours — et sans pudeur aucune — affirmé notre impuissance collective, comme s'il s'agissait là d'un élément fondamental de notre fiche d'identité. Écoutez parler Duplessis. Et mieux encore, Bourassa: nous n'avons pas les capitaux, clament-ils (Bourassa est plus sophistiqué et plus mystificateur, il parlera du «capital de risques»); pas les marchés mondiaux que, seules, possèdent les grandes entreprises; pas le know-how (le savoir-faire technologique); pas les cadres expérimentés...

La réalité est que la direction de l'État a toujours été aux mains des représentants de notre petite bourgeoisie «colonisée» puisqu'il faut bien employer les mots justes, assoiffée de pouvoir, complexée, tout à la fois séduite et intimidée par les dirigeants des grandes corporations internationales, surtout américaines.

Dans l'intimité et la confiance d'une fin de longue interview, dans un bureau confortable, «entre Canayens français», il n'est pas rare du tout — il est même très fréquent — que votre interlocuteur, haut fonctionnaire québécois ou fédéral, homme d'affaires ou politicien, laisse tout à coup très distinctement paraître (quand il ne le dit pas tout simplement) ses sentiments, pour ne pas dire ses émotions vis-à-vis des «grands», venus des USA, qu'il a déjà eu l'occasion, pour ne pas dire le très vif plaisir, de rencontrer et de côtoyer le temps d'un banquet, d'une visite industrielle, d'une négociation ou d'une inauguration. À certains moments, c'est presque de jouissance qu'il faudrait parler. Une claque dans le dos amicalement donnée par un vice-président USA, c'est un événement qui se raconte!

Est-il possible que de tels hommes puissent imaginer, et surtout imposer un modèle de développement pour le Québec qui ne passe pas nécessairement par les officines des géants USA?

C'est ainsi, dans ce climat abominablement vicié, que depuis les années 1963-64, un peu partout dans le monde (New York, Londres, Tokyo et ailleurs) les «peddlers» du Québec cherchaient un exploiteur vraisemblable pour la Côte nord. Sans succès. Il faut noter ici que l'on cherchait non pas une formule de développement à plus ou moins long terme, intégrée à la vie québécoise, mais bien un gros exploiteur, capable de tout avaler d'une bouchée. À grosse forêt, grosse compagnie!

En 1966, au lendemain de la victoire de Daniel Johnson sur Jean Lesage, le nouveau ministre des Terres et Forêts, Claude Gosselin, avec son équipe trouve le nom de la compagnie Gottesman de New York dans les classeurs ministériels. Intéressée à la forêt québécoise. Gottesman, c'est une compagnie qui s'occupe de production forestière, mais qui agit aussi, à l'occasion, comme intermédiaire.

Première étape du développement: connaître avec un minimum de précision la forêt dont on parle. Gottesman investira dans cette opération, dit-on, au moins 200 000 dollars. Le Québec, en trois ans, investira pour sa part trois quarts de millions en photos aériennes et en analyses de ces photos. C'est ainsi que les 51 000 milles carrés de la forêt de la Côte, on les a en photos, au ministère. Un des grands artisans de ces études sera la maison d'ingénieurs Omer Lussier, de Québec. Elle décrochera, du gouvernement, plus exactement des Terres et Forêts, pour un peu plus d'un demi-million de dollars en contrats. Comme il est bien connu que «là où y a de la gêne y a pas de plaisir», Omer Lussier travaillera aussi pour Gottesman. Contrat conjoint. C'est courant, dit-on chez Lussier. À ce point, c'est exceptionnel, dit-on à Québec, mais fallait faire vite. En même temps. En 1968, quand Gottesman refilera son projet à ITT-Rayonier, Omer Lussier «switchera» lui aussi chez ITT. Il est le grand spécialiste québécois, dit-on, et on le serait à moins. Le know-how, il connaît ça!

Pendant tout ce temps, le lobby fonctionne bien. Ainsi, par hasard, le ministre de l'Industrie et du Commerce, Jean-Paul Beaudry, sera-t-il amené à causer longuement du projet avec un gars de Gottesman présent, par hasard lui aussi, à un cocktail donné en l'honneur de Johnson en voyage à New York avec Beaudry. On ne sait plus trop qui fait la cour à qui.

1968: grosse année pour ITT qui magasine beaucoup. On retrouve, dans son panier à provisions, quand elle passe à la caisse, plusieurs entreprises moyennes et plusieurs grosses. Elle paie au caissier, par exemple, près de 300 millions pour contrôler la compagnie Rayonier, spécialiste de la rayonne, comme son nom l'indique, àinsi que de nombreuses productions liées à la forêt. ITT se fera livrer aussi, cette année-là, la boulangerie Continental (le bon pain Wonder...) une affaire de 200 millions environ. Puis les hôtels Sheraton, puis...

Aussitôt que Rayonier entre dans la grande famille ITT, Gottesman lui refile son projet québécois. Et les négociations reprennent de plus belle, à Montréal, New York et Québec. Le jet du gouvernement transporte, à l'occasion, les gars d'ITT dont les précieux horaires ne coïncident pas toujours avec ceux des sociétés aériennes. Johnson dit à son monde: «Une chose m'importe, c'est que les prérogatives du Québec soient préservées. Ça m'est égal que ce soit Rayonier ou une autre compagnie qui vienne sur la Côte.» Et il suggère que la compagnie, pour mener à bien ses négociations avec le Québec, se choisisse un procureur québécois. Il recommandera que ce procureur soit Marcel Piché, un de ses bons amis et, par ailleurs, un allié des intérêts de la famille Simard, la même famille qui portera plus tard le jeune Bourassa au pouvoir. Décidément, ITT est dans le trèfle!

La logique suivra son cours: et quand plus tard les libéraux prendront le pouvoir, Arthur Simard sera installé au conseil d'administration de Rayonier-Québec. «Ce n'est pas Bourassa qui l'a fait nommer», proteste avec une certaine naïveté le pourtant expérimenté et célèbre avocat Piché. «Arthur Simard est un bon ami à moi, nous avons souvent travaillé ensemble et c'est moi qui l'ai fait nommer...» Maître Piché craint le scandale: au moment de ce reportage, le Québec nage dans les eaux malodorantes de Paragon et de Reynolds. «À cause de tout ce qui se passe, dit maître Piché, je veux préciser les choses.»

Du même coup, cependant, il se trouve à préciser malgré lui qu'il n'est pas du tout exclu que le premier ministre Bourassa intervienne auprès des conseils d'administration des grandes entreprises pour y faire nommer ses amis!

Les mois passent donc, on négocie. On s'entend sur certains points et ITT, visiblement, est intéressée. Mais Johnson meurt.

Bertrand lui succède et on sait la suite: le Québec connaît des heures pénibles, rien ne va plus. ITT, patiemment, attendra. Début 1970, il y aura des élections, les négociations sont aussitôt rangées au frigidaire. Il était peut-être temps: «Une rencontre de plus avec Jean Marchand, puis je devenais séparatiste! Ah! le maudit», commente, encore rageur, un ex-ministre de l'Union nationale.

ITT-Rayonier s'est-elle mêlée des élections? a-t-elle souscrit à l'une ou l'autre des caisses électorales ou aux deux? Toutes les grosses entreprises ou à peu près le font. ITT n'a pas la réputation de lésiner là-dessus, son passé aux USA en fait foi. Mais le secret des caisses électorales étant aussi étanche que le secret de la confession, il est difficile d'avoir des précisions sur ce qui s'est déroulé au printemps 1970.

Le 29 avril, quand Bertrand est battu par Bourassa, l'entente Québec-ITT est pas mal avancée au niveau des principes. «Reste à mettre des chiffres.» Il faut aussi s'entendre sur la définition du genre de forêt qui sera mise à la disposition de la compagnie. De même que sur les fameux droits de coupe. On y verra rapidement. Jean Lesage est nommé, par Bourassa, négociateur spécial pour le Québec.

Là, deux versions différentes: «Voyons, tu connais Lesage! Il a demandé à Piché de rédiger l'accord puis il a signé. Et il est allé se faire payer!» Autre version: «Lesage a mené une négociation très serrée, très dure, très efficace. Il a fait des colères, a été intransigeant.»

Commentaire de l'extérieur, celui de Jacques Parizeau, qui a bien connu Lesage: «Je ne sais pas ce qui s'est passé dans cette négociation précisément. Ce que je sais, cependant, et ça il faut le reconnaître, c'est que Jean Lesage est un négociateur d'une efficacité fantastique...»

Alors? Alors Lesage a vraisemblablement négocié. Ne serait-ce que par déformation professionnelle. Ce qui compte, c'est le résultat final. Le voici, en bref:

- Du côté d'Ottawa, on s'engage à verser à ITT 30 000 dollars par emploi créé en usine. C'est le maximum. Pour ITT, cela signifie environ 13 millions. De plus, on inclut en décembre 1970 officiellement la ville de Port-Cartier dans le groupe des «zones spéciales», ce qui a pour conséquence d'autoriser le versement d'une autre subvention de huit millions, à divers titres. Et des réductions d'impôts. Total d'Ottawa: 21 millions de dollars.
- Du côté de Québec, l'État prêtera, sous forme d'équipement achetable sans taxe de vente, une somme de 19 millions de dollars remboursables en 25 ans sans intérêt! C'est Rexfor, société d'État, qui sera chargée de l'opération. Pour que Rexfor le fasse, il faut modifier la loi qui la régit. On le fera en juillet 1971, malgré les protestations et les cris de l'Opposition créditiste et souverainiste.
- Le gouvernement du Québec s'engage encore à construire la route de Sept-Îles au Havre Saint-Pierre au coût estimé de

17 millions, puis, si nécessaire, celle qui reliera Havre Saint-Pierre à Petite Rivière Mécatina. Ponts compris. Pour avoir une petite idée du projet, regardez la carte et pensez à l'hiver! Puis, en quelques minutes, par l'arrêté-en-conseil 1371, on modifie le Code de la route pour assurer ITT que ses gros camions pourront légalement circuler sur la route neuve! Ce qu'ITT a obtenu si facilement, les camionneurs du Québec le réclamaient depuis des années!

• On fera une autre exception pour la compagnie ITT-Rayonier: contrairement à la loi générale des Terres et Forêts, c'est le Québec qui paiera les frais de prévention et de protection contre les incendies. C'est également nous qui paierons les frais de la lutte, en cas d'incendie, à moins de faire la preuve qu'une «faute lourde» a été commise par ITT. De fait, soyons précis, ITT-Rayonier paiera une fraction du coût de la lutte contre les incendies: huit sous et demi par corde de bois. Soit 51 000 dollars les premières années et, au maximum, vers 1987, 153 000 dollars par année. Pour le Québec, cela signifie des déboursés, à ce seul titre, de 561 000 dollars en 1974. Cette somme, payable à chaque année, atteindra 657 000 dollars en 1987. Si on y ajoute les frais de mesurage portés aussi au compte du Québec, on dépasse les 800 000 dollars annuellement.

Ces chiffres, signalons qu'ils sont extraits d'une étude commandée par le ministère de l'Industrie et du Commerce à la maison Études et consultations en administration (ECA), de Montréal, présidée par monsieur Bernard Marois. L'étude avait pour but de voir si l'implantation était ou non rentable pour le Québec. Le ministère a fourni comme principale matière de travail à la société d'études des documents... d'ITT! Des documents, donc, qui ne pouvaient que faire ressortir les aspects intéressants pour le Québec. Les auteurs de l'étude manient donc avec prudence — et le disent — ce matériel. La conclusion est évidemment que le Québec sortira bénéficiaire de l'opération et récoltera, en 25 ans, entre 45 et 68 millions de dollars de revenus en impôts. Évidemment, l'étude ne comptabilise pas toutes les dépenses du Québec et ne tient pas compte, non plus, des inévitables rabattements d'impôt. Mais faut-il prendre au sérieux une étude de «rentabilité» qui n'apparaît qu'une fois la négociation terminée? Son objectif, aux yeux du gouvernement, n'était-il pas, simplement, de servir de justification et d'outil de publicité, en démontrant la rentabilité du projet? Chose sûre, les coûts pour le Québec sont minimisés et ses revenus gonflés. On peut donc citer les coûts en toute confiance, sans crainte d'exagérer, sachant qu'ils auront tendance à être en deçà de la vérité.

• Du côté du Québec toujours: les fameux droits de coupe. Partout au Québec, les compagnies forestières versent à l'État 2.50 dollars par corde de bois coupé, plus d'autres frais. Pour ITT, ce droit de coupe a été fixé à 50 cents la corde. Mesurons un peu la générosité gouvernementale: 600 000 cordes à 2.50, ce serait 1 500 000 dollars en droits de coupe. Québec demande 50 cents seulement, donc 300 000 dollars, soit une réduction annuelle de 1 200 000 dollars. Quand ITT exploitera toute la forêt, en 1987, et donc coupera 1 800 000 cordes de bois, elle économisera, à ce chapitre, la somme de 3 600 000 dollars. Chaque année. «C'est encore beaucoup trop cher, compte tenu des difficultés d'aller couper ce bois», affirme maître Piché. Il faut noter que ce prix de 50 cents sera majoré selon les fluctuations du marché. Toutefois, ces majorations seront partiellement ou totalement annulées par les réductions accordées à ITT, si elle fait du reboisement. «Allez-vous faire du reboisement?» avons-nous demandé à maître Piché: «Oui, nous en ferons.»

• Québec aussi s'engage à n'appliquer à ITT aucune des lois forestières en vigueur actuellement ou qui le deviendrait, et qui serait en contradiction avec le contenu de l'entente. ITT est donc, en un sens, au-dessus des lois.

• Le contrat, enfin, est d'une durée de 40 ans. Et renouvelable pour 40 autres années. «C'est ça qui est extraordinaire, dans ce contrat, notera monsieur Jacques Parizeau. Quand on pense que les concessions forestières sont d'une durée d'un an, renouvelables à chaque année...» Il s'agit ici d'un précédent: ITT voulait une «concession», le gouvernement ne voulait pas. Il a offert une forêt domaniale, donc publique et a «compensé» par un contrat d'exclusivité sur le territoire pendant au moins 40 ans!

• Dernier point à noter: en cas d'agitation civile, d'émeute, de grève, de lock-out ou de fluctuations majeures du marché, ITT peut sacrer le camp et cesser son expansion sur la Côte...

«C'est rien, me dit une des personnes présentes à la table des négociations, ITT voulait que le Québec s'engage — et Lesage a dû se battre sur ce point — à prendre la défense de la compagnie, en cas de troubles!... Les gars d'ITT voulaient aussi un club de pêche. Par distraction gouvernementale, ils ont failli obtenir le club privé des Simard! Ils sont voraces. Un autre détail: le ton du contrat qu'ils voulaient imposer était tel qu'on aurait pu croire que c'est ITT qui recevait Québec chez elle, et non le contraire! Ça été une négociation difficile.»

Il y a cependant une donnée de cette négociation qui a dû permettre un assouplissement des moments trop tendus: Jean Lesage et Marcel Piché, qui s'affrontaient, avaient à ce moment — et ont toujours — des intérêts communs. Maître Piché est secrétaire du conseil d'administration de Reynolds Aluminium (avec l'inévitable famille Simard) alors que maître Lesage est l'un des directeurs de Canadian Reynolds Metal. Et quoi qu'en dise maître Piché, ces deux compagnies sont bel et bien petites sœurs, étant filles toutes deux légitimes de la société américaine Reynolds Metal. On se trouvait donc un peu en famille, ce qui n'a rien d'anormal, affirme maître Piché.

Quant à maître Lesage, il n'affirme rien du tout, préférant ne pas rappeler les correspondants qui laissent leur numéro.

Fin septembre 1970, tout est réglé. Il restait à fignoler, à rédiger les textes, etc... Tout fut terminé en juin 1971, en plein cœur du débat orageux sur la création de la Société de la Baie James. Si bien que l'annonce de ce que Bourassa appelait, modestement comme toujours, le «plus grand projet forestier de l'histoire du Québec» passa au second plan dans l'actualité.

Bourassa annonça ce que Québec retirerait de cet investissement total de 500 millions, réalisable en trois phases de 165 millions chacune, la première débutant aussitôt. En termes d'emplois: 1 800 en 1974 et trois fois plus en 1987, soit 5 400, dont 1 200 en usine et 4 200 en forêt. Ça, c'est pour les emplois directs.

À cela, s'ajoutent les emplois provoqués par la construction même des installations, soit plus de 1 000 pendant trois ans. Plus les emplois indirects. Bourassa parle alors de 10 000. Aujourd'hui, les fonctionnaires utilisent ce chiffre avec un sourire, puisqu'il tient compte du dentiste qui va réparer les dents des fournisseurs d'ITT et, pourquoi pas, de l'auteur de cet article qui, sans ITT, ne l'aurait jamais écrit!

Parti en peur, Bourassa en mit trop: il affirma que l'entente entre le Québec et la compagnie prévoyait que le français serait la langue de travail en forêt (on s'en doute!) et à l'usine. Vérification faite, l'entente ne souffle pas un traître mot, ni en anglais ni en français, de cette question. Interrogé, Bourassa répond: «Ce sont des choses qui ne s'écrivent pas dans des contrats de cette nature... C'est verbal!»

«On ne ferait plus ça aujourd'hui», mais c'est fait et pour 80 ans. Faible, le Québec de Bourassa négociait du creux de la vague avec un géant américain qui, en 1970, brassait pour six milliards 700 millions d'affaires. Plus que le gouvernement québécois qui n'en brassait que quatre milliards. C'était, pour nos dirigeants tout neufs, Bourassa et Desrochers, comme diraient les jeunes, un «trip orgasmique».

À la conférence de presse convoquée pour annoncer officiellement le projet, on ne vit pas, autour du premier ministre Bourassa et des ministres Drummond et Marchand, comme cela se produit pourtant dans ce genre d'occasion, le président d'ITT, Harold S. Geneen. Ses hommes y étaient, lui ne daigna pas se déranger. Il faut signaler ici que Geneen est une sorte de mégalomane qui a fait faire de l'antichambre même au roi Baudoin de Belgique, s'il faut en croire le journaliste anglais Anthony Sampson. Alors les conférences de presse au Parlement de Québec...

La nouvelle société québécoise était née. Son nom: Rayonier-Québec. À sa tête, des Américains. On nous avait promis que cinq des 12 administrateurs seraient «canayens français», y compris et surtout le président. Il y en a trois. Et ITT a raté celui sur qui elle comptait le plus pour refaire son image au Québec, Lucien Saulnier. Car la réputation d'ITT est pas mal misérable: scandales des contributions illégales à Nixon, violation des lois américaines anti-trust, et surtout l'effroyable scandale d'ITT au Chili, sa participation à un complot et sa volonté de souscrire au moins un million de dollars en vue de renverser le régime Allende qui, effectivement, le sera plus tard avec les conséquences tragiques que l'on sait.

ITT a mauvaise réputation: on retrouve même au conseil d'administration le nom de John McCone qui a traîné dans les scandales nixoniens et qui, surtout, se trouve être un ancien directeur de la CIA. Et il lui arrive encore de travailler pour la CIA «à temps partiel...» Pour fins de réflexion, rappelons qu'ITT opère dans quelque 90 pays et qu'il est notoire que la CIA utilise fréquemment et de plus en plus les sociétés multinationales pour mettre en place ses agents en pays étrangers!

Donc, nécessité de se faire une beauté québécoise. ITT offre la présidence de Rayonier-Québec à Lucien Saulnier. Visiblement, ITT méconnaît Saulnier qui refuse de s'identifier à une entreprise qui vient de piger voracement dans les fonds publics, qui affiche une attitude méprisante à l'endroit des peuples et qui, au fond, ne veut l'avoir que comme façade. ITT oublie que Saulnier a déjà décliné la présidence d'Air Canada, qui était plus honorifique qu'autre chose. Il fera de même pour Rayonier. Interrogé à ce sujet, maître Piché déclare que monsieur Saulnier a décliné pour des raisons de santé.

Qui sont donc les trois Québécois en place? Maître Marcel Piché évidemment, et Arthur Simard, qui n'éprouve apparemment pas les mêmes scrupules que Lucien Saulnier. Puis le doyen de l'École des Hautes Études Commerciales, monsieur Roger Charbonneau, par ailleurs membre de la Fondation Lionel Groulx qui doit bouger un peu dans sa tombe!

Faisant le bilan, pour le Québec, de cette implantation, un haut fonctionnaire, après avoir noté comment ITT a tenu à acheter dans la mesure du possible son équipement au Canada et au Québec, laisse tomber tout à coup: «Vous savez, ITT se conduit chez nous comme une bonne citoyenne!» ITT, bonne citoyenne? Les publicistes d'ITT le crient partout. Ils l'ont effectivement dit beaucoup au Chili. Comme ils crient le slogan officiel: «Partout au service des hommes et des nations». On a comme un froid dans le dos quand un homme sérieux, respectable et responsable, laisse tout à coup tomber, comme si cela naissait de sa propre réflexion, un quasi slogan publicitaire.

Donc, 1 800 emplois directs en 1974 et 5 400 en 1987, surtout des emplois en forêt. Mais les Québécois ne veulent plus aller en forêt, comme bûcherons, même si les bûcherons seront hautement mécanisés. Ils seront, par exemple, aux commandes de gigantesques camions suédois valant 92 000 dollars pièce, des camions-robots capables de couper les arbres, de chaque côté, sur une profondeur de 35 pieds, et de les charger seuls. L'invraisemblable engin franchit sans difficulté troncs d'arbre et grosses roches. Le «bûcheron» qui est aux commandes joue avec les manettes dans sa cabine chauffée en écoutant, dit-on, comme la ménagère qui fait son repassage, son transistor!

Mais les gars de la Gaspésie, eux, assis devant les films racoleurs produits par ITT-Rayonier pour les séduire et les amener en forêt, restent « cool »...

Ce bois, si on finit jamais par le couper, on le transporte au moulin où il est transformé en pâte par une machine d'un tiers de mille de long! Attention, ce n'est pas là une technologie de pointe, ou particulièrement avancée. C'est gros, mais d'une technologie très bien connue.

Au moulin, on transformera donc 600 000 cordes de bois par année pour en faire 263 000 tonnes de pâte. En 1987, quand la troisième usine fonctionnera, on transformera annuellement 1 800 000 cordes de bois en 789 000 tonnes de pâte qu'on expédiera à peu près totalement à l'étranger sur des bateaux étrangers.

À l'étranger, cette pâte rudimentaire, on la transformera en fibres, en tissus, en objets les plus divers. C'est là, en fait, que les emplois seront créés. Pour nous faire une idée, considérons la donnée suivante: la compagnie Celanese, qui produit des textiles, transforme une pâte à peu près identique à celle de Port-Cartier. Celanese a une usine à Drummondville, où elle produit des « flocons », puis des fibres et enfin des tissus. Celanese a une autre usine, plus moderne, à Edmonton, où elle transforme la pâte sans aller jusqu'au tissu.

Voilà donc deux usines, l'une très moderne, l'autre plus ancienne. On y transforme jusqu'à divers stades la pâte dissolvante. Ensemble, les deux usines emploient quelque 2 500 personnes qui transforment, par année, 33 000 tonnes, environ, de pâte. Si on applique ce chiffre à la production de Port-Cartier, on peut dire que 263 000 tonnes de pâte produite par 1 800 travailleurs vont créer, ailleurs dans le monde, environ 20 000 emplois. Et en 1987, les 5 400 travailleurs d'ITT-Rayonier-Québec créeront de l'emploi pour 60 000 travailleurs à l'étranger, en Europe surtout!

De toute évidence, cette façon de calculer est hautement contestable. Car quand commence la transformation et quand finit-elle? À la fibre? Au tissu? À la teinture du tissu? À sa coupe? Une chose demeure certaine cependant: ITT-Rayonier utilise notre matière première, le bois, primairement transformée de façon à faciliter le transport, et crée, ailleurs dans le monde, des emplois que nous subventionnons de nos impôts. À combien se chiffrent ces emplois? « À des milliers certainement », constate un haut fonctionnaire par ailleurs d'accord avec l'entente ITT-Québec. Il faut bien constater que la très large majorité des emplois créés par ITT au Québec sont des emplois de bûcherons, et que ce genre d'emplois commence à répugner aux Québécois d'où la difficulté qu'éprouve ITT à recruter des travailleurs!

5 400 emplois nouveaux? Mais s'il se trouvait qu'ITT-Rayonier vole le marché des autres producteurs canadiens, ou québécois, comme Tembec, qui produit la même chose qu'ITT?

« Aucun danger, me répond-on, ITT va vendre sa production à l'étranger, au Marché commun. »

— Vous êtes sûr?

« Évidemment l'entente a été faite. Je vais vous trouver ça... »

De fait, rien ne fut trouvé parce que rien n'est écrit à ce sujet capital. Recherches faites, mon interlocuteur dira: « Rien n'est écrit mais il est clair dans mon esprit que cela a été convenu. »

Le négociateur de Rayonier, maître Piché, affirme péremptoirement: « Il n'a jamais été question de cela. Jamais. » Il ajoute qu'effectivement ITT vendra non seulement en Europe mais aux États-Unis et au Canada. Le tout nouveau dépliant luxueux de Rayonier le confirme à son tour.

Pourtant, dans son allocution d'ouverture des travaux, le 16 octobre 1971, le président intérimaire (il l'est encore) de Rayonier-Québec, monsieur B. W. Haskell, soulevait cette question des marchés existants et disait textuellement: « Notre décision de construire ce moulin est fondée sur les besoins des marchés européens en pâte dissolvante en 1975. Nos plans ne sont très certainement (definitely) pas fondés sur la volonté de nous emparer des marchés de quelque papeterie canadienne que ce soit. »

Chez Tembec, on croit qu'il y a sans doute de la place pour tout le monde sur les marchés mondiaux. Mais monsieur Dottori note malgré tout le fait qu'ITT a un avantage: elle est située en bordure du golfe Saint-Laurent, face à l'Atlantique. Tembec est dans le Témiscamingue! Quant aux marchés canadiens, la lutte sera féroce. Tembec, entreprise rachetée de l'International Paper par ses cadres et employés, concurrencera-t-elle longtemps ITT?

Rexfor, cette société d'État chargée de dépenser pour ITT le « prêt » québécois de 19 millions, a été créée, à l'origine, pour récupérer les forêts qui allaient être inondées à jamais par la construction des barrages sur la Manicouagan.

Depuis, elle continue de fonctionner en coupant du bois en différents coins du Québec. Pour plusieurs qui ont vu naître et un peu grandir Rexfor, le grand rêve, réalisable, était à peu près le suivant: que Rexfor devienne une société chargée par l'État de l'exploitation de toutes les forêts du Québec.

Si une compagnie, dont la production est à base de bois, s'installe au Québec, elle signe des ententes d'approvisionnement avec Rexfor qui lui garantit du bois. Ce serait la fin des concessions, des ventes de bois debout, etc... La forêt serait ainsi gérée par un organisme d'État, de façon cohérente, loin des chamaillages entre compagnies au sujet d'une concession, d'une qualité de bois supérieure ou inférieure. Et le Québec aurait la main haute sur la plus importante de ses richesses.

La venue de Rayonier et l'ouverture de la grande forêt du Nord étaient une occasion rêvée pour Rexfor. L'État aurait pu dire à ITT: ouvrez vos usines, nous vous vendrons la quantité de bois dont vous avez besoin, livré à la papeterie.

De fait, il en fut rapidement question à la table des négociations. Rapidement. ITT accepta le principe, dit le sous-ministre des Terres et Forêts, monsieur Duchesnault, mais ne voulut pas payer plus que le prix prévu initialement dans son étude de rentabilité. Ce prix, tous le reconnaissent, était très inférieur au prix réel. Quant à maître Piché, il se contente de nier l'existence de quelques pourparlers que ce soit à ce sujet!

En fait, ITT ne voulait pas de ce genre d'arrangement. «Les grandes sociétés, américaines surtout, veulent toutes et toujours posséder la ressource, ou y avoir un accès garanti», dira un spécialiste en promotion industrielle. Aussi, l'idée de se faire approvisionner par une société différente d'elle-même déplaisait-elle à ITT.

Ceci dit, le président de Rexfor lui-même devait désamorcer le projet, en n'y voyant aucun intérêt pour le Québec. Interrogé, monsieur Omer Côté dit en effet: «On risquait de mettre le Québec dans le trou de quatre ou cinq millions de dollars par année. D'ailleurs, c'est pas à Rexfor que cette idée-là est née. Et puis de toutes façons, qu'est-ce que ça change que ce soit Rexfor ou ITT qui exploite la forêt? C'est de la substitution, tout simplement. Et comme les risques sont énormes, j'aime autant que ce soit ITT que Rexfor qui les coure.»

Il reste la Côte. Port-Cartier. Un négociateur disait: «Pour la Côte nord, c'est excellent. Ça permet de diversifier l'activité. Ça rend donc la population plus libre...» On pourrait évidemment ergoter longtemps sur cette notion de «diversification», quand on songe qu'en réalité ITT s'ajoute à deux corporations multinationales, l'Iron Ore et Quebec Cartier Mining et qu'en arrivant dans cette forêt ITT bloque la venue de toute autre industrie forestière! C'est du développement immobile, statique, si l'on peut dire!

Le maire de Port-Cartier, monsieur Louis Dufresne, un homme modéré, note en le déplorant que les municipalités sont toujours les dernières prévenues du développement qui les frappe. Dans le cas de la venue d'ITT, par exemple, cela signifie que la ville va doubler de population très rapidement. Cela veut dire des rues, des prolongements considérables d'aqueduc et d'égouts, organisations de loisirs, bref une nouvelle ville à créer. Presque d'un seul coup.

«De 1971, moment de l'annonce de la venue d'ITT, jusqu'en 1974, donc en trois ans, la dette de Port-Cartier est ainsi passée de un à huit millions de dollars.»

— Et les taxes payées par ITT sont de combien?

— En 1972, ITT nous a donné une subvention de 200 000 piastres. Elle ne payait pas encore de taxes. En 1973, elle a porté sa subvention à 300 000 plus 40 000 piastres de taxes pour son terrain industriel. En 1974, on estime qu'on retirera en plus à peu près 100 000 dollars de taxes sur les bâtisses d'ITT. L'équipement n'est pas taxable. ITT est évaluée, ici, à sept millions, sans la machinerie bien sûr.

— Et le quai de sept millions?

— Le Québec vient de changer sa loi: les quais ne sont plus taxables au Québec. Nous, on perd le quai d'ITT et celui de Cartier Mining. À peu près 300 000 dollars par année!

Les revenus augmentent peu, mais les besoins beaucoup, et vite. À Port-Cartier, en 1972, il y avait huit policiers. Il y en aura 17 à la fin de 1974. La population de Port-Cartier était calme et stable depuis dix ans. En 1973, tout d'un coup, on a compté trois vols à main armée. Le développement porte donc, en plus, sa charge de violence.

## TABLE DES MATIERES